edition suhrkamp

Redaktion: Günther Busch

Dieter Senghaas, geboren 1940, ist Professor für Politikwissenschaft an der Universität Frankfurt am Main; zur Zeit ist er Forschungsgruppenleiter in der Hessischen Stiftung Friedens- und Konfliktforschung, Frankfurt am Main.

Der Zusammenhang von Weltwirtschaftsordnung und Entwicklung bzw. Unterentwicklung ist Gegenstand des vorliegenden Buches. Während die Regierungen der Dritten Welt heute eine »Neue internationale Wirtschaftsordnung« fordern, verteidigen die Industriegesellschaften des Westens das überkommene Weltwirtschaftssystem als den Garanten anhaltenden Wachstums und sozialen Fortschritts für alle Beteiligten, die Entwicklungsländer eingeschlossen. Trotz des diplomatischen Drucks der Dritten Welt und spektakulärer internationaler Konferenzen über Probleme der internationalen Ökonomie werden bisher kaum mehr als unverbindliche strukturpolitische Konzessionen angeboten, die einer weiteren Liberalisierung der internationalen Wirtschaft dienen sollen. Der Autor untersucht den Realitätsgehalt der offiziellen Selbstdarstellung von Industriegesellschaften und Dritter Welt. In theoretischer Analyse und mit Hilfe von Falluntersuchungen beschreibt er die Ideologiehaftigkeit gängiger wirtschaftswissenschaftlicher und wirtschaftspolitischer Doktrinen über Struktur und Funktionsweise der internationalen Ökonomie. Darüber hinaus prüft der Autor die Voraussetzungen einer Entwicklungspolitik, die ihr eigentliches Ziel: Befriedigung von Grundbedürfnissen der in sozialem Elend und absoluter Armut lebenden Menschen, erreicht. Seine Grundforderung ist die Abkopplung peripherer Gesellschaften vom kapitalistischen Weltwirtschaftssystem, weil ohne eine solche Dissoziation die aus abhängiger Akkumulation sich ergebenden Strukturdefekte nicht überwunden werden können. Der Aufbau eng verknüpfter Wirtschaftskreisläufe zwischen Landwirtschaft, Kapitalgüterindustrie und der industriellen Produktion von Massenkonsumgütern bildet die zweite Grundforderung. Die dritte Forderung besteht in der Überwindung ›balkanisierter‹ Strukturen im jeweiligen regionalen bzw. kontinentalen Zusammenhang. Eine Entwicklungspolitik systematischer Binnenmarkt-Erschließung vermag Wirtschaftswachstum und eine in die Breite wirkende soziale Entwicklung zu vermitteln.

# Dieter Senghaas
# Weltwirtschaftsordnung und Entwicklungspolitik

## Plädoyer für Dissoziation

Suhrkamp Verlag

edition suhrkamp 856
Erste Auflage 1977
 Satz, in Linotype Garamond, Druck und Bindung bei Georg Wagner, Nördlingen. Gesamtausstattung Willy Fleckhaus.

# Inhalt

»Seitdem die Trojaner von den Griechen ein hölzernes Pferd geschenkt bekommen haben, ist es für die Nationen eine bedenkliche Sache geworden, von anderen Nationen Präsente anzunehmen.«

Aus Friedrich List, *Das nationale System der politischen Ökonomie,* Tübingen 1959 (Erstausgabe 1841), S. 154

»Es ist wahr, daß der Wohlstand der unterentwickelten Länder in der Vergangenheit davon abhing, was sie den Industriegesellschaften verkaufen konnten, aber es gibt keinen Grund, warum dies weiterhin so sein soll. Die unterentwickelten Gesellschaften haben alle Ressourcen, die sie für ihre eigene Entwicklung benötigen. Zusammengenommen haben sie einen Überschuß an Öl, Fasern, Eisenerz, Kupfer, Bauxit und praktisch jedem anderen Rohstoff. In der Landwirtschaft sind sie vollkommen fähig, durch wechselseitigen Austausch sich selbst zu ernähren, und sie müssen nicht die USA darum bitten, mehr Tee und Kaffee zu kaufen, damit sie amerikanisches Getreide bezahlen können, während sie mehr Getreide für sich selbst erzeugen könnten. Fertigkeiten sind in den unterentwickelten Ländern Mangelware, aber diese können gelernt werden, so daß sie die gesamte industrielle Verarbeitung selbst tätigen könnten. Mit Ausnahme von diesen Fertigkeiten könnte die Entwicklung Asiens, Afrikas und Lateinamerikas sich fortsetzen, selbst wenn der Rest der Welt im Meer versinken sollte. Wenn dem so ist, bedeutet dies, daß diese Länder die Lösungen für ihre Probleme selbst besitzen, und sie sollten aufhören, immer nur darüber nachzudenken, was sie den Industriegesellschaften verkaufen können bzw. was sie von diesen selbst einkaufen wollen.«

Aus W. Arthur Lewis, *Some Aspects of Economic Development,* Accra 1969, S. 15

»Die Jagd nach westlichem Lebensstandard war bestenfalls illusorisch. Nach zwei sogenannten Entwicklungsdekaden ist das schmerzlich offenbar. Der Abstand im Prokopfeinkommen zwischen reichen und armen Nationen hat sich in diesen 20 Jahren unaufhörlich erweitert. [...] Und alles deutet darauf hin, daß diese Kluft sich immer mehr ausdehnt, die reichen Nationen immer reicher werden, aller verkündeten Liberalität und Moralität zum Trotz. [...] Es ist deshalb völlig sinnlos, sich auf Entwicklungsziele nach dem Muster westlichen Lebensstandards zu versteifen und etwaigen Fortschritt an der Schließung des statistischen Grabens zwischen reichen und armen Nationen messen zu wollen. Solche Maßstäbe taugen allenfalls dazu, den reichen Nationen gelegentlich ein schlechtes Gewissen einzuflößen. Den Entwicklungsländern selbst aber bleibt keine andere Wahl, als sich auf die eigenen Füße zu stellen, ganz so wie das kommunistische China es vor 25 Jahren tat, und einen andersgearteten Lebensstil aufzunehmen, dessen Merkmale ihrer Armut Rechnung tragen, ausgerichtet auf unentbehrliche Gebrauchsgegenstände wie Töpfe, Pfannen und schließlich Fahrräder, statt auf Statussymbole wie Kühlschrank, Waschmaschine und Auto. Das erfordert:

1. eine Neufestlegung der wirtschaftlichen und sozialen Zielsetzungen, weg von diesen schwindelerregenden Ansprüchen westlichen Konsums;
2. die Ablösung der traditionellen Führungsschichten, ihrer Vorrechte und Interessen;
3. die Umverteilung der wirtschaftlichen und politischen Macht in der Dritten Welt;
4. zugegeben, in einigen Gesellschaften mag das unmöglich sein, d. h. nicht durch evolutionären Wandel, sondern höchstens durch Revolution erreichbar.«

Aus Mahbub ul Haq, *Traurige Bilanz. Mehr Hilfe ohne Hilfe. Schmerzhafte Absage an den Liberalismus,* in: *epd-Entwicklungspolitik,* Nr. 7, 1975, S. 11

»Es ist für uns angenehm und tröstlich, den Splitter in den Augen der entwickelten Länder zu sehen. Wir haben dieses Spiel lange genug gespielt, es macht uns auch Spaß mitzumachen. Es ist jedoch höchste Zeit, daß wir uns um den Balken in unseren Augen kümmern. Sind nicht die polit-ökonomischen Strukturen in vielen unserer Länder schockierende Beispiele für ungerechte Beziehungen, für die Konzentration von sozialer, wirtschaftlicher und politischer Macht in den Händen einer privilegierten Minorität? Eine merkwürdige Kombination von Traditionalismus, Feudalismus, Überbleibseln kolonialer Werte und eines neuen Militarismus charakterisiert viele unserer Gesellschaften. Wir müssen internationale Ungerechtigkeit öffentlich anprangern und gegen sie angehen. Aber wäre es nicht ein kolossaler Taschenspielertrick, mit dem man das Bewußtsein unserer Völker täuschte – der besitzlosen Mehrheit, in deren Namen wir auf internationalen Konferenzen unsere Radikalität zur Schau stellen – wenn die Stars internationaler Gerechtigkeit weiterhin als die Wächter des einheimischen Status quo aufträten? Deshalb sollte der Prozeß radikaler sozialer Veränderung in unseren Ländern vorangetrieben werden, ganz gleich, was sich auf der Weltebene abspielt. Das wäre der Eckstein, auf dem wir hoffentlich gerechte Grundmauern in internationalen Beziehungen errichten können. Falls in einem Entwicklungsland keine gerechten Strukturen vorhanden sind, wird internationale Gerechtigkeit keinesfalls dem Volke nutzen. Wenn internationale Prozesse es diesem Land ermöglichen, mehr Ressourcen zu erwerben, könnten sie den Exportsektor, die Gruppen, die die wirtschaftliche Macht monopolisieren, die politisch Herrschenden und die Eliten bereichern. Selbständige Entwicklung setzt innere soziale Gerechtigkeit voraus, um eine Neue internationale Wirtschaftsordnung aufzubauen.«

Aus Samuel L. Parmar, *Zur Kritik der Neuen Weltwirtschaftsordnung*, in: *epd-Entwicklungspolitik*, Nr. 3, 1976, S. II/III.

Friedrich List, 1789-1846, bedeutender deutscher Nationalökonom (siehe Kapitel II,2); W. Arthur Lewis, namhafter Entwicklungstheoretiker der fünfziger und sechziger Jahre, Autor von *The Theory of Economic Growth*, London 1954; Mahbub ul Haq, früher Mitglied der Planungskommission Pakistans, zur Zeit Direktor des Policy Planning and Program Review Department der Weltbank, Autor von *The Poverty Curtain. Choices for the Third World*, New York 1976; Samuel L. Parmar, Mitglied der Fakultät für internationale Ökonomie der Universität von Allahabad, Indien, zur Zeit Berater des Office of Education des Weltkirchenrates in Genf.

# Vorwort

Der Begriff *Weltwirtschaftsordnung* wird im Titel dieses Buches und in den nachfolgenden Studien – wie in der gegenwärtigen internationalen entwicklungspolitischen Diskussion – in einem inhaltlich begrenzten Sinne benutzt. Wörtlich genommen müßte er eigentlich auf die Struktur und Funktionsweise der gesamten internationalen Ökonomie bezogen werden. Solange diese eine Einheit darstellte, die sich in einem langwierigen historischen Prozeß herausbildete, war auch der Begriff der *Welt*wirtschaftsordnung unproblematisch.[1] Mit dem Aufbau der Sowjetunion, Chinas und einiger Entwicklungsländer als sozialistische Gesellschaften verliert der überkommene Begriff von (kapitalistischer) *Welt*wirtschaft seine exklusive Bedeutung. Die internationale Ökonomie gliedert sich fortan in zwei Gruppierungen, eine kapitalistische und eine sozialistische, und der Begriff der Weltwirtschaft kann unter solchen Bedingungen sich zunächst nur auf die Summe dieser beiden Gruppierungen beziehen.[2] Obgleich – wie aus *Tabelle 1* ersichtlich ist – heute knapp ein Drittel der Weltbevölkerung im sozialistischen Teil der Weltwirtschaft lebt und dort mehr als ein Fünftel des Weltbruttosozialproduktes erzeugt, wird wie vor 1917 und 1949 in der Regel der kapitalistisch dominierte *Ausschnitt* der Weltwirtschaft (in dem 67% der Weltbevölkerung 79% des Weltbruttosozialproduktes erwirtschaften) als *Welt*wirtschaft, *Welt*markt oder *Welt*wirtschaftsordnung bezeichnet. In dieser inhaltlich fragwürdigen, durchweg gängigen Redeweise kommt durchaus die *ehemalige, tendenziell weltweite Dominanz kapitalistischer Produktionsweise* zum Ausdruck. Ungeachtet der Frage, ob die genannten sozialistischen Gesellschaften ein effektives Gegensystem zum kapitalistischen »Welt«-Markt darstellen, ist dessen Existenz unstrittig, obgleich er seit mehr als fünfzig Jahren in der internationalen Ökonomie an Terrain verloren hat und keineswegs mehr mit der *Welt*wirtschaft insgesamt deckungsgleich ist.[3] Warum bis heute derart allgemeine Begriffe überleben, obgleich sie nur einen Ausschnitt der internationalen Ökonomie erfassen, wird u. a. aus *Schaubild 1* ersichtlich: die Masse der

*Tabelle 1:* Struktur des Weltwirtschaftssystems

| | | Zahl d. Länder | Bevölkerung in Mill | in % | Bruttosozialprodukt in Mrd $ | in % |
|---|---|---|---|---|---|---|
| 1 | Welt | 131 | 3 801 | 100% | 4 832 | 100% |
| 2 | Kapitalistische Metropolen | 21 | 647 | 17% | 3 124 | 65% |
| 3 | Sozialistische Gesellschaften Osteuropas und UdSSR | 7 | 355 | 9% | 854 | 18% |
| 4 | Kapitalistische Peripherien | 96 | 1 906 | 50% | 657 | 14% |
| 5 | Sozialistische Entwicklungsländer* | 7 | 893 | 23% | 197 | 4% |
| 2+3 | »Entwickelte« Länder | 28 | 1 002 | 26% | 3 978 | 83% |
| 4+5 | »Unterentwikkelte« Länder | 103 | 2 799 | 73% | 854 | 18% |
| 2+4 | Kapitalistischer Teil d. Weltwirtschaft | 117 | 2 553 | 67% | 3 781 | 79% |
| 3+5 | Sozialistischer Teil d. Weltwirtschaft | 14 | 1 248 | 32% | 1 051 | 22% |

Quelle: eigene Berechnung nach *World Military and Social Expenditures 1976*, New York: Institute for World Order 1976.

* Sozialistische Entwicklungsländer: Kuba, Albanien, China, Laos, Nordkorea, Kambodscha, Vietnam.

*inter*nationalen Transaktionen findet weiterhin im kapitalistischen Teil der Weltwirtschaft statt; demgegenüber ist der sozialistische Teil der Weltwirtschaft relativ randständig. Würden neben der Handelsstatistik Daten über Investitions-

*Schaubild 1:* Die Handelsbeziehungen zwischen Industrieländern, Entwicklungsländern und sozialistischen Ländern 1970 (Mrd. US-$)

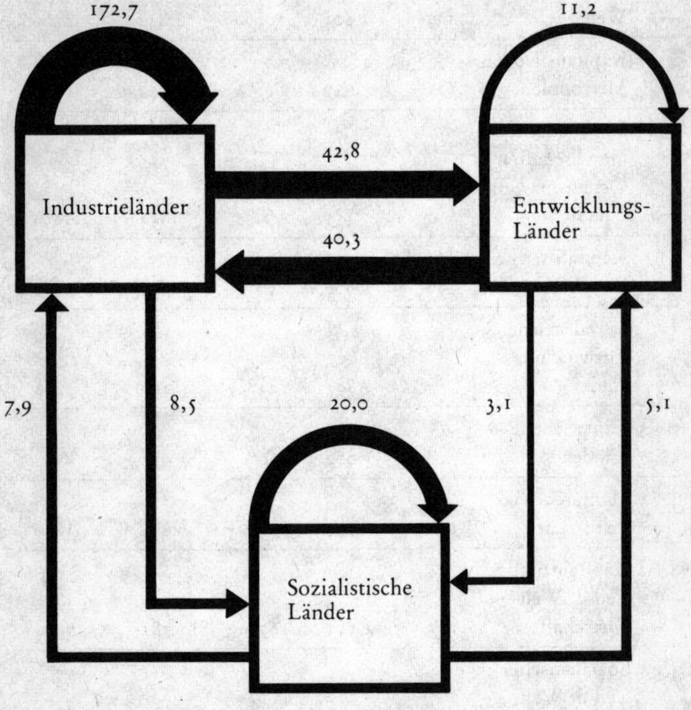


*Quelle:* UN Handbook of International Trade and Development, Statistics 1972, S. 46 ff., entnommen aus Claus Leggewie, *Politische Ökonomie des internationalen Systems,* Hannover 1975, S. 38.

ströme, Technologietransfer, Kommunikationsprozesse usf. aufgeführt, so würde sich das Bild, das die Handelsstatistik vermittelt, noch um einiges akzentuieren.[4]

Die von der Dritten Welt ausgelöste Debatte über eine »Neue internationale Wirtschaftsordnung« konzentriert sich auf den kapitalistischen Teil der gegenwärtigen Weltwirtschaft, da 93% aller sogenannten Entwicklungsländer ökonomisch in den kapitalistischen »Welt«-Markt integriert sind und – wie die neuere Entwicklungstheorie aufzuweisen vermochte – ihre gegenwärtigen strukturellen Entwicklungsprobleme eine Folge dieser Eingliederung in den kapitalistischen Weltmarkt sind.[5] Mit den fortgeschrittenen industrialisierten sozialistischen Ländern haben kapitalistische Entwicklungsländer nur in Ausnahmefällen beachtliche, im statistischen Durchschnitt jedoch äußerst geringfügige Verflechtungen.

Trotz der dargestellten inhaltlichen Vorbehalte wird im folgenden der Begriff *Weltwirtschaftsordnung* wie in der gegenwärtigen Diskussion über eine »Neue internationale Wirtschaftsordnung« benutzt. *Die nachfolgenden Studien beziehen sich also nur auf den kapitalistischen Ausschnitt der gegenwärtigen Weltwirtschaft.* Unter entwicklungspolitischen Gesichtspunkten ist dies auch gerechtfertigt, da – wie z. B. der zweite Bericht des Club of Rome indirekt aufzuweisen vermochte – die typischen sozialen Probleme der kapitalistischen Entwicklungsländer in sozialistischen in der Tendenz nicht mehr anzutreffen sind: Analphabetentum, Hunger, Unterernährung, Arbeitslosigkeit usf.[6] Die sozialistische Transformation dieser Gesellschaften hat zu einer Produktivkraftentfaltung geführt, die eine Befriedigung der Grundbedürfnisse der Menschen ermöglicht, obgleich diese Gesellschaften noch vor kurzem – wie die kapitalistischen Entwicklungsländer heute – zu den sozialen Problemfällen der internationalen Gesellschaft gehörten.[7]

Wenn im folgenden der Begriff Weltwirtschaftsordnung benutzt wird, dann also mit allen Vorbehalten und ohne zu versuchen, einen Ausschnitt begrifflich zum Ganzen zu stilisieren.

Eine zweite Vorbemerkung ist den nachfolgenden Studien vorauszuschicken. In ihnen werden die hochindustrialisierten kapitalistischen Gesellschaften als *Metropolen* und die ehemaligen Kolonien bzw. Quasi-Kolonien und heutigen kapitalistischen Entwicklungsländer als *Peripherien* bezeichnet. Diese Nomenklatur hat nur analytische Gründe, die im einleitenden Kapitel entfaltet werden.[8] Der Begriff *Peripherie* (Peripherie-Gesellschaft, Peripherie-Ökonomie, periphere Gesellschaftsformation, peripherer Kapitalismus) ist nicht diskriminierend gemeint. Als Peripherie wird in diesem Buch eine Gesellschaftsformation und Ökonomie bezeichnet, deren Akkumulationsprozeß *spezifische*, von außen induzierte und durch die Außenorientierung verstärkte *Strukturdefekte* aufweist.[9] Diese werden ebenfalls im einleitenden Kapitel analysiert. Nicht jedes randständige Gebiet und nicht jedes Hinterland sind deshalb im Sinne dieser Theorie als eine »Peripherie« zu bezeichnen, obgleich in der Wirklichkeit manches Hinterland auch innerhalb einer metropolitanen Ökonomie und der sie auszeichnenden relativ kohärenten Akkumulationsdynamik eine Peripherien vergleichbare Funktion erfüllen mag (z. B. Bereitstellung von billiger Arbeitskraft, Produktion billiger landwirtschaftlicher Rohstoffe und Nahrungsmittel usf.).[10]

Ohne Zweifel unterscheiden sich die knapp 100 kapitalistischen Peripherien erheblich in ihrer Ressourcenausstattung (Rohstoffvorkommen, Bevölkerungszahlen, aktuelle Binnenmarktgröße usf.), ihrer Position in der Hierarchie der Weltarbeitsteilung und ihrem langfristigen Entwicklungspotential. Unter Zugrundelegung einer Kombination dieser Kriterien hat Tetzlaff jüngst die folgenden fünf *Typen von Peripherien* herausgearbeitet.[11]

1. Rohstoffarme Entwicklungsländer mit relativ kleinen Binnenmärkten und politisch günstigem Investitionsklima (Taiwan, Südkorea, Singapur, Hongkong). Die dort beobachtbare exportdiversifizierende Industrialisierung wird inzwischen auch von größeren Entwicklungsländern wie Kolumbien, Pakistan, Kenia und Elfenbeinküste betrieben.
2. Ressourcenreiche Entwicklungsländer mit (potentiell) großem Binnenmarkt und staatskapitalistischer Entwicklungsperspektive (Brasilien, Mexiko, Iran, Indien; potentiell auch Indonesien und Nigeria).
3. Erdölexportierende Entwicklungsländer mit relativ kleinen Binnenmärkten und zur Zeit hohen Devisenüberschüssen (Venezuela, Saudi-Arabien, Kuweit, Libyen).
4. Nicht-erdölexportierende Rohstoffländer mittlerer Größe mit schwankenden Deviseneinkommen und Ansätzen zu partieller Industrialisierung (Sambia, Liberia, Marokko, Jamaika).
5. Rohstoffarme Entwicklungsländer mit geringer Binnenmarktgröße und starker Spezialisierung auf wenige Monokulturprodukte für den Weltmarkt (Sambia, Honduras u. a.).

Weitere Ausdifferenzierungen einer solchen Typologie sind unschwer vorstellbar.[12] Der Hinweis auf die unterschiedliche

Gestalt von Peripherien erfolgt jedoch aus einem anderen Grund. In den nachfolgenden Studien wird in der Regel von *den* Metropolen und *den* Peripherien schlechthin gesprochen, so als ob es Differenzierungen innerhalb der Metropolen und innerhalb der Peripherien wie die zitierten nicht gäbe. Eine solche analytische Abstraktion findet ihre Begründung in der erheblichen *Identität der Tiefenstruktur variabler Typen von Peripherie-Ökonomie.*[13] Dasselbe gilt hinsichtlich der kapitalistischen Metropolen, die – ähnlich wie Peripherien – variable Profile bei relativ identischen Tiefenstrukturen haben und entsprechend unterschiedliche Positionen in der Hierarchie der internationalen Arbeitsteilung einnehmen.[14] Da die Studien des vorliegenden Bandes *nicht* als Beitrag zu einer vergleichenden Analyse der Entwicklungsstrategien kapitalistischer Entwicklungsländer konzipiert wurden, halten wir die Verwendung des allgemeinen Begriffes von Metropole und Peripherie, ungeachtet der konkreten Variabilität von kapitalistischen Metropolen und kapitalistischen Peripherien, inhaltlich für gerechtfertigt – und nicht für einen Ausdruck abstrakt-allgemeiner Begriffsbildung. Im Gegenteil, gerade der *konkret*-allgemeine Charakter beider Begriffe ist zu betonen.

Eine dritte Vorbemerkung gilt dem Begriff der *Dissoziation* im Untertitel des vorliegenden Buches. Der Begriff der Assoziation ist in der theoretischen und praktischen entwicklungspolitischen Diskussion der Gegenwart gebräuchlich, der Begriff der Dissoziation keineswegs. Unter assoziativer Entwicklungspolitik wird der Versuch einer Interessenabstimmung zwischen Metropolen und Peripherien verstanden. Explizit wurde dieser Begriff in den sogenannten Assoziationsabkommen zwischen der damaligen Europäischen Wirtschaftsgemeinschaft und der Mehrzahl der schwarzafrikanischen Staaten gebraucht.[15] Das jüngste derartige Abkommen, die Konvention von Lomé, wird zwar als Kooperationsabkommen bezeichnet; inhaltlich handelt es sich jedoch um nichts anderes als um ein Assoziationsabkommen, abzüglich des nicht mehr zeitgemäßen neokolonialen Etiketts.[16].

Die These von der erforderlichen Dissoziation der Peripherien aus dem kapitalistischen Weltmarkt (Abkoppelung und Loslösung von den Metropolen und eine allenfalls höchst selektiv zu betreibende Kooperation) resultiert zum einen aus den praktischen Erfahrungen mit Assoziationsabkommen und einer weltmarktintegrativen Entwicklungspolitik im allgemeinen, zum anderen aus der theoretischen und empirischen Analyse der Folgewirkungen, die eine Eingliederung der lateinamerikanischen, afrikanischen und asiatischen Gesellschaften in eine ungleich strukturierte internationale Arbeitsteilung im Rahmen des kapitalistischen Weltmarkts zeitigt.[17] Die nachfolgenden Studien enthalten, von verschiedenen Gesichtspunkten und Erfahrungen aus, *Plädoyers für eine solche Dissoziation*, die durch Analysen über die Transformationserfordernisse der internen Strukturen von Peripherie-Gesellschaften und durch Überlegungen zu einer neuen, symmetrisch strukturierten Arbeitsteilung zwischen Entwicklungsländern auf subregionaler, regionaler und kontinentaler Ebene ergänzt werden. Um Mißverständnissen aus dem Wege zu gehen, sei von Anfang an betont, daß Dissoziation nicht identisch ist mit einer autarkistischen Entwicklungspolitik. Art und Ausmaß der Kooperation mit anderen gleichgelagerten Gesellschaften, jedoch auch mit metropolitanen Ökonomien, ist innerhalb einer *dissoziativen Entwicklungsstrategie*, je nach konkreten Ausgangsbedingungen und Zielsetzungen, variabel. In einem der nachfolgenden Kapitel kann am Beispiel der Analyse Sozialgeschichte Japans dargestellt werden, wie selbst unter von außen erzwungener Weltmarktöffnung ein im Grunde genommen dissoziativer Entwicklungsweg beschritten wurde.[18]

Dissoziation und selektive Kooperation sind nicht nur hinsichtlich des Ausgangspunktes eines alternativen (autozentrierten) Entwicklungsweges variabel zu bestimmen, sondern auch im Verlaufe eines Entwicklungsprozesses. Schon die erste Dissoziation thematisierende Entwicklungstheorie, nämlich die von Friedrich List, konzipierte – wie in einem späteren Kapitel dargestellt wird[19] – den dissoziativ angelegten Entwicklungsweg in mehreren Phasen, innerhalb derer Abkoppelung und selektive Kooperation variable Funktionen haben sollten.

Das Programm des vorliegenden Buches ist nicht die Entfaltung einer Vielzahl von konkreten Szenarien, die auf einzelne Typen von Peripherie-Ökonomien zugeschnitten wären. Obgleich sie in einem weiteren Forschungsabschnitt in unmittelbarer Zukunft zu entwickeln sind, würden solche Szenarien doch im Augenblick der entwicklungspolitischen Diskussion erheblich vorauseilen. Diese ist nämlich in der Regel fast blindlings auf eine weltmarktintegrative oder assoziative Entwicklungspolitik fixiert, wobei sich diese Orientierung durch die aktuelle Konfrontation zwischen Metropolen und Peripherien auf der Bühne der internationalen Diplomatie noch verstärkt hat. In der Bundesrepublik hat der zur Zeit für Entwicklungspolitik zuständige Minister mehrfach die Forderung nach einer »wirtschaftlichen Entspannungspolitik« zwischen Nord und Süd erhoben.[20]

Die herkömmliche Entwicklungspolitik ist gescheitert – in dieser Beurteilung sind Beobachter verschiedenster Provenienz einer Meinung. *Der Peripherie-Kapitalismus hat sich als unfähig erwiesen, elementare Entwicklungsprobleme zu lösen. Nicht die Unfähigkeit zur Akkumulation ist ihm anzukreiden, sondern eine Akkumulation zum Schaden der Mehrzahl der Menschen.*[21] Ohne mit ihm zu brechen, ist eine Entwicklung mit sozialer Breitenwirkung kaum zu erzielen. Viele Entwicklungstheoretiker halten eine forcierte Akkumulation auf Kosten breiter Bevölkerungsschichten im Rahmen des gegebenen politischen Status quo für die Voraussetzung eines langfristigen wirtschaftlichen Aufschwungs.[22] Sie verwechseln dabei die im wesentlichen eigenbestimmte Reproduktionsdynamik des metropolitanen Kapitalismus mit der offen fremdbestimmten Reproduktionsdynamik des Peripherie-Kapitalismus. Obgleich sich beide historisch parallel und interdependent entwickelt haben, zeichnen sich metropolitaner und peripherer Kapitalismus durch eine fundamental unterschiedliche Struktur aus. Den Zusammenhang des einen mit dem anderen und den strukturellen Unterschied beider nicht zu erkennen, gehört zu den großen akkumulations-theoretischen Fehlleistungen der überkommenen Entwicklungstheorie, die nicht nur als Theorie, sondern auch in der Praxis von Entwicklungspolitik und Entwicklungsplanung gescheitert ist.

Die nachfolgenden Studien über *Weltwirtschaftsordnung und Entwicklungspolitik* gliedern sich in fünf Abschnitte.

In der *Einleitung* wird der historische und aktuelle Kontext der gegenwärtigen entwicklungspolitischen Diskussion bestimmt. Dabei geht es um die Herausarbeitung einiger Grundkategorien, die für die nachfolgenden Studien von Bedeutung sind.

Bei den Studien im *zweiten Abschnitt,* in dem der Entwicklungsprozeß einer metropolitanen Ökonomie im Unterschied zu demjenigen einer Peripherie-Ökonomie aufgezeigt wird, handelt es sich um drei Fallstudien. Sie beziehen sich ausnahmslos auf Entwicklung unter kapitalistischen Vorzeichen. Die erste der drei Studien, die dem Beitrag *Friedrich Lists* zu einer Theorie dissoziativer Entwicklung gewidmet ist, greift auf eine verschüttete Theoriebildung zurück, die für die aktuelle Debatte von erheblichem, nicht nur theoriegeschichtlichem, Interesse ist. *Japans Entwicklung* seit der Mitte des vergangenen Jahrhunderts wurde als Fallanalyse ausgewählt, weil es in der entwicklungspolitischen Diskussion vielfach als Vorläufer wachstumsintensiver *»late modernizers«* wie z. B. Brasiliens gilt. Da Japan Mitte des vergangenen Jahrhunderts keineswegs sicher sein konnte, nicht in eine kapitalistische Peripherie-Ökonomie umfunktioniert zu werden, ist seine Entwicklung zu einer kapitalistischen Metropole um so aufschlußreicher. Es zeigt sich nämlich, daß trotz einer von außen erzwungenen Öffnung zum kapitalistischen Weltmarkt Japan im Grunde genommen eine dissoziativ-kapitalistische Entwicklung eigener Prägung verfolgte. Ihre wesentlichen Determinanten werden in der betreffenden Studie herausgearbeitet. Demgegenüber vermag die *Analyse Brasiliens,* der vielzitierten Wachstumsökonomie der Gegenwart, zu belegen, daß Brasilien trotz einer beispiellosen Produktivkraftentfaltung bis heute wesentliche Merkmale einer kapitalistischen Peripherie-Ökonomie nicht zu überwinden imstande war. Die japanische und die brasilianische Entwicklung, die beide sich unter kapitalistischem Vorzeichen abspielten, weisen auf einen grundlegenden Unterschied in Entwicklungsprozessen hin, der schon in Friedrich Lists Theorie der Entwicklung als Alternative von konsequenter *Binnenmarkterschließung* und *Binnenmarktverkrüppelung* deutlich gemacht wurde. Japan und Brasilien stehen paradigmatisch für zwei unterschiedliche Entwicklungswege.

Die drei nachfolgenden Studien im *dritten Abschnitt* beziehen sich ausschnitthaft auf die aktuelle entwicklungspolitische Debatte. In der ersten Studie über den *Weltmarkt als Sackgasse für Entwicklungsländer* wird der Engpaß beschrieben, in den eine weltmarktintegrative-assoziative Entwicklungspolitik die Dritte Welt hineintreibt. Die Auseinandersetzung konzentriert sich auf die Frage, ob die von den Regierungen der Dritten Welt gesuchte höhere Beteiligung an der internationalen Ökonomie (z. B. durch verstärkten Handel) unter den gegebenen Voraussetzungen realisierbar ist oder nicht. Der Befund ist ein negativer. Als gleichermaßen problematisch erweisen sich die seit einigen Jahren mit anfänglich hohen Wachstumsraten beobachtbaren Auslagerungen von unterdurchschnittlich produktiven Industriezweigen aus metropolitanen Ökonomien in Peripherie-Ökonomien, die – global betrachtet – zu einer Modifikation der überkommenen internationalen Arbeitsteilung zwischen Metropolen und Peripherien beizutragen vermögen, ohne jedoch ungleiche Entwicklung überwinden zu helfen. Die diesen Sachverhalt thematisierende zweite Studie über *Anlagerungsindustrialisierung und ungleiche Entwicklung* sucht vielmehr die Sozialschädlichkeit eines erneut von den Metropolen induzierten Wachstumsschubes in der Dritten Welt zu belegen, der aus metropolitaner Sicht für unproblematisch entwicklungsfördernd gehalten wird. Die dritte Studie weist an einem der problematischsten Bereiche von peripher-kapitalistischen Gesellschaften, dem *Agrarsektor,* auf die katastrophalen Folgewirkungen einer weltmarktorientierten Agrarproduktion bei gleichzeitiger Unterminierung des agrarischen Potentials für eine ausreichende Eigenversorgung hin. Hier wird besonders deutlich, wie dramatisch die durch Kolonialismus und Weltmarktintegration induzierte Zerrüttung von leidlich autonom reproduktionsfähigen Agrargesellschaften war und ist, die inzwischen in der Regel der Fähigkeit beraubt sind, die Masse der eigenen Bevölkerung mit lokal produzierten Nahrungsmitteln zu ernähren. Nicht weniger katastrophenträchtig sind sogenannte Modernisierungsprogramme, die den agrarischen Output zu steigern vermögen, während sie in der Regel gleichzeitig zu einer weiteren Marginalisierung der ländlichen Bevölkerung (und sämtlicher Folgewirkungen von Marginalität wie Landflucht usf.) führen. Der Kontrast zwischen solcher Modernisierung und dem Aufbau eines kohärenten Agrikultur-Manufaktur-Gefüges (im Sinne Friedrich Lists), in dem die Masse der Bevölkerung produktiv eingegliedert wäre, könnte nicht größer sein.

Die erste Studie des *vierten Abschnittes* bezieht explizit Stellung zur aktuellen Diskussion über eine *»Neue internationale Wirtschaftsordnung«*. Diese Studie, welche auf den strukturkonservativen Charakter zentraler Forderungen der offiziellen Vertreter der Dritten Welt aufmerksam macht, ist im Zusammenhang mit der Studie über die beobachtbaren Prozesse der Militarisierung der Dritten Welt zu sehen. Versucht die erste Studie zu begründen, warum der gegenwärtige Konflikt zwischen Metropolen und den Eliten der Dritten Welt kein antagonistischer, sondern ein partieller Verteilungs-Konflikt über das in den Peripherien erwirtschaftete Surplusprodukt ist, so begreift die zweite Studie die Tendenz zur verstärkten *Militarisierung der Dritten Welt* als den Reflex eines wachsenden sozialen Problemdrucks; die Militarisierung wäre dann als ein Instrument zur Eindämmung jener innergesellschaftlichen Kräfte zu verstehen, die eine Machtverlagerung zugunsten der Bevölkerungsmehrheit anstreben. Während die Militarisierung der Dritten Welt ein Tatbestand ist, ist die »Neue internationale Wirtschaftsordnung« zunächst nur ein Gegenstand der Diskussion, der allerdings auf der Tagesordnung der internationalen Diplomatie bleiben wird, da langfristig gesehen das Überleben der dominanten Klassen und neuen Eliten in der Dritten Welt auf dem Spiele steht.

Die abschließende Studie im *fünften Abschnitt* versucht, die Umrisse einer alternativen Entwicklungsstrategie zu skizzieren. *Autozentrierte Entwicklung* kann dabei für die Mehrzahl der Entwicklungsländer zunächst nur als ein Kontrastprogramm vorgestellt werden. Allerdings ist es nicht ohne Rückbezug zur Empirie.[23] Folgende Erfahrungen sind als empirisch-analytische Bezüge für eine reorientierte Entwicklungsstrategie bedeutsam:

1. eine wissenschaftlich verschüttete dissentierende Theoriebildung (z. B. F. List);
2. die Entwicklungsprozesse in westlich-kapitalistischen Metropolen, ausgehend von England;

3. Erkenntnisse über Fälle drohender Peripherisierung und faktischer Metropolitanisierung (z. B. Japan);
4. Fälle vermiedener bzw. überwundener Peripherisierung (z. B. Sowjetunion, China und sozialistische Entwicklungsländer wie Nordkorea, Albanien, Kuba etc.).

Die genannten Erfahrungen sind höchst unterschiedlicher Art. Dennoch ist ihnen allen gemeinsam, daß die Entwicklungsdynamik der betroffenen Gesellschaften im wesentlichen aus einer *Produktivkraftentfaltung im eigenen Binnenmarkt* resultiert.

Ein derartiger Rückbezug sollte nicht mißverstanden werden. Es geht hier nicht um die Übertragung von Entwicklungsmodellen oder Entwicklungsstilen, sondern um *systematische Überlegungen hinsichtlich der Determinanten erfolgreicher Produktivkraftentfaltung mit dem Ergebnis der Befriedigung von Grundbedürfnissen der betroffenen Bevölkerungen.* Insofern können derartige Rückbezüge, die in der genannten letzten Studie nicht explizit erfolgen, nur Anregungen vermitteln.[24] *Der Konzeption entsprechend, kann autozentrierte Entwicklung nur an Ort und Stelle autonom als Resultat langwieriger Prozesse politischer, kultureller und sozio-ökonomischer Selbstbestimmung verwirklicht werden. Der Rückgriff auf frühere und aktuelle Erfahrungen ist auch in der Praxis nur dann sinnvoll, wenn an Ort und Stelle die Fähigkeit existiert, solche Erfahrungen kritisch zu verarbeiten, d. h. insofern blinde Imitation unterbleibt.*[25]

# I. Einleitung

# Zum historischen und aktuellen Kontext der entwicklungspolitischen Diskussion

## 1. Einleitung

Die politische und auch z. T. die wissenschaftliche Auseinandersetzung über die Tätigkeit des metropolitanen Kapitals in den Gesellschaften der Dritten Welt (im folgenden Peripherien genannt)[1] war in den vergangenen Jahren durch zwei Mängel gekennzeichnet: 1. durch fragwürdige Annahmen über die traditionelle *ungleiche internationale Arbeitsteilung* zwischen Metropolen und Peripherien und 2. durch fehlende Aussagen über wesentliche Merkmale *peripherer* (im Unterschied zu metropolitanen) *Gesellschaftsformationen.*

Ungleiche internationale Arbeitsteilung und periphere Gesellschaftsformationen hängen ursächlich miteinander zusammen und sind zwei Facetten ein und desselben Sachverhaltes: der Herausbildung eines kapitalistischen Weltmarktes, dessen Entwicklungsdynamik von den jeweils vorherrschenden Metropolen bestimmt wurde. Heute sind die in den verschiedenen kapitalistischen Metropolen schwerpunktmäßig ansässigen, weltweit operierenden multinationalen Konzerne die maßgeblichen Agenten dieser Entwicklungsdynamik.[2] Innerhalb des kapitalistischen Weltmarktes markiert die Penetration peripherer Gesellschaftsformationen durch multinationale Konzerne nur die jüngste Etappe eines langen historischen Prozesses der *Internationalisierung von Kapital und Arbeit.*[3] Die Analyse seiner Folgewirkungen in den Peripherien ist für eine Bewertung der aktuellen, über multinationale Konzerne vermittelten Eingliederung der Peripherien in den Weltmarkt unerläßlich. Die nachfolgenden Überlegungen sind als ein Beitrag zu dieser Problematik zu verstehen.

## 2. Über ungleiche internationale Arbeitsteilung

Daß die internationale Arbeitsteilung zwischen den *Metropolen* (als den Lieferanten von verarbeiteten Konsumgütern, von

Produktions- und Investitionsgütern, von Zwischenprodukten und von Technologie) und den *Peripherien* (als den Lieferanten von hauptsächlich unverarbeiteten Rohstoffen, von landwirtschaftlichen Produkten, von rohstoff- und arbeitsintensiven Fertigprodukten niedrigen Verarbeitungsgrades und von billiger Arbeitskraft) *ungleich* sei, ist eine These, die bis heute von der konventionellen Sozial- und Wirtschaftswissenschaft kaum akzeptiert und als Problem kaum wahrgenommen wird.[4] Die konventionelle Einschätzung des internationalen Handels zwischen Metropolen und Peripherien ist Ausdruck der überkommenen außenhandelstheoretischen Dogmatik, der zufolge sich die Austauschbeziehungen zwischen nationalen Ökonomien nach dem Prinzip *komparativen Nutzens* und *komparativer Kosten* strukturieren bzw. strukturieren sollten (empirische oder normative Version des Theorems komparativer Vorteile). Internationaler Handel wäre diesem Theorem zufolge für alle Beteiligten dann am vorteilhaftesten, wenn jeder gemäß seiner jeweiligen Ausstattung mit Land und natürlichen Ressourcen, mit Kapital, Arbeitskraft und technologischem Know-how sich auf die Produktion jener Güter spezialisierte, bei deren Fertigung er die vorfindbaren Produktionsfaktoren am besten einzusetzen imstande wäre. Ein nach diesem Prinzip organisierter Welthandel würde, so die These, die Wohlfahrt der gesamten Menschheit und nicht nur den Nutzen einzelner, in eine liberalisierte internationale Ökonomie integrierter Gesellschaften fördern.

### *2.1 Zwei fragwürdige Annahmen*

Beide, normativ und/oder empirisch gewendete, Grundannahmen (Produktion gemäß jeweils gegebener Faktorausstattung und die kosmopolitische These allseitigen Nutzens) gehören zu den fixen Prämissen der vorherrschenden außenwirtschaftstheoretischen und außenwirtschaftspolitischen Lehrmeinungen. Bewußt oder unbewußt, explizit oder implizit, sind beide Annahmen Teil der massiven Plädoyers für die Bewahrung und Aufrechterhaltung einer »freien Weltwirtschaft« und eines »freien Welthandels«, die jüngst verstärkt in den Metropolen als Antwort auf die Forderungen der Dritten Welt nach einer »Neuen internationalen Wirtschaftsordnung«

vorgetragen wurden. Wie ehedem untermauern sie als ideologische Rechtfertigung die Außenwirtschaftsstrategie der Metropolen gegenüber den Peripherien.

In den Beziehungen zwischen Metropolen und Peripherien, auf die sich die nachfolgende Analyse bewußt konzentriert, zeigt sich insbesondere die Realitätsferne, ja die Ideologiehaftigkeit der *kosmopolitischen Grundannahme* des Theorems komparativer Vorteile. Denn von allseitigem Wohlfahrtsgewinn kann gerade in jenen Fällen nicht die Rede sein, in denen die Handelsstrukturen zwischen Metropolen und Peripherien (bei sogenannten Ricardo-Gütern und bei Heckscher-Ohlin-Gütern) in etwa den Postulaten des Theorems entsprechen.[5]

Der systematische Grund für eine Fehleinschätzung von Kosten und Nutzen verschiedener Entwicklungsstufen des Typs von Arbeitsteilung, den das Theorem zwischen Metropolen und Peripherien meint, liegt in dem ihm eigentümlichen kurzfristigen, querschnitthaft-statischen Kalkül, das die langfristigen dynamischen und stagnativen Auswirkungen solcher Arbeitsteilung unberücksichtigt läßt.

Fragwürdig ist, daß es in der wirtschaftswissenschaftlichen Diskussion nicht gelungen ist, diese langfristige Perspektive in die Grundannahme des Theorems mit aufzunehmen *und* gleichzeitig zu fragen, *welche konkreten Folgewirkungen für Produktionsstruktur, Einkommensverteilung, Konsumprofile, Arbeitsmarkt und allseitige Infrastruktur eine derartige, den Postulaten des Theorems folgende Spezialisierung bei beiden Handelspartnern, Metropole und Peripherie, hat.* Indem die gängigen Außenwirtschaftstheorien und Theorien der internationalen Ökonomie diesen Fragen keinen systematischen Stellenwert zubilligen[6], entziehen sie sich der Auseinandersetzung mit einigen höchst problematischen Folgewirkungen solcher Spezialisierung, insbesondere einer Erörterung der langfristigen Herausbildung *ungleicher* Entwicklungsprozesse zwischen den Produzenten von Fertigwaren, Produktions- und Investitionsgütern sowie von Technologie einerseits und den Produzenten von Rohstoffen und landwirtschaftlichen Gütern unverarbeiteter Natur sowie von Fertigwaren niedrigen Verarbeitungsgrades andererseits.[7] Die aus derart asymmetrisch strukturierten Handelsströmen resultierenden Prozesse der *strukturellen Bereicherung* der Metropolen und der *struk-*

*turellen Verarmung* der Peripherien bleiben unberücksichtigt. Obgleich an dem kausalen Zuammenhang zwischen dem vorherrschenden Typ von ungleicher internationaler Arbeitsteilung und deren verschiedenartiger Folgewirkung in Metropolen und Peripherien heute kein Zweifel mehr bestehen kann, wird dieser Zusammenhang in jeglicher Schulökonomie ausgeblendet[8]; die Herausbildung relativ *kohärenter Wirtschaftskreisläufe* und Gesellschaftsformationen in den Metropolen und die Verursachung grundlegender *Strukturdefekte* und gesellschaftlicher *Deformationen,* also die Herausbildung sogenannter *strukturell heterogener Gesellschaftsformationen* in den Peripherien, sind analytische Leerstellen mit systematischem ideologischen Gehalt.[9]

Problematisch ist auch die Annahme einer vorgegebenen *»natürlichen« Faktorausstattung* einzelner Gesellschaften, da diese »natürlichen« Gegebenheiten allermeist ihre konkrete, im Falle der Peripherien aus den kolonialen und späteren Exportaktivitäten resultierende Vorgeschichte haben. Auch hier erweist sich der statische und ahistorische Charakter des Theorems komparativer Vorteile und seiner Prämissen als fragwürdig und ideologisch. So ist die vielfach konstatierte Überfülle an billiger Arbeitskraft in den Peripherien *keine* voraussetzungslose Ursache für spezifische lohnintensive Produktionsvorhaben der Metropolen in den Peripherien; selbst die Erschließung natürlicher Ressourcen wie Mineralien und Energiequellen folgte in den vergangenen Jahrzehnten und Jahrhunderten Imperativen, die von außen gesetzt wurden. Dasselbe gilt für Monokulturen, die den Peripherien aufgeherrscht wurden – mit der Folge einer Zerstörung relativ diversifizierter und selbstgenügsamer Kulturen. Die Geschichte der Exploration einer so natürlichen Faktorausstattung wie der Rohstoffe beweist, wie politisch vermittelt selbst diese Faktorausstattung in einzelnen Gesellschaften und Kontinenten sein kann.

In diesem Zusammenhang erweist sich der mangelnde systematische Rückbezug des Theorems komparativer Vorteile auf eine Analyse der am Handel beteiligten Gesellschaftsformationen als besonders schwerwiegend. Denn diese Leerstelle bietet den Ansatzpunkt für oft wohlmeinende, jedoch illusionäre Hoffnungen, denen zufolge jene Aktivitäten des metro-

politanen Kapitals, die die »natürliche Faktorausstattung« der Peripherien angemessen berücksichtigen, auch eigentlich entwicklungsfördernd wirken müßten. Um eine neuere Entwicklung exemplarisch hervorzuheben: Die Schaffung von freien Produktionszonen in Peripherien als Auffangbecken für die Verlagerung von lohnintensiven, unterdurchschnittlich produktiven metropolitanen Industriezweigen ist einer solchen Vorstellung zufolge eine Aktivität, die nicht nur einer »rationalen« liberalen Struktur der internationalen Ökonomie entspräche, sondern überdies noch erwünschte entwicklungspolitische Nebeneffekte dadurch zeitigte, daß eine Produktion in die Peripherien verlagert würde, die die dort brachliegende Arbeitskraft absorbieren könnte. Daß aber diese konkreten Aktivitäten, die in den vergangenen Jahren erhebliche Wachstumsraten hatten, einen weiteren Prozeß der Deformation peripherer Ökonomien allein schon durch die Herausbildung neuer enklavenhafter Teilsektoren einleiten, bleibt in den Plädoyers für eine derart modifizierte internationale Arbeitsteilung unbeachtet. In Abschnitt 3.3 weiter unten wird auf diesen die Asymmetrie der Beziehungen zwischen Metropolen und Peripherien verdeutlichenden Vorgang zurückzukommen sein, denn er ist von exemplarischer Bedeutung.

## 2.2 *Globale Investitions-Prospektierung*

Einer heute von multinationalen Konzernen und von metropolitanen politischen Instanzen (insbesondere den Wirtschaftsministerien) nachdrücklich propagierten Vorstellung zufolge baut sich das Weltwirtschaftssystem aus Subsystemen, den diversen nationalen Ökonomien, auf, in denen sich jeweils die für eine industrielle Produktion erforderlichen Produktionsfaktoren (Land, Rohstoffe, Energieressourcen, Kapital, Arbeitskraft, verschiedene Qualifikationsniveaus, technologisches Know-how u. a.) in wechselnder Kombination fänden.[10] Ermöglichten neue technische Entwicklungen im internationalen Kommunikations- und Transportwesen eine *global orientierte Produktionsplanung*, so sei eine weltweite Internationalisierung von Kapital und Arbeit, deren Vorgeschichte Kolonialismus, Imperialismus und Neokolonialismus war, erstmals umfassend realisierbar. Dabei bleibt aber unberücksichtigt, daß die jeweils verschiedenartige, kontinent- und länderspezifische Kombination von Produktionsfaktoren, insbesondere im Falle der Peripherien selbst, bereits das Resultat der Eingliederung dieser Gesellschaften in die überkommene internationale Arbeitsteilung ist.

Idealtypisch gesehen erscheinen in einem derartigen ökonomischen Weltbild einzelne Teilbereiche der internationalen Gesellschaft als je besondere aktuelle und potentielle Betätigungsfelder für diejenigen Produktionsaktivitäten des metropolitanen Kapitals, für die sie den Agenten internationalisierter Produktion (im wesentlichen den multinationalen Konzernen und neuerdings auch mittelständischen Betrieben aus den Metropolen) für spezifische Produktionsvorhaben eine optimale Faktorausstattung anzubieten imstande sind. So erscheint z. B. Schwarzafrika in einer derart global orientierten *Investitions-Prospektierung* als ein Subkontinent, der vor allem mit reichlichen mineralischen und reichlichen, potentiell verfügbaren hydroelektrischen Ressourcen ausgestattet ist, ebenfalls mit zahlreichen, doch schlecht ausgebildeten Arbeitskräften.[11] Die Kosten für Arbeitskräfte sind gegenüber den Entwicklungsländern anderer Kontinente (z. B. Ostasien und Nordafrika) aus verschiedenen Gründen (Maßnahmen sozialer Sicherheit usw.) nicht besonders niedrig, und gegenüber anderen Kontinenten (wie Lateinamerika und Südost-Asien) fehlen insbesondere qualifizierte Arbeitskräfte, deren Import den Vorteil existierender niedriger Lohnkosten aufheben würde. »Diese Faktoren wirken sich hemmend aus in allen Bereichen, in denen Tropisch-Afrika seine Konkurrenzposition nicht auf natürliche Ressourcen stützen kann, also in Lohnveredelungsbranchen wie Montage und Fertigung in der elektrotechnischen, elektronischen und optischen Industrie und in analogen Fällen.« Bei vergleichbaren Lohnkosten können andere Regionen der Dritten Welt ein zahlreiches und besser ausgebildetes technisches Personal, größere Märkte und eine weiterentwickelte Industriestruktur anbieten.

»Der entscheidende Faktor der genuinen Ricardo-Güter besteht darin, daß andere Entwicklungsländer schon bestimmte industrielle Aktivitäten verfolgen. Tropisch-Afrika muß deshalb, verglichen mit halbindustrialisierten Kontinenten, als ein Entwicklungskontinent zweiten Grades seine komparativen Vorteile nicht nur bezüglich der Industrienationen, sondern auch hinsichtlich der mit ihm in Wettbewerb stehenden höher entwickelten Niedriglohnländer definieren. Bekannte Beispiele von Regionen, mit denen die Staaten Afrikas vor allem im Manufakturbereich in Wettbewerb treten müßten, sind:

- die ostasiatische Region (Hongkong, Taiwan, Singapur, Südkorea), z. B. im Bereich von Textilien, Plastikprodukten, Spielwaren, von Elektronik und optischen Geräten;
- Südeuropa und der Mittelmeerbereich (Portugal, Spanien, Tunesien, Marokko, Malta, Griechenland), z. B. im Bereich von Textilien, Lederwaren, Haushaltsgeräten und der Konservenindustrie;
- die lateinamerikanische Region, obgleich diese mehr auf Nordamerika hin orientiert ist;
- und seit neuestem die osteuropäischen Staaten, die nunmehr lohnintensive Verarbeitungsprodukte im Rahmen der Ost-West-Kooperation anbieten und die auch bestrebt sind, Produktionen anzuziehen, die ein beachtliches Know-how (wie z. B. in der Kommunikationselektronik) erfordern, und die Lizenzen mit Fertigprodukten bezahlen wollen.«

Von einer solchen globalen Investitionsprospektierung her gesehen und angesichts der schon erfolgten Verteilung von Produktionsaktivitäten in der internationalen Ökonomie erscheint folgerichtig Schwarzafrika die besten Aussichten in folgenden Tätigkeitsbereichen zu haben:

»- bei der Verarbeitung von Mineralien (Eisen, Kupfer und energieintensivem Aluminium);
- bei Industrien mit hohen spezifischen Energieerfordernissen;
- bei Gemüse und tierischen Produkten, die in der internationalen Ökonomie Mangelware sind (z. B. Fleisch und Zucker);
- bei der Verarbeitung von landwirtschaftlichen Produkten (Schokolade, Pulverkaffee, Konserven, Öle, Fette), wozu allerdings zunächst der Widerstand der entsprechenden Branchen in den Industrienationen sowie die Zollschranken und die aus ihnen folgenden metropolitanen Marktstrategien beseitigt werden müßten;
- bei Produkten, die arbeitsintensive Prozesse und mäßige technische Fertigkeiten erfordern, insbesondere bei denen der Transportkostenvorteil Afrikas gegenüber Asien ins Gewicht fallen würde und bei denen die externen Produktionseffekte nicht zu Buche schlagen würden.«

Die zitierte, höchst repräsentative Argumentation verdeutlicht zweierlei:

1. Global orientierte komparative Kosten-Nutzen-Kalküle sind keineswegs akademische Gespinste, sondern haben praktische Implikationen. Entscheidungen über die Allokation von

weltmarktorientierten Produktionsniederlassungen gehen von derartigen Kalkülen aus, insbesondere dann, wenn die Kommunikations- und Transportmöglichkeiten es erlauben und sich entsprechend entfalten lassen. Hinzu kommen offensive und defensive marktdynamische Gesichtspunkte (Markterschließungs- und Markterhaltungskalküle) sowie Überlegungen für eine geregelte und sichere Versorgung mit Rohstoffen und ihre Verarbeitung.

2. Solche Kalküle sind im striken Sinne kosmopolitisch/weltmarktorientiert. Welche langfristigen Folgewirkungen die ihnen folgende Praxis in den Peripherien (und evtl. auch in den Metropolen) hat, geht *nicht* in solche Kalküle ein. Ob die Produktionsaktivitäten – um das zitierte Beispiel aufzugreifen – in den fünf genannten Bereichen innerhalb Schwarzafrikas zu lebensfähigen ökonomischen und sozialen Gebilden des Subkontinents führen, also z. B. zu Agrar- und Industriestrukturen, die die Bedürfnisse der Masse der einheimischen Bevölkerung mit lokal produzierten Nahrungsmitteln und Industriegütern zu befriedigen imstande wären, ist eine Frage, die in derlei *globalen* Prospektierungsperspektiven, ähnlich wie in akademischen Außenhandelstheorien, keinerlei Rolle spielt.[12] Auch in der offiziellen entwicklungspolitischen Diskussion innerhalb der Metropolen erscheint das für alle Beteiligten als vorteilhaft und gewinnreich, was im Sinne eines global orientierten Allokationskalküls privatwirtschaftlich rational ist.

*Eine solche globale Investitions-Prospektierung widerspricht elementaren Voraussetzungen einer selbstbestimmten (autozentrierten) Entwicklung in den Peripherien,* durch die diese allmählich die Fähigkeit erlangen würden, mit lokalen natürlichen und technischen Ressourcen die Bedürfnisse der lokalen Bevölkerung zu befriedigen und die eigenen Ökonomien so zu strukturieren, daß sie instand gesetzt würden, diese für jede Gesellschaft elementaren Grundleistungen tatsächlich zu erbringen. Daß Peripherien dazu nicht fähig sind, liegt an den grundlegenden Strukturdefekten ihrer Reproduktionsdynamik. Die mangelnde Kohärenz ihrer Ökonomie erlaubt es ihnen nicht, derartige Außeneinflüsse in ihrer eigenen Wirtschaftsstruktur innovativ zu verarbeiten. Die Erwartung positiver entwicklungspolitischer Effekte aus solcher globalen Investitions-Prospektierung und aus entsprechenden ökonomischen Aktivitäten beruht auf einer mangelhaften Analyse der Herausbildung und der Reproduktionsdynamik von Peripherie-Ökonomien im Rahmen der internationalen Arbeitsteilung zwischen Metropolen und Peripherien.

## 3. Über Struktur und Akkumulationsdynamik peripherer Gesellschaftsformationen

Die Ungleichheit der internationalen Arbeitsteilung zwischen Metropolen und Peripherien dokumentiert sich in deren Folgewirkung: der Herausbildung zweier fundamental sich unterscheidender Gesellschaftsformationen, den Metropolen auf der einen Seite und den Peripherien auf der anderen. Während der akademische Streit, ob und bis zu welchem Ausmaß die Kolonialländer für die Entwicklung des metropolitanen Kapitalismus systembedingt erforderlich und/oder nur zweckdienlich waren, ungelöst ist, kann allerdings kein Zweifel daran bestehen, daß die strukturellen Defekte peripherer Ökonomien auf die ihnen im Rahmen internationaler Arbeitsteilung zudiktierten Rollen und Funktionen zurückzuführen sind. Worin bestehen die Defekte der ökonomischen Strukturen der Peripherien? Und worin bestehen die Deformationen peripherer Gesellschaftsformationen insgesamt?

### *3.1 Merkmale des Peripherie-Kapitalismus*

Verglichen mit dem metropolitanen Kapitalismus zeichnet sich der *Peripherie-Kapitalismus* durch eine spezifische Akkumulationsstruktur, ein Akkumulationsmodell eigener Art, aus. Reduziert man diese Unterschiede auf die wesentlichsten Merkmale, so lassen sie sich folgendermaßen charakterisieren.

Die Entwicklung des *metropolitanen* Kapitalismus (insbesondere im Fall Englands) ist – säkular betrachtet – durch die Kombination folgender Faktoren gekennzeichnet:[13]

1. durch eine der eigentlichen industriellen Revolution vorausgehende und diese begleitende Produktivitätssteigerung des landwirtschaftlichen Sektors;

2. durch die Entwicklung eines industriellen Konsumgütersektors für die Produktion von Massenkonsumgütern, und
3. durch die Herausbildung eines Sektors zur industriellen Produktion von Produktionsgütern.

Anfänglich hatte die Produktion von Massenkonsumgütern (der Bekleidungs-, Nahrungs- und Wohnbedarfsindustrie) den größeren Anteil an der industriellen Fertigung. In allen Industrialisierungsprozessen vom metropolitanen Typ pendelte sich nach wenigen Jahrzehnten ein immer wieder zyklisch gestörtes Gleichgewicht zwischen der Produktions- und der Konsumgüterindustrie ein. Allgemeine Produktivitätssteigerungen, einschließlich in der Landwirtschaft, sowie die Verknappung und gewerkschaftliche Organisierung von Arbeitskraft ermöglichten Reallohnsteigerungen, die ihrerseits mit einer erweiterten Binnenmarkterschließung rückgekoppelt waren.[14] Ohne Zweifel ist diese Entwicklungsdynamik bis heute durch die den metropolitanen Kapitalismus prägenden konjunkturellen und strukturellen Krisen, einschließlich ihrer jeweils politischen Folgewirkungen, bestimmt.[15]

Das Resultat einer in der Regel mehr als hundertjährigen Entwicklung sind *metropolitane Ökonomien,* die – bei aller Unterschiedlichkeit ihres jeweiligen spezifischen agro-industriellen Profils – sich durch die Existenz einer höchst *differenzierten Reproduktionsstruktur* auszeichnen. Diese integriert in der Regel eine Vielzahl von agrarischen Aktivitäten sowie die industrielle Produktion von Produktionsmitteln, Zwischenprodukten und Konsumgütern (letztere sowohl für den Luxus- als auch für den Massenkonsum). Der hohe Grad an Differenziertheit der Produktionsstruktur insgesamt bedeutet in der Regel eine relativ hohe *Kohärenz* der Ökonomie: die Verflechtung von Landwirtschaft und Industrie ist erheblich, und die industriellen Subsektoren (siehe hierzu *Schaubild 1*) sind miteinander aufs engste rückgekoppelt und verkettet; die Kapitalakkumulation erfolgt tendenziell unter eigener Kontrolle. Jene metropolitanen Ökonomien, die eine selbstgesteuerte Kapitalakkumulation in den dynamischsten Produktionssektoren erreichen, vermögen innerhalb der Gruppe der metropolitanen Ökonomien eine Spitzenstellung in der internationalen Arbeitsteilung einzunehmen. Dies betrifft heute vor allem die Fähigkeit zur Produktion von Produktionsmitteln.[16] Metropolitane Ökonomien haben eine hohe Transformations- und Anpassungskraft; in ihnen werden nicht nur strukturbedingte Krisen erzeugt, sie zeichnen sich auch durch eine hohe Fähigkeit zur Absorption und Verarbeitung von Krisen aus. Diese letztere Fähigkeit hängt mit dem Grad der strukturellen Differenzierung metropolitaner Ökonomien zusammen; deren Anpassungsvermögen ist um so größer, je differenzierter die vorgegebene Struktur ist.

*Schaubild 1:* Sektoralisierung des industriellen Produktionsapparates.

| Sektor | Produktivsektion | Aktivitäten |
|---|---|---|
| 1. Produktionsmittel | 1a) Produktionsmittel für Produktionsmittel | Werkzeugmaschinen, Computer, Telekommunikation, Steuer- und Regeltechnik |
| | 1b) Produktionsmittel für Zwischenprodukte | Schwerer Maschinenbau, Turbinen, Steuer- und Regeltechnik |
| | 1c) Produktionsmittel für Konsumgüter | Motoren, Leichter Maschinenbau |
| 2. Zwischenprodukte | 2a) Zwischenmittel für Produktionsgüter | Eisen/Stahlindustrie: Spezialstähle u. Profileisen, Energie, NE-Metalle |
| | 2b) Zwischenmittel für Konsumgüter | Eisen/Stahlindustrie: Bleche, Petrochemie: Chemie, Energie, Transport |
| 3. Konsumgüter | 3a) Konsumgüter für kollektiven Konsum | Baugewerbe, Gesundheit |
| | 3b) Massenkonsumgüter* | Automobile, Elektr. Haushaltsgerät, Plastik, Parachemie, Textil, Leder, Schuhe |

Quelle: nach *Wirtschaftsdienst,* Nr. 7, 1976, S. 362 (vgl. Anmerkung 16).

* Anmerkung: Die hier unter dem Begriff der *Massenkonsumgüter* aufgeführten Produkte müssen aus im folgenden Text erläuterten Gründen in Peripherie-Ökonomien z. T. als Luxuskonsumgüter eingestuft werden (Automobile, elektrische Haushaltsgeräte, Plastikwaren); eine Untergliederung der Produktivsektion (3b) in elementare (alte) Massenkonsumgüter (Textil, Leder, Schuhe) und dauerhafte Konsumgüter (Luxuskonsumgüter) ist für das Verständnis der Reproduktionsdynamik von Peripherie-Ökonomien wesentlich.

Der *Akkumulationsprozeß in den Peripherien*, obgleich kapitalistischer Natur, ist insgesamt grundlegend anders strukturiert als im metropolitanen Kapitalismus. Sieht man einmal für den vorliegenden Zusammenhang von der Phase des Raubkolonialismus ab, so war in den meisten Kolonialländern mit wenigen Ausnahmen (wie in den größeren lateinamerikanischen Ökonomien) noch bis in die fünfziger Jahre dieses Jahrhunderts die ökonomische Entwicklung durch eine Kombination exportorientierter Produktion (Export von unverarbeiteten landwirtschaftlichen und mineralischen Erzeugnissen und Rohstoffen) mit importorientierten Aktivitäten (Import von Fertigwaren, insbesondere von Konsumgütern für einkommenstarke Schichten mit einem diversifizierten Verbrauch) gekennzeichnet. Dabei verzeichnen nur die exportorientierten Sektoren maßgebliche Produktivitätssteigerungen; der größte Teil des landwirtschaftlichen Sektors – und damit peripherer Gesellschaften überhaupt – ist von ihnen ausgenommen. Das den Peripherie-Kapitalismus in dieser Etappe bestimmende Akkumulationsmodell hat die klassische internationale Arbeitsteilung zwischen den Produzenten von Rohstoffen und den Produzenten von Fertigwaren zur Grundlage. Es findet seinen idealtypischen Ausdruck in der traditionellen *Enklavenwirtschaft* für die Produktion von exportorientierten agrarischen und mineralischen Primärgütern.[17]

In einer zweiten Phase, die in den größeren lateinamerikanischen Gesellschaften ungefähr 1930 beginnt und sich in afrikanischen und asiatischen Gesellschaften mit größerem Binnenmarkt nach dem Zweiten Weltkrieg, spätestens seit Mitte der fünfziger Jahre, wiederholt, setzt ein erster Industrialisierungsschub ein. Herkömmlicherweise importierte Konsumgüter werden durch die Eigenproduktion an Ort und Stelle ersetzt (*Importsubstitution* von kurzlebigen Konsumgütern für bestehende Konsummuster). Obgleich diese Industrialisierungsstrategie anfangs, also in ihrer sogenannten »leichten« Phase in den meisten Fällen erfolgreich ist, kann sie, je länger sie verfolgt wird, nur um den Preis eines verstärkten Imports von Produktionsgütern, Zwischengütern und lokal nicht vorfindbaren Rohstoffen aus den kapitalistischen Metropolen aufrechterhalten werden. Überdies wird der exportorientierte landwirtschaftliche und mineralische Sektor durch diesen Typ von Industrialisierung nicht geschwächt, sondern gestärkt, weil die für die Industrialisierung erforderlichen Devisen nur aus den landwirtschaftlichen und mineralischen Exporten gewonnen werden können. Der die europäische Entwicklung kennzeichnende, meist tiefgreifende gesellschaftliche Konflikt zwischen Agraroligarchie und Industriebourgeoisie bleibt aus – oder wird aus dem genannten Reproduktionszwang heraus sistiert.[18]

In einer noch späteren Phase kommt es in wenigen peripheren Gesellschaften (wie z. B. Brasilien, Indien) zur Herausbildung eines Sektors für die industrielle Produktion von langlebigen Konsumgütern (Autos, Elektrohaushaltsgeräte u. a.), dessen Produkte nur für die Nachfrage höherer Einkommensschichten bestimmt sind.[19] Der Aufbau von Teilbereichen einer eigenständigen Grundstoffindustrie beginnt, und in wenigen Fällen werden sogar zaghafte Versuche zur Errichtung einer eigenen Produktionsgüterindustrie unternommen. Diese in wenigen Fällen beobachtbare neuere Phase von Importsubstitutions-Industrialisierung hat in der Regel massive Investitionen des ausländischen Kapitals und die von multinationalen Konzernen gelieferte Technologie zu ihrer Bedingung. Mit diesen Investitionen werden typisch metropolitane Konsumgüter und die zu ihrer Erzeugung erforderliche metropolitane Technologie in die Binnenmärkte fortgeschrittener Peripherien übertragen, was zu einer *Internationalisierung des Binnenmarktes* im sekundären und tertiären Sektor führt.

Alle drei genannten Etappen des Peripherie-Kapitalismus zeigen folgende Merkmale:

1. Eine relativ stagnierende Produktivität im nicht-exportorientierten landwirtschaftlichen Sektor (im Unterschied zu den Produktivitätssteigerungen im landwirtschaftlichen Exportsektor). Die Unfähigkeit, die eigene Bevölkerung mit ausreichenden Nahrungsmitteln zu versorgen, hat hier ihren Ursprung.

2. Das Fehlen bzw. die nur stagnative Entwicklung einer Produktion von Massenkonsumgütern im Unterschied zu der zum Teil florierenden Produktion von Luxuskonsumgütern. Diese Diskrepanz spiegelt die krassen Einkommensunterschiede in peripher-kapitalistischen Gesellschaften wider – ein

Reflex des traditionellen Entwicklungsweges.

3. Das Fehlen bzw. die nur stagnative Entwicklung eines eigenständigen Produktionsgütersektors, der die Ausrüstungsgüter für die Produktion von Konsumgütern, von Zwischenprodukten und Produktionsmitteln bereitstellen würde, einschließlich der Ausrüstungsgüter für die Landwirtschaft. Die mangelnde Fähigkeit zur Produktion von Produktionsmitteln begründet die tiefgreifende technologische Abhängigkeit der Peripherien von den Metropolen und begründet gleichzeitig die Monopolmacht der Metropolen gegenüber den Peripherien.

4. Aus den vorgenannten Merkmalen resultiert *die mangelnde Rückkopplung einer Produktion von Produktionsgütern mit einer Produktion von Massenkonsumgütern unter Eingliederung des landwirtschaftlichen Sektors* (als dem Produzenten von Nahrungsmitteln und Rohstoffen, dem Konsumenten von landwirtschaftlichen Produktionsgütern und von industriellen Konsumgütern – und, wie die Industriesektoren, als wesentliche Quelle von Akkumulation).[20]

Die genannten Merkmale peripher-kapitalistischer Ökonomien bezeichnen gewissermaßen die Leerstellen in den ökonomischen Wirtschaftskreisläufen von Peripherien; sie sind die Kehrseite der hypertroph ausgebildeten außenorientierten und/oder fremdbestimmten Produktionsaktivitäten in Peripherien:

1. Zur Zeit der klassischen internationalen Arbeitsteilung sind *Exportenklaven* der Peripherien voll in die metropolitanen Ökonomien integriert und von deren Reproduktionsdynamik positiv (Wachstumsimpulse in Boom-Phasen) und negativ (Stagnationsphasen) abhängig. Der Nicht-Enklavensektor der Peripherien wird zum konjunkturabhängigen Zulieferer von billigen Arbeitskräften und deren Subsistenzmitteln degradiert. Anders als es die Dualismus-Theorie behauptet, ist er also keineswegs von den exportorientierten Aktivitäten der Enklave abgesondert; vielmehr ist er symbiotisch auf die Produktionsbedürfnisse der Enklave ausgerichtet. Die in der Enklave in der Regel vorherrschende kapitalistische Produktionsweise wird schon auf dieser Stufe der Entwicklung peripherer Gesellschaftsformationen dominant, ohne daß es jedoch zu einer Durchkapitalisierung aller ökonomischen Sek-

toren käme. Darin liegen die Wurzeln der strukturellen Heterogenität von Peripherien.

2. Mit dem Fortschreiten der *Importsubstitutions-Industrialisierung* geraten die entwickelten Peripherien in Abhängigkeit von weiteren Zulieferungen metropolitaner Produktionsgüter, von Zwischenprodukten und lokal nicht vorfindbaren Rohstoffen als der unerläßlichen Grundlage für die lokale Industrieproduktion von im wesentlichen zunächst nicht dauerhaften Konsumgütern. Während in den meisten Fällen dieser Typ von Industrialisierung im engeren Sinne des Begriffes erfolgreich war (der frühere Import-Warenkorb wird in manchen Fällen vollständig durch lokale Produkte ersetzt), macht dieser Erfolg gleichzeitig den bleibenden grundlegenden Defekt peripherer Ökonomien deutlich: das *Fehlen eines eigenen Produktionsgütersektors* und das *Fehlen lokal entwickelter Technologien* sowie die *Orientierung der Konsummuster privilegierter Schichten an metropolitanen Standards,* was erhebliche Konsequenzen für den im Aufbau begriffenen Produktionsapparat hat. Indem eine solche Importsubstitutions-Produktion an gegebener, d. h. einkommensstarker und diversifizierter Nachfrage ausgerichtet ist, entwickelt sie nicht jene ökonomischen und, in der Folge, sozialen Ausweitungseffekte in die gesamte Ökonomie der Peripherien, die erforderlich wären, um die Industrialisierung auf einer Massenbasis zu begründen und aufzubauen, also eine autozentrierte Entwicklung zu ermöglichen.

3. Dieser grundlegende Defekt führt aus den genannten Gründen zur Erschöpfung der in der sogenannten »leichten Phase« dynamisch sich entfaltenden Importsubstitutions-Industrialisierung. Als Ausweg bietet sich in der Regel der Versuch einer *exportdiversifizierenden Industrialisierung* an, durch die typische Engpässe überwunden werden sollen. In peripheren Gesellschaften, die eine erste Phase der Importsubstitution durchlaufen haben und einen relativ großen Binnenmarkt für die Konsumnachfrage einkommensstarker Schichten besitzen (wie z. B. in Brasilien), kommt es seit der Mitte der fünfziger und den frühen sechziger Jahren unter dem Einfluß massiver ausländischer Investitionen zu einer neuen Stufe importsubstituierender Industrialisierung, nämlich der Herausbildung eines industriellen Sektors für die Produktion

von *langlebigen Konsumgütern* für eine diversifizierte Nachfrage einkommensstarker Schichten. Dieser neue Typ von industrieller Produktion wird in der Regel ausschließlich von multinationalen Konzernen beherrscht und bewirkt innerhalb weniger Jahre die *Internationalisierung des Binnenmarktes* auf der Basis metropolitaner Produktionsapparate und Technologie, ausgerichtet an den von den privilegierten Schichten aus den Metropolen übernommenen Konsummustern.[21]

Lange Zeit war also in den Peripherien die kapitalistische Akkumulation exportbedingt, und für die meisten Peripherien sind die enklavenförmig organisierten Exportaktivitäten immer noch die vitale Grundlage ihrer ökonomischen Existenz. Die jahrelang und neuerdings massiv vorgetragenen Forderungen nach einer Stabilisierung ihrer Exporterlöse haben darin ihre Begründung. Kam es in Peripherie-Ökonomien zu Industrialisierungsprozessen, so waren diese in den beiden bisher beobachtbaren entscheidenden Etappen (einfache Importsubstitution und Internationalisierung des Binnenmarktes) durch eine mehrfache *Bruchstückhaftigkeit* gekennzeichnet:

1. *durch mangelnde Verflechtung von Landwirtschaft und Industrie;*

2. *durch den Mangel an vollständigen industriellen Wirtschaftskreisläufen*[22]: ein Teil des Reproduktionsprozesses, insbesondere die Produktion von Technologie, Produktionsmitteln, zu einem erheblichen Maße von Zwischenprodukten und von raffinierten Konsumgütern, findet in den Metropolen statt[23]; dessen ökonomische Effekte gehen Peripherie-Ökonomien verloren;

3. *durch die innere Tendenz beider Industrialisierungsetappen, die Nachfrage einkommensstarker Schichten zu befriedigen, während die Produktion von Massenkonsumgütern aufgrund der nur unterdurchschnittlich oder gar negativ sich entwickelnden Kaufkraft der Masse der Menschen relativ stagniert.*[24]

4. Aus der Herausbildung solcher Teilmarktstrukturen resultiert die vermeintliche *Binnenmarktenge* – ein konsequentes Ergebnis unvollständiger Wirtschaftskreisläufe und einer nicht kohärenten Reproduktionsdynamik.

*Peripherie-Ökonomien fehlen die für eine lebensfähige Gesellschaft erforderlichen vitalen Produktionssektoren, einschließlich ihrer Vermaschung.* Dies ist der Grund, Peripherie-Ökonomien als *strukturell verarmt* zu beschreiben. Das wesentliche Kennzeichen von Peripherie-Ökonomien ist nicht ihre durchgängige Stagnation, so wie sie in den üblichen Teufelskreis-Argumenten über die Verursachung von Unterentwicklung unterstellt wird. *Alle Peripherie-Ökonomien sind seit jeher ausgesprochene Wachstumsökonomien, nur daß das Wachstum sich auf wenige, meist exportorientierte Sektoren konzentriert und auch die binnenorientierten Wachstumsprozesse sektoral und soziologisch begrenzt sind.* In gewisser Hinsicht erbringen Peripherie-Ökonomien in solchen Wachstumssektoren hohe Leistungen, ohne daß diese sich in den allmählichen Aufbau einer integrierten und kohärenten Wirtschaftsstruktur umsetzen würden.

Bruchstückhaftigkeit und mangelnde Kohärenz im Ökonomischen übersetzen sich in eine Zergliederung der Gesellschaftsstruktur von Peripherien, die in der Theorie des peripheren Kapitalismus als strukturelle Heterogenität bezeichnet wird.

## *3.2 Strukturelle Heterogenität*

Hinsichtlich peripherer Gesellschaftsformationen kennzeichnet *strukturelle Heterogenität* die hierarchisch angeordnete Existenz mehrerer Produktionsweisen, deren Stellenwert insgesamt von den jeweils dynamischsten kapitalistischen Sektoren bestimmt wird (früher: Enklavenwirtschaft; später: Importsubstitutionssektor; in wenigen Fällen: internationalisierter Teil des Binnenmarktes; exportdiversifizierende Industrialisierung – bzw. eine Kombination aller dieser Sektoren).[25] Während in den *Metropolen* seit der industriellen Revolution kapitalistische Produktion Schritt für Schritt sämtliche ökonomischen Sektoren (einschließlich der Landwirtschaft) durchdrang, kapitalistische Produktion also eine tendenziell exklusive Bedeutung gewann und zu einer tendenziellen Vereinheitlichung von Produktivitätsniveaus, Arbeitsintensitäten, von Profitraten und Lohnniveaus führte, kam es im *Peripherie-Kapitalismus* zu keiner vergleichbaren Homogenisierung von

Ökonomie und Gesellschaft. Hier existieren – auf der Grundlage einer hierarchisierten Zuordnung und in Abhängigkeit von den Bedürfnissen der dominanten kapitalistischen Produktion innerhalb der jeweils dynamischen Pole der Peripherien – unterschiedliche Produktionsweisen mit unterschiedlichem Entwicklungsstand der Produktivkräfte. Im Unterschied zu modernisierungstheoretischen Annahmen ist die strukturelle Heterogenität peripherer Gesellschaften nicht Ausdruck einer Übergangsphase von traditional-feudalen zu vollständig durchkapitalisierten, tendenziell homogenen Gesellschaften (vgl. auch *Tabelle 1*). Die historische Entwicklung verläuft vielmehr anders:

Die Ausmaße von struktureller Heterogenität nehmen zu. So ist die Produktivitätsdifferenz zwischen der typischen exportorientierten landwirtschaftlichen Produktion und der Subsistenzlandwirtschaft im 19. Jahrhundert sicherlich groß, aber geringfügiger als die Differenz zwischen Agroindustrie-Betrieben multinationaler Konzerne und einer inzwischen wenig veränderten Subsistenzlandwirtschaft, von der – durchschnittlich gesehen – die Mehrheit der Bevölkerung immer noch lebt; dasselbe gilt für die frühere Kluft zwischen lokalem Handwerk und den Importsubstitutions-Betrieben sowie den heute erkennbaren Bruch zwischen binnenmarktorientierten multinationalen Firmen, nationaler Industrie und lokalem Handwerk, soweit diese beiden Sektoren überhaupt noch überlebensfähig sind. Die Ursache für die sich vertiefende Heterogenität liegt darin, daß die dynamischen Sektoren von Peripherie-Ökonomien fremdbestimmt sind, was sich u. a. exemplarisch am Technologietransfer zeigt: die in metropolitanen Ökonomien organisch sich entwickelnde Technologie wird als fertiges Ergebnis je nach den Bedürfnissen des metropolitanen Kapitals in die Peripherien transferiert und dort den bestehenden Strukturen aufgepfropft; eine so entstehende und transferierte Technologie löst zwangsläufig erhebliche sozioökonomische Deformationen aus, da sie nicht das Ergebnis einer an Ort und Stelle sich entfaltenden, autonom bestimmten Produktionsweise ist.[26]

Die Penetration der Peripherie-Ökonomien durch das metropolitane Kapital
– im landwirtschaftlichen und im Rohstoff-Sektor;

*Tabelle 1:* Durchschnittliche Produktivität pro beschäftigte Person in US-Dollar (von 1960*) nach Wirtschaftssektoren und deren Subsektoren gegliedert. Anteil der Beschäftigten in %; Daten vom Ende der sechziger Jahre.

| | Insgesamt | | | »Moderner Subsektor« | | »Übergangs-Subsektor« | | »Primitiver Subsektor« | | |
|---|---|---|---|---|---|---|---|---|---|---|
| | Anteil der Beschäftigten in % | | Durchschnittl. Produktivität | % der Beschäftigten | Durchschnittl. Produktivität | % der Beschäftigten | Durchschnittl. Produktivität | % der Beschäftigten | Durchschnittl. Produktivität | Relation zwischen der Produktivität des »modernen« und der des »primitiven« Subsektors |
| *Insgesamt* | 100 | 100 | 1 371 | 12,4 | 5 909 | 47,4 | 1 194 | 34,3 | 203 | 29 |
| Landwirtschaft | 42,2 | 100 | 694 | 6,8 | 4 830 | 27,7 | 830 | 65,5 | 205 | 24 |
| Bergbau | 1,0 | 100 | 6 484 | 38,0 | 15 606 | 34,2 | 1 420 | 27,8 | 246 | 63 |
| Verarbeitung | 13,8 | 100 | 2 517 | 17,5 | 8 938 | 64,9 | 1 400 | 17,6 | 220 | 41 |
| a) industrielle | 7,7 | 100 | 4 168 | 28,1 | 9 800 | 71,9 | 1 960 | – | – | – |
| b) handwerkliche | 6,1 | 100 | 419 | 4,1 | 1 760 | 55,9 | 470 | 40,0 | 220 | 8 |
| Bausektor | 4,5 | 100 | 1 116 | 24,8 | 2 322 | 64,9 | 800 | 10,3 | 203 | 11 |
| Grunddienstl. | 5,5 | 100 | 2 174 | 25,0 | 4 276 | 71,6 | 1 530 | 3,4 | 220 | 19 |
| Handel | 10,1 | 100 | 2 731 | 14,0 | 8 990 | 76,1 | 1 990 | 9,9 | 340 | 26 |
| übrige Dienstl. | 17,3 | 100 | 1 283 | 16,2 | 2 713 | 70,5 | 940 | 13,3 | 160 | 17 |

* 1960 entsprach 1 US-Dollar ca. 4,20 DM.

*Quelle:* Aníbal Pinto und Armando di Filippo, *Notas sobre la estrategía de la distribución y la redistribución del ingreso en América Latina*, in: *El Trimestre Económico*, Nr. 162 (April-Juni), 1974, S. 357 ff.

– in der Produktion von dauerhaften Konsumgütern, von Luxusnahrungsmitteln und z. T. von nicht dauerhaften Konsumgütern;
– in der industriellen Produktion rohstoff- und arbeitsintensiver Fertigwaren für den Weltmarkt (Exportdiversifikation);
– (soweit vorhanden) in der Produktion von Grundstoffen, Zwischengütern und Produktionsgütern

begründet und vertieft die strukturelle Heterogenität peripherer Gesellschaftsformationen insgesamt (und nicht nur der Ökonomie). Dabei bilden sich außerhalb der traditionellen Enklavenwirtschaft in all diesen Bereichen *neue sozialgeographische Enklaven* wie z. B. beim Aufbau von Agroindustrie-Betrieben und von Fertigungsstätten für die exportorientierte Produktion von rohstoff- und lohnintensiven Industrieprodukten (freie Produktionszonen).[27] Insgesamt entsteht aufgrund dieser Penetration und angesichts der Dominanz des metropolitanen Kapitals in Peripherie-Ökonomien ein gesellschaftliches Strukturgebilde, das durch eine deutliche *Hierarchisierung* gekennzeichnet ist und im folgenden kurz beschrieben werden soll.

Wie jede Ökonomie gliedert sich die Peripherie-Ökonomie in einen primären, sekundären und tertiären Sektor (vgl. dazu das *Schaubild 2*). Diese sind in sich hierarchisch strukturiert (a - b - c), wobei in der Regel eine deutliche *Funktions- und Rollenteilung der Aktivitäten des internationalen und des nationalen Kapitals* hinsichtlich spezifischer Subsektoren zu beobachten ist.[28]

Die Untersektoren (a) stellen jenen Teil des primären, sekundären und tertiären Hauptsektors dar, der maßgeblich, wenn nicht allermeist sogar exklusiv, vom internationalen Kapital besetzt ist. Hier herrscht eine *oligopolistische Produktions- und Marktform* vor[29]: im Subsektor (a) des primären Sektors handelt es sich um die kapitalintensive Gewinnung von Rohstoffen und um die neuerdings verbreitete Niederlassung von Agrobusiness-Unternehmungen; im Subsektor (a) des sekundären Sektors findet die Produktion von dauerhaften Konsumgütern statt; im Subsektor (a) des tertiären Sektors sind die international operierenden Werbefirmen, Banken, Versicherungs- und Handelsgesellschaften angesiedelt.[30] Die Aktivitäten des internationalen Kapitals in den genannten

*Schaubild 2:* Die Strukturierung einer Peripherie-Ökonomie (auf dem Differenzierungsniveau Brasiliens).

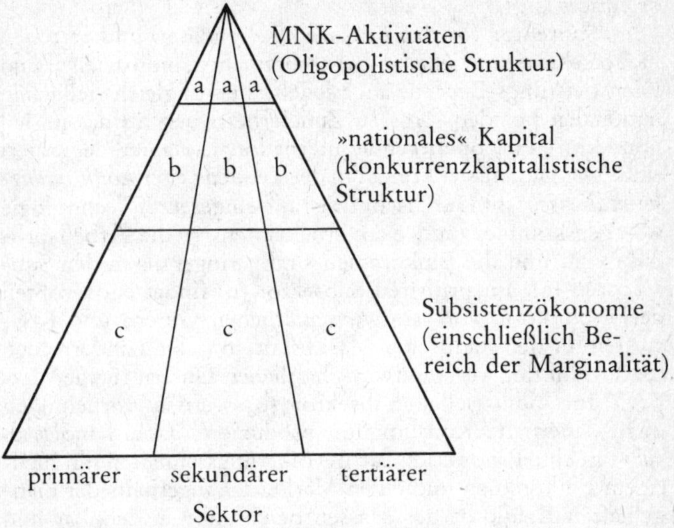


Subsektoren (a) sind kapitalintensiv und erfolgen in der Regel mit fortgeschrittener, wenn nicht gar neuester metropolitaner Technologie; über sie werden metropolitane Konsummuster in die Peripherie hineingetragen. Die Produktivität ist hier am höchsten; entsprechend sind die Einkommen hier relativ hoch; die Absorptionsfähigkeit von Arbeitskraft bleibt – gemessen an den objektiven Problemen von Arbeitsbeschaffung – relativ beschränkt. Die genannten Subsektoren sind sehr eng miteinander verzahnt. In der Regel fördert der *lokale Staatsapparat* erhebliche Infrastrukturmaßnahmen, die die Reproduktionsfähigkeit dieses Bereiches erhöhen; nicht selten ist er über *joint ventures* in diesen Bereich direkt eingegliedert. *Dieser sogenannte Modernisierungs- oder Wachstumspol hat zugleich ein Gestaltungsprivileg bei der Strukturierung der übrigen Ökonomie.* Seine soziologische Absicherung erfolgt durch die Herausbildung eines neuen Mittelstandes (Manager, höhere Angestellte, qualifizierte Facharbeiter, Staatsbeamte

u. a.), der relativ hohe Einkommen bezieht und der in der Regel wie die alten dominanten Klassen (Landoligarchie, Handelsbourgeoisie u. a.) an metropolitanen Konsummustern orientiert ist.[31]

Im Subsektor (b) des primären, sekundären und tertiären Hauptsektors sind jene landwirtschaftlichen, industriellen und Dienstleistungs-Betriebe angesiedelt, die – obgleich vielfach in nationalen Händen – oft zu Zulieferbetrieben für das in den Subsektoren (a) operierende internationale Kapital degradiert sind. Die Gesamtstruktur ist in der Tendenz eher *konkurrenzkapitalistisch;* im Durchschnitt ist die eingesetzte Technologie weniger komplex und eher arbeitsintensiv; die Arbeitsproduktivität und die Einkommen sind geringer als in den Subsektoren (a). Im primären Subsektor (b) findet ein Großteil der Produktion von landwirtschaftlichen Gütern und Rohstoffen für den städtischen Markt statt, in vielen Ländern auch die Produktion von landwirtschaftlichen Gütern für den Export. Im industriellen Subsektor (b) werden vornehmlich nicht dauerhafte Konsumgüter produziert; dabei handelt es sich um eine Produktion für Bevölkerungsschichten mit niedrigem Einkommen und einen Markt, der angesichts der mangelhaften Kaufkraft der Massen beschränkt ausdehnbar und überdies stark konjunkturell anfällig ist. Im tertiären Subsektor (b) sind lokale Banken, Versicherungsgesellschaften, Werbefirmen und Handelshäuser angesiedelt.

In den Subsektoren (c) lebt die Masse der Menschen. Produktivität und Einkommen sind in diesem weitgehend immer noch als *Subsistenzsektor* zu charakterisierenden Wirtschaftsbereich gering; Hunger und Armut sind weit verbreitet. Hier ist auch das Reservoir an marginalisierten und arbeitslosen Menschen zu finden – und also auch das Reservoir der Reservearmee für die Subsektoren (b) und (a) (für letzteren z. B. beim Einsatz billiger Arbeitskraft in vertikal strukturierten internationalen Produktionsverbündeten).

Der Aufgliederung des Produktionsapparates in einen internationalisierten, die übrige Ökonomie beherrschenden Kern und in Sektoren zweiten und dritten Grades entsprechen kongruente Einkommens- und Nachfragestrukturen.[32] Die kapitalintensive, mit hoher Produktivität erfolgende Produktion in den Subsektoren (a) erlaubt eine überdurchschnittliche

Entlohnung ohnehin relativ begünstigter Einkommensschichten. Sie führt – wie schon erwähnt – u. a. zur Entstehung einer neuen Mittelschicht, die die soziologische Basis auch für die Nachfrage nach dauerhaften Konsumgütern erweitert.[33]

Die Kehrseite dieses Vorgangs zeigt sich in der vielfach zu beobachtenden *Stagnation der Reallöhne* des städtischen Proletariats bzw. im Reallohn-Verfall des städtischen und ländlichen Proletariats – ein Vorgang, der sich in die *relative* Stagnation des Marktes für nicht-dauerhafte Konsumgüter übersetzt. Diese Sozialschichten umfassen die Masse der Menschen, und obgleich ihr Anteil am Volkseinkommen ohnehin sehr gering ist, hat er sich in den vergangenen zwei Jahrzehnten oft weiterhin relativ oder absolut verkleinert, wenngleich in einzelnen Fällen geringe absolute Einkommensanstiege zu beobachten sind. Angesichts der selbst noch in diesen Sozialschichten beobachtbaren ungleichen Einkommensverteilung ist die Verbreitung von Massenelend nur ein folgerichtiges Resultat der gegebenen Produktions-, Einkommens- und Nachfragestruktur. Neben den Enklaven für die gehobenen, an metropolitanen Standards sich messenden Konsumschichten weitet sich außer relativer Armut *absolute Armut* im Gefolge sogenannter Marginalisierungsprozesse aus.[34]

Die Heterogenität einer derart hierarchisch gegliederten Gesellschaftsstruktur berührt sämtliche ihrer Dimensionen: ihre Produktionsstruktur und die aus ihr resultierende Einkommensverteilung, die Konsumprofile, die ungleiche Verteilung von Technologie und Produktivitätsfortschritten, die Zergliederung von Arbeitskraft in eine relativ gut organisierte Minorität und den Rest, die sozialgeographische Aufteilung von Peripherien in Wachstumspole und Hinterland und schließlich die aus den genannten sozialen und ökonomischen Gegebenheiten resultierende politische und kulturelle Heterogenität von Peripherien. Diese empirischen Erscheinungen liegen der für die Analyse von Peripherien fundamentalen analytischen Konzeption struktureller Heterogenität zugrunde. Wäre strukturelle Heterogenität eine zeitweilige Übergangserscheinung, käme ihr bei weitem nicht jene zentrale Bedeutung zu; da sie sich, über längere Zeit betrachtet, ausweitet und vertieft, ist jede Analyse peripherer Gesellschaftsformation ohne einen expliziten Rekurs auf sie unzulänglich. Neuere Analysen weisen sogar darauf hin, daß in jenen Fällen, in denen eine relativ fortgeschrittene Durchkapitalisierung zu beobachten ist, *innerhalb* der kapitalistischen Produktionsweise, ganz anders als im metropolitanen Kapitalismus, ebenfalls eine Form von struktureller Heterogenität sich abzeichnet.[35]

### *3.3 Strukturelle Abhängigkeit: Das aktuelle Beispiel der Industrieverlagerung aus den Metropolen in die Peripherien*

Strukturelle Heterogenität ist ein historisches Produkt der Eingliederung der Peripherien in den von den kapitalistischen Metropolen beherrschten Weltmarkt – und »Unterentwicklung« ist letztlich ein Reflex dieses Prozesses.[36] Durch diese Eingliederung wurden die vorkolonialen Gesellschaften Lateinamerikas, Asiens und Afrikas zu Peripherien, d. h. – politisch, ökonomisch, sozial und kulturell gesehen – zu »verkrüppelten« Anhängseln und Außenposten des metropolitanen Kapitalismus.[37] Sie gerieten dabei nicht nur in Abhängigkeit; sie wurden vielmehr *strukturell abhängig*[38] – die für die peripheren Gesellschaftsformationen typischen Strukturen bildeten sich je nach den vom metropolitanen Kapitalismus erzwungenen und geforderten Erzeugnissen heraus (wie Edelmetalle, billige landwirtschaftliche Produkte, billige Rohstoffe, billige Arbeitskräfte, aber auch profitable Anlagefelder für Kapitalinvestitionen u. a.), und sie restrukturierten sich gemäß den jeweils neuen, von außen gesetzten Imperativen.

Jahrzehntelang, in manchen Fällen jahrhundertelang, ist es den Metropolen geglückt, diese Leistungen den Peripheren abzuverlangen, und es gelang den Metropolen überdies, durch eine extreme Spezialisierung und strukturelle Zuordnung der Peripherien auf die Bedürfnisse der Metropolen die Kontinuität dieser Leistungen zu garantieren, was die Tragweite des historischen Prozesses der Eingliederung Lateinamerikas, Asiens und Afrikas in den kapitalistischen Weltmarkt verdeutlicht.

Die aus asymmetrischen Penetrationsprozessen resultierende strukturelle Abhängigkeit der Peripherien von den Metropolen ist mit der bloßen Abhängigkeit der Metropolen von weiteren Energie- und Rohstofflieferungen aus den Peripherien nicht vergleichbar. Was im ersten Fall sich in einer spezifischen sozioökonomischen Struktur niederschlägt, also im Peripherie-Kapitalismus, reduziert sich im zweiten Fall auf eine Frage des Preises von Gebrauchswerten: auf teurere landwirtschaftliche Produkte, Rohstoffe und Arbeitskräfte im Unterschied zu billigen usf. Es kann keine Rede davon sein, daß sich die Reproduktionsdynamik der Peripherien im metropolitanen Kapitalismus vergleichbar *strukturell* ausdrückt, wie dies umgekehrt seit den Frühphasen des Kolonialismus kumulativ und kontinuierlich im Peripherie-Kapitalismus der Fall ist.

*Strukturelle Abhängigkeit* im Metropolen-Peripherien-Verhältnis kennt ebensowohl dynamisierende wie auch stagnative Phasen. Am aktuellen *Beispiel der Verlagerung unterdurchschnittlich produktiver Industriezweige aus den Metropolen in die Peripherien*[39] soll *exemplarisch* der Charakter dieses Prozesses dargestellt werden.

Die heute zu beobachtende Verlagerung von arbeits- und rohstoffintensiven Industriezweigen aus den Metropolen in die Peripherien wird in der entwicklungspolitischen Diskussion häufig als ein wichtiger Schritt zur Überwindung der überkommenen komplementären und vertikalen Arbeitsteilung zwischen Metropolen (als den Lieferanten von Fertigwaren, Maschinenpark und Technologie) und den Peripherien (als den Lieferanten von mineralischen und agrarischen Rohstoffen) dargestellt. Aufgrund solcher Verlagerungen solle die exportorientierte Industrialisierung der Peripherien beschleunigt und damit die Beteiligungschance der Peripherien am internationalen Handel mit Fertigprodukten niedrigen Verarbeitungsgrades erhöht werden. Eine komplementäre Arbeitsteilung solle in eine substitutive überführt werden. Unterstellte »natürliche Standortvorteile« der Peripherien lassen diesen Prozeß plausibel erscheinen.[40] Doch markiert er einen Bruch mit dem überkommenen Beziehungsmuster zwischen Metropolen und Peripherien von der Art struktureller Abhängigkeit?[41]

Während die Plädoyers für eine derart zu *modifizierende internationale Arbeitsteilung* zwischen Metropolen und Peripherien von der Planbarkeit solcher Verlagerungen und einer entsprechenden neuen Arbeitsteilung ausgehen, entstehen die entscheidenden Impulse für eine teilweise modifizierte Arbeitsteilung zwischen Metropolen und Peripherien wie ehedem in den Metropolen als den dynamischen Polen der Weltwirtschaftsordnung. Die exportorientierte Teilindustrialisierung, z. B. in Südostasien, Lateinamerika, im Mittelmeerbereich und andernorts, vollzieht sich nicht aufgrund kohärenter entwicklungspolitischer Wirtschaftspläne an Ort und Stelle; ihr Ursprung ist in der rückläufigen kapitalistischen Rentabilität unterdurchschnittlich produktiver Industriezweige in den Metropolen zu sehen, deren Produktion aus Gründen der nationalen und internationalen Wettbewerbsfähigkeit zum Teil in Billiglohnländer ausgelagert wird. Dieser Vorgang ist in der Regel immer dann zu beobachten, wenn in solchen Industriezweigen durch eine weitere Erhöhung der Kapitalintensität die Arbeitsproduktivität nicht überdurchschnittlich gesteigert werden kann, die Kapitalproduktivität also stagniert, *und* wenn gleichzeitig, angesichts der gewerkschaftlich organisierten Arbeitskräfte, die Löhne ungefähr dem in den Metropolen vorherrschenden durchschnittlichen Lohnniveau angeglichen bleiben, eine branchenspezifische Reallohnsenkung praktisch nicht durchsetzbar ist. *Dieser spezifische Strukturengpaß des metropolitanen Kapitalismus, der durch die internationale Konkurrenz im entsprechenden Güterbereich akzentuiert wird, ist der eigentliche Motor für eine teilweise Modifikation der überkommenen internationalen Arbeitsteilung zwischen Metropolen und Peripherien.*[42] Während die Auslagerung von Produktionsabschnitten und Industriezweigen aus den Metropolen in die Peripherien das Ergebnis sachlogischer ökonomischer Zwänge darstellt – wenigstens solange das Kapitalrentabilitätsprinzip als Regulativ vorherrscht – und während durch die Auslagerung für die entsprechenden metropolitanen Teilkapitale, aber auch für die metropolitane Industriestruktur insgesamt ein Strukturproblem gelöst wird[43], kann eine solch bruchstückhafte Verlagerung nur im extremen, rein denkmöglichen Ausnahmefall zu einer höheren Kohärenz von Peripherie-Ökonomien, d. h. zur tendenziellen Überwindung der typischen Defekte peripherer Ökonomien und damit zur Überwindung von struktureller Heterogenität führen. Dieser Fall wäre dann gegeben, wenn solche Verlagerungen eine an sich schon lebensfähige Wirtschaftsstruktur weiter abzurunden imstande wären.

In der Regel entspricht die Vorstellung einer derartigen sinnvollen Nutzbarmachung von Verlagerungen einem entwicklungspolitischen Wunschbild. *Die neuerlichen Produktionsaktivitäten bleiben im Rahmen der Peripherie-Ökonomien meist bruchstückhafte Anlagerungen.* Der Fragmentcharakter solcher exportorientierter Produktion wird dann besonders deutlich, wenn lediglich Teilabschnitte eines Produktionsprozesses aus den Metropolen in die Peripherien verlagert werden *(»sub-contracting component industrialization«)* und wenn schon vom Ansatz her eine Einführung solcher Produktionsaktivitäten in einen künftigen, insgesamt planvoll strukturierten kohärenten Industriekomplex nicht vorgesehen ist.[44] Ein sinnfälliger Ausdruck für den fragmentarischen Charakter einer solchen Form von Industrialisierung ist die sogenannte freie Produktionszone, deren Sinn, wie im vorgenannten Fall, allein darin besteht, billige lokale Arbeitskraft für metropolitane Aktivitäten zu mobilisieren.[45] In beiden Fällen wird der Peripherie-Ökonomie ein neues Stück *Enklavenwirtschaft* hinzugefügt. Deren Weltmarktabhängigkeit bedeutet, wie immer bei einer Enklavenwirtschaft, vertiefte Anfälligkeit für konjunkturelle Wechselfälle, aber auch gegenüber den Strukturwandlungen der internationalen Ökonomie.

Der gegenwärtig zu beobachtende Prozeß der Industrieauslagerung aus den Metropolen und der korrespondierenden Industrieanlagerung in den Peripherien ist ein plastisches Beispiel für jenen Vorgang, der mit dem Begriff der strukturellen Abhängigkeit beschrieben werden soll. *Strukturelle Abhängigkeit ist in der Tatsache begründet, daß die Reproduktionsdynamik des metropolitanen Kapitalismus sich auf die Peripherie-Ökonomien überträgt und die Peripherie-Ökonomie sich den Akkumulationserfordernissen des metropolitanen Kapitals anpaßt.* Da solche Vorgänge in den Peripherie-Ökonomien, wie alle früheren und aktuellen Aktivitäten des metropolitanen Kapitals, einen Wachstumsschub verursachen und vom Wachstum Entwicklungseffekte erhofft werden, werden sie meist blindlings begrüßt; die Staatsapparate peripherer Gesellschaften wetteifern mit besonderen Vergünstigungen um die

Anlagerung von solchen arbeits- und rohstoffintensiven Industrien. *Dabei vermag diese exportorientierte Industrialisierung keineswegs die grundlegende Asymmetrie zwischen Metropolen und Peripherien aufzuheben, obgleich sie zu einer teilweisen Veränderung der überkommenen internationalen Arbeitsteilung führt.* Samir Amin ist zuzustimmen, wenn er den Vorgang folgendermaßen kommentiert:

»Die ›Entwicklung‹ der Peripherie hat dieser niemals erlaubt, das Zentrum ›einzuholen‹, denn in jeder Etappe der Entwicklung des Zentrums hat eine neue Etappe der internationalen Arbeitsteilung, welche ungleich blieb, der Peripherie subalterne Funktionen zugewiesen. [. . .] Die kommende Etappe wird diejenige einer beschleunigten exportorientierten Industrialisierung der Peripherie sein, indem in die Peripherien ›klassische‹ (›verschmutzende‹) Leicht- und Schwerindustrie verlagert werden, während im Zentrum sich neue Industrien konzentrieren, welche die Basis eines erneuerten Akkumulationsmodells darstellen werden: Industrien der Atomenergie, der Sonnenenergie, des Weltraums, der Genetik und der Produktion von synthetischer Nahrung, der Ausbeutung des Meeresbodens usf.«[46]

Die bleibende Asymmetrie zwischen Metropolen und Peripherien dokumentiert sich auch in der erheblichen Fähigkeit von Metropolen, durch geeignete Anpassungsprozesse innerhalb der metropolitanen Ökonomie akute Strukturprobleme zu lösen.[47] Die Auslagerung von Industriezweigen im oben beschriebenen Sinne ist nur eine von mehreren möglichen Reaktionen des metropolitanen Kapitals auf die Existenz unterschiedlich produktiver Industriezweige. Die Erhöhung der Kapital- und Technologie-Intensität der Produktion in den betreffenden Industriezweigen, die zum Teil in der Tat beobachtbar ist, ist eine andere, durchaus naheliegende Reaktion. Es kann gezeigt werden, daß durch die letztere Reaktion metropolitane Ökonomien komparative Vorteile in Bereichen erlangen können, in denen diese – von einer statischen Außenhandels- und Entwicklungstheorie her gesehen – eigentlich Peripherie-Ökonomien zukommen sollten. Wie an späterer Stelle noch zu erläutern sein wird, zeigt dieses Beispiel die höchst unterschiedliche Fähigkeit von metropolitanen Ökonomien und Peripherie-Ökonomien, Strukturprobleme zu verarbeiten. Einer hohen Transformationsfähigkeit im Falle metropolitaner Ökonomien stehen die erheblichen Anpassungsschwierigkeiten von Peripherie-Ökonomien gegenüber, was – wie oben schon ausgeführt – den unterschiedlichen Grad von Ausdifferenzierung und Kohärenz beider Wirtschaftsstrukturen spiegelt.[48]

Völlig unterschiedlich bleibt auch die Fähigkeit, eine einmal verlagerte Industrie angesichts sich nachteilig entwickelnder Faktorkosten an Ort und Stelle noch einmal zu verlagern, so wie es einer weltweit planenden Investitions-Prospektierung entspricht. Eine derartige *Neuverlagerung* bzw. eine *Rückverlagerung* solcher Produktionsaktivitäten zu günstigeren Standorten wird immer dann erfolgen, wenn komparative Produktionskosten-Kalküle und Rentabilitätsgesichtspunkte dies nahelegen. Die veränderte Grundlage für solche neuen Kalküle können z. B. erhöhte Lohnkosten in Peripherie-Ökonomien sein, aber auch technologische Durchbrüche für Produktionsverfahren, die eine höhere Kapitalproduktivität bei einer Produktion in der Metropole selbst ermöglichen. Im ersten Fall kann es zu einer Umverlagerung von einer Peripherie zu einer anderen, standortgünstigeren kommen, im zweiten Fall zur Rückverlagerung einer ehemals ausgelagerten Produktionsaktivität in die Metropole selbst. In beiden Fällen bleiben der Peripherie, wie historisch oft geschehen, die Überbleibsel einer weiteren Boomphase von Enklavenwirtschaft. Eine solche Erfahrung wird Peripherien nicht erspart bleiben, solange sie sich einer weltweiten Investitions-Prospektierung öffnen und das metropolitane Kapital im Sinne seiner Strategie des *»world-wide-sourcing«* die typischen Standortvorteile von Peripherie-Ökonomien je einzeln und bruchstückhaft zu seinen Gunsten wahrzunehmen imstande ist. So lange ist der Prozeß einer immer wieder reaktivierten strukturellen Abhängigkeit nicht zu unterbrechen.

Warum, so ist zu fragen, wird von den lokalen Eliten der Peripherie-Gesellschaften eine derartige exportorientierte Industrialisierungsstrategie auf der Grundlage von Anlagerungs-Industrialisierung favorisiert, obgleich die bisherigen Erfahrungen nur in wenigen Fällen, von kruden Wachstumsperspektiven her gesehen, »ermutigend« sind, die internationalen Marktchancen aus später noch zu belegenden Gründen beschränkt bleiben[49] und die Asymmetrie zwischen Metropolen und Peripherien sich keineswegs verringern läßt? Warum wird trotz aller historischer Erfahrung auf niedrigerer Entwicklungsstufe der Beziehungen zwischen Metropolen und Peripherien eine solche Wirtschafts- und Entwicklungspolitik betrieben? Die Antwort ist eine zweifache. Die lokalen Eliten erwarten von einer solchen Politik die Lösung ihres chronischen Arbeitslosenproblems. Diese Erwartung dürfte so illusionär sein wie die Annahme höherer Deviseneinnahmen infolge exportorientierter Industrialisierung. Auf einen weiteren wichtigen Grund hat William Tyler aufmerksam gemacht:

»Wie im Falle der Import-Substitutions-Entwicklung, so erlaubt die Exportförderungs-Entwicklung eine ökonomische Entwicklung, ohne die politische Struktur zu transformieren. Die traditionellen politischen Interessen bleiben weitgehend unberührt, und jede neue entstehende nationale Industrieelite wird am Rande der politischen Macht gehalten. Ausländische Unternehmen, die viel von den dynamischeren Sektoren der verarbeitenden Industrien kontrollieren, würden erhebliche Vorteile haben. Doch diese Interessen bleiben weitgehend außerhalb der lokalen Konfiguration angesiedelt. Die Expansion des Exports von Fertiggütern ermöglicht Wachstum mit einem Minimum an institutionellem und poltischem Wandel.«[50]

Was an diesem einen konkreten Beispiel der Industrieverlagerung bzw. der Industrieanlagerung gezeigt werden konnte, ließe sich an vielen anderen historisch älteren Beispielen gleichermaßen belegen: *strukturelle Abhängigkeit als die Übertragung der Reproduktionsdynamik des metropolitanen Kapitalismus auf die Peripherien in einer sich verändernden, jedoch asymmetrisch bleibenden Beziehungsstruktur zwischen Metropolen und Peripherien.*[51]

## 4. Zur Problematik der Integration von Peripherien in den Weltmarkt

Die Penetration der Peripherien durch die kapitalistischen Metropolen hat in den vergangenen Jahrzehnten nicht abgenommen, sondern sich vielfältig differenziert. Dies gilt eindeutig hinsichtlich alter und neuer ökonomischer Aktivitäten, die *exportorientiert* sind. Gleichermaßen bedeutsam sind die *binnenmarktorientierten* Aktivitäten des internationalen Kapitals, weil sie – wie die erstgenannten – die Reproduktionsstruktur und die Reproduktionsdynamik von Peripherie-Ökonomien und darüber hinaus von peripheren Gesellschaftsformationen überhaupt grundlegend prägen. Darin liegt ihr besonderes, nicht nur einzelne Subsektoren von Peripherie-Ökonomien berührendes Gestaltungsprivileg: sie strukturieren nicht nur jene Bereiche, auf die sie unmittelbar bezogen sind, sondern indirekt auch die gesamte übrige Ökonomie, die sich an der Reproduktionsdynamik der dominanten Pole ausrichtet.

Die Hauptproblematik der Eingliederung von Peripherien in den gegebenen kapitalistischen Weltmarkt besteht – wie oben dargestellt – in der Herausbildung von *Peripherie-Produktionsstrukturen*, die durch eine erweiterte strukturelle Heterogenität des Produktionsapparates und, damit zusammenhängend, durch heterogene Einkommensverteilungsmuster, Konsumprofile und Infrastrukturen gekennzeichnet sind. Die im Rahmen solcher Strukturen sich entfaltende Entwicklung zeichnet sich dadurch aus, daß eine Bevölkerungsminderheit (5-15% der Bevölkerung) die Standards der metropolitanen Konsumgesellschaft erreicht, während die überwiegende Bevölkerungsmehrheit fast immer von diesem Entwicklungsweg ausgeschlossen bleibt und in eine nachgeordnete elende Position abgedrängt wird. *Eine auf die Befriedigung von Massenbedürfnissen ausgerichtete Ökonomie wird durch die Tiefe und Vielschichtigkeit der heutigen Integration der Peripherien in den Weltmarkt verhindert.*

Durch diese Integration verlieren Peripherie-Ökonomien ihre Fähigkeit zur gesellschaftlichen Innovation und zur innovativen Anpassung an Außeneinflüsse. *Die Innovation der Produktionsapparate, Technologien, Konsuminhalte und Lebensstile ist in den Metropolen konzentriert.* In die Peripherien werden die fertigen Produkte (Maschinenpark, Technologie, Konsumgüter usf.) übertragen und dort auf Strukturen aufgesetzt, aus denen sie nicht in einem organischen Prozeß erwachsen sind, so wie dies letztlich in den Metropolen der Fall war. Da metropolitane Innovationen keineswegs selektiv übernommen werden, sondern als *package deal* (wozu alle Voraussetzungen, Manifestationen und Folgewirkungen des metropolitanen Konsumstils gehören), gibt es in der Regel in Peripherie-Ökonomien auch keine Kapazitäten, ausgewählte metropolitane Innovationen an örtliche Gegebenheiten anzupassen. Eine angepaßte Technologie haben metropolitane Ökonomien nicht anzubieten, da ihr eigener Entwicklungsstand komplexe und kapitalintensive Technologien verlangt.[52] Da sich in Peripherie-Ökonomien keine Fähigkeiten entwikkeln, selbst angepaßte Technologien zu produzieren, mußte die bisherige Suche nach angepaßter Technologie im großen und ganzen erfolglos bleiben. Diese Situation wird sich nicht ändern, solange die soziologische Grundlage für die Außenorientierung von Peripherie-Ökonomien erhalten bleibt oder, anders ausgedrückt, solange an der Mehrzahl der Menschen und ihren elementaren Bedürfnissen vorbeiproduziert wird.[53]

Die *strukturbedingte Unfähigkeit zur Innovation* ist auch ein entscheidendes Hindernis für den Aufbau eigenständiger Wirtschaftsbeziehungen zwischen den heutigen Peripherie-Ökonomien untereinander. Denn solange derartige Innovationspotentiale nicht existieren, ist auch eine Umpolung des Außenhandels von Peripherie-Ökonomien auf neue dichte Beziehungsstrukturen untereinander kaum möglich[54], ein alternativer Entwicklungsprozeß müßte in den Anfängen steckenbleiben. Doch ist der Aufbau eines derartigen Innovationspotentials im Rahmen eines alternativen Entwicklungsprozesses dann nicht von vornherein aussichtslos, *wenn der Produktionsapparat auf die Befriedigung von Massenkonsumbedürfnissen ausgerichtet wird.* Während die heutige Form der Industrialisierung an einkommensstarken Sozialschichten und den sie kennzeichnenden differenzierten Konsumprofilen orientiert ist, einen höchst spezialisierten, große Kapitalmassen absorbierenden Produktionsapparat mit einem hohen Technologie-, Kapitalgüter- und Energiebedarf zur Grundlage hat, setzt eine Produktion für die Befriedigung von Massenbedürfnissen einen weit weniger differenzierten Produktionsapparat voraus, der nach einer gewissen Zeit auch an Ort und Stelle herstellbar wäre. Abgesehen davon wäre ein solches alternatives Entwicklungsprogramm weit weniger verschwenderisch und kostspielig als das jetzt vorherrschende. Die gängige entwicklungspolitische Diskussion hat sehr selten erörtert, welcher Importbedarf in der Tat unerläßlich ist, um eine Produktion von Konsumgütern für den gehobenen Konsum zu ermöglichen und welcher Importbedarf wirklich der armen

Bevölkerung zugute kommt. Die derzeit beklagten Zahlungsbilanzschwierigkeiten und die Höhe der Verschuldung sind zu einem Teil auf Importe zurückzuführen, die nur einen geringen Entwicklungsbeitrag nach sich ziehen, während sie zum Aufbau eines Fragments metropolitaner Ökonomie in den Peripherien unerläßlich erscheinen. Eine veränderte, an Massenbedürfnissen orientierte Produktionsstruktur hätte notwendigerweise einen geringeren Importbedarf zur Folge; Produktion für Massenkonsum könnte deutlicher, als es heute der Fall ist, auf lokale Ressourcen zurückgreifen, und die strukturelle Basis für eine Politik der *self-reliance* wäre durch eine solche Reorientierung von Produktion und Konsum erst einmal hergestellt.[55]

Auch das in diesem Zusammenhang sehr häufig zitierte Argument, die Binnenmärkte von Peripherien seien zu eng, um Innovationen anzureizen und eine entsprechende Produktion zu inszenieren, würde in sich zusammenbrechen, wenn Produktion an Massenbedürfnissen orientiert wäre.[56] *Was sich heute angesichts krasser ungleicher Verteilungsmuster als Binnenmarktenge darstellt, nämlich die Enge des gehobenen Konsummarktes, würde sich unter alternativen Vorzeichen in der Mehrzahl der Fälle als relativ großer Binnenmarkt entpuppen;* jedenfalls wäre er in einer Vielzahl von Fällen größer als der Binnenmarkt europäischer Mittel- und Kleinstaaten.[57] Ihn zu entfalten, ist die eigentliche Aufgabe von Entwicklungspolitik, die ohne eine Eingliederung der Masse der Menschen in kohärente Wirtschaftskreisläufe nicht erfüllt werden kann. Kohärenz läßt sich aber nur durch eine Überwindung der heute vorherrschenden defekten Reproduktionsstrukturen von Peripherie-Ökonomien erreichen. Ist eine solche Zielsetzung realistisch? Gibt es eine alternative Entwicklungsperspektive mit Aussicht auf Erfolg?

## 5. Eine alternative Entwicklung

Aus rein ökonomischer Sicht ist eine alternative Entwicklungsstrategie keineswegs abwegig. Sie hätte die Überwindung der oben diskutierten grundlegenden Strukturdefekte von Peripherie-Ökonomien zum Ziel.[58] Dazu sind Industrieanlagen zur Produktion von relativ einfachen Produktionsmitteln erforderlich, die in der Landwirtschaft und bei der Erzeugung von in der Regel arbeitsintensiv hergestellten Konsumgütern eingesetzt werden. Gleichermaßen sind in ausgewählten Grundstoffbereichen hochmoderne Industrieanlagen erforderlich, deren relativ preisgünstige Produkte zu einer Produktivitätssteigerung in der gesamten Ökonomie beitragen. Der Schwerpunkt einer alternativen Entwicklung liegt auf der Mobilisierung einer relativ einheitlichen Massennachfrage, weil nur bei einem solchen Konsumprofil relativ einfache Produktionsmittel zur Herstellung derartiger Konsumgüter eingesetzt werden können und weil nur einfache Produktionsmittel kaufkraftmäßig durch die ländliche Bevölkerung erwerbbar sind. Über kurz oder lang ließe sich in den meisten Peripherie-Ökonomien eine ausreichende technologische Expertise mobilisieren, um einfache Produktionsgüter zu produzieren.[59]

In diesem Zusammenhang ist Schumacher, dem Theoretiker der angepaßten Technologie, zuzustimmen, wenn er die These vertritt, daß es in der Praxis einen Zusammenhang zwischen mittlerer oder geeigneter Technologie auf der einen Seite und der internationalen Arbeitsteilung auf der anderen Seite nicht gibt.

»Die ›intermediate technology‹-Arbeit befaßt sich damit, Arbeitskräfte, die heute unproduktiv sind, produktiv werden zu lassen, indem die Möglichkeit zur Selbsthilfe durch eine eigene *heimischen* Produktion, hauptsächlich mit *heimischen* Ressourcen und hauptsächlich zum örtlichen Gebrauch geschaffen wird. Arbeitskräften, die gegenwärtig keinen produktiven Beschäftigungen nachgehen oder sich auf einem so niedrigen Produktivitätsstand befinden, daß sie hoffnungslos arm sind, kann in der Tat Hilfe zur Selbsthilfe gegeben werden. Ihnen kann jedoch nicht durch Bemühungen geholfen werden, sie in eine ›internationale Arbeitsteilung‹ einzugliedern. [. . .] Solange in vielen Entwicklungsländern etwa 80% der Bevölkerung in der Klammer ländlicher Armut und Stagnation gefangen bleiben, geht weder von einer noch so starken Förderung des internationalen Handels, noch selbst von einer signifikanten Änderung in den Preisrelationen des Handels eine wesentliche Wirkung auf das Problem der weltweiten Armut aus.«[60]

*Der Aufbau eines Produktionsapparates für die Produktion von relativ einfachen, wenig differenzierten Konsumgütern für die Befriedigung von Grundbedürfnissen der Massen ist das Gegenteil des Ergebnisses der heute zu beobachtenden Industrialisierung in der Dritten Welt.* Diese ist hauptsächlich an einer kaufkräftigen gehobenen Nachfrage orientiert und mußte deshalb typischerweise in strukturelle Engpässe hineingeraten, die heute aus verschiedenen Blickwinkeln übereinstimmend als kritisch diagnostiziert werden.[61] Eine Reorientierung des Produktionsapparates auf Massenkonsumgüter, *die wirklich von der Masse der Menschen auch erwerbbar wären,* böte nicht nur die Chance der breiten Absorption von Arbeitskraft, sondern würde auch die Technologie-Abhängigkeit der Peripherien von den Metropolen drastisch verringern. Es würde sich zeigen, daß ein Großteil der importierten Kapitalgüter, Zwischenprodukte und Technologien für einen auf die Befriedigung von Massenbedürfnissen eingestellten Produktionsapparat nicht mehr erforderlich ist. Dabei könnte, gegebenenfalls, ausgehend von einer dichten Binnenmarktstruktur, in einer späteren Phase eine Produktion für den Export durchaus eine positive Bedeutung gewinnen, wenn es sich um eine *zusätzliche* Aktivität eines an und für sich kohärenten Wirtschaftskomplexes handelte, der durch die Erschließung des eigenen Binnenmarktes seine eigentliche Dynamik erlangte.

Eine wesentliche Voraussetzung für den Aufbau eines derartigen Produktionsapparates im industriellen Bereich sind tiefgreifende Strukturreformen im landwirtschaftlichen Sektor. Erst die Zuordnung des industriellen Produktionsapparates zu den Bedürfnissen einer restrukturierten Landwirtschaft (Versorgung mit Produktionsmitteln, agrarischen Inputs jedweder Art u. a.) und die Orientierung der Landwirtschaft an Industrie (Versorgung von Arbeitskräften mit landwirtschaftlichen Gütern, Lieferung von landwirtschaftlichen Rohmaterialien u. a.) können jene *Binnenmarktentwicklung* hervorbringen, die eine solide Basis für einen schrittweisen sozioökonomischen Entwicklungsprozeß, unter Eingliederung der städtischen und ländlichen Massen, erlaubt.[62] Ein ghanesischer Wirtschaftswissenschaftler hat jüngst die Vorzüge einer binnenmarktorientierten Entwicklungsdynamik für Peripherie-Ökonomien folgendermaßen beschrieben:

»Zum einen würde der Sektor des Massenkonsums eine solidere Basis für die Schaffung des notwendigen Surplus für Investitionen in einen lokalen Sektor der Produktion von Ausrüstungsgütern darstellen. Zum anderen hat das technologische Experimentieren angesichts der Produktion von Gütern für den Massenkonsum höhere Erfolgschancen, als wenn es sich um die Produktion von Gütern handeln würde, die die Nachfrage einer Elite befriedigen müßten. Darüber hinaus wäre eine derartige einheimische Technologie aller Wahrscheinlichkeit nach einfacher, aber nicht notwendigerweise weniger effizient als die importierte Technologie, und sie könnte besser die Gesamtheit der Bevölkerung durchdringen und beeinflussen, so daß insgesamt die ländlichen Produktionsniveaus und Einkommen anwachsen würden, einmal aufgrund der ländlichen industriellen Beschäftigungsmöglichkeiten, die eine Ergänzung landwirtschaftlicher Einkommen ermöglichten, zum anderen aufgrund der Lieferung von Inputs für die Landwirtschaft von seiten einer ländlichen Industrie. Die chronischen Hungersnöte, welche die Mehrzahl der Entwicklungsländer betroffen haben, würden zu verschwinden beginnen, und dadurch würde auch die Abhängigkeit von weiteren auswärtigen Nahrungsmittellieferungen zurückgehen. In diesem Falle würde der gegenwärtige Exodus der Bevölkerung vom Land in die Städte ebenfalls tendenziell eine Lösung finden.«[63]

## 6. Die Forderung nach einer »Neuen internationalen Wirtschaftsordnung«

In der aktuellen entwicklungspolitischen Diskussion stellt sich die Frage, ob der seit einigen Jahren in der internationalen Diplomatie zu beobachtende Konflikt zwischen den kapitalistischen Metropolen und den kapitalistischen Peripherien der Auftakt und Aufbruch zu einem neuen, an der Befriedigung von Massenbedürfnissen orientierten Entwicklungskonzept der Peripherien ist. An späterer Stelle wird zu zeigen versucht, daß einige der Grundforderungen der offiziellen Vertreter der Peripherien mit einigen normativen Vorstellungen der überkommenen liberalen Theorie internationaler Ökonomie übereinstimmen und daß deshalb kaum eine Hoffnung auf einen mehr als kosmetischen Strukturwandel der internationalen Ökonomie besteht.[64] Die Übereinstimmung mit der liberalen Theorie, die die Asymmetrie zwischen Metropolen und Peripherien und die daraus resultierende ungleiche Entwicklung verkleistert, betrifft insbesondere die Forderung nach einer weiteren Liberalisierung des Welthandels, ebenfalls die Forderung nach einer revidierten internationalen Arbeitsteilung (die asymmetrisch strukturiert bliebe); sie betrifft auch die in den verschiedenen Dokumenten über eine »Neue internationale Wirtschaftsordnung« formulierte Entwicklungsprogrammatik. Mit Einschränkung haben solche Forderungen insofern eine Realisierungschance, als sie wenigstens zum Teil mit einigen metropolitanen Interessen übereinstimmen.[65] Andere in diesen Dokumenten niedergelegte Vorstellungen und Forderungen, die eher die soziale Komponente einer ansonsten marktwirtschaftlichen Konzeption verkörpern, sind in den Metropolen auf erheblichen Widerstand gestoßen. Zu ihnen gehört die Forderung nach einer Indexierung zwischen Rohstoff- und Industriegüterpreisen, weiterhin die Forderung nach Einführung eines Verhaltenskodex für Technologie-Transfer und das Verhalten von multinationalen Firmen, das Recht auf Abschluß von Produzentenkartellen (die im übrigen nicht eine Erfindung peripherer Staatsapparate, sondern des metropolitanen Kapitals gewesen sind[66]), die administrative Aufteilung von Märkten, der Aufbau eines integrierten Rohstoffprogramms, die Beschränkung der Produktion von Synthetika zugunsten einer Produktion mit natürlichen Grundstoffen – solche Forderungen und andere sind auf dezidierte Ablehnung gestoßen. Dadurch entstand das Bild eines antagonistischen Nord-Süd-Konfliktes.

Dieses Bild trügt, denn es gibt in der internationalen Ökonomie, soweit es die Beziehungen zwischen kapitalistischen Metropolen und kapitalistischen Peripherien betrifft, heute in der Regel *keine soziologische Basis für einen derartigen antagonistischen Konflikt.* Und zunächst geht es den offiziellen Vertretern der Dritten Welt bei ihren Forderungen nicht um die Realisierung alternativer Entwicklungsprogramme, sondern um einen *partikularen Verteilungskampf* zwischen den Metropolen einerseits und ihnen selbst als den dominanten Klassen und Eliten der Peripherien andererseits. Der Konflikt bezieht sich also auf die Verteilung des in den Peripherien erwirtschafteten Surplusproduktes zwischen dem dort tätigen metropolitanen Kapital und den lokalen dominanten Klassen. Angesichts eines wachsenden internen Problemdrucks versuchen letztere, ihren relativen Anteil an diesem erwirtschafteten Surplusprodukt zu erhöhen.[67] In welche Richtung ein solcher erhöhter Anteil von den politischen und ökonomischen Eliten in den Peripherien gelenkt wird, hängt natürlich von vielfältigen innergesellschaftlichen Machtkonstellationen ab. In einigen wenigen Fällen ist der Einsatz solcher Mittel zugunsten gewisser Tendenzen einer autozentrierten Entwicklung sicherlich nicht zu leugnen. Dennoch deuten viele Anzeichen, insbesondere die durchgängige Militarisierung der Dritten Welt[68] und die damit verbundene Vergeudung von Entwicklungsressourcen, darauf hin, daß der diplomatische Konflikt zwischen Metropolen und den Eliten der Peripherien von den Eliten kaum zur Durchsetzung eines neuen Entwicklungskonzepts im oben beschriebenen Sinne politisch instrumentalisiert wird.

Entwicklungspolitisch betrachtet, ist dieser Konflikt höchstwahrscheinlich nicht geeignet, die Beziehungen zwischen Metropolen und Peripherien auf eine neue Grundlage zu stellen; demgegenüber kann ohne weiteres konzediert werden, daß durch diesen Konflikt das Selbstbewußtsein und in gewissen Grenzen auch die macht- und interessenpolitische Position der dominanten Klassen in den Peripherien verbessert werden.[69] Es ist aber auch nicht ausgeschlossen, daß er höchst abträgliche Effekte für die armen Massen in den Peripherien hat. Die Parallelität zur Funktion von internationaler Diplomatie in anderen Bereichen der internationalen Politik, wie z. B. hinsichtlich von Rüstungskontrolle, ist nicht ohne weiteres von der Hand zu weisen. Wie dort, so besteht auch in dem hier erörterten Feld die Gefahr des »symbolischen Gebrauchs von Politik«: die emsige Konferenztätigkeit in der internationalen Diplomatie erweckt den Anschein, als ob die Entwicklungsproblematik an Ort und Stelle nunmehr ernsthaft in den Griff genommen würde, während die soziale Lage der Mehrzahl der Menschen davon im großen und ganzen unberührt bleibt. Aus ihrer Perspektive müssen derlei internationale Schaustellungen wie ein politisches Manöver zur Ablenkung von alternativen Entwicklungswegen wirken.[70]

*Die überkommene internationale Wirtschaftsordnung zwischen Metropolen und Peripherien ist ungerecht und unbillig, doch die herrschenden Klassen in den Peripherien haben in der Regel alles daran gesetzt, sich in diese überkommene Wirtschaftsordnung einzugliedern.*[71] Sie versuchen heute, einen neuen, günstigeren *modus vivendi* zu erzwingen. Die Ungerechtigkeit besteht jedoch nicht nur in einer ungleichen Verteilung von Gewinn und Nutzen zwischen den Metropolen und den Peripherien insgesamt, einschließlich der ungleichen Strukturfolgen aufgrund einer ungleichen internationalen Arbeitsteilung, *sondern auch in einer erheblichen Fehlleitung von Ressourcen innerhalb der Peripherien durch die dort dominanten Klassen selbst.* So wichtig und überfällig eine Veränderung der Metropolen-Peripherien-Beziehung zugunsten der Peripherien ist, so wenig nützt sie ohne Veränderungen im innergesellschaftlichen Status quo der Peripherien zugunsten der Bevölkerungsmehrheit. Denn ohne eine derartige Veränderung ist damit zu rechnen, daß die potentiell oder aktuell vermehrt verfügbaren Ressourcen weiterhin fehlgeleitet werden und keineswegs der Masse der Menschen zugute kommen. In diesem Zusammenhang ist sicherlich aufschlußreich, daß die Mehrzahl der Dokumente über eine »Neue internationale Wirtschaftsordnung« keine Diagnosen über Struktur und Reproduktionsdynamik der Peripherien selbst enthalten. Ihre Binnenstruktur wird in der Art einer *black-box*-Analyse ausgeblendet, und die gelegentlichen entwicklungspolitischen Empfehlungen, z. B. hinsichtlich einer verstärkten Industrialisierung, einer Erhöhung landwirtschaftlicher Produktivität usf., werden in technokratischer Manier formuliert. *Die Befriedigung einheimischer Massenbedürfnisse setzt jedoch die sozioökonomische Integration der Masse der Menschen in einen gesamtgesellschaftlichen Transformationsprozeß voraus, der selbst wiederum ohne die politische Mobilisierung der Massen nicht denkbar ist.* Von diesem entwicklungspolitisch grundlegenden Zusammenhang ist in den Dokumenten über eine »Neue internationale Wirtschaftsordnung« nirgendwo die Rede.[72]

Gamani Corea, der Generalsekretär von UNCTAD, hat kurz vor Beginn der UNCTAD IV-Konferenz in Nairobi 1976 das vorherrschende Interesse der Dritten Welt an einer »Neuen internationalen Wirtschaftsordnung« wie folgt zum Ausdruck gebracht:

»Ich bin der Auffassung, daß allen der Wunsch, ja die Forderung zugrunde liegt, daß die Länder der Dritten Welt dem weltweiten Handelssystem angepaßt werden. Sie wollen nicht länger am Rande oder außerhalb dieses Systems bleiben. Sie möchten dazugehören und mitentscheiden und an den Vorgängen teilhaben, von denen die Entwicklung beeinflußt wird.«[73]

Einem solchen, herrschaftssoziologisch plausiblen Programm steht die Erfahrung entgegen, daß über Weltmarktintegration die elementaren Entwicklungsprobleme der Dritten Welt, also die der Beseitigung sozialer Not, nicht lösbar sind. Wie an späterer Stelle noch gezeigt wird, verschließen sich die weitsichtigeren Entwicklungsforscher der Dritten Welt einer solchen Einsicht nicht. So hat Mahbub ul Haq, der gegenwärtige Direktor des Policy Planning and Program Review Department der Weltbank, 1975 die grundlegende Problematik der gegenwärtigen Entwicklungsdiskussion deutlich zum Ausdruck gebracht:

»Die Jagd nach westlichem Lebensstandard war bestenfalls illusorisch. Nach zwei sogenannten Entwicklungsdekaden ist das schmerzlich offenbar. Der Abstand im Pro-Kopf-Einkommen zwischen reichen und armen Nationen hat sich in diesen 20 Jahren unaufhörlich erweitert. [. . .] Und alles deutet darauf hin, daß diese Kluft sich immer mehr ausdehnt, die reichen Nationen immer reicher werden, aller verkündeten Liberalität und Moralität zum Trotz. [. . .] Es ist deshalb völlig sinnlos, sich auf Entwicklungsziele nach dem Muster westlichen Lebensstandards zu versteifen und etwaigen Fortschritt an der Schließung des statistischen Grabens zwischen reichen und armen Nationen messen zu wollen. Solche Maßstäbe taugen allenfalls dazu, den reichen Nationen gelegentlich ein schlechtes Gewissen zu machen. Den Entwicklungsländern selbst aber bleibt keine andere Wahl, als sich auf die eigenen Füße zu stellen, ganz so wie das kommunistische China es vor 25 Jahren tat, und einen anders gearteten Lebensstil aufzunehmen, dessen Merkmale ihrer Armut Rechnung tragen, ausgerichtet auf unentbehrliche Gebrauchsgegenstände wie Töpfe, Pfannen und schließlich Fahrräder statt auf Statussymbole wie Kühlschrank, Waschmaschine und Auto. Das erfordert: 1. eine Neufestlegung der wirtschaftlichen und sozialen Zielsetzungen, weg von diesen schwindelerregenden Ansprüchen westlichen Konsums; 2. die Ablösung der traditionellen Führungsschichten, ihrer Vorrechte und Interessen; 3. die Umverteilung der politischen und wirtschaftlichen Macht in der Dritten Welt; 4. zugegeben, in einigen Gesellschaften mag das unmöglich sein, d. h. nicht durch evolutionären Wandel, sondern höchstens durch Revolution erreichbar.«[74]

Die Problematik der zitierten Aussage liegt darin, *daß es die Kluft zwischen reichen und armen Nationen in dieser dichotomisierten Form nicht gibt.* Die wirkliche Kluft besteht zwischen den Metropolen und den dominanten Klassen der Peripherien auf der einen Seite und der verarmten Bevölkerung der Peripherien auf der anderen Seite. Solange diese Kluft herrschaftssoziologisch derart strukturiert ist, sind unter bestimmten politischen Bedingungen Verteilungskonflikte zwischen den Metropolen und den dominanten Klassen der Peripherien durchaus wahrscheinlich. Es hat sie auch in der Vergangenheit gegeben.

Eine noch so klug und differenziert geführte entwicklungspolitische Diskussion ist kein Ersatz für die Veränderung der Machtstrukturen zugunsten diskriminierter Sozialschichten; sie vermag vielleicht den historischen Prozeß ihrer bewußtseins- und machtmäßigen Emanzipation zu beschleunigen, sie ist aber kein Substitut für die Durchsetzung politischer Selbstbestimmung, ohne die eine Entwicklungspolitik, die diese Bezeichnung verdient, kaum zu verwirklichen ist.

## 7. Anhang: Tiefenstrukturanalyse und Indikatorenbildung. Methodische Anmerkungen

Seitdem die Theorie des peripheren Kapitalismus und die in ihr enthaltenen abhängigkeitsanalytischen Theoreme diskutiert werden, wird häufig die Frage gestellt, ob bestimmte, für diese Theorie zentrale Kategorien wirklich operationalisierbar sind. Diese skeptische oder kritische Reaktion richtet sich vor allem auf die Kategorie der Abhängigkeit (Dependenz, *dependencia*) selbst.

Obgleich in diesem Kapitel die für eine Theorie der Unterentwicklung/Entwicklung zentralen Konzeptionen wie ungleiche internationale Arbeitsteilung, peripheres Akkumulationsmodell, strukturelle Heterogenität, strukturelle Abhängigkeit usf. dargelegt wurden, sollen nachfolgend einige wissenschaftstheoretisch-methodische Dimensionen dieser Konzeptionen erörtert werden.

In diesem Zusammenhang ist zunächst auf die *Komplexität der Theorie des peripheren Kapitalismus* aufmerksam zu machen. Sie ist in folgenden Faktoren begründet:
1. in dem Versuch, die *historische Genesis* der Entwicklung von Unterentwicklung zu erfassen;

2. in dem Versuch, ein *Strukturmodell* zu formulieren, das die typischen Merkmale von sich abhängig reproduzierenden Gesellschaften und Ökonomien zum Ausdruck bringt;
3. in dem Versuch einer *historisch-genetischen und strukturellen Analyse* des Entwicklungsniveaus von *einzelnen* peripheren Gesellschaftsformationen und in dem Versuch einer historisch-genetischen sowie strukturell-*komparativen* Analyse aller solcher Gesellschaftsformationen. Der letztere Versuch führt notwendigerweise zu einer
4. *Typologie peripherer Gesellschaftsformationen*, in der Peripherien vergleichbaren Entwicklungsniveaus und vergleichbaren Grades interner struktureller Ausdifferenzierung zu jeweils einem spezifischen Typus zusammengefaßt werden. (Das Spektrum reicht von relativ undifferenziert strukturierten Enklaven-Wirtschaften mit Monokultur wie Mauretanien bis zu den strukturell sehr ausdifferenzierten Peripherie-Ökonomien, z. B. Brasilien).

Ein weiteres Moment von Komplexität in der Theorie des peripheren Kapitalismus resultiert aus der untergeordneten Stellung dieser Theorie gegenüber der Theorie des metropolitanen Kapitalismus. Dies hängt damit zusammen, daß der metropolitane Kapitalismus der dynamische Pol im Rahmen der asymmetrischen Penetration von Peripherien ist. Die systematische Reflexion über den Zusammenhang der dominanten metropolitanen Akkumulation und der dependenten peripheren Akkumulation mündet in die *Theorie kapitalistischer Akkumulation im Weltmaßstab*, so wie sie in der heute fortgeschrittensten Version von Samir Amin entfaltet worden ist.[75]

Für ein Verständnis spezifischer analytischer Konzeptionen wie strukturelle Heterogenität und strukturelle Abhängigkeit und für die Bestimmung eines Stellenwerts spezifischer abhängigkeitstheoretischer Indikatoren ist die Analyse der *Akkumulationsstruktur von Peripherie-Ökonomien* von fundamentaler theoretischer Bedeutung. Indem gezeigt werden kann, daß die kapitalistische Akkumulation in Peripherie-Ökonomien durch ein spezifisches, im vorangegangenen Kapitel dargestelltes Strukturgefüge gekennzeichnet ist, das sich von der spezifischen Akkumulationsstruktur metropolitaner Ökonomien grundlegend unterscheidet, und indem weiterhin gezeigt werden kann, daß dieses allgemeine Strukturgefüge, ungeachtet seiner unterschiedlichen Ausdifferenzierung in der Geschichte einzelner peripherer Gesellschaftsformationen, eine gewisse Grundidentität bewahrt, kommt einer solchen Analyse die Rolle einer theoretischen *Tiefenstruktur-Analyse* zu. Unter *Tiefenstruktur* ist eine allgemeine Struktur zu verstehen, die spezifische Strukturen zu produzieren imstande ist, wobei die spezifischen Strukturen – bei aller Variabilität im einzelnen – durch die allgemeinen Merkmale der Tiefenstruktur fundamental geprägt werden.[76] Eine derartige Tiefenstruktur verliert ihre Prägekraft in den konkreten Gesellschaftsverhältnissen in dem Maße, wie die für sie konstitutive Grundkonfiguration sich auflöst. Auf die Akkumulationsstruktur von Peripherien angewandt heißt dies: der entscheidende Test, ob eine Peripherie-Ökonomie Peripherie-Ökonomie bleibt, ist darin zu sehen, inwieweit die eine Peripherie-Ökonomie konstituierende Akkumulationsstruktur verschwindet und an ihre Stelle die Grundstruktur autonom (nicht autark!) entwicklungsfähiger Gesellschaften und Ökonomien z. B. vom Typ des metropolitanen Kapitalismus, des metropolitanen Sozialismus und sozialistischer Entwicklungsgesellschaften tritt; sie alle zeichnen sich – trotz ungleicher ordnungspolitischer Voraussetzungen – durch eine vergleichbare Kombination der essentiellen Sektoren einer lebensfähigen Ökonomie aus (vgl. 3.1), eine Kombination, die gerade für Peripherie-Ökonomien, wie in diesem Kapitel dargestellt, untypisch ist.

Läßt sich die Tiefenstruktur operational als sozioökonomisches Gebilde definieren, in dem binnenmarktorientierte vermaschte Wirtschaftskreisläufe zwischen einer ihre Produktivität steigernden Landwirtschaft, einer Massenkonsumgüter industriell produzierenden Industrie und einer Grundstoffe und Produktionsgüter produzierenden Industrie fehlen, so haben einzelne dependenzanalytische Variablen auf verschiedenen Entwicklungsniveaus einen höchst unterschiedlichen funktionalen Stellenwert in der (und für die) Herausbildung und Reproduktion dieser allgemeinen Tiefenstruktur. Wird dieser *variable Stellenwert* einzelner spezifischer Indikatoren von Abhängigkeit in einer substantiellen Theorie über die Entwicklungsdynamik dieser Tiefenstruktur nicht berücksichtigt, so muß es bei einer reduktionistischen Verwendung einzelner

Variablen notwendigerweise zu Fehleinschätzungen von Entwicklungstrends kommen. Ohnehin können einzelne dependenzanalytische Variablen eine Tiefenstruktur nicht erschließen; einzelne Variablen sind nur sinnvoll im Kontext aller weiteren für bedeutsam erachteten Variablen verwendbar und zu diskutieren.

Dieser methodische Sachverhalt soll an einigen konkreten Beispielen illustriert werden.

Häufig wird in Dependenzanalysen (die als Teil der Theorie des peripheren Kapitalismus begriffen werden) die Abhängigkeit der Peripherien von den Metropolen mit der unleugbaren starken Partner- und Güterkonzentration in den Exportgeschäften von Peripherien begründet.[77] Es kann kein Zweifel daran bestehen, daß die meist monopolartige Zuordnung einzelner Peripherien zu ihrer jeweiligen Metropole (früher der Kolonie zum Mutterland) eines der wesentlichen Mittel zur Kolonisierung und zur Umfunktionierung lokaler Gesellschaften in Peripherie-Ökonomien war. Dasselbe gilt hinsichtlich der Herausbildung von enklavenförmigen Monokultur-Wirtschaften, die – wie der Begriff andeutet – zu Außenposten metropolitaner Ökonomien wurden. In der Herausbildung von Peripherie-Ökonomien spielt die *Partnerkonzentration* eine funktionale Rolle. Es kann jedoch auch nicht bezweifelt werden, daß dieses ehemals strategische Mittel, Abhängigkeit zu begründen, inzwischen an Gewicht und Bedeutung erheblich verloren hat. Zwar ist immer noch eine Partnerkonzentration zu beobachten, insbesondere die extreme Orientierung des Handels von Peripherien auf Metropolen. Die Auflockerung der Zuordnung spezifischer Peripherien zu spezifischen Metropolen ist jedoch nicht identisch mit einem Rückgang von Abhängigkeit, da Abhängigkeit nicht allein und heute nicht zuallererst durch Partnerkonzentration konstituiert wird.

Eine ähnliche Beobachtung gilt für die zentrale Variable *Güterkonzentration*. Die Orientierung lokaler Ökonomien auf die Produktion eines oder weniger mineralischer oder agrarischer Güter war bei der Herausbildung von Peripherie-Ökonomien von durchschlagender Bedeutung. Die inzwischen in den meisten Peripherien erkennbare Ausdifferenzierung ihrer Produktionsbasis im primären und im sekundären

Sektor könnte nur dann als eine Überwindung von Peripherie-Ökonomie (und damit von struktureller Abhängigkeit) definiert werden, wenn sie zu einer Überwindung der oben diagnostizierten Tiefenstruktur beitrüge. In Wirklichkeit ist jedoch zu beobachten, daß ein Rückgang in der Güterkonzentration, z. B. im Exportkorb von Peripherien, keineswegs zwangsläufig zu einer Überwindung der typischen Akkumulationsstruktur von Peripherien führt, weil dieser Rückgang, wie oben dargestellt, mit neuen Momenten struktureller Abhängigkeit verknüpft ist. Während der Einfluß eines für frühe Phasen von Abhängigkeit strategischen Indikators rückläufig ist, sind die neuen Dependenzdimensionen (wie z. B. Abhängigkeit vom metropolitanen Maschinenpark zur Produktion industrieller Güter niedrigen und höheren Verarbeitungsgrades) beträchtlich gewachsen.[78] Eine Konzentration der Analyse auf den ersten Typ von Indikator müßte daher notwendigerweise zu Fehlschlüssen führen, da die Indikatoren neuer Ausprägungen von Abhängigkeit unbeachtet blieben.[79]

Diese Überlegungen sind auch auf Kategorien zu beziehen, die sehr häufig mit der Dependenzanalyse in Zusammenhang gebracht werden – Kategorien wie z. B. die wachsende Verschuldung, die Dekapitalisierung (Kapitalabfluß), die *terms of trade*-Problematik usf. Eine reduktionistische Verwendung solcher einzelner Indikatoren ohne theoretische Umsicht kann den Analytiker leicht zu erheblichen Fehlschlüssen verleiten. Die Diagnose von Kapitalzufluß und Kapitalabfluß, steigenden oder fallenden *terms of trade,* zunehmenden oder abnehmenden Zahlungsbilanz-Ungleichgewichten, wachsender oder sinkender Verschuldung, sich ausweitender oder abnehmender Entnationalisierung der nationalen Ökonomie, expandierender oder schrumpfender Arbeitslosigkeit usf. kann *je individuell* nur höchst unzureichende Aussagen über zunehmende oder abnehmende Dependenz einer Peripherie-Ökonomie machen. Um die Tragfähigkeit einzelner Indikatoren zu ermessen, bedarf es einer auf die Tiefenstruktur gerichteten *konfigurativen Analyse* aller für wichtig erachteten Variablen.

Eine Tiefenstruktur, die variable Strukturen ohne Preisgabe eigener Identität produziert, ist – wie jede Gesellschaftsstruktur – in der Tendenz *überdeterminiert.* Das heißt, sie wird von einer Vielzahl von Faktoren, die in einer konfigurativen wechselseitigen Zuordnung existieren, kausal bestimmt. Dies soll an einem Beispiel illustriert werden. Die überkommene Entwicklungstheorie geht von der These aus, daß u. a. Kapitalarmut und mangelnde Akkumulationsressourcen zu den grundlegenden Merkmalen von Unterentwicklung gehören. Die Mobilisierung von Kapital müßte, dieser Theorie zufolge, zu einem Ausbruch aus dem Teufelskreis führen. Betrachtet man Peripherie-Ökonomien, die keineswegs von Kapitalarmut, sondern im Gegenteil von relativem Kapitalreichtum gekennzeichnet sind, wie z. B. Venezuela, so zeigt sich, daß in ihrem Falle die eine Peripherie-Ökonomie kennzeichnende Tiefenstruktur keineswegs entzerrt oder überwunden wurde, sondern aus diversen angebbaren Gründen eher das Gegenteil eintrat: eine sich vertiefende Polarisierung in ohnehin schon heterogen strukturierten Gesellschaften und Ökonomien. Warum erzeugt relativer Kapitalreichtum unter den Bedingungen weltmarktintegrierter Peripherie-Ökonomien eine Verschärfung struktureller Heterogenität und nicht eine Überwindung der typischen Defekte peripherer Wirtschaftskreisläufe? Kapitalarmut oder Kapitalreichtum gewinnt nur im Kontext der gesamten Reproduktionsdynamik von Peripherie-Ökonomien eine substantielle Bedeutung als Indikator; als einzelne isolierte Variable bleibt sie ohne Aussagekraft. Unter den Bedingungen der überkommenen (politischen, sozioökonomischen und kulturellen) Tiefenstruktur einer Peripherie-Ökonomie verleitet nämlich relativer Kapitalreichtum eher zur weiteren Oligopolisierung der modernen Industrie, zur Übertechnisierung durch hochmoderne, dem Arbeitskräfteüberfluß keineswegs entsprechende Technologien, zu einer aufgrund der Deviseneinnahmen möglichen verstärkten Orientierung an metropolitanen Konsummustern usw. Das Beispiel (und hier sei insbesondere an den Fall Venezuela erinnert)[80] zeigt, wie eine Tiefenstruktur angesichts der Überwindung der ansonsten zu unterstellenden begrenzten Ressourcen in exzessiv-krasser Form zum Durchbruch kommt, die an anderer Stelle – bei relativer Kapitalknappheit – nicht möglich wäre. Der operative Test für die weitere Existenz oder die Überwindung von Peripherie-Ökonomie ist ein Investitionsverhalten, durch das die oben diagnostizierte Tiefenstruktur als Struktur aufgehoben wird und die Gesellschaft und Ökonomie einer Peripherie in eine neue kohärente Grundstruktur übergeleitet wird – oder nicht. Am Beispiel Venezuelas läßt sich eine solche Umpolung der überkommenen Peripherie-Strukturen nicht diagnostizieren.

Dieser Fall zeigt, wie einzelne Variablen in den Gesamtkontext überkommener Tiefenstruktur eingebettet sind und wie die Veränderung einer einzelnen, sicherlich strategischen Variable (Kapitalverfügbarkeit) ohne die gleichzeitige Veränderung anderer strategischer Variablen (von weltmarktintegrativer Orientierung zur Dissoziation; Konsumstile usw.) eher dazu führt, daß neue *Entwicklungspotentiale* (wie z. B. reichlichere Deviseneinnahmen) von und in der überkommenen Struktur absorbiert werden, *ohne daß es zu einer Umstrukturierung der Unterentwicklung produzierenden Tiefenstruktur kommt.* An diesem Beispiel wird auch deutlich, daß nur ein vielfältiger Angriff auf eine solche Tiefenstruktur überhaupt eine Chance bietet, sie vermittels eines autozentrierten Entwicklungsprogramms in eine andere Grundstruktur zu transformieren.[81]

Die in diesem Anhang diskutierten methodischen Problemstellungen lassen sich wie folgt zusammenfassen:

Eine jede Peripherie-Ökonomie ist durch eine spezifische Identität in ihrer Tiefenstruktur gekennzeichnet. Da Peripherie-Ökonomien sich qua abhängige Reproduktion dynamisch und/oder stagnativ entfalten und über Zeit ihre Binnenstruktur sich ausdifferenziert, kann nur eine komplexe theoretische Reflexion, die sich auf die Totalität einer solchen Peripherie-Ökonomie und ihres Entfaltungsprozesses bezieht, ermessen, ob spezifische Indikatoren im Entfaltungsprozeß eine grundlegende oder nur eine partielle Veränderung der Tiefenstruktur oder ihre Fortschreibung auf höherem Entwicklungsniveau ohne nachfolgenden Identitätsverlust anzeigen.

Die Auffassung, *Abhängigkeit* sei eine vieldeutige und amorphe Kategorie, trifft dann zu, wenn in Dependenzdiskussionen beliebige empirische Phänomene mit Hilfe dependenzanalytischer Kategorien je einzeln und isoliert, d. h. ohne den Rückbezug auf eine substantielle Theorie der Entwicklungsdynamik und variablen Ausprägungen des peripheren Kapitalismus im Rahmen einer einigermaßen identisch bleibenden

Tiefenstruktur, als gültige Indikatoren für Abhängigkeit schlechthin begriffen werden.[82] Findet eine derartige Rückkopplung statt, d. h. wird der theoretische Stellenwert einzelner Indikatoren *über Zeit* im Lichte konfigurativer empirischer Analysen genau bezeichnet, so wird diesem Vorwurf der Boden entzogen.

# II. Strukturelle Verkrüppelung oder kohärente Produktivkraftentfaltung. Drei Fallstudien

# Friedrich List und die Neue internationale Wirtschaftsordnung

## 1. Außenhandelstheorie und Entwicklung

»In der Literatur über Handel und Entwicklung«, so schrieb jüngst Carlos F. Diaz-Alejandro in einem Trendbericht über den Stand der außenhandelstheoretischen und entwicklungspolitischen Diskussion,

> »existierte lange Zeit (und man kann da wenigstens bis zu John Stuart Mill zurückgehen) ein auffallender Unterschied zwischen einerseits der Strenge formaler Beweisführung über die statischen Vorteile des Freihandels bei sorgfältiger Berücksichtigung von Annahmen und Rahmenbedingungen und andererseits dem gewaltigen Enthusiasmus, mit dem in der tonangebenden Diskussion Freihandel oder eine weitere Liberalisierung des Handels aus statischen und dynamischen Gründen für alle Zeiten und alle Orte angepriesen wird. Positive Theorien des Handels und der Anpassungsmechanismen im Zahlungsbilanzausgleich sind gekommen und gegangen [. . .], doch der typische normative Ratschlag hinsichtlich von Handelspolitik ist immer einigermaßen derselbe. Die Literatur springt mit einer bemerkenswerten Leichtigkeit von der durchaus vernünftigen Annahme, daß ein wenig Handel im Unterschied zu keinem Handel für jedermann durchaus von potentiellem Nutzen sein könnte, zu der Überzeugung, daß mehr Handel immer genau dies bewirken würde.«[1]

Die hier referierte Beobachtung könnte mit Dutzenden von konkreten Zitaten aus der einschlägigen außenhandelstheoretischen und entwicklungspolitischen Diskussion der vergangenen zwanzig Jahre belegt werden. In dieser Diskussion spielt die Doktrin komparativer Kosten oder die Doktrin komparativen Nutzens eine zentrale Rolle. Es soll hier bewußt von der *Doktrin* komparativer Kosten/komparativen Nutzens die Rede sein und nicht von der Theorie oder dem Theorem, weil es durchaus ernsthafte, begründbare Zweifel gibt, ob das klassische Ricardianische Theorem komparativer Vorteile auf die Außenhandelsbeziehungen zwischen Metropolen und Peripherien überhaupt angewendet werden kann.[2] Empirisch ist jedoch zu beobachten, daß – ungeachtet dieser gelegentlich formulierten theoretischen oder methodischen Bedenken – die tonangebende wissenschaftliche Diskussion unter Zugrundelegung komparativer Kostenkalküle spezifische, an anderer Stelle ausführlicher diskutierte außenhandels- und entwicklungspolitische Empfehlungen vermittelt.[3] Dies gilt insbesondere von den zahlreichen Plädoyers für eine Durchrationalisierung der internationalen Ökonomie, die auch noch in den verschiedenen Dokumenten über eine »Neue internationale Wirtschaftsordnung« zu finden sind.[4]

Sucht man dafür einen einfachen gemeinsamen Nenner, so findet er sich – wie im einleitenden Kapitel schon dargestellt – in der These, daß die internationale Arbeitsteilung dann am vorteilhaftesten strukturiert wäre, wenn alle Beteiligten gemäß ihrer jeweiligen Ausstattung mit Land und natürlichen Ressourcen, mit Kapital, Arbeitskraft und technologischem *know-how* sich auf die Produktion jener Güter spezialisierten, bei deren Fertigung sie vorfindbare Produktionsfaktoren optimal einzusetzen imstande wären. Unter diesem Aspekt werden weltweit Standortvorteile für spezifische Produktionen gesucht, da eine so strukturierte internationale Arbeitsteilung, nach der gängigen Vorstellung, der Wohlfahrt der Menschheit insgesamt dienen würde und nicht nur einzelnen, in einen liberalisierten Welthandel integrierten Gesellschaften.[5] Obgleich als solche nicht mehr bezeichnet, ist diese *kosmopolitische Grundannahme*, die der Doktrin komparativer Vorteile seit ihrer ursprünglichen Formulierung in der klassischen englischen Ökonomie zugrunde liegt, in der laufenden außenhandelstheoretischen und entwicklungspolitischen Debatte unverändert geblieben.[6]

Dies gilt auch im Hinblick auf die besonderen Beziehungen zwischen Metropolen und Peripherien. Das ist erstaunlich, denn von allseitigen Wohlfahrtsgewinnen, wie es die kosmopolitische Prämisse will, kann in den Beziehungen zwischen Metropolen und Peripherien keine Rede sein.[7] Einer der Gründe für die Fehleinschätzung von Kosten und Nutzen der überkommenen, aber auch der heute sich abzeichnenden modifizierten Arbeitsteilung zwischen Metropolen und Peripherien ist darin zu sehen, daß die Doktrin komparativer Vorteile in der Regel auf einem querschnitthaften-statischen Kalkül aufbaut, während die in der Wirklichkeit beobachtbare Arbeitsteilung zwischen den genannten Gesellschaften ein langwieriger historischer Prozeß mit dynamischen und/oder stagnativen Folgewirkungen für die Beteiligten ist. Trotz aller Verfeinerungen in den überkommenen (allerdings modellplatonisch bleibenden) Theoremen komparativer Vorteile ist es nicht gelungen, solche langfristigen Perspektiven in die Theoreme mit aufzunehmen, etwa indem systematisch gefragt würde, *welche konkreten Auswirkungen auf Produktionsstruktur, Einkommensverteilung, Konsumprofile, Arbeitsmarkt und allseitige Infrastruktur eine den Postulaten der Theoreme folgende Spezialisierung bei jedem einzelnen Beteiligten hat.* Indem diese Folgewirkungen nicht als Problem erscheinen, entzieht sich die wirtschaftswissenschaftliche Diskussion freilich der Auseinandersetzung mit einigen höchst abträglichen Konsequenzen solcher Spezialisierung.[8] Asymmetrisch strukturierte Beziehungen werden wie symmetrische behandelt. Die in asymmetrischen Beziehungen beobachtbaren Prozesse der strukturellen Bereicherung (Metropolen) und der strukturellen Verarmung (Peripherien) bleiben unberücksichtigt. Unter solcher Perspektive kann es keine ökonomischen Strukturdefekte und gesellschaftlichen Deformationen als unmittelbare Folge von Handelsstrukturen, die sich nach komparativen Standortvorteilen gliedern, geben. Genau diese Erscheinung gehört jedoch zu den katastrophalen Folgewirkungen der überkommenen und heute sich modifizierenden, doch asymmetrisch bleibenden Handelsstrukturen zwischen Metropolen und Peripherien, die aus der Sicht der Doktrin komparativer Vorteile auch für die Peripherien von Vorteil gewesen sein sollen, obgleich sie in Wirklichkeit die Grundlage für die dramatischen Sozialkatastrophen in der Dritten Welt bilden.[9]

## 2. Zur Theorie produktiver Kräfte

Die freihändlerischen Plädoyers und die Doktrin komparativer Vorteile blieben nicht unwidersprochen. Eine prinzipielle Kritik formulierte in der ersten Hälfte des vergangenen Jahrhunderts Friedrich List.[10] Dabei ist es erstaunlich, wie wenig sein grundlegender Beitrag in der heutigen außenhandelstheoretischen und entwicklungspolitischen Diskussion berücksichtigt wird.[11] Hängt dies damit zusammen, daß es List nicht um eine kritische Verfeinerung der seinerzeit insbesondere von der englischen politischen Ökonomie propagierten Doktrin komparativer Vorteile und des Freihandels ging, sondern um deren prinzipielle Infragestellung im Hinblick auf alle Ökonomien, die ein geringeres Entwicklungsniveau aufwiesen als die damalige englische Wirtschaft, deren Produktivität die aller anderen überstieg?

Es soll im folgenden gezeigt werden, warum einige Überlegungen von List zum internationalen Handel und zur Entwicklungsproblematik in einer Situation von Bedeutung sind, in der sich die ungleichen Folgewirkungen einer ungleichen internationalen Arbeitsteilung in wachsenden Disparitäten zwischen den beteiligten Gesellschaften, den Metropolen und den Peripherien, und innerhalb der Peripherien deutlich dokumentieren. Dabei ist vorab darauf hinzuweisen, daß List die seinerzeit von ihm formulierte Kritik nicht auf die Beziehung zwischen Metropolen und Peripherien gemünzt wissen wollte, sondern auf die zwischenwirtschaftlichen Beziehungen und Entwicklungspotentiale derjenigen Gesellschaften, die heute allesamt zu den Metropolen zu rechnen sind und die zu seiner Zeit höchst unterschiedliche Entwicklungsniveaus erreicht hatten.

Die Überlegungen des Autors, die auch heute noch Beachtung verdienen – bzw. auf die die entwicklungspolitische Diskussion nicht nur aus dogmengeschichtlichem Interesse gelenkt werden sollte –, lassen sich wie folgt zusammenfassen:

Ausgangspunkt der Analyse Lists ist die Schichtung der internationalen Gesellschaft und Ökonomie. In der sogenannten *Stufenlehre* hat der Autor eines der Grundmerkmale der internationalen Ökonomie erfaßt: die auch zu seiner Zeit erkennbaren ungleichen Entwicklungsniveaus, die sich aufgrund unterschiedlicher Produktionsfortschritte einzelner Ökonomien herausgebildet haben und die sich durch internationalen Handel vertieften.[12] Die auf seine Zeit bezogene konkrete Analyse setzte England als die fortgeschrittenste (produktivste) Gesellschaft an die Spitze der internationalen Stufenleiter; im damaligen England war die Industrielle Revolution am weitesten fortgeschritten, die Produktivität in Industrie und Landwirtschaft war höher als in anderen Gesellschaften, die Durchindustrialisierung der Gesellschaft weit vorangetrieben, und von den englischen Manufakturwaren ging ein ruinöser Konkurrenzdruck auf weniger fortgeschrittene Ökonomien aus (Verdrängungswettbewerb).

Auf der zweiten Stufe erscheinen bei List jene Nationen, von denen er annahm, daß sie bei geeigneten wirtschafts- und handelspolitischen Maßnahmen einen industriellen Reifegrad erreichen könnten, der dem Englands vergleichbar wäre. Zu diesen Gesellschaften rechnete er die USA, Frankreich und insbesondere das damals noch nicht in einem Territorialstaat vereinigte Deutschland.

Auf der dritten Stufe siedelte List die Länder der sogenannten »heißen Zone« an, also die Gesellschaften Lateinamerikas, Afrikas und Asiens. Aus natürlichen, insbesondere klimatischen Gründen hielt er diese Gesellschaften für nicht fähig, den Entwicklungsweg Englands zu beschreiten. Die Entwicklung dieses Typs von Ökonomien sah er am besten durch eine Eingliederung in die internationale Arbeitsteilung zwischen den Produzenten von landwirtschaftlichen Gütern, Rohstoffen und tropischen Erzeugnissen einerseits und den Produzenten von Manufakturwaren andererseits gefördert.

Lists Kritik an dem insbesondere von England geförderten weltweiten Freihandelssystem und seinen Folgeerscheinungen für einerseits England und andererseits die Gesellschaften der zweiten Stufe beruhte auf der praktischen Beobachtung (die er über Jahrzehnte hinweg in den USA, Frankreich und Deutschland gemacht hatte) und der systematischen Überlegung, daß die weniger entwickelte, aber prinzipiell entwicklungsfähige Gesellschaft in einer solchen abgestuften, asymmetrisch angelegten Weltmarktstruktur notwendigerweise langfristig den kürzeren ziehen muß. Ohne protektionistische Maßnahmen konnten die Gesellschaften der zweiten Stufe der Überschwemmung ihrer Märkte mit billigen Manufakturwaren aus der fortgeschritteneren englischen Industrie nicht Einhalt gebieten; der Ruin aufstrebender Industriegesellschaften war in ein Freihandelssystem mit ungleich entwickelten Produktivitätsniveaus einprogrammiert.

In seinen vielfältigen Auseinandersetzungen mit der »ökonomischen Schule« betont List, daß die Theorie komparativer Vorteile (oder die Theorie der Werte) kurzfristig und kurzsichtig betrachtet korrekt sei; jeder der beteiligten Handelspartner gewinnt durch Spezialisierung.[13] Die *langfristigen* Folgewirkungen würden jedoch in der Praxis in einer konsequenten Weiterentwicklung der Produktivkräfte des ohnehin schon überlegenen Handelspartners bestehen, während die Entfaltung der produktiven Kräfte in der anfänglich unterlegenen Ökonomie noch mehr gehemmt würde – mit der Gefahr und der langfristigen Folge sozioökonomischen Rückschrittes.[14]

Die Begründung für diese These lieferte List in der von ihm grobrastig entwickelten *Theorie der produktiven Kräfte,* die er der zu seiner Zeit vorherrschenden Theorie der Werte (und dem darin enthaltenen Theorem komparativer Vorteile) entgegenstellte. In seinen entwicklungspolitischen Überlegungen gibt List einer allseitigen Produktivkraftentfaltung, d. h. *der Produktion von produktiven Kräften,* die Priorität vor reiner Tauschwertproduktion[15], weil nur eine auf solche Ziele hin orientierte politische und insbesondere wirtschaftliche Strategie zur Herausbildung lebensfähiger kohärenter Wirtschaftskreisläufe führen kann, die ihrerseits die Grundlage für die Erlangung höherer Entwicklungsniveaus einer nationalen Ökonomie bilden – und damit auch die Grundlage für einen sinnvollen, nicht von vornherein chancenlosen Wettbewerb zwischen nationalen Ökonomien.[16]

List verfocht diese auf den *Aufbau binnenwirtschaftlich kohärenter Wirtschaftskreisläufe* gerichtete Strategie, weil er wohl wußte, daß durch die Einführung beispielsweise von Schutzzöllen scheinbare unmittelbar kurzfristige Vorteile verlorengehen (weil entsprechende Waren an Ort und Stelle nur teurer zu produzieren sind als die von einem Land höheren Entwicklungsniveaus importierten); aber er hielt diesen kurzfristigen Verlust von Vorteilen um der langfristigen Verstärkung der produktiven Kräfte willen für sinnvoll.[17] Wird in einer asymmetrischen Handelsstruktur die Theorie der Werte und nicht die Theorie der produktiven Kräfte zur Grundlage der Wirtschaftspolitik der produktivitätsmäßig unterlegenen Ökonomie, so erblickte List in der Peripherisierung der ohnehin unterlegenen Ökonomie trotz möglicherweise beobachtbaren Wachstums die unausweichliche Folge. Eindrucksvoll beschreibt er diesen Vorgang u. a. folgendermaßen:

»Gesetzt nun, Frankreich erachte einen Schutzzoll von 25 Prozent für seine noch nicht ganz erstarkten Fabriken als zureichend, England aber gewähre eine Ausfuhrprämie von 30 Prozent: Was würde die Folge des Geschenkes sein, welches auf diese Weise die Engländer den Franzosen machten? Die französischen Konsumenten würden einige Jahre lang ihre Bedürfnisse an Fabrikaten viel wohlfeiler beziehen als früher, aber die französischen Fabriken würden ruiniert und Millionen Menschen an den Bettelstab gebracht oder genötigt auszuwandern oder sich auf den Ackerbau zu werfen. Im günstigsten Falle würden die bisherigen Konsumenten der französischen Agrikulturisten in Konkurrenten derselben verwandelt, die Produktion im Ackerbau würde gesteigert und die Konsumtion vermindert. Die notwendige Folge hievon wäre: Wertlosigkeit der Produkte, Fallen des Güterwerts, Nationalarmut und Nationalschwäche in Frankreich. Das englische Geschenk an Werten würde teuer in Kräften bezahlt; es erschiene als ein Präsent, wie es der Sultan seinen Paschas zu machen pflegt, indem er ihnen wertvolle seidene Schnüre überschickt. Seitdem die Trojaner von den Griechen ein hölzernes Pferd geschenkt bekommen haben, ist es für die Nationen eine bedenkliche Sache geworden, von anderen Nationen Präsente anzunehmen.«[18]

Die *binnenwirtschaftlich orientierte Produktion produktiver Kräfte* im Unterschied zur *exportorientierten Produktion von Tauschwerten* sah List insbesondere im Aufbau einer eigenen Manufaktur begründet. Nach seinen Vorstellungen mußte diese eng gekoppelt sein mit Produktivitätssteigerungen im landwirtschaftlichen Sektor. *Die Verklammerung von Manufaktur und Agrikultur diente der Herausbildung eines Binnenmarktes, der seinerseits die Grundbedürfnisse der Menschen zu befriedigen hatte.* Der Produktion von Massenkonsumartikeln, nicht von Luxusartikeln, galt Lists Entwicklungsprogramm.[19] Auch der Aufbau einer dichten Infrastruktur im Kommunikations-, Verkehrs- und Rechtswesen diente der Herausbildung eines großen, in sich differenzierten Binnenmarktes mit dem Ziel der Befriedigung von Massenkonsumbedürfnissen.[20] Die auswärtigen Märkte und damit der internationale Handel galten als zweitrangig.

Das binnenwirtschaftliche und außenhandelspolitische Szenario, das List für jene Länder entwirft, die er auf der zweiten Stufe ansiedelt, kann wie folgt umschrieben werden: Angesichts des unterschiedlichen Reifegrades in der Entwicklung der Manufaktur und des Manufaktur-Agrikultur-Gefüges fordert er für die unterlegenen, aber entwicklungsfähigen Nationen eine »Absonderung auf Zeit« aus dem vorherrschenden freihandelsorientierten Weltmarkt. *Eine solche Dissoziation sollte diesen Gesellschaften die echte Chance einer systematischen Entfaltung und Förderung ihrer eigenen produktiven Kräfte einräumen.* Fand eine allseitige Produktivkraftentfaltung statt, so hielt List eine erneute Öffnung zum Weltmarkt hin in einer nunmehr eher symmetrischen Ausgangssituation für sinnvoll. List lehnte die Doktrin komparativer Vorteile also nicht prinzipiell ab; er versuchte ihre Gültigkeit vielmehr auf jene Fälle und Etappen einzugrenzen, bei denen einigermaßen symmetrische Ausgangssituationen vorliegen. In seinem eigenen Szenario unterstellt er, daß nach einer Schutzperiode die Öffnung zum Weltmarkt und damit wohl auch der Freihandel für die zeitweillig protektionistisch einkapselnde Nationalökonomie vorteilhaft wären.[21]

Lists Argument meint weit mehr als ein Plädoyer für Protektionismus auf Zeit.[22] Das außenhandelspolitische Argument erschließt seine Intention erst vor dem Hintergrund der Theorie der produktiven Kräfte. Dabei spielen für den Autor Spezialisierung und Arbeitsteilung in einer nationalen Ökonomie eine gleich große Rolle wie die sogenannte »Konföderation« der produktiven Kräfte[23], d. h. die Verschränkung und Verklammerung arbeitsteilig gegliederter und ausdifferenzierter ökonomischer Sektoren im Rahmen einer Ökonomie, deren Wirtschaftskreisläufe intrasektoral und intersektoral aufeinander abzustimmen sind, um Kohärenz hervorzubringen. Die Theorie der Ausdifferenzierung und Vereinigung der produktiven Kräfte ist in gewisser Hinsicht ein früher Vorläufer der gegenwärtig ansatzweise formulierten *Theorie autozentrierter Entwicklung.*[24] So wie diese eines der konstruktiven Resultate der kritischen Auseinandersetzung mit den negativen Folgewirkungen ungleicher Arbeitsteilung im Falle des Metropolen-Peripherien-Verhältnisses ist (also eine nicht nur analytische, sondern auch praktische Reaktion auf die Analyse der von außen induzierten strukturellen Heterogenität der Peripherien), so war die Listsche Theorie der produktiven Kräfte eine konstruktive Antwort auf eine kritische Auseinandersetzung mit den verheerenden Auswirkungen eines Freihandelssystems auf die weniger entwickelten ökonomischen Subjekte wie einzelne Fabriken, einzelne Branchen und auch ganze Ökonomien. In beiden Theorien wird kein autarkistisches Programm vertreten. Die Desintegration der weniger produktiven Ökonomien aus einem asymmetrisch strukturierten Weltmarkt wird vielmehr als ein strategischer entwicklungspolitischer Ansatzpunkt erkannt, um zu neuen Strukturen internationaler Arbeitsteilung zu gelangen.

Die Herausbildung eines breiten und dichten Binnenmarktes durch die Entwicklung der Manufaktur in Kombination mit Produktivitätssteigerungen in der Landwirtschaft bei einer gleichzeitigen Durchstrukturierung des Nationalstaates mit angemessenen Infrastrukturen hat List nicht nur abstrakt-allgemein gefordert (so z. B. in seinem Hauptwerk); der Autor hat in vielen konkreten Einzelplänen praktische Vorschläge zur beschleunigten Verwirklichung lebensfähiger Ökonomien auf der zweiten Stufe seiner dreigegliederten Stufenleiter der internationalen Ökonomie gemacht. Bedeutsam ist in seiner Theorie der produktiven Kräfte die nachdrückliche Betonung politischer, gesellschaftlicher und kultureller Größen als die Entfaltung von Produktivkräften fördernder Faktoren.[25] In Abgrenzung von einem ökonomistischen Kapitalbegriff erkennt List, wie später die maoistische Entwicklungsstrategie, in den Menschen einer Nation eine entscheidende Entwicklungsressource, die in Wechselwirkung mit materiellem Kapital in einer Manufaktur, Agrikultur und Handel vermaschenden gesamtwirtschaftlichen und gesamtgesellschaftlichen Struktur eine wesentliche Grundlage für Produktivkraftentfaltung darstellt.[26] Ökonomien, die zu derartigen Vermaschungen nicht gelangen, bezeichnet List als »verkrüppelt«, als »Individuen mit einem Arm«, die durch fremde Arme gestützt würden.[27] Diese Kritik bezog sich insbesondere auf jene Nationen der zweiten Stufe, die Gefahr liefen, sich auf Agrikultur zu spezialisieren.

»Diejenige Nation wird die meiste Produktivkraft besitzen, folglich die reichste sein, welche die Fabrikationskraft nach allen Verzweigungen innerhalb ihres Territoriums zur höchsten Vollkommenheit ausgebildet hat, und deren Territorium und landwirtschaftliche Produktion groß genug ist, um ihre Fabrikbevölkerung mit dem größten Teil der ihr erforderlichen Lebensmittel und Rohstoffe zu versehen.«[28]

Angesichts einer schroffen ungleichen Arbeitsteilung zwischen Metropolen und Peripherien, die sich für die Peripherien im Laufe der vergangenen Jahrhunderte katastrophal ausgewirkt hat (weil nämlich kohärente Gesellschaftsgebilde nicht entstehen konnten), ist es wichtig, auf die Grundidee Lists zurückzugreifen: auf die Beobachtung, daß die Kraft, Reichtum zu schaffen, unendlich wichtiger ist als Reichtum selbst[29], und daß der Aufwand an Werten, der erforderlich ist, um die produktiven Kräfte einer Gesellschaft zu entfalten, als Preis der industriellen Erziehung einer Nation zu betrachten sei.[30] Während der Entwicklung eines inneren Marktes gelte es, produktive Kraft auf produktive Kraft zu häufen, anstatt Reichtümer im Ausland zu suchen, weil nämlich der innere Markt einer Nation zehnmal bedeutender sei als der auswärtige.[31]

## 3. Friedrich List und die Dritte Welt

Die kosmopolitische Grundannahme der Doktrin komparativer Vorteile und der Freihandelsplädoyers ist heute, wie zu Lists Zeiten, Teil der außenhandelstheoretischen und entwicklungspolitischen Argumentation der Nutznießer einer ungleichen internationalen Arbeitsteilung[32], d. h. es handelt sich um eine typisch metropolitane Doktrin, die allerdings auch von den metropolitanen Brückenköpfen in den Peripherien übernommen worden ist, was seinerseits ein typischer Ausdruck der Existenz eines internationalisierten Kernbereichs des kapitalistischen Weltwirtschaftssystems ist. Zu seiner Zeit reflektierte die kritische Auseinandersetzung Lists mit der klassischen englischen Schulökonomie die unterschiedliche Interessenlage der aufstrebenden bürgerlichen Gesellschaft und der kapitalistischen Unternehmerklasse in den Gesellschaften auf der zweiten Stufe.[33] Um ihrer eigenen Selbstbehauptung willen mußten sich diese gegen die durch ein höheres Entwicklungsniveau bedingte Vorherrschaft des englischen Bürgertums abschirmen. Die Ausführungen Lists waren, genauso wie die seiner Kontrahenten in der englischen Schulökonomie, parteiisch. List hat seinen eigenen Interessenstandpunkt nie verleugnet, sowenig er den Anspruch auf Allgemeingültigkeit der Doktrinen der englischen Schulökonomie zu akzeptieren willens war.

Die interessenbezogenen Überlegungen Lists kommen auch deutlich in seiner Einschätzung der Länder der sogenannten »heißen Zone« zum Ausdruck. Eingepackt in eine obskurantistische Klimadoktrin, vertrat er ihnen gegenüber ein unqualifiziertes Konzept komparativer Vorteile, das er für die Beziehungen zwischen England und den Ökonomien der zweiten Stufe ja gerade vehement ablehnte. Den Austausch von Rohstoffen und Kolonialwaren der Kolonien gegen die Manufakturwaren der Mutterländer definierte er als Ergebnis natürlicher jeweiliger Standortvorteile.[34] Die Möglichkeit einer kohärenten Industrialisierung der Kolonialländer, ja, einer defekten Industrialisierung, wie sie später im Rahmen der Importsubstitutions-Industrialisierung zu beobachten war, kam nicht in seinen Blick. In dem Maße, wie die Gesellschaften der zweiten Stufe das Entwicklungsniveau Englands erreicht haben würden, konnte die Theorie Lists *ad acta* gelegt werden, genauso wie er dies in seinem eigenen dreiphasigen Szenario vorsah, ohne daß auch nur im Ansatz, gewissermaßen hypothetisch, der Versuch unternommen worden wäre, dieselbe Theorie auf die Gesellschaften der dritten Stufe zu beziehen, die nunmehr ihrerseits in verstärktem Maße das Opfer einer von *allen* Metropolen geförderten ungleichen internationalen Arbeitsteilung wurden.

List konnte zu seiner Zeit die Theorie der produktiven Kräfte im Widerspruch zur Theorie der Werte und zur Doktrin komparativer Vorteile deshalb als eine *politische* Theorie vortragen, weil diese Theorie den Interessen einer Klasse Ausdruck verlieh, die die Dissoziation auf Zeit, vermittelt über eine Schutzzollpolitik, benötigte, um jene Produktivkraftentfaltung zu fördern, die notwendig war, um auf einem noch leidlich konkurrenzkapitalistisch strukturierten Weltmarkt wettbewerbsfähig zu sein und also bestehen zu können. Hier stand im europäischen Zusammenhang bürgerliche Gesellschaft gegen bürgerliche Gesellschaft. Die Tatsache, daß es heute im Rahmen des kapitalistischen Weltmarktes keinen Friedrich List der Dritten Welt gibt, der wie dieser seinerzeit theoretisch-kritische Analyse und praktisch-politisches Programm zu verbinden verstünde, hängt damit zusammen, daß die Zentren der Peripherien, d. h. die herrschenden politischen, ökonomischen und kulturellen Eliten, wie es die Theorie des peripheren Kapitalismus aufgrund vielfältiger empirischer Forschungen zu belegen vermochte, in das von den kapitalistischen Metropolen trotz jüngster Krisenerscheinungen immer noch beherrschte Weltwirtschaftssystem eingegliedert sind.[35]

Daß es Vorstellungen wie diejenigen Lists in der Dritten Welt nicht gibt, ist auch ein Reflex davon, daß es dort keine nationale Bourgeoisie mit betont eigenen Interessen, dem kontinentalen Bürgertum des 19. Jahrhunderts vergleichbar, gibt.[36] Die Übernahme der gängigen internationalen Handelstheorie und der Doktrin komparativer Vorteile durch die Peripherie-Eliten, so z. B. in sämtlichen UNCTAD-Dokumenten, ist ein Beweis dafür, daß die soziologische Basis für eine Strategie wie die von List in der Dritten Welt fehlt. Dies heißt nicht, daß eine derartige dissoziative Strategie überhaupt nicht möglich wäre. Sie würde in dem Maße geschichtsmächtig, wie es den heute in den dortigen politischen Systemen nicht repräsentierten Massen gelänge, ihre eigenen Interessen zu artikulieren und einen sozioökonomischen Entwicklungsweg nachdrücklich mitzubestimmen, der in allererster Linie an einer Befriedigung ihrer eigenen Grundbedürfnisse orientiert wäre.[37]

Eine Förderung der produktiven Kräfte in den Peripherien von heute, die die Herausbildung lebensfähiger Ökonomien und Gesellschaften zum Ziel hat, setzt dreierlei voraus:

1. die Dissoziation der Peripherien aus dem Weltmarkt, wobei selektive Kooperation mit den Metropolen dann sinnvoll und erstrebenswert ist, wenn durch sie eine nicht-diskriminierende Arbeitsteilung gefördert wird;

2. eine interne Restrukturierung der existierenden Gesellschaftsformation, welche zu einem Durchbruch der Interessen der Mehrzahl der Bevölkerung qua allseitiger Befriedigung von Grundbedürfnissen und zur Herausbildung kohärenter Wirtschaftskreisläufe führen würde, in die die Masse der Menschen produktiv eingegliedert ist; und

3. jene Form von Arbeitsteilung an Ort und Stelle, beispielsweise im subregionalen Bereich, welche zum Aufbau solcher Wirtschaftskreisläufe im einzelnen erforderlich ist. Eine solche nicht auf den Weltmarkt, sondern auf die einzelnen

Regionen und Subregionen bezogene Arbeitsteilung erscheint auch als politisches Gegengewicht zu den übermächtigen metropolitanen Ökonomien und ihren außenwirtschaftlichen Agenten, heute insbesondere den multinationalen Konzernen, als unabdingbar.

Wenn die »Neue internationale Wirtschaftsordnung« nicht nur eine Modifikation der überkommenen alten Struktur sein soll, dann bedarf sie kritischer Analysen, welche die Prämissen der überkommenen Struktur problematisieren. Genau dies geschieht in den neueren außenhandelstheoretischen und entwicklungspolitischen Beiträgen nicht, da sie immer noch die Doktrin komparativer Vorteile – ungeachtet des spezifischen asymmetrischen Kontextes – zur Grundlage haben; auch fehlt in den meisten empirischen Untersuchungen über die Veränderungen in der internationalen Arbeitsteilung eine kritische Analyse solcher Prämissen. An anderer Stelle konnte gezeigt werden, daß die verschiedenen einflußreichen Erklärungen für eine »Neue internationale Wirtschaftsordnung« zentrale Prämissen der traditionellen Weltwirtschaftsordnung nicht in Frage stellen.[38]

Ohne Zweifel wird die Theorie Friedrich Lists (bzw. die von ihm vermittelte analytische und praktische Perspektive) in dem Maße aktuell werden, wie sich die Massen in peripheren Gesellschaften gegen das überkommene, von ihren eigenen Eliten mitgetragene System internationaler Wirtschaftsordnung wenden. Nichts hindert daran, auf diese zukünftige Entwicklung hin eine *zeitgemäße Theorie der produktiven Kräfte* zu entwerfen, so wie dies in ersten Ansätzen zu einer Strategie autozentrierter Entwicklung der Fall ist.

# Japans dissoziativ-kapitalistische Entwicklung

## 1. Einleitung

Japans sozioökonomische Entwicklung in den vergangenen hundert Jahren wird häufig als vorbildhaft für eine wünschenswerte Entwicklung in den »unterentwickelten Gesellschaften« der Dritten Welt zitiert. In der Tat wurde die japanische Gesellschaft noch bis in die Mitte des 19. Jahrhunderts hinein von Hungersnöten und Seuchen heimgesucht, und das unsichere Gleichgewicht zwischen Bevölkerungszahl und Ernährungsressourcen erhielt sich nur durch »malthusianische Eingriffe« (einschließlich Kindestötungen, jedoch ohne größere Kriege) aufrecht. Eine forcierte Entwicklung beseitigte in wenigen Jahrzehnten diese die Hauptschichten der japanischen Gesellschaft kennzeichnende kärgliche und tragische Lebenssituation. Deshalb wird die japanische *Wachstumsökonomie* nicht nur der Jahre nach 1945, sondern schon seit der Meiji-Restauration des Jahres 1868 als klassischer Fall einer zielstrebigen, erfolgreichen *Modernisierungsstrategie* interpretiert. Es überrascht deshalb auch nicht, daß die sogenannte Modernisierungsschule innerhalb der Entwicklungsländer-Forschung der fünfziger und sechziger Jahre sich Japans als eines Modells für weniger fortgeschrittene asiatische Gesellschaften angenommen hat.[1] In dem Maße, wie einige größere Gesellschaften der Dritten Welt, z. B. Brasilien, der Iran u. a., imstande waren, über mehrere Jahre hinweg ein Wirtschaftswachstum zu erzielen, das, an durchschnittlichen Wachstumsraten peripherer Ökonomien gemessen, als überdurchschnittlich zu bezeichnen ist, wurden diese Gesellschaften nicht selten als die »Neuen Japans« innerhalb der Dritten Welt charakterisiert. Wie Japan, so wird offen oder stillschweigend angenommen, könnten die Wachstumsökonomien der Gegenwart damit in die Kategorie der erfolgreichen »late modernizers« eingereiht werden. Während solche grobrastige Interpretationen nicht ohne suggestive Wirkung blieben, versuchte die Modernisierungsliteratur über Japan, einzelne, als besonders vorbildhaft charakterisierte Merkmale der japanischen Entwicklung herauszuarbeiten, um sie in einer Entwicklungsprogrammatik zu bündeln, die der Dritten Welt als verheißungsvolles Entwicklungsrezept angeboten wird. Als einer dieser Faktoren spielt das Bild des energischen, tatkräftigen Unternehmers eine prominente Rolle.[2]

Wenn man gängige Indikatoren einer erfolgreichen sozioökonomischen Entwicklung im Auge hat (Höhe des Wirtschaftswachstums, des Energieverbrauchs, der Stahlproduktion u. a.), dann ist zweifelsohne die *Produktivkraftentfaltung* der japanischen Gesellschaft und Ökonomie in den vergangenen hundert Jahren eindrucksvoll. Und selbst wenn man diese Indikatoren, vom heutigen Stand der entwicklungstheoretischen Diskussion ausgehend, für problematisch hält[3], liegt die Frage nahe, welche Faktoren eine derart forcierte Entwicklung Japans ermöglichten. Diese Frage wird hier nicht gestellt, um der gängigen Literatur über Japan einen weiteren Beitrag hinzuzufügen. Das Interesse an der japanischen Entwicklung ergibt sich vielmehr aus der zusätzlichen Frage, ob diejenigen Faktoren, die die japanische Wachstumsökonomie seit 1868 begünstigten, in der Mehrzahl der Gesellschaften der Dritten Welt überhaupt nachweisbar sind, ob nicht die japanische Entwicklung vielmehr u. a. deshalb möglich wurde, weil typische Merkmale der Gesellschaften der Dritten Welt und insbesondere ihrer Ökonomien im Falle Japans von Anfang an nicht gegeben waren.

Die Gesellschaften und Ökonomien der Dritten Welt wurden, wie an anderer Stelle nachgewiesen wurde, durch ihre Eingliederung in eine ungleiche internationale Arbeitsteilung strukturell peripherisiert. Periphere Gesellschaftsformationen und Peripherie-Ökonomien als Teil von ihnen sind durch spezifische *strukturelle Deformationen und Defekte* gekennzeichnet. Obgleich die sie bestimmende Entwicklung eine kapitalistische ist, unterscheidet sich der *Peripherie-Kapitalismus* doch in wesentlichen Merkmalen von der Entwicklung des *metropolitanen Kapitalismus* in Europa und den USA.[4]

Ist die japanische Entwicklung vom Ansatz her ein politischer, sozioökonomischer und kultureller Vorgang, der in seiner Struktur eher der Entwicklung des metropolitanen Kapitalismus als der des Peripherie-Kapitalismus zuzurechnen ist? Je nach der Beantwortung dieser Frage wären spezifische Lehren aus dem japanischen »Entwicklungsmodell« zu ziehen.

Worin also liegt das »Geheimnis« der japanischen Wachstumsökonomie in den vergangenen hundert Jahren? An dieser Stelle soll die Antwort, die im folgenden in einzelnen Argumentationsschritten entfaltet wird, pauschal vorweggenommen werden. Alle Anzeichen deuten darauf hin, daß das »Geheimnis« der japanischen Entwicklung in der *erfolgreichen historischen Abwehr drohender Peripherisierung* zu sehen ist – wobei der Begriff Peripherisierung hier im Sinne der Theorie des peripheren Kapitalismus verstanden wird.[5] Auf dieser Grundlage erfolgte in Japan eine Entwicklung, die trotz der nach 1868 erzwungenen Öffnung der japanischen Ökonomie gegenüber der von den kapitalistischen Metropolen beherrschten internationalen Wirtschaft im Ansatz und im Endergebnis weit mehr dem Typ metropolitaner Entwicklung entsprach als der Herausbildung typischer Merkmale von Peripherie-Ökonomien.

Die hier formulierte These soll in folgenden Schritten argumentativ belegt werden:

– Zunächst soll der politische Kontext, von dem aus die japanische Entwicklung ihren Aufschwung nahm, dargestellt werden. Dabei soll auch die herrschende Klasse bzw. die politische Elite, welche die Entwicklung inszenierte, charakterisiert werden.

– In einem weiteren Abschnitt soll der Typ des »japanischen Entwicklungsmodells« beschrieben werden. Hier gilt es insbesondere, die Grundlage der Kapitalakkumulation in Japan analytisch zu erfassen.

– Die Art der Integration Japans in den kapitalistischen Weltmarkt ist für eine Bewertung der sozioökonomischen Entwicklung Japans von besonderem Interesse, da in der Theorie des Peripherie-Kapitalismus die Eingliederung von Gesellschaften in eine ungleiche internationale Arbeitsteilung als Ausgangspunkt für ihre strukturelle Peripherisierung im Weltmarkt und im Innern begriffen wird.

– Schließlich muß die Rolle der Technologie im japanischen Entwicklungsprozeß kurz beleuchtet werden.

Nach einigen zusammenfassenden Bemerkungen über die

Kosten des japanischen Entwicklungsweges soll die Frage gestellt werden, welche Bedeutung er heute für die Länder der Dritten Welt besitzt.

## 2. Der äußere und innere politische Kontext der japanischen Entwicklung nach 1868

Japan war weder im politischen noch im wirtschaftlichen Sinne jemals eine Kolonie. Und als der »Ansturm« auf Japan Mitte des vergangenen Jahrhunderts einsetzte und auch diese Gesellschaft – nach vielen anderen in Lateinamerika, Afrika und Asien – den Handelsaktivitäten der damals führenden kapitalistischen Metropolen erschlossen werden sollte, gelang es Japan, dieser Herausforderung einigermaßen zu widerstehen.

### *2.1 Die politische Ausgangslage*

Seit dem frühen 17. Jahrhundert war Japan von der Außenwelt fast gänzlich abgeriegelt.[6] Jeder von der Zentralgewalt, dem Shogunat, nicht autorisierte Kontakt mit der Außenwelt wurde streng bestraft. Und selbst der vom Shogunat erlaubte Kontakt wurde geographisch auf einen Ort (Nagasaki) und auf die Handelsbeziehung mit *einer* fremden Nation (den Holländern) konzentriert, was die Kontrolle der Außenbeziehungen ziemlich lückenlos machte.

Die japanische Gesellschaft des 17., 18. und der ersten Hälfte des 19. Jahrhunderts war starr gegliedert[7], wobei der Kaiser nicht die effektive Zentralgewalt verkörperte, sondern nur als Symbol an der Spitze der Gesellschaft stand; die effektive Zentralgewalt wurde vom Shogunat ausgeübt, unter dem mehr als 200 regionale Lokalbarone (Daimyos) in dezentralisiert verwalteten Domänen die politische Autorität besaßen. Unterhalb dieser Aristokratie befand sich die Kriegerklasse der Samurai; es folgten die Bauern, welche mehr als 80 Prozent der Bevölkerung ausmachten; nach den Bauern dann die weniger geachteten Kleinunternehmer und Handwerker und schließlich die Händler, welche auf Binnenmarktgeschäfte angewiesen waren, da für sie, von wenigen Ausnahmen abgesehen, der Kontakt mit dem Ausland verboten war. Unterhalb dieser gesellschaftlichen Klassen stand das sogenannte Nicht-Volk, also Ausgestoßene, denen ein legitimer Platz selbst auf der untersten Ebene der japanischen Gesellschaftshierarchie abgesprochen wurde.[8]

Es ist hier nicht der Ort, im einzelnen aufzuweisen, warum dieses Gesamtgefüge, in dem die politische Macht beim Shogunat und den Daimyos, die ökonomische Macht spätestens gegen Mitte des 19. Jahrhunderts bei der lokalen Bourgeoisie und bei den Händlern lag, brüchig wurde. Die Entfunktionalisierung der Kriegerklasse der Samurai während vieler Jahrzehnte, in denen es kaum Kriege gab, und ihre Umfunktionierung in Verwaltungsfachleute spielte dabei eine ebenso bedeutsame Rolle wie die allmähliche Monetarisierung und Kommerzialisierung der japanischen Ökonomie, die trotz der weitgehenden Abgeschlossenheit Japans gegenüber der internationalen Wirtschaft unaufhaltsam waren.[9] Der soziale Wandel während der Tokugawa-Periode (1603-1868) wurde vielfach beschrieben, und es ist hier nicht nötig, die einzelnen Befunde zu rekapitulieren.[10] Tatsache ist, daß die effektive Zentralgewalt, das Shogunat, im Laufe der ersten Jahrzehnte des 19. Jahrhunderts an Legitimität einbüßte, wobei das Versagen einer eindeutigen Abwehr ausländischer Interventionsversuche seit den frühen fünfziger Jahren den Verlust der Legitimität beschleunigte. 1858 gelang es den USA, kurz danach Holland, Rußland, Großbritannien und Frankreich, Japan »zu öffnen«. Die ungleichen Verträge, welche die japanische Gesellschaft und Ökonomie dem ausländischen Handel erschlossen, stürzten das Tokugawa-Regime in eine tiefe Krise, die schließlich mit militärischer Gewalt durch die Verfechter der Restauration der kaiserlichen Zentralgewalt 1868 bewältigt wurde.

Japan wurde nicht zur Kolonie, obgleich die auswärtigen Mächte seine zumindest ökonomische Kolonisierung im Auge hatten. Daß dieses Vorhaben, anders als in Indien und Südostasien, verhindert wurde, ist wohl auf eine spezifische Konstellation der internationalen Politik um die Mitte des vergangenen Jahrhunderts zurückzuführen (Englands Probleme in Indien, Frankreichs Mexiko-Politik, Krim-Krieg u. a.), doch insbesondere auf die Tatsache, daß ein Teil der Elite Japans, im wesentlichen ein Teil der deklassierten Samurai-Schicht zusammen mit den im Tokugawa-Regime politisch wenig einflußreichen, aber ökonomisch einflußreich gewordenen bürgerlichen Gruppierungen, diese Herausforderung als einen Hebel zur teilweisen Reorganisation der japanischen Gesellschaft begriff. Diesen Gruppierungen erschien die Kolonisierung Indiens als abstoßendes Beispiel, und die Versuche der westlichen Mächte, sich China ökonomisch zu unterwerfen, wurden als eindrucksvoll negatives Lehrstück empfunden.[11] Dies galt insbesondere für jene Daimyonate des japanischen Westens, die noch am ehesten gelegentlichen, auch illegalen Kontakt mit der Außenwelt hatten und denen es schon vor 1868 gelungen war, vom Westen kopierte Teilreformen, insbesondere im militärischen und administrativen Bereich, durchzuführen; diese stärkten ihre eigene Position gegenüber einem sich intern und nach außen als handlungsunfähig erweisenden Shogunat.

Karl Marx hatte als ein aufmerksamer zeitgenössischer Beobachter die *Öffnung Chinas* 1853 in einem Artikel in der *New York Daily Tribune* wie folgt charakterisiert:

> »Alle diese Zersetzungsfaktoren, die zusammengenommen die Finanzen, die Sitten, die Industrie und die politische Struktur Chinas beeinflußten, gelangten 1840, durch die englischen Geschütze, die die Autorität des Kaisers vollends vernichteten und das Reich des Himmels zwangen, mit der irdischen Welt in Berührung zu treten, zur vollen Entfaltung. Die vollkommene Isolation bildete die Hauptbedingung der Erhaltung des alten China. Nun, da dieser Isolation durch Englands Vermittlung ein gewaltsames Ende bereitet worden ist, muß die Auflösung mit derselben Gewißheit folgen, mit der sie eine in einem hermetisch verschlossenen Sarg aufbewahrte Mumie ergreift, sobald diese mit frischer Luft in Berührung kommt.«[12]

Genau eine solche von außen inszenierte Auflösung wollten die Verfechter der Restauration der kaiserlichen Zentralgewalt Japans und die Anwälte der Modernisierung der japanischen Gesellschaft verhindern. Die Stärkung der eigenen Souveränität durch den Ausbau einer effektiven Zentralgewalt und die Abwehr der Interventionen von außen (»Stärkt den Kaiser und vertreibt die Barbaren!«) setzten das Grunddatum für überfällige Reformen und Entwicklungsprogramme im Innern, wollte man das Schicksal einer Kolonisierung durch fremde Mächte abwenden. Kräftemäßig konnte die Öffnung des Landes nicht verhindert werden; auch mußten ungleiche Verträge, welche eine Schutzzollpolitik verboten, hingenommen werden. Diese problematische Ausgangssituation war jedoch nicht der Beginn einer Umfunktionierung Japans in eine untergeordnete koloniale oder quasi-koloniale Stellung gegenüber den damals mächtigeren kapitalistischen Metropolen des Westens. Von Anfang an begriffen die Reformer die Öffnung als ein Mittel, Japan so schnell wie möglich auf die Höhe einer den westlichen Metropolen ebenbürtigen Macht zu bringen, um einerseits die ungleichen Verträge abzuschaffen, andererseits Japan alsbald in den Genuß einer den Metropolen ähnlichen Außenwirtschaftspolitik gelangen zu lassen. Daß die Reformer mit einer solchen Zielsetzung gleichzeitig bestrebt waren, ihre eigene Klassenposition innerhalb der japanischen Gesellschaft zu konsolidieren bzw. zu erweitern, versteht sich von selbst.[13]

Das Beispiel China zeigt – und die zitierte Bemerkung Marx' reflektiert dies –, daß der von Japan schließlich erfolgreich beschrittene Entwicklungsweg nicht von vornherein erfolgversprechend sein muß.[14] Wenn es Japan dennoch gelungen ist, eine Peripherisierung im doppelten Sinne des Begriffes, nämlich innerhalb der internationalen Ökonomie und hinsichtlich seiner Gesellschafts- und Wirtschaftsstruktur, zu entgehen, dann ist dies wohl auf manche natürliche Gegebenheiten wie seine Insellage, den Mangel an natürlichen Ressourcen u. a. zurückzuführen; doch ein wesentlicher, die Peripherisierung verhindernder Faktor besteht sicher in der allmählichen Begründung einer politischen Basis, deren Repräsentanten ein unmittelbares politisches Interesse an nationaler Selbständigkeit, Verteidigungsfähigkeit und Wettbewerbsfähigkeit der eigenen, damals zweit- oder drittrangigen Gesellschaft gegenüber den erstrangigen fortgeschrittenen kapitalistischen Gesellschaften des Westens hatten. Indem in der innergesellschaftlichen Auseinandersetzung diese politische Gruppierung mit ihrem politisch-strategischen und materiellen Interesse sukzessive die Oberhand gewann (wobei die sogenannte Meiji-Restauration des Jahres 1868 die entscheidende Zwischenetappe darstellte), verringerte sich die Wahrscheinlichkeit der Herausbildung von lokalen Brückenköpfen der west-

lichen Metropolen innerhalb Japans, einschließlich der in solchen Konstellationen immer drohenden Festigung einer Kompradoren-Bourgeoisie als neuer herrschender Klasse. Eines der Fundamente der Herrschaft der kapitalistischen Metropolen in den Gesellschaften Lateinamerikas, Afrikas und Asiens fehlte deshalb in Japan – wenigstens in der Tendenz – von Anfang an. Eine Satellitisierung der japanischen Gesellschaft und Ökonomie als Folge u. a. der Herausbildung einer Klientel-Elite wurde dadurch relativ unwahrscheinlich. Anders ausgedrückt: Ohne konkrete gesellschaftliche Gruppierungen, die einen politischen Widerstand sowohl gegen die ausländischen Mächte als auch gegen ein brüchig gewordenes Shogunat organisierten und die sich in dieser doppelten politischen Auseinandersetzung zur neuen dominanten nationalen Klasse der japanischen Gesellschaft entwickelten, hätte Japan leicht das gleiche Schicksal wie den meisten Gesellschaften Lateinamerikas, Afrikas und Asiens widerfahren können. Die Insellage und auch die Ressourcenknappheit haben andernorts eine Umfunktionierung lokaler Gesellschaften in koloniale Peripherie-Ökonomien nicht verhindert. Warum sollte Japan davon eine Ausnahme machen?

Wer waren die Repräsentanten dieser Hauptgruppierungen, die sich in der politischen Auseinandersetzung sowohl gegen das Ausland als auch gegen eine als unzureichend empfundene Zentralgewalt zur *neuen dominanten Klasse* zusammenfügten?

## *2.2 Zur Soziologie der Restauration*

Wiederum ist hier nicht der Ort, eine *Soziologie der Restauration von 1868* zu umreißen. Diese findet sich in fundierten historisch-soziologischen Untersuchungen.[15] Wenige, unseren Zusammenhang berührende Beobachtungen müssen genügen.

Die Klassenbasis der Restaurationsbewegung war vielfältiger Natur. Als entscheidend erwiesen sich indes zwei Kräftegruppierungen, vor allem die Schicht der niedrigen Samurai, die – wie oben schon erwähnt – während einer viele Jahrzehnte dauernden Friedenszeit ihrer eigentlichen Funktion als Kriegerklasse entkleidet worden waren. Da sie selbst nicht über Grund und Boden verfügten, sondern in ihrer Existenz von Reis-Stipendien abhängig waren, konnten sie einer sozialen Deklassierung wenig entgegensetzen. Während diese unaufhaltsam um sich griff, versuchten viele ehemalige Samurai, in den aufstrebenden Städten in Verwaltung und Wissenschaft einzudringen. Hier verbündeten sie sich in der Rolle von Bürokraten mit der im Tokugawa-Regime verachteten Klasse der Händler und Kleinstunternehmer, die sich auf der untersten Statusstufe der sozialen Hierarchie der japanischen Gesellschaft bewegten, jedoch eine ökonomisch aufstrebende soziale Schicht verkörperten. Da diese als Vermarkter von Reis und als Geldverleiher für die Repräsentanten des herrschenden Regimes unentbehrlich war, konnte ihr gesellschaftlicher Aufstieg, trotz des dieser Klasse zudiktierten geringen sozialen Prestiges, nicht verhindert werden.

Ehemalige Samurai als die Führer der Meiji-Restauration und die Schicht der Händler als die Finanziers der politischen Bewegung stellten diejenigen Kräfte dar, die die Tendenz der Restaurationsbewegung, einer *Reform von oben*, prägten.[16] Es lag im Interesse dieser sozialen Kräfte, nach 1868 die Repräsentanten des alten Regimes in das Meiji-Regime zu kooptieren. Mehrere militärische Auseinandersetzungen bezeugen, daß dies nicht ohne Widerstand vonstatten ging; doch schließlich wurde die Frage, was mit den Repräsentanten des alten Regimes geschehen sollte, durch deren faktische Integration in das neue System beantwortet.[17] Der neue politische *modus vivendi* innerhalb der herrschenden Klasse war schließlich um so leichter zu finden, als die wirklichen Kosten auch des neuen Regimes wie vor 1868 von der Masse der Bevölkerung, die auf dem Lande lebte, zu bezahlen waren. Die zahlreichen Bauernaufstände während des Tokugawa-Regimes und nach 1868 zeugen von der Härte der Last, die mehr als 80 Prozent der Bevölkerung zu tragen hatte. Und der von den Repräsentanten des Meiji-Regimes forcierte Aufbau eines zentralisierten Militärapparates hatte nicht nur die Abwehr feindlicher Interventionen von außen und die, wenn nötig, Unterdrückung reaktionärer Bewegungen gegen das neue Regime von seiten der Anhänger des alten Regimes zum Zweck, sondern auch – neben der Befriedung der armen Bevölkerung in den städtischen Zentren – die Pazifizierung der Landbevölkerung.[18] Denn ohne die Landwirtschaft als der hauptsächlichen Quelle von Akkumulation war die Reform von oben nicht durchführbar. Der Staatsapparat bedurfte, insbesondere in der ersten Phase des forcierten Entwicklungsprogrammes, eines von politischen Wechselfällen unberührten Investitionsfonds. Bei einer Konzentration von 80 Prozent der Bevölkerung im landwirtschaftlichen Sektor konnte ein solcher Fonds nur diesen zur Hauptquelle haben. Jahrzehntelang war nach 1868 die Haupteinnahmequelle des Staatsapparates der vom landwirtschaftlichen Sektor abgezweigte Surplus.

### *2.3 Die Rolle der Staatsklasse*

In der japanischen Entwicklung nach 1868 stellt der *Staatsapparat* die eigentliche Modernisierungsagentur dar. In ihm fanden die ehemaligen Samurai eine neue Betätigung, und dies nicht nur bei den Ordnungskräften wie Polizei und Militär, sondern auch in den meisten Bereichen der zivilen Verwaltung.[19]

Nach 1868 machten sich die Repräsentanten des neuen Regimes daran, die Infrastruktur der Zentralgewalt auf- und auszubauen. Diese Aktivitäten waren Teil eines umfassenderen Entwicklungsprogrammes, das zwar nicht als *blueprint* bereitlag, dessen wesentliche Stoßrichtung jedoch offenkundig war: Schaffung der militärischen und industriellen Voraussetzung für einen Sicherheitsapparat nach außen und nach innen; Aufbau einer nationalstaatlich-territorialen Infrastruktur, insbesondere für eine ungehinderte Binnenmarktentwicklung (Beseitigung der feudalistischen Zergliederung Japans); Aufbau eines korrespondierenden Rechtssystems und Erziehungswesens; Aufbau von militärisch bedeutsamen Industriebetrieben (insbesondere Schiffsbau, schwerindustrielle Aktivitäten, Eisenbahnbau usw.) sowie Investitionen in industrielle Modellbetriebe; auch die Reform des Steuer- und Währungswesens war relativ frühzeitig Gegenstand der Aktivitäten des neuen Staatsapparats.[20]

Im großen und ganzen hat also der Staatsapparat Japans nach 1868 jene Maßnahmen ergriffen, die zur Herstellung eines vereinheitlichten nationalen *Territorialstaates* als des Fundaments für die Durchsetzung von *kapitalistischer Produktion* erforderlich sind. Die überragende katalytische Rolle des Staatsapparats bei der Schaffung einer industriekapitalistischen Bourgeoisie ist – verglichen mit den europäischen Metropolen – eines der besonderen Merkmale der japanischen Entwicklung. Darin liegt der Keim für jene Symbiose von Staatsapparat, Militär und Großindustrie, die für die Geschichte Japans in den vergangenen hundert Jahren kennzeichnend war (wobei das Militär nach der Niederlage des japanischen Faschismus und Militarismus 1945 an unmittelbarem Einfluß erheblich verlor).[21] Legt man die europäische Entwicklung zugrunde, so ist es wenig sinnvoll, die Kräfte, welche die Meiji-Restauration trugen, als die politischen Repräsentanten einer nationalen Bourgeoisie zu deuten. Es gab damals kein industrielles Bürgertum. Dieses Bürgertum galt es erst noch zu schaffen.[22]

Es scheint keine allgemein theoretisch akzeptierte Kategorie zu geben, die eine soziale Klasse bezeichnet, deren Rolle in der Herstellung von Rahmenbedingungen besteht, innerhalb derer die kapitalistische Produktionsweise sich erfolgreich durchsetzt, und die gleichzeitig zum systematischen Förderer einer erst noch zu bildenden nationalen Bourgeoisie wird. Als *nationale Bourgeoisie* ist eine solche Klasse begreiflicherweise nicht zu bezeichnen, denn ihre Existenz ist nicht auf Gedeih und Verderb von der privatwirtschaftlichen Kapitalverwertung abhängig; die in Infrastrukturen und Staatsbetrieben getätigten Investitionen erfolgen nicht in erster Linie nach unmittelbaren Profitabilitätsgesichtspunkten; *wären die Repräsentanten von 1868 privatwirtschaftlicher Profitabilität gefolgt, hätten sie sich nach Maßgabe komparativer Kosten und Vorteile in die internationale Ökonomie integriert (und Japan wäre zur Peripherie geworden).* Auch der Begriff der *Staatsbürokratie* erscheint zu eng, weil die Vermittlung von Staatsapparat und den gesellschaftlichen Kräften, die die Meiji-Restauration getragen haben, in diesem Begriff nicht hinreichend zum Ausdruck kommt. Viel angemessener scheint der Begriff der *Staatsklasse*, da mit seiner Hilfe zum einen die besondere Funktion des Staatsapparates (der Bürokratie) betont wird, zum anderen dem Trugschluß, als sei die Staatsbürokratie alleiniger Träger einer solchen Entwicklung, entgegengewirkt wird.

Ist die theoretisch angemessene Etikettierung der durch die

Meiji-Restauration dominant werdenden Klasse und ihrer Funktion zumindest für die ersten Jahrzehnte nach 1868 schwierig, so ist die Kontrastierung ihrer Rolle mit den in den Ländern der Dritten Welt typischerweise herrschenden Klassen weit einfacher. Zeichnen sich letztere durch ihre subordinierte Eingliederung in den kapitalistischen Weltmarkt (und darin unter die jeweils dominante Metropole) aus, so fehlen gerade der dominanten Klasse Japans nach 1868 die Merkmale einer »Lumpenbourgeoisie«, der es – nach gängigem Verständnis – nicht gelingt, gegen die übergeordneten Interessen der Metropole an Ort und Stelle eine eigenständige *umfassende* Entfaltung der Produktivkräfte zu inszenieren.[23] Das Hauptmerkmal einer genuinen nationalen Bourgeoisie besteht in ihrer Fähigkeit zur allumfassenden Produktivkraftentfaltung, während die in Peripherie-Ökonomien dominanten Klassen aufgrund ihrer Integration in den Weltmarkt nur zu einer spezifischen, defekten Produktivkraftentfaltung mit dem Resultat von Peripherie-Ökonomien imstande sind.[24]

Überhaupt ist die Stellung des Staatsapparates in der Frühphase der Herausbildung von Peripherie-Ökonomien, beispielsweise im Laufe der Durchsetzung von Enklavenwirtschaft im Lateinamerika des 19. Jahrhunderts, nicht vergleichbar mit der des japanischen Staatsapparats nach 1868. War der erstere von zwei Seiten her geschwächt, nämlich von der lokalen Handels- und Agraroligarchie und von den Repräsentanten metropolitaner privatwirtschaftlicher und staatlicher Interessen (eine Schwächung, die sich in der enormen Verschuldung peripherer Staatsapparate schon im 19. Jahrhundert ausdrückte)[25], so wurden gerade die Staatsmaschinerie Japans und die von ihr eingeleiteten Aktivitäten zumindest zeitweilig zur einzig durchgreifenden politischen Kraft. Diese interne Klassen- und Kräftekonstellation hatte erhebliche Konsequenzen für den unterschiedlichen Typ von Entwicklung, der in Peripherie-Ökonomien und in Japan durchgesetzt wurde.

## 3. Das japanische »Entwicklungsmodell« und Japans Eingliederung in den Weltmarkt

Norman hat in seiner als klassisch zu bezeichnenden Studie über die Meiji-Restauration betont, daß in der frühen Phase der japanischen Industrialisierung

»die normale Ordnung des Ausgangspunktes und der nachfolgenden Stufen kapitalistischer Produktion umgekehrt wurde. In dem klassischen Typ kapitalistischer Entwicklung ist der Ausgangspunkt die Produktion von Konsumgütern, hauptsächlich durch die Leichtindustrie, z. B. die großen Textilanlagen von Lancashire, welche im ersten Viertel des 18. Jahrhunderts wichtig wurden. Erst wenn die Leichtindustrien sich ihrer Reife nähern, gewinnt die Produktion von Kapitalgütern Bedeutung. Bis zur Erfindung der Drehbank nahm die Schwerindustrie in England keine der Leichtindustrie vergleichbare Bedeutung an. Dieser normale Übergang von der Leicht- zur Schwerindustrie wurde in Japan umgekehrt.«[26]

### *3.1 Groß- und Kleinunternehmungen*

Nicht zuletzt militärische Erfordernisse haben zu dieser Prioritätensetzung geführt. So wurden der Bergbau, der Schiffsbau, der Maschinenbau, der Ausbau des Transport-, Telefon- und Eisenbahnnetzes anfänglich mit Nachdruck vorangetrieben, um baldmöglichst einen schlagkräftigen Militärapparat zu besitzen. Dies führte dazu, daß die vom Staat aufgebauten und kontrollierten Industriezweige sehr bald auf der Höhe derjenigen in den fortgeschrittenen westlichen Nationen waren. Eine sorgfältige Politik der Aufnahme ausländischer Experten hat den Technologie-Transfer aus den westlichen Metropolen nach Japan erheblich beschleunigt; demselben Zweck diente die Entsendung von Japanern ins Ausland zu Studienzwecken. So kam es, wie Norman schreibt,

»daß die militärischen Schlüsselindustrien technologisch fortgeschritten waren, während diejenigen Industrien, welche nicht von strategischem Wert waren oder welche nicht im Wettbewerb mit ausländischen Artikeln auf dem internationalen oder Binnenmarkt standen, auf ihrer primitiven handwerklichen Stufe der Entwicklung zurückgelassen wurden«.[27] »Es gehörte zur Meiji-Politik, die Waffenschmieden, Schmelzöfen, Werften und den Bergbau, die früher unter verschiedenen regionalen oder zentralen Domänen zerstreut waren, zu zentralisieren und sie solange zu entwickeln, bis sie eine hohe Stufe technischer Effizienz erreichten, während es zur gleichen Zeit galt, andere strategische Unternehmungen wie chemische Industrien (Betriebe zur Produktion von Schwefelsäure, Glas- und Zementfabriken) zu initiieren; die letzte Stufe bestand darin, einen großen Teil dieser Industrie an eine Handvoll von vertrauenswürdigen Finanzoligarchen zu verkaufen. Aber die Kontrolle über die vitalsten strategischen Unternehmungen, wie die Waffenproduktionsstätten, die Werften und manche Sektoren des Bergbaus, blieben in Regierungshänden.«[28]

Der Verkauf von ursprünglich vom Staatsapparat aufgebauten Industrien, z. B. Modellfabriken, an die Finanzoligarchie hat den Grundstein für die Entstehung jener Industrieagglomerationen gelegt, die bis auf den heutigen Tag die Industriestruktur Japans beherrschen (zaibatsu).[29] Überdies hat der Aufbau einer eigenständigen, auf Militärbedürfnisse bezogenen technisch fortgeschrittenen Industrie sehr frühzeitig dokumentiert, daß es in einem asiatischen Land wie Japan möglich ist, eine eigenständige Industrie allmählich zu installieren.

Dieser Nachweis war um so bedeutsamer, als der Aufbau einer wettbewerbsfähigen Manufaktur gerade in jenen Bereichen erforderlich wurde, in denen billige ausländische Fertigprodukte nach der zwangsweisen Öffnung Japans den japanischen Markt überschwemmten. Hier hatten die oben zitierten ungleichen Verträge die gleichen Wirkungen wie der Verdrängungswettbewerb europäischer Fertigprodukte in Lateinamerika, Afrika und Asien: Sie führten zu einem Ruin des lokalen Handwerks und zur finanziellen Instabilität des Landes aufgrund des Abflusses von Gold.[30] Die Importzölle Japans standen unter internationaler Kontrolle und konnten nicht angehoben werden, so daß es nur eine Möglichkeit der Eindämmung billiger Importgüter in das Land gab, nämlich die Vertreibung ausländischer Fertigprodukte aus dem Binnenmarkt durch eine eigenständige, wettbewerbsfähige Industrie. So mußte einem maschinenproduzierten Baumwollgarn, das stärker und einheitlicher ausfiel als handgesponnenes Garn, ein wettbewerbsfähiges Produkt entgegengesetzt werden. Eingeführte Wollwaren waren billiger und wärmer als heimische Seidenprodukte; Kerosin war billiger und effizienter als pflanzliche Öle und Kerzen usf. Die Gefahren, die dem japanischen Binnenmarkt durch billigere und effizientere Güter aus der internationalen Ökonomie erstanden, wurden von den Entwicklungspolitikern des Meiji-Regimes deutlich erkannt. Um Armut und Hunger abzuwenden und um zu verhindern, daß Japan in der Art einer Enklavenwirtschaft ein Produzent von Rohstoffen für den industriellen Westen wurde, bedurfte es der Gründung effizienter lokaler Industrien.[31]

Eine der erstaunlichsten Erscheinungen der frühen japanischen Entwicklung ist das Überleben zahlreicher *Kleinunternehmen* Seite an Seite mit den vom Staat geschaffenen und später an die Finanzoligarchen verkauften Großunternehmen. Noch 1930 produzierten Unternehmungen mit weniger als 5 Beschäftigten 30 Prozent des Nettoprodukts im sekundären Sektor der japanischen Wirtschaft.[32] Abhandlungen über die japanische Entwicklung betonen die große Bedeutung dieser Kleinunternehmen für die Modernisierung der Produktionstechniken und deren Verbreitung innerhalb der Ökonomie sowie für die Stabilisierung der Beschäftigungssituation, was angesichts einer hohen Wachstumsrate der Bevölkerung seit Mitte des 19. Jahrhunderts besonders beachtenswert ist.

»Wenn Japans Erfahrung auch nur eine einzige Lektion hinsichtlich des Prozesses ökonomischer Entwicklung in Asien vermittelt, dann ist es die der kumulativen Bedeutung von Myriaden relativ einfacher technologischer Verbesserungen, welche nicht radikal von der Tradition abweichen und auch keineswegs große Investitionen erfordern. Natürlich war das moderne Großunternehmen mit seiner Kapitalkonzentration in fortgeschrittenen Formen der Technologie in vielen Bereichen wichtig. In Form von Eisenbahnen und Dampfschiffahrt, von Kohle und elektrischer Energie, von Eisenindustrien, Banken und Versicherungsgesellschaften gab es den Rahmen für das ökonomische Wachstum ab. Das Großunternehmen trug auch zur Erweiterung der Exportchancen bei; es war für den Aufbau eines industriellen Kriegspotentials unentbehrlich. Jedoch ein Großteil der wirklichen Substanz des japanischen Wachstums muß in den bescheideneren Verbesserungen gesehen werden, welche leicht und umfassend aufgreifbar sowie kostensparend sind und die häufig hinsichtlich ihrer unmittelbaren Einkommensergebnisse auch produktiver sind. Für jedes arme Land, das damit beginnt, sich zu industrialisieren, besteht eines der entscheidenden Probleme darin, derartige Innovationen so weit wie möglich zu initiieren und zu verbreiten.«[33]

Jedoch,

»die Tugenden der dezentralisierten Kleinindustrie sind natürlich nicht frei von sozialen Übeln. Hier findet man die längste Arbeitszeit, die ungesündesten Arbeitsbedingungen, die größte Ausbeutung von Kindern – oft von seiten ihrer Eltern. Das System [der Koexistenz von Großindustrie und Kleinindustrie, D. S.] ermöglicht es häufig dem Großunternehmer, kommerzielle Risiken auf den Kleinunternehmer zu überwälzen, der natürlich am wenigsten fähig ist, diese zu tragen. Gleichermaßen bekannt sind die Nachteile hinsichtlich von Marketing und Produktionseffizienz, von ökonomischer Planung und Kontrolle. Insbesondere in einer Phase des Übergangs hat jedoch die Kleinindustrie immer dann erhebliche Vorteile, wenn technische Bedingungen sie nicht aus dem Gewerbe werfen. Gegenüber der Großindustrie benötigt das Kleinunternehmen weit weniger Kapitalinvestitionen und auch weit weniger technische und Leitungsfähigkeiten, die oft sehr schwierig zu erwerben sind, während die Anreize für Kapitalbildung und bescheidene technologische Innovationen sich innerhalb der Masse von Kleinproduzenten verbreiten. Auch kann das Kleinunternehmen leichter Vorteile aus lokalen Materialien, Märkten und einem Pool von unterbeschäftigter Arbeitskraft ziehen. Natürlich ist dies besonders dann der Fall, wenn, wie in Japan, durch Erziehungsmaßnahmen, Bankkredite, elektrische Energie und Vermarktungseinrichtungen ein größerer Rahmen geschaffen wird. [. . .] In jedem dicht bevölkerten, kapitalarmen Land kann der ökonomische Fortschritt kaum vorankommen, ohne auf die eine oder andere Art aus den in Kleinunternehmen angelegten Energien und Tätigkeiten Kapital zu schlagen. Trotz aller heute im 20. Jahrhundert vorhandenen Technologie ist diese Aussage immer noch richtig. Die japanische Erfahrung mit Klein- und Großunternehmen verdient ein tieferes Studium, als sie bisher erfahren hat, insbesondere hinsichtlich der Art, in der Groß- und Kleinunternehmen kombiniert und integriert werden.«[34] »Die strategischen Sektoren der frühen Investitionen waren ohne Zweifel die dramatischen, großangelegten Unternehmungen, welche den Rahmen für die nationale Regierung, das nationale Finanz-, Transport- und Erziehungswesen und die nationale Verteidigung abgaben. Derartige strukturelle Änderungen lieferten die Grundlage für unmittelbare Fortschritte in der Landwirtschaft und in Kleinunternehmen. Ohne sie hätten die Anreize für politische Sicherheit, größere Märkte, neue Fertigkeiten und Techniken gefehlt.«[35]

Damit war die Industrialisierung in Japan schon im Ansatz verschieden von jener Teilindustrialisierung, die in anderen asiatischen Ländern, beispielsweise in Indien, zu beobachten war.

»Fabrikunternehmen entwickelten sich in Japan schneller als in Indien nach 1900; aber es scheint, daß sie weit weniger destruktive Wirkungen auf die Heimindustrie hatten. In einem viel größeren Ausmaße gelang es den Japanern, die Produktionstechniken des Kleinunternehmens zu verbessern. Noch wichtiger, sie stärkten das Kleinunternehmen mit Hilfe externer Maßnahmen von seiten der Großunternehmen, z. B. durch die Lieferung von Rohmaterialien und Arbeitskapital und die Erschließung von Märkten. Der ganze Prozeß der Industrialisierung war deshalb rapider und im Ergebnis umfassender, und einige seiner sozial umwälzenden Folgen wurden gemäßigt. Die Gründe für diese Differenz sind zu komplex, um hier im einzelnen analysiert zu werden. Sie umfassen sowohl diejenigen Faktoren, welche in Japan dazu beitrugen, den profunden Dualismus, der dort in Asien zu beobachten ist, wo moderne kapitalistische Unternehmen im Konflikt mit herkömmlichen Produktionsweisen sich entwickelt haben, wenn nicht zu verhindern, so doch abzuschwächen. Es kann angenommen werden, daß die geographische Kompaktheit Japans und sein Inselcharakter einen großen Teil mit dieser Differenz zu tun haben. Hier war es einfacher als im kontinentalen Indien oder China, neue Ideen und Fertigkeiten quer durch das Land zu verbreiten; es war einfacher, einen Großteil der Bevölkerung in neue städtische Beschäftigungen hineinzubringen; es war auch einfacher, effiziente Bande zwischen der ländlichen Industrie auf der einen Seite, den Fabriken, Banken und Händlern der Städte auf der anderen Seite herzustellen. Hier konnte auch ein nationales Netz von elektrischer Energieversorgung vermittels eines relativ billigen Wassertransportes von Kohle und der Entwicklung weit verstreuter hydroelektrischer Energieressourcen geschaffen werden. Unterschiedliche soziale Traditionen waren sicherlich auch entscheidend; es scheint so, als ob in Japan die Antwort auf die Einführung kapitalistischer Anreize und industrieller Disziplin unter Millionen von Kleinunternehmern und Arbeitern begieriger und flexibler aufgegriffen wurde als anderswo. Schließlich fanden es der Engländer als ausländischer Unternehmer in Indien, der Holländer in Java und der Amerikaner auf den Philippinen sowohl schwieriger als auch weniger profitabel, den traditionellen Rahmen industrieller Organisation neuen Zielsetzungen anzupassen. Der japanische Unternehmer arbeitete innerhalb seines eigenen Landes und seines eigenen Volkes. Und seine Aktivitäten waren der Oberaufsicht und Kontrolle einer Regierung unterworfen, welche zwar nicht über Gebühr am Los der kleinen Leute interessiert war (um es ganz milde auszudrücken), die aber dennoch ein Regime verkörperte, das unabhängig von auswärtiger Beherrschung war und das mit der eigenen autonomen Entwicklung Japans beschäftigt war.«[36]

## *3.2 Expansiver Binnenmarkt*

Ein weiteres die japanische Entwicklung seit der Mitte des vergangenen Jahrhunderts und insbesondere nach der Meiji-Restauration kennzeichnendes Merkmal ist der *expandieren-*

*de Binnenmarkt.* David Landes hat dieses Phänomen auf eine einfache Formel gebracht: »Die Bedeutung dieser demonstrierten Fähigkeit, Wachstum und Wandel von innen her zu produzieren, sollte nicht unterschätzt werden. Dies ist es insbesondere, was das Meiji-Japan von den unterentwickelten Ländern der Gegenwart unterscheidet.«[37] Ohkawa und Rosovsky konnten in ihren Untersuchungen über Wachstum und Kapitalakkumulation in Japan nachweisen, daß die anfängliche Entwicklung der modernen Ökonomie von dem beschleunigten Wachstum der traditionellen Ökonomie abhing und daß die traditionelle Ökonomie, d. h. Landwirtschaft und Kleinunternehmen, fähig war, ein solches beschleunigtes Wachstum zu erzeugen.

»Wenn es keinen Zuwachs im Output der traditionellen Ökonomie gegeben hätte, dann hätte kaum ein Binnenmarkt für den Output der modernen Industrie existieren können. Quer durch die Eingangsphase der Entwicklung Japans waren mehr als 65 Prozent der beschäftigten Bevölkerung in der Landwirtschaft tätig. Allein schon das bloße Gewicht dieser Gruppe machte sie zu dem einzig bemerkenswerten Binnenmarkt, und die Baumwolltextilien, einfache heimische Geräte und andere derartige Produkte des frühen modernen Sektors müssen vor allem an diese Gruppe verkauft worden sein. Die Export-Output-Relation vieler Fertigprodukte des sekundären Sektors war zu dieser Zeit sehr klein.«[38]

War der ökonomische Fortschritt während der eben beschriebenen Phase vor allem von einem beschleunigten Wachstum des traditionellen Sektors getragen, so verlor dieser Sektor seine überragende Akkumulationsfunktion in dem Maße, wie die Industrialisierung voranschritt. Wichtig blieb jedoch, wie auch Ohkawa und Rosovsky betonen, die sektorale Verklammerung von landwirtschaftlichem und industriellem Sektor.

»Indem behauptet wird, daß die traditionelle Ökonomie während der Aufschwungphase der japanischen Entwicklung das Wachstum der modernen Ökonomie trug, wird nicht gesagt, daß dies eine exklusive Einweg-Beziehung war, obgleich wir betonen, daß die Nettounterstützung während dieser Phase von der traditionellen zur modernen Ökonomie ging und nicht umgekehrt.«[39]

Gleason hat ferner gezeigt, daß – ein weiterer Aspekt der japanischen Entwicklung – *der Konsum mit der wachsenden Produktivität der japanischen Ökonomie anstieg.*[40] Diese Pro-

Kopf-Zunahme des Konsums war etwa gleich groß wie das Wachstum des Bruttosozialprodukts pro Kopf. Bemerkenswert ist Gleasons Nachweis einer Konsumsteigerung bei der landwirtschaftlichen Bevölkerung in dieser ersten Phase, die nur durch eine relativ hohe Produktivitätssteigerung im landwirtschaftlichen Sektor ermöglicht wurde, während er eine Reallohnsteigerung der Arbeiterschaft im sekundären Bereich ab ca. 1905, d. h. also mit einer Phasenverschiebung von wenigen Jahrzehnten, feststellt. Bemerkenswert ist auch die Beobachtung, daß das rapide Bevölkerungswachstum Japans eine reale Pro-Kopf-Verbesserung des Konsums *nicht* verhinderte. Diese Beobachtungen dürfen indes nicht darüber hinwegtäuschen, daß der Lebensstandard der Masse der japanischen Bevölkerung insgesamt immer noch sehr niedrig war. Doch ist es entwicklungspolitisch interessant, daß es offensichtlich im landwirtschaftlichen Sektor gelungen ist, mit Hilfe relativ geringer Investitionen eine erhebliche Produktivitätssteigerung zu bewirken, die ihrerseits den landwirtschaftlichen Sektor sowohl zur bedeutendsten Akkumulationsquelle zumindest während der ersten Phase der Entwicklung Japans machte als auch noch eine reale Konsumsteigerung erlaubte, während sukzessive eine Verlagerung der Akkumulationslast von der Landwirtschaft auf die Industrie erfolgte.[41]

Die japanische Entwicklung war von Anfang an durch eine sehr *krasse Ungleichheit* gekennzeichnet. Obgleich genaue Daten über Einkommensverteilung uns nicht verfügbar sind, sondern nur Daten, die Größenordnungen vermitteln, kann kein Zweifel daran bestehen, zu wessen Gunsten das Meiji-Regime operierte.[42] Und dennoch ist auch hier auf den *Typ* der neuen Führungsgruppe in Politik, Wirtschaft und Militär aufmerksam zu machen: Da es der dominanten Klasse um den raschen Aufbau eines modernen Staatsapparates und einer modernen Ökonomie ging, waren ihre Sparquote und ihre Reinvestitionsbereitschaft sehr hoch. Die dynamische Kraft des Binnenmarktes spielte bei der Aufrechterhaltung der Investitionsneigungen nicht nur eine ideelle Rolle.

Lockwood umschreibt die Frühphase der Entwicklung Japans wie folgt:

»Natürlich gibt es eine notwendige Interdependenz zwischen dem säkularen Einkommenswachstum, dem technischen Fortschritt und der Produktion für den Konsum. Die Expansion der Produktion in Japan verdankte ihren Aufschwung z. T. der Beseitigung feudaler Beschränkungen und den neuen Wünschen und Bedürfnissen, die sich entwickelten, als das Land sich modernem Einfluß öffnete. Diese Veränderungen wurden beschleunigt durch Urbanisierung und Industrialisierung, welche die Kommunikation wesentlich erleichterten und neue Lebensbedürfnisse schufen. Fortschritte in Technologie und Produktion bedurften einer besseren Erziehung und eines öffentlichen Gesundheitswesens sowie anderer Aktivitäten der Regierung. Diese Dienstleistungen erweiterten die Ausgaben für Konsumgüter. Nur in dem Maße, wie die letzteren wuchsen, konnte die Profitabilität von neuen Investitionen aufrechterhalten werden, so daß Investition und Ersparnis sich auf wachsenden Einkommenshöhen ausbalancierten. Das säkulare Wachstum der japanischen Ökonomie erforderte deshalb das Wachstum des Konsums nicht weniger als das der Investitionen. Zur gleichen Zeit machte dieses Wachstum der Ökonomie insgesamt das Wachstum von Konsum und Investitionen möglich. Ausländische Märkte boten Japan keinen Ausweg aus dieser Zwangslage an, so wichtig sie für das Wachstum der Ökonomie waren. Und in der Tat wurde die Masse des zunehmenden nationalen Outputs zu Hause konsumiert. Auch steht diese Beobachtung nicht im Widerspruch zu der Tatsache, daß ein weit mehr als proportionaler Anteil der Früchte dieses Fortschritts laufend von den Großindustriellen, den Financiers, den Großagrariern und anderen Mitgliedern der wohlhabenden und begüterten Klasse angeeignet wurde.«[43]

Die Entwicklungsdynamik Japans war eine mit Besonderheiten durchsetzte kapitalistische. Sie bewirkte, wie in den Metropolen, die Proletarisierung agrarischer und industrieller Arbeitskraft. Ganz anders als in den strukturell peripherisierten Gesellschaftsformationen führte sie jedoch nicht zu jener Erscheinung, die heute, bezogen auf Peripherie-Ökonomien, als Marginalisierung von Arbeitskraft oder als Marginalität beschrieben wird. D. h. trotz hoher Bevölkerungszuwachsraten resultierte die kapitalistische Entwicklungsdynamik nicht in der Freisetzung eines beachtlichen Teils von Arbeitskraft *unterhalb* des Status von Proletariat und industrieller Reservearmee.[44] Dieser entscheidende Sachverhalt in der japanischen

Entwicklung steht in einem unmittelbaren Zusammenhang mit dem Typ von »Entwicklungsmodell«, der sich in Japan beobachten läßt. Hierbei verdient die Öffnung zum Weltmarkt besondere Beachtung.

### *3.4 Integration in den Weltmarkt*

Ohne die *Beziehung zum Weltmarkt* wäre die japanische Entwicklung nach 1868 nur schwer denkbar. Aber diese von den kapitalistischen Metropolen erzwungene Öffnung zum Weltmarkt mündete nicht in jenem Typ von Integration in die internationale Ökonomie, der im Falle der Eingliederung von Peripherien in den Weltmarkt die Regel ist. Gerade seine Eigenart macht das japanische Beispiel so bedeutsam.

Lockwood beschreibt den Sachverhalt[45] wie folgt:

»Dieses schnelle Wachstum des überseeischen Handels war zu jedem Punkt mit dem Verlauf der ökonomischen Modernisierung und Expansion Japans verbunden. Zu Beginn bahnte ein reißender Strom von Importen einen Weg, über den neuen Ideen, Fertigkeiten und Geräte vom Westen nach Japan hineinströmten. Die Exportmöglichkeiten stimulierten bald neue Produktions- und Vermarktungstechniken, und sie schufen neue Pools für unternehmerische Ersparnisse und Aktivitäten. Im Laufe der Zeit machte der Zugang zu den Weltmärkten es den Japanern möglich, eine Industrie aufzubauen, die sehr stark von Nahrungsmitteln, Rohstoffen und Ausrüstungsgegenständen abhängig war, die sie billiger im Ausland als zu Hause bekommen konnten, wobei sie diese Importgüter mit jenen Produkten bezahlten, bei deren Erzeugung sie fähig waren, einen Wettbewerbsvorteil auf dem einen oder anderen Markt zu erzielen. Doch war es der heimische Markt, welcher die Hauptmasse des Ausstoßes, gleichermaßen der sekundären und tertiären Industrien wie der Primärprodukte, absorbierte. [. . .] Quantitativ begriffen, bestand die Expansion der japanischen Industrie und des Dienstleistungsgewerbes hauptsächlich im Wachstum des Konsumgüter- und Kapitalgüteroutputs, der innerhalb expandierender Austauschkreisläufe der heimischen Ökonomie vermarktet worden ist. Sicherlich, ohne Außenhandel wäre die japanische Ökonomie kaum das geworden, wozu sie sich entwickelte. Aber die vitale Bedeutung des Außenhandels lag in der Art, in welcher er in diese Wirtschaftskreisläufe eingefügt wurde und in der er diese mit ausländischen Ressourcen versorgte – und dies war bedeutsamer als der quantitative Anteil des Außenhandels an dem Netz von Produktionsaktivitäten, welche nun [ca. Ende der dreißiger Jahre, D. S.] den Unterhalt von 70 Mio. Japanern begründeten.«[46]

Die Beziehung zur internationalen Ökonomie, d. h. zur Ökonomie der kapitalistischen Metropolen, ist in der Anfangszeit der japanischen Entwicklung in wenigstens drei Phasen zu gliedern. In einer ersten Phase kam es zur Vermittlung von Impulsen aus dem Ausland mit der japanischen Ökonomie; in einer daran unmittelbar anschließenden zweiten Phase erfolgte, inbesondere seit der Meiji-Restauration von 1868, eine gezielte nationale Antwort auf diese Herausforderung von außen. Die damit eingeleiteten Entwicklungsprogramme trugen in der dritten Phase zur Herausbildung einer Industriestruktur und einer Wechselbeziehung zwischen Landwirtschaft und Manufaktur bei, deren Entwicklungsdynamik zur Entstehung eines relativ dichten Binnenmarktes führte, während gleichzeitig durch selektive Spezialisierungen der internationale Markt wettbewerbsfähig beliefert werden konnte, was wiederum die Deviseneinnahmen zur Bezahlung der Einfuhr von Rohstoffen, Maschinerie und Technologien sicherte.

Wie war diese Eingliederung Japans in den Weltmarkt gütermäßig strukturiert?[47] In der Frühphase der japanischen Entwicklung bestand Japans Export neben Tee, Kupfer und Kohle zum größten Teil aus Baumwolle und Rohseide; seine Importe setzten sich aus Nahrungsmitteln, Rohstoffen und Maschinen zusammen, deren Einsatz in bestimmten Branchen eine erhebliche Produktivitätssteigerung verursachte. Branchen mit Außenhandelsaktivitäten betrieben diese nicht exklusiv, sondern komplementär zu ihren Binnenmarktaktivitäten, da die relative Wettbewerbsfähigkeit in Teilbereichen sich auf dem internationalen Markt genauso positiv auswirkte wie in der Erschließung des Binnenmarktes, beispielsweise zwischen Osaka und Sendai. Da es keine Kompradoren-Bourgeoisie gab, spielte die Einfuhr von Luxuskonsumgütern keine entscheidende Rolle, und es gab auch kein japanisches Interesse daran, billige Massenkonsumgüter im Austausch für Rohstoffprodukte in den japanischen Markt hineinzulocken. Aus der bewußt betriebenen Wirtschafts- und Entwicklungspolitik des Staatsapparates, den wettbewerbsfähigen Produkten aus der internationalen Ökonomie im Laufe der Zeit ebenbürtige Erzeugnisse entgegenzusetzen, resultierten die expansiven Effekte solcher vom Ausland aufgezwungenen Fertigwarenimporte, die zwar einen Verdrängungswettbewerb auslösten und so den teilweisen Ruin des lokalen Handwerks heraufbeschworen, letztlich jedoch, angesichts der verfolgten Entwicklungspolitik, den Aufschwung der japanischen Manufaktur förderten.

Die Kluft zwischen den fortgeschrittenen Produktionstechniken der europäischen und amerikanischen Manufaktur einerseits und denen der japanischen Industrie andererseits war erheblich. Doch war bei entsprechenden Anstrengungen die Chance, diese Fortschritte einzuholen und möglicherweise zu übertreffen, angesichts des insgesamt einfacheren und niedrigeren Standes der fortgeschrittenen Technologie eher gegeben, als dies in späteren Jahrzehnten bei einer wachsenden technologischen Kluft zwischen fortgeschrittenen und weniger entwickelten Gesellschaften noch möglich sein konnte. *Die Verarbeitung und Anpassung ausländischer Technologie an lokale Gegebenheiten gehört zu den überragenden Leistungen der frühen Entwicklungsphase Japans.* Eine durchschaubare und imitierbare sowie überdies leicht zugängliche Technologie hat diesen Anpassungsprozeß erheblich erleichtert; er wäre jedoch nicht so dynamisch verlaufen, wenn nicht »die Entwicklung der Technologie und die Entwicklung des Marktes gleichzeitig vor sich gegangen wären, wobei die eine die andere verstärkte«.[48] Auch ermöglichte der Stand der Technologie im Westen in vielen Bereichen noch das Kopieren maschinenerzeugter Produkte durch wettbewerbsfähige Erzeugnisse von Handarbeit.

Japan verstand es zur damaligen Zeit (wie übrigens auch heute noch), monopolartig strukturierte technologische Abhängigkeiten von einzelnen Metropolen zu verhindern. Seine technologische Außenbeziehung war durch ein Muster *selektiver* Wahl bestimmt, das es verhinderte, beispielsweise von England, den USA oder Frankreich in irgendeiner Hinsicht exklusiv technologisch abhängig zu werden. Der japanische Entwicklungsweg bestätigt weiterhin, daß vergleichsweise geringe Mengen von neuem Kapital, welches hauptsächlich vermittels lokaler Arbeitskraft und Rohstoffe produziert wird, in kapitalarmen Ländern erhebliche Effekte zeitigen können, sofern die Kapitalakkumulation zu einigermaßen komplementären Wirtschaftskreisläufen an Ort und Stelle führt, die ihrerseits kumulativ-expansiv aufeinander zurückwirken.

Auf diesem Wege ist es Japan mit einer relativ einfachen Produktionsstruktur überraschend schnell gelungen, Rohstoffe einzuführen, die an Ort und Stelle zu Fertigprodukten verarbeitet worden sind und die zu einem bestimmten Anteil schließlich zum Zwecke der Erwirtschaftung von wichtigen Devisen exportiert wurden. Aber auch hinsichtlich solcher Produktions- und Exportaktivitäten ist zu betonen, daß es *der wachsende heimische Markt* war, welcher einen zunehmenden Ausstoß an industriellen Fertigwaren absorbierte.

»Es war natürlich von großer Bedeutung, daß Japans bescheidene Ausstattung mit natürlichen Ressourcen es vor jenem Entwicklungsmuster bewahrte, das von vielen anderen Nationen verfolgt worden ist. In Ländern, die reichlicher ausgestattet sind und die weniger besiedelt waren, bestand die Eingangsphase gewöhnlich in der Schaffung von großen Primärgüterindustrien, die den Weltmarkt bedienen [Enklavenwirtschaft, D. S.]. Diese extraktiven Industrien erzeugen einen großen Strom von Einkommen, welcher für die Bezahlung der Maschinenimporte und anderer Importgüter erforderlich ist. Die Exporteinnahmen helfen auch, die ausländischen Anleihen abzutragen, welche den Entwicklungsprozeß teilweise finanzieren. Und mit einer gewissen Wahrscheinlichkeit schaffen sie auch nach einer gewissen Zeit eine neue Nachfrage und einheimische Kapitalressourcen für das Wachstum diversifizierterer industrieller Aktivitäten. Dies ist das vertraute Muster in den neuen Ländern der westlichen Hemisphäre, nachdem sie für eine Kolonisierung und Entwicklung während des 18. und 19. Jahrhunderts geöffnet worden sind. In jüngerer Zeit kennzeichnet dieser Vorgang auch in einem gänzlich anderen Zusammenhang die Geschichte Tropisch-Asiens mit seinen riesigen Exporten an Gummi, Zinn, Öl und Nahrungsmitteln.«[49]

Mit anderen Worten, *Japan ist dem Schicksal, in eine Peripherie-Ökonomie umgewandelt zu werden, entgangen.*

»Wäre Japan in größerer Nähe zu den großen industrialisierten Nationen des Westens situiert gewesen, so wären sein Wachstumsmuster und sein Strukturwandel nach 1868 wahrscheinlich ganz anders gewesen. Sowohl der Druck zu Industrialisierung als auch die Chance, eine solche zu verfolgen, wären dann wahrscheinlich geringer gewesen. Japan hätte dadurch einen günstigeren Zugang zu den großen externen Märkten für seine Kohle, Fischereiprodukte und für hochwertige landwirtschaftliche Erzeugnisse gefunden. Der Wettbewerb von seiten westlicher Fertigprodukte wäre innerhalb Japans sicherlich stärker gewesen, als er tatsächlich war, wodurch der Fortschritt der Industrie verzögert worden wäre. Der Gang der Ereignisse wäre auch ein anderer gewesen, falls

Japan als Volk weniger ambitiös gewesen wäre, seine eigene Wohlfahrt und seine nationale Macht zu fördern; oder falls, wie andere Völker Asiens, die Japaner unter die Herrschaft einer ausländischen Macht gefallen wären, welche vor allem daran Interesse gehabt hätte, das Land als einen Lieferanten von Rohmaterialien und als einen Markt für industrielle Güter zu entwickeln.«[50]

Die Armut Japans an natürlichen Ressourcen ist keine ausreichende Begründung für die Nicht-Peripherisierung der japanischen Ökonomie. Denn gerade die ersten Jahrzehnte der frühen Industrialisierung dort sind von erstaunlich hohen Wachstumsraten im Primärgütersektor gekennzeichnet. Diese Produkte wurden jedoch, bis auf wenige, oben erwähnte Ausnahmen, fast ausschließlich in der eigenen Ökonomie absorbiert. Dies allein schon zeugt von der Vitalität einer in erster Linie *binnenmarktorientierten* Entwicklung.

Entgegen einer weitverbreiteten Meinung war auch der Exportanteil der produzierten Fertiggüter nur in wenigen Branchen relativ hoch, wie beispielsweise bei der Produktion von Seide- und Baumwollfabrikaten. Hinsichtlich aller anderen Bereiche gilt, was Lockwood im allgemeinen formulierte:

»Die japanische Industrie hing nicht weniger von der Prosperität der heimischen Landwirtschaft, der Kaufkraft der Masse von Arbeitern und kleinen Geschäftsleuten und von der Aufrechterhaltung hoher inländischer Investitionen ab. Rein quantitativ betrachtet war genau dies der Ort, wo die japanische Ökonomie ihren hauptsächlichen Wachstumsanreiz fand. [. . .] Der heimische Markt wuchs schnell im Vorkriegs-Japan, und er absorbierte immer die Hauptmasse des industriellen Ausstoßes an Fertigwaren.«[51]

Es ist in diesem Zusammenhang interessant zu beobachten, daß in späteren Jahrzehnten (bis zum Ausbruch des Zweiten Weltkrieges) die Belieferung des Marktes der Metropolen eine andere Industriestruktur zur Grundlage hatte als jene, aus der die Produkte für die Belieferung des asiatischen Marktes, einschließlich eines Teils des Binnenmarktes, hervorgingen.

»Japans Export nach den Vereinigten Staaten, Europa und den Britischen Dominions bestand hauptsächlich in Materialien und Fertigprodukten, die durch relativ einfache Prozesse erzeugt wurden, in welchen die Handarbeit das hauptsächliche Kostenelement darstellte. Neben Rohseide und Seidentextilien waren Güter wie Tischtücher, Spielzeugwaren, Rapsöl, Tee, Konservenfisch, Holz und Strohprodukte darin vertreten. Die Hauptmasse der japanischen Fabrikexporte, welche fortgeschrittenere und kapitalistische Produktionsmethoden erforderten, nämlich zuerst billige Stoffmaterialien und später eine Reihe anderer Güter, fanden ihren Markt vor allem im Osten. Der Handel mit dem Westen war immens lukrativ, insbesondere vor dem Niedergang der Rohseide. Mit diesem Handel wurden die meisten Devisen für die Rohmaterialien und die Maschinerie erwirtschaftet, welche in die Entwicklung der japanischen Industrie eingingen. Aber der direkte, umfassendere Stimulus für fortgeschrittenere Industrialisierungsprozesse kam von den Märkten des Ostens, insbesondere vom japanischen Binnenmarkt und in zweiter Linie vom Markt der Nachbarn Japans.«[52]

Japan gelang es, die typischen Zentrum-Peripherie-Austauschbeziehungen, die die Interaktion zwischen den westlich-kapitalistischen und den von ihnen abhängig werdenden Gesellschaften Lateinamerikas, Afrikas und Asiens charakterisierten, von Anfang an nicht aufkommen zu lassen. Seine Eingliederung in die internationale Ökonomie war komplex strukturiert. Im wesentlichen exportierte es wenige Typen von ausgewählten Fertigprodukten auf die ausländischen Märkte, wobei die qualitativ besseren, jedoch arbeitsintensiven Produkte in die kapitalistischen Metropolen des Westens gingen, während mit den weniger anspruchsvollen, maschinenproduzierten Produkten die asiatischen Märkte beliefert wurden. Von den letzteren Ökonomien importierte Japan Nahrungsmittel und Rohstoffe. Maschinen und Technologie wurden in den technologisch fortgeschritteneren westlichen Industriegesellschaften eingekauft (insbesondere in den USA), ebenfalls Rohstoffe. Die tiefe Eingliederung in die internationale Ökonomie war erheblich, jedoch nicht, wie im Falle von Peripherie-Ökonomien, strukturell pauperisierend; im Gegenteil, von seiner inneren Entwicklungsdynamik wie auch von seiner Eingliederung in die internationale Ökonomie aus gesehen entsprach Japan von Anfang an eher dem Typ metropolitaner Ökonomie als dem einer Peripherie-Ökonomie.

## 4. Schlußbemerkungen

### *4.1 Soziale Kosten und Nicht-Peripherisierung*

Die vorangehenden Darlegungen konzentrierten sich auf die in der Frühphase der japanischen Entwicklung zu beobachtende umfassende Entfaltung produktiver Kräfte. Es wurde nicht gefragt, ob diese Entwicklung besonders gerecht und menschenfreundlich war. Stellt man sich diese Frage jedoch, so wäre die Antwort sicher negativ. Die *sozialen Kosten* des japanischen Entwicklungsweges waren erheblich; sie wurden von der Masse der ländlichen und städtischen Bevölkerung getragen, deren Versuche einer politischen Partizipation seit den frühen Jahren der Meiji-Restauration von der herrschenden Klasse systematisch abgewehrt worden sind.[53] Norman hat in seiner klassischen Studie über die frühe Phase der Meiji-Restauration auf diese politischen und sozialen Kosten aufmerksam gemacht[54], und jüngst konnte Jon Halliday in seiner umfassenden Studie über die politische Geschichte des japanischen Kapitalismus die Kontinuität dieser repressiven und konterrevolutionären Züge des japanischen politischen Systems nach 1868 bis zum Ende des Zweiten Weltkriegs durchgängig nachzeichnen.[55] Der japanische Ultra-Nationalismus, Militarismus und Faschismus (letzterer in eigener Prägung, wie Maruyama unmittelbar nach dem Zweiten Weltkrieg nachgewiesen hat[56]) sind konsequente Ergebnisse der japanischen Entwicklung und nicht Ausdruck einer »Pathologie des Wachstums«.[57]

Nicht also diese unbestreitbaren, gleichermaßen konstitutiven Merkmale des japanischen Entwicklungsweges in den vergangenen hundert Jahren waren Gegenstand dieser Abhandlung. Vielmehr sollte gezeigt werden, daß Japan zwar das Etikett einer Wachstumsökonomie verdient[58], *jedoch jede behauptete Parallelität der japanischen Entwicklung mit den sogenannten Wachstumsökonomien der Dritten Welt, ja, mit jedweder Ökonomie einer Gesellschaft der Dritten Welt vom Ansatz her falsch ist.* Japan war niemals eine Peripherie-Ökonomie. Seine interne Struktur war mit zahlreichen, zum Teil krassen Disparitäten durchsetzt, und seine Klassenstruktur haben am wenigsten diejenigen westlichen Metropolen (wie die Repräsentanten der USA) geleugnet, die im Zweiten Weltkrieg angetreten sind, sie zu besiegen und zu eliminieren.[59]

Entscheidend ist, daß die Gesellschaftsformation Japans niemals durch jenen Typ von struktureller Heterogenität geprägt wurde, der sich im Falle von Peripherie-Ökonomien als Ergebnis ihrer Eingliederung in eine ungleich strukturierte internationale Arbeitsteilung manifestiert. Japans Ökonomie entging von Anfang an der Gefahr einer strukturellen Verkrüppelung; seine Wirtschaftskreisläufe waren zwar zum Weltmarkt hin geöffnet und in gewisser Hinsicht von diesem auch abhängig, *jedoch als komplementäre Erscheinung zu einer im wesentlichen binnenmarktorientierten Entwicklungsdynamik.* Sicherlich war, wie Sozial- und Wirtschaftsgeschichte des Landes offenbaren, das eine, die Binnenentwicklung, ohne das andere, die Öffnung zum Weltmarkt, nicht denkbar. Aber das Gewicht der Entwicklung lag doch unverkennbar auf der Expansion des Binnenmarktes, der mit Hilfe staatlicher Intervention in die Infrastruktur, durch unternehmerische Aktivitäten und auf der Grundlage einer relativ engen Verknüpfung landwirtschaftlicher und industrieller Tätigkeiten bei einer sich säkular verbessernden Konsumfähigkeit zum dynamischen Angelpunkt der Entwicklung wurde.[60]

### 4.2 *Das japanische und das chinesische »Entwicklungsmodell«*

Wurde Japan niemals durch die Besonderheiten peripherer Gesellschaftsformationen geprägt und war die japanische Ökonomie niemals eine Peripherie-Ökonomie, so kann die japanische Entwicklung nicht als ein zeitlich vorauseilendes Entwicklungsmodell für jene Länder gelten, deren Eingliederung in den Weltmarkt ihre strukturelle Peripherisierung zur Folge hatte. Begreift man Japan, wie aufgezeigt, als das leidlich erfolgreiche letzte bemerkenswerte Beispiel eines kapitalistischen Entwicklungsweges auf dissoziativer Grundlage[61], so sind allerdings die Lehren aus der japanischen Entwicklung andere als die, die heute aus diesem Fall gezogen werden.

Angesichts der Tiefe der strukturellen Deformation peripherer Gesellschaftsformationen und der strukturellen Defekte ihrer Ökonomien als Folge ihrer Integration in den Weltmarkt ist ein dissoziativ-*kapitalistischer* Weg im Stile Japans kaum noch denkbar. Da eine Dissoziation, d. h. eine Absonderung vom kapitalistisch dominierten Weltmarkt mit selektiver Kooperation, von den kapitalistischen Metropolen kaum ohne Widerstand und Intervention hingenommen würde, wird entweder der peripher-kapitalistische Entwicklungsweg fortgesetzt oder es wird mit dem Weltmarkt gebrochen, was unter heutigen gesellschaftspolitischen Bedingungen zu der einen oder anderen Version sozialistischer Entwicklung führen muß.

In diesem Zusammenhang ist eine Abhandlung von Goodstadt über die Rezeption der japanischen Entwicklungserfahrung in China von Interesse.[62] Goodstadt weist auf die Ähnlichkeit der Lage Chinas und Japans im zweiten Drittel des vergangenen Jahrhunderts hin, insbesondere auf die Tatsache, daß Japans Weg der Selbstbehauptung besonders für die Repräsentanten des republikanischen China von exemplarischer Bedeutung war. Auch entdeckt er eine gewisse Parallelität im ökonomischen Denken Maos und in den japanischen Erfahrungen während und unmittelbar nach der Meiji-Restauration.

»Die industrielle Revolution Japans basierte auf einer Beschleunigung des agrarischen Outputs. Die verbesserten landwirtschaftlichen Ergebnisse waren das Resultat der Modernisierung von Saatgütern, Düngemitteln und ähnlichem. Anfängliche Investitionen in den industriellen Sektor wurden in kleinen Betrieben von Branchen der Leichtindustrie getätigt. Dieses Muster der Kleinbetriebe überdauerte, genauso, wie die Landwirtschaft bis zur Gegenwart von Bedeutung war. Die Spartätigkeit war vergleichsweise hoch, während der private Konsum relativ niedrig gehalten wurde. Die Absorption ausländischer Technologie wurde sorgfältig auf die Bedürfnisse der japanischen Ökonomie während jeder ihrer Entwicklungsstufen zurechtgeschnitten. Zusätzlich hat die Regierung während der ganzen Entwicklungen ein viel größeres Ausmaß an Verantwortlichkeit für das Verhalten der Industrie und ihre Leistung aufgebracht, als dies außerhalb sozialistischer Länder die Regel ist. [...] Das kulturelle Klima während der Meiji-Periode war eine Kraft für den Fortschritt, da die Probleme der Bauernschaft eine konstante Aufmerksamkeit erforderten, um die immer wieder durchdringende Unruhe auf dem Lande einzudämmen.«[63]

Goodstadts These lautet, daß die japanischen Entwicklungserfahrungen wahrscheinlich einen tieferen Eindruck auf die chinesischen Führungsschichten seit dem republikanischen China gemacht haben, als oberflächlich zu erkennen ist, da spätestens seit den zwanziger Jahren die Artikulation pro-japanischer Sentiments in der Innenpolitik Chinas als gefährlich galt. Ungeachtet solcher textexegetisch möglicherweise aufzeigbaren Querverbindungen konnte die japanische Erfahrung in China nicht ohne Resonanz geblieben sein, zumal die japanische Kriegsmaschinerie nur wenige Jahrzehnte nach der Meiji-Restauration und dem industriellen Aufbau das chinesische Festland zu überrollen begann. Goodstadt zufolge haben die revolutionären Gruppen Chinas angesichts dieser Erfahrung höchst detaillierte Untersuchungen über den sozioökonomischen Hintergrund, der eine derartige Politik ermöglichte, angestellt.

## *4.3 Fazit*

Die Erfahrung Chinas vor und nach 1949 dürfte für jene Gesellschaften, die sich des abhängigen Status einer Peripherie innerhalb der von den kapitalistischen Metropolen beherrschten internationalen Ökonomie entledigen wollen, heute von größerer Bedeutung sein als Japans Erfahrung. Ähnlich wie Friedrich Lists Entwicklungstheorie[64] kann jedoch auch die Analyse Japans auf einige unerläßliche Voraussetzungen eines erfolgreichen, eine Gesellschaft nicht peripherisierenden Entwicklungsweges aufmerksam machen, insbesondere auf die konkrete Dialektik externer und interner gesellschaftlicher Kräfte, durch die Entwicklung in einer internationalen Ökonomie mit unterschiedlich produktiven Einzelwirtschaften entweder in Richtung auf Peripherisierung oder auf eine eher autozentrierte Entwicklung festgelegt wird.[65] Das Zusammenwirken eines ganzen Bündels von Faktoren hat Japan vor einer Peripherisierung bewahrt.

# Brasiliens assoziativ-kapitalistische Entwicklung

## 1. Einleitung

Brasilien ist eine Gesellschaft der Dritten Welt, an deren Beispiel einige zentrale Aspekte der Herausbildung von Peripherie-Ökonomien unter Bedingungen struktureller Abhängigkeit dargestellt werden können. Unter entwicklungstheoretischen Gesichtspunkten kommt der Analyse der brasilianischen Verhältnisse eine besondere Bedeutung zu, da dieser Gesellschaft und Ökonomie – wie keiner zweiten in der Dritten Welt – eine relativ differenzierte Produktivkraftentfaltung gelungen ist. Trotz dieser bemerkenswerten Leistung führte die brasilianische Entwicklung nicht zu einer Überwindung typischer Merkmale von Peripherie-Ökonomie.

Im folgenden soll die Geschichte der brasilianischen Entwicklung insoweit umrißhaft dargestellt werden, als sie für ein Verständnis der gegenwärtigen Entwicklungsproblematik von Belang ist. Dabei werden nur jene Tatbestände aufgegriffen, die unter entwicklungstheoretischen Gesichtspunkten allgemein bedeutsam sind.[1]

## 2. Die drei Entwicklungsphasen Brasiliens

Wie in allen Gesellschaften der Dritten Welt, so ist auch im Falle Brasiliens *Unterentwicklung* nicht ein *ursprünglicher* politischer und sozioökonomischer Tatbestand; auch hier haben sich die *Strukturen der Unterentwicklung* nach und nach historisch herausgebildet. Brasilien ist als Einzelfall in diesem Zusammenhang von besonderem analytischen Interesse, weil die Penetration dieser Gesellschaft durch die kapitalistischen Metropolen seit dem 16. Jahrhundert in deutlich voneinander unterscheidbaren Etappen erfolgte. Dabei kam es – jeweils in Abhängigkeit von den Bedürfnissen der Metropolen und den Entwicklungsprozessen in dem von den Metropolen beherrschten Weltmarkt – zum Aufstieg und Fall einzelner Teilbereiche der brasilianischen Gesellschaft, d. h. zur Dynamisierung und zur schließlichen Stagnation von Teilregionen und Teilsektoren. Prozesse der Herausbildung von Peripherie-Ökonomie können also nicht nur im Zusammenwirken von Metropolen und der brasilianischen Gesellschaft im ganzen beobachtet werden, sondern auch infolge einer sich regional und sektoral verlagernden Durchdringung von außen *innerhalb* der brasilianischen Gesellschaft selbst: In Brasilien bilden sich seit dem 16. Jahrhundert jeweils auf Zeit privilegierte Enklaven heraus, die ihrerseits im Verlaufe des historischen Prozesses durch andere neue Enklaven abgelöst werden. Was in kleineren Gesellschaften als ein einmaliges Ereignis beobachtet werden kann, nämlich die Entwicklung einer privilegierten Region (meistens an der Küste), die bei einer gleichzeitigen Ausrichtung der übrigen Gesellschaft und Ökonomie auf diese Region hin die Rolle eines von den Metropolen bevorzugten Brückenkopfes wahrnimmt, läßt sich in der Geschichte Brasiliens innerhalb eines einzigen Raumes in stufenweiser Abfolge mehrfach feststellen. Besonders dieser Tatbestand macht Brasilien zu einem interessanten Fall dafür, wie Gesellschaften Lateinamerikas, Afrikas und Asiens in eine von den kapitalistischen Metropolen beherrschte und auf deren Bedürfnisse hin orientierte internationale Arbeitsteilung eingegliedert wurden.[2]

Längsschnittanalysen der brasilianischen Geschichte unterteilen die Entwicklung Brasiliens gewöhnlich in die folgenden drei Etappen, die ihrerseits wiederum durch Unteretappen gekennzeichnet sind[3]:

1. Die Geschichte Brasiliens seit der portugiesischen Kolonialherrschaft bis zum Ende der 20er Jahre dieses Jahrhunderts. In dieser von mehreren Unteretappen gekennzeichneten Periode war Brasilien nach einer ersten, kurzen Phase der *Ausplünderung* durch die Portugiesen und spätestens seit den ersten Jahrzehnten des 19. Jahrhunderts in die typische klassische *internationale Arbeitsteilung* zwischen Metropolen und Peripherien eingebunden; d. h. es wurde zum Lieferanten von Rohstoffen und Agrarprodukten und zum Importeur von in den Metropolen produzierten Fertigwaren.

2. Die zweite Etappe wird gewöhnlich als sogenannte *Importsubstitutions-Phase* definiert. Hierbei handelt es sich um den Zeitraum zwischen ca. 1930 und ungefähr 1955-1960, in

dem Brasilien eine erste bedeutungsvolle Phase der *Industrialisierung* durchlief; deren Ergebnis war, daß die ehedem vor 1930 typischerweise eingeführten Konsumgüter fast vollzählig nunmehr von der brasilianischen Ökonomie selbst hergestellt wurden; d. h. die lokale Produktion ersetzte die einst eingeführten Konsumgüter (deshalb der Terminus technicus: Importsubstitution).

3. Die dritte und heutige Entwicklungsphase Brasiliens ist durch die Gleichzeitigkeit hoher Wirtschaftswachstumsraten in neuen ökonomischen Tätigkeitsbereichen und sich ausdehnendem Elend des überwiegenden Teils der brasilianischen Bevölkerung gekennzeichnet. Diesem höchst widerspruchsvollen, jedoch in sich äußerst dynamischen Gesamtprozeß muß heute besondere Aufmerksamkeit geschenkt werden, zumal – wie eingangs erwähnt – die brasilianische Entwicklung vielfach als vorbildhaft bewertet wird.

## 3. Einige Merkmale der ersten, exportorientierten Entwicklungsphase Brasiliens

Die erste Entwicklungsphase Brasiliens, die ungefähr von 1530 bis 1930 reicht, läßt sich in verschiedene *Unteretappen* gliedern.[4] In der ersten Unteretappe, von ca. 1530 bis 1650, war neben dem *Brasilholz* vor allem *Zucker*, der in der nordöstlichen Region Brasiliens angebaut wurde, das Hauptexportgut, und die Portugiesen hatten auf dem europäischen Markt mit diesem Gut für viele Jahrzehnte eine unumstrittene Monopolstellung. Als es den Holländern im 17. Jahrhundert gelang, eine eigene Zuckerproduktion in den Antillen erfolgreich aufzubauen (die Holländer hielten im 17. Jahrhundert ein großes Gebiet im Nordosten besetzt; nach ihrer Vertreibung setzten sie sich auf den Antillen fest und konkurrierten mit Brasilien, von dem sie zuvor die Produktionstechnik gelernt hatten), die mit Portugals Produktion im nordöstlichen Brasilien rivalisierte, begann – verstärkt durch eine Überproduktionskrise – der allmähliche Verfall dieser ehedem blühenden Region Brasiliens, bis im ersten Jahrzehnt des 18. Jahrhunderts die Entdeckung von Gold und Diamanten in Zentralbrasilien zum Aufschwung einer neuen Region führte.

Der *Gold-Boom* währte von ungefähr 1720 bis 1780, in der zweiten Unteretappe, in deren Verlauf Brasilien die hauptsächliche Goldquelle für die europäische Ökonomie wurde, die damals tiefgreifenden Veränderungen unterlag, welche gewöhnlich mit dem Begriff »industrielle Revolution« umschrieben werden und in deren Gefolge Portugal endgültig von England als Metropole für Brasilien abgelöst wurde, was für beide (Portugal und Brasilien) die Festlegung auf eine agrarisch orientierte Produktion bedeutete. In dieser Zeit begann auch der Aufschwung der südlichen Region, einschließlich Rio de Janeiros; die Zahl europäischer Siedler überstieg die Bevölkerung afrikanischen Ursprungs – ein Ergebnis der Vorherrschaft der Goldproduktion über die Produktion von Zucker. Der Boom endete in den letzten Jahrzehnten des 18. Jahrhunderts, und in der Phase bis zum Aufschwung der Kaffeeproduktion um ca. 1840 kam der brasilianischen Ökonomie in der Zeit der Amerikanischen und Französischen Revolution und der Napoleonischen Kriege insbesondere die Nachfrage nach *landwirtschaftlichen Produkten,* besonders Baumwolle, Zucker, Tabak, z. T. Kakao, auf dem Weltmarkt zugute.

Die dritte wesentliche Unteretappe der brasilianischen Entwicklung vor 1930 besteht in der Herausbildung einer auf den Export von *Kaffee* hin orientierten Ökonomie, wobei sich der regionale Schwerpunkt dieser erneut exportbestimmten Produktion innerhalb Brasiliens wiederum verlagert hatte, dieses Mal zunächst in die Region von Rio, dann in die Region von São Paulo (und später auch Paraná), die auch in der zweiten Hälfte des 19. Jahrhunderts zum Anziehungspunkt einer neuen Welle von Einwanderung aus Europa wurde.

In diese Etappe fallen auch – am Ende des 19. und zu Beginn dieses Jahrhunderts – ein vorübergehender *Gummi-Boom* im Amazonasbereich sowie ein *Kakao-Boom* im Bereich Bahias.

In allen drei Unteretappen der ersten größeren Entwicklungsperiode Brasiliens von 1530 bis 1930 kamen die entscheidenden Impulse von außen, von den Bedürfnissen der jeweils vorherrschenden Metropole (bis zum Ende des 18. Jahrhunderts war dies Portugal; dann im 19. Jahrhundert und bis 1930 vor allem England, bei einer wachsenden Bedeutung der USA vor allem seit dem Ersten Weltkrieg). Die von außen induzierte jeweilige Durchdringung von Teilbereichen der brasilianischen Gesellschaft mündete in der Bildung von sogenannten *Wachstumspolen,* in denen sich die entscheidenden Wirtschaftsaktivitäten auf Zeit konzentrierten. Es waren dies jene Bereiche, in denen insbesondere alle mit dem Außenhandel unmittelbar verbundenen Tätigkeiten lokalisiert waren. Der enorme Reichtum, der sich in derartigen Wachstumspolen kumulierte, ist an den Überbleibseln der damaligen Blütezeit (kirchlichen und bürgerlichen Prachtbauten) heute noch ablesbar.

Diese Wachstumspole waren *nicht* in sich abgeschlossene Sektoren der brasilianischen Gesellschaft. So wie einzelne Bereiche der brasilianischen Gesellschaft jeweils gezwungen wurden, sich auf die Produktion von spezifischen Gütern für die Metropolen zu spezialisieren, so kam es *innerhalb* von Brasilien zu einer Orientierung des sogenannten Hinterlandes der jeweiligen Wachstumspole auf diese Bereiche, insbesondere durch die Bereitstellung von Arbeitskraft (einschließlich der sogenannten Wander- und Saisonarbeiter) und durch die Produktion von landwirtschaftlichen Gütern, die für die Reproduktion der Arbeitskraft in den Wachstumsbereichen erforderlich waren. In die erste der drei Phasen fällt auch die zwangsmäßige Eingliederung der importierten afrikanischen Bevölkerung als Sklaven in die Kolonialökonomie (Sklaven gab es seit dem frühen 16. Jahrhundert bis 1888).

Es wäre falsch, diese Kolonialgesellschaft und Kolonialökonomie auf den jeweiligen Stufen ihrer Entwicklung als völlig fremdbestimmt zu deuten. Die Beziehungen zwischen Metropolen und Peripherien waren zwar immer durch grundlegende Asymmetrien gekennzeichnet, innerhalb derer jedoch lokale Eliten einen wechselnden *Handlungsspielraum* hatten. Dieser Handlungsspielraum, z. B. derjenige der lokalen Agraroligarchie, war freilich niemals derart umfassend, daß die jeweils in den Peripherien herrschenden Klassen die von den Metropolen gesetzten Rahmenbedingungen hätten durchbrechen können. Das Interessenbündnis zwischen der metropolitanen Elite und der lokalen Elite in der Peripherie war jedoch zumeist von vornherein fundierter als gelegentliche Versuche von Teilen der lokalen Elite, die Fremdbestimmung zu überwinden und etwa eigene Wege einer Industrialisierung zu beschreiten. Wurden derlei Versuche dennoch ernsthaft unternommen, so wie in Brasilien in den Jahren nach 1880, so waren sic aufgrund der verschiedenartigen Interventionsmöglichkeiten der Metropole zum Scheitern verurteilt.[5]

Im Falle Brasiliens lag für die damals noch vorherrschende Metropole England in der *Verschuldung* des brasilianischen Staatsapparates gegenüber englischen Finanzkreisen ein Hebel zur politischen und ökonomischen Intervention.[6] Diese Verschuldung kam im 19. Jahrhundert und bis zum Ende der ersten größeren Entwicklungsphase Brasiliens um 1930 dadurch zustande, daß der Staats- und Regierungsapparat, insbesondere nach der offiziellen Unabhängigkeit von Portugal (1822), unter dem direkten Interesseneinfluß der in den damaligen Jahrzehnten vorherrschenden Agraroligarchie stand; diese herrschende Klasse, deren eigene Existenz von einem florierenden Exportgeschäft abhing, konnte an einer Besteuerung ihrer Aktivitäten als einer der wenigen potentiellen Quellen von Einnahmen für den Staatsapparat (= Exportsteuern) kein Interesse haben. Als der maßgeblichen politischen Hauptgruppe in der damaligen brasilianischen Gesellschaft gelang es ihr dem zufolge, ihr eigenes partikulares Interesse über Jahrzehnte erfolgreich durchzusetzen. Überdies hatte England als die damalige Hauptmetropole seinerseits an der Erhebung von Importsteuern als einer anderen potentiellen Quelle für Einnahmen des brasilianischen Staates kein Interesse. So war angesichts dieser Interessenkonstellation – Landoligarchie im Innern und die englischen metropolitanen Interessen außen – die chronische Finanzkrise des brasilianischen Staates nur durch laufende Anleihen von englischem Kapital lösbar, was zu einer *chronischen Verschuldung des brasilianischen Staates* gegenüber England führte. Dies war die Einbruchsstelle für den englischen Einfluß. Der politische Druck von außen machte sich besonders in jenen Jahrzehnten am Ende des 19. Jahrhunderts bemerkbar, als in der Tat – wie schon erwähnt – Teile der brasilianischen Elite versuchten, Industrialisierungsprozesse einzuleiten, die systematisch von England behindert wurden. Die Verschuldung war auch der Hauptgrund für das chronische Zahlungsbilanzdefizit Brasiliens vor 1930; zwischen 1890 und 1930 produzierte das Land einen beachtlichen Handelsüberschuß, weshalb also nicht der mangelnde Absatz seiner Waren auf dem internationalen Markt die Ursache für das Zahlungsbilanzdefizit sein konnte.[7]

In der zweiten Hälfte des 19. Jahrhunderts und bis in die Zeit der Weltwirtschaftskrise in den 30er Jahren dieses Jahrhunderts hinein bestand somit eine Machtkonstellation, die sich aus *verschiedenartigen Interessenallianzen* zwischen der kaffeeanbauenden *Landoligarchie,* dem *Staatsapparat* und dem *internationalen,* insbesondere dem *englischen Kapital* zusammensetzte: Die Kaffeeproduzenten waren mit dem internationalen Kapital verfilzt, das die enorme Expansion der Kaffeeproduktion mitfinanziert und überdies die Vermarktung des Kaffees auf dem Weltmarkt in der Hand hatte. Die agrarwirtschaftliche Landoligarchie war in dieser Konstellation auch als Lieferant von Nahrungsmitteln für die im Kaffeesektor tätige Bevölkerung von hoher Bedeutung, ebenfalls für eine neue städtische Mittelklasse, die sich mit der Expansion des Kaffeesektors herausbildete und die im privatwirtschaftlichen Handels-, Versicherungs-, Transport- und Überseegewerbe sowie im öffentlichen Sektor tätig war. Wie im 19. Jahrhundert hatte der Kaffeesektor den Staatsapparat in seinen Händen, was in der sogenannten Kaffeevalorisierungspolitik zum Ausdruck kam, d. h. in der Bereitschaft des Staates, in den Absatz von Kaffee, insbesondere angesichts von Überproduktionskrisen, derart zu intervenieren, daß das Einkommen und damit auch die Profitabilität dieses Sektors gewahrt wurden. Das internationale Kapital und der Staatsapparat waren miteinander über eine sich kumulativ erweiternde Verschuldung des brasilianischen Staatsapparates verflochten. Erst die Weltwirtschaftskrise hat dieses Interessenkonglomerat von Kaffeeproduzenten, Staatsapparat und internationalem Kapital aufgelockert und zunächst durch neue, mehr innenbezogene Interessenkonstellationen abgelöst.

## 4. Die Importsubstitutions-Phase der brasilianischen Entwicklung (1930 bis ca. 1955)

Die zweite große Entwicklungsphase Brasiliens wird gewöhnlich als Importsubstitutions-Phase bezeichnet. In der Tat ist es nach 1930, ausgehend von der Lockerung der Beziehungen zwischen Brasilien und den kapitalistischen Metropolen angesichts einer um sich greifenden Weltwirtschaftskrise, einer stärker Fuß fassenden nationalen Bourgeoisie gelungen, die Entwicklungsprozesse auf eine *Teilindustrialisierung* hin zu orientieren.[8] In den allerersten Jahren nach 1930 wurde diese Strategie durch einige Krisenerscheinungen der überkommenen brasilianischen Ökonomie und des Weltmarktes gefördert, so z. B. durch die drastische Reduktion von Importen, die einen Preisanstieg der Konsumgüter und damit auch die Wettbewerbsfähigkeit lokal produzierter Güter zur Folge hatte; weiterhin durch den Rückgang der klassischen Exportgüter wie Kaffee, also durch ein rückläufiges Deviseneinkommen, und schließlich durch ein zeitweilig geringeres Interesse des Auslandskapitals an Investitionen in Brasilien. Durch eine Auslastung vorhandener Kapazitäten sowie eine forcierte Industrialisierungspolitik der nunmehr an die Macht gekommenen lokalen Bourgeoisie, einschließlich der Indienstnahme des Staatsapparates für die Ausgestaltung einer angemessenen Infrastruktur, ist es in Brasilien während und nach der Weltwirtschaftskrise und angesichts relativ günstiger Bedingungen für die Exportproduktion während des Zweiten Weltkrieges gelungen, eine Industrieorganisation aufzubauen, deren Kapazität derart rasch anwuchs, daß am Ende der 50er Jahre der größte Teil der ehedem im Rahmen der konventionellen internationalen Arbeitsteilung aus den Metropolen eingeführten Produkte an Ort und Stelle produziert wurde.

Der Erfolg dieser Importsubstitutions-Politik dokumentiert sich in folgenden Daten.[9] 1949 wurden fast alle *nicht dauerhaften Konsumgüter* (Nahrungsmittel, Getränke, Tabak, Kleidung, Papierprodukte u. a.) an Ort und Stelle produziert. In diesem Jahr waren nur 4 Prozent sämtlicher Importe dieser Kategorie von Waren zuzurechnen. 25 Prozent des damaligen Imports waren *Zwischenprodukte*, während *langlebige Konsumgüter* (Autos, Haushaltsmaschinen und dergleichen) sowie *Kapitalgüter* immer noch 60 Prozent des gesamten Imports ausmachten. Im Jahre 1959 ging der Anteil der langlebigen Konsumgüter am Gesamtimport auf 6 Prozent zurück, der der Zwischenprodukte auf 12 Prozent, und der Import von Kapitalgütern belief sich auf 33 Prozent des gesamten Imports. In der Mitte der 60er Jahre reduzierte sich der Anteil der Zwischenprodukte auf weniger als 10 Prozent, der der Kapitalgüter auf weniger als 20 Prozent. Diese Entwicklung macht das bedeutsame Ausmaß des Teilindustrialisierungsprozesses der brasilianischen Ökonomie in den zwei bis drei Jahrzehnten nach 1930 deutlich.

Während das ökonomische Reproduktionsmodell einer peripheren Gesellschaft wie der brasilianischen *vor* 1930 als außengeleitet bezeichnet werden kann, weil die ökonomische Reproduktion ihre Dynamik fast ausschließlich von der Aktivität des Exportsektors empfing, ist das Entwicklungsmodell *nach* 1930, aufgrund der Weltwirtschaftskrise und deren Auswirkungen auf die peripheren Gesellschaften, zumindest in einer ersten Phase stark innengeleitet. Der Exportsektor verliert in dieser ersten Phase seine dynamische Rolle, und die Importe werden auf jene Güter reduziert, die für die Aufrechterhaltung der ökonomischen Reproduktion und für das Wachstum der brasilianischen Ökonomie wesentlich sind; es handelt sich dabei vor allem um Kapitalgüter sowie Rohstoffe, die für die industrielle Produktion an Ort und Stelle nicht verfügbar sind. Entscheidend ist, daß dieses Entwicklungsmodell die Struktur des Agrarsektors, so wie er sich in der exportorientierten Phase der brasilianischen Entwicklung herausgebildet hat, im wesentlichen unberührt läßt.[10] Dieser Tatbestand ist deshalb von Bedeutung, weil der beispielsweise für die europäische Entwicklung typische Antagonismus zwischen Agrariern und einer neuen Industriebourgeoisie im Falle Brasiliens (und anderer lateinamerikanischer Länder) nicht in auch nur annähernd vergleichbarer Schärfe aufgetreten ist[11]; vielmehr entstand eine Art von Interessenbündnis oder *Sozialpakt* zwischen den beiden nunmehr die brasilianische Gesellschaft tragenden Kräftegruppierungen: Landoligarchie und exportorientierte Oligarchie auf der einen Seite, sich formierende Industriebourgeoisie und städtische Mittelklassen mit einem wachsenden städtischen Proletariat auf der anderen Seite.

Die entwicklungspolitische Strategie der Importsubstitution, welche zu Beginn der 30er Jahre der brasilianischen Gesellschaft mehr als Resultat der weltweiten Wirtschaftskrise aufgezwungen wurde, als daß sie diese selbst gewählt hätte, war insofern erfolgreich, als sich nunmehr die neue Reproduktionsdynamik der brasilianischen Ökonomie aus einem Prozeß teilweiser Industrialisierung und der Herausbildung eines, wenn auch beschränkten, inneren Marktes ergab.[12] Diese Strategie mußte auf eine Grenze stoßen, insofern sie, insbesondere in einer späteren Phase der Entwicklung, von dem Deviseneinkommen des Exportsektors abhängig blieb, das seinerseits für den Import *wesentlicher* Produktionsgüter und Rohstoffe als den Grundlagen für Importsubstitutions-Produktion erforderlich war.[13] Gegenüber dem Entwicklungsmodell vor 1930, das in der Tendenz exklusiv exportorientiert war, kann zwar eine grundlegende Änderung beobachtet werden, insofern die *alte* Struktur internationaler Arbeitsteilung zwischen Metropolen und der brasilianischen Peripherie tatsächlich überwunden wurde; an ihre Stelle trat jedoch eine *neue, asymmetrisch strukturierte Arbeitsteilung*, nämlich diejenige zwischen dem herkömmlichen Export von landwirtschaftlichen Gütern und Rohstoffen in die Metropolen auf der einen Seite und dem Import von lokal nicht vorfindbaren Rohstoffen, Zwischengütern und Produktionsanlagen aus der Metropole in die Peripherie auf der anderen Seite. Der strategische Engpaß selbst im Falle relativ erfolgreicher Importsubstitutions-Strategie, der in Brasilien ohne Zweifel erkennbar ist, besteht also in der Unfähigkeit, den Importsubstitutions-Prozeß über sich hinaus in ein sich selbst tragendes gesamtwirtschaftliches Wachstum (auf der Grundlage kohärenter Wirtschaftskreisläufe) voranzutreiben.[14]

Diese Problematik macht deutlich, wie wenig ein solcher Industrialisierungsprozeß identisch ist mit jenem, der die metropolitane Entwicklung in den vergangenen Jahrhunderten bestimmt hat. Das Spezifische der metropolitanen Entwicklung lag insbesondere in der Herausbildung einer Grundstoff-, Kapital-/Investitionsgüter- und Ausrüstungsgüterindustrie auf der einen Seite und der Produktion für den Massenkonsum auf der anderen Seite, bei einer gleichzeitigen, zum Teil vorgängigen Produktivitätssteigerung im landwirtschaftlichen Sektor. Eben diese *Kombination* ökonomischer Produktivkraftentfaltung ist im Rahmen einer Importsubstitutions-Strategie wie im Falle Brasiliens nicht gegeben. Einer der wichtigsten Gründe für diesen Sachverhalt ist darin zu sehen, daß insbesondere der landwirtschaftliche Sektor durch die Art des Importsubstitutions-Industrialisierungsprozesses in seiner überkommenen Struktur kaum berührt wird. In vielen Fällen von Importsubstitutions-Industrialisierung hat dies im übrigen heute zur Folge, daß der Nahrungsmittelbedarf für die Bevölkerung im eigenen Land nicht gedeckt werden kann, obgleich die dazu erforderlichen landwirtschaftlichen Ressourcen im Grunde verfügbar sind. Eine weitere Folge ist, daß der Agrarsektor nicht jenes Ausmaß an ökonomischem Surplus produziert, das notwendig wäre, um den Industialisierungsprozeß auf breiter Basis *von innen her* anzuspornen. Kombinieren sich diese Sachverhalte mit der Tatsache, daß im Prozeß der teilweisen Industrialisierung der Anteil an strategischen Importen für produktive Investitionen wächst und bei fortschreitender Industrialisierung ein Übergang zu zunehmend komplexen Produktionsverfahren und Technologien innerhalb des gegebenen sozioökonomischen Status quo unabdingbar wird, so zeigen sich früher oder später die strukturellen Grenzen eines solchen Industrialisierungs-Modells. Diese sind in der mangelnden Verflechtung von Landwirtschaft und Industrie und in dem nur bruchstückhaften Aufbau einer Industriestruktur zu sehen, von der Teilbereiche weiterhin in den Metropolen angesiedelt sind (Produktion eines Großteils der Produktionsgüter, der Technologie usf.).

Gegenüber dem ausschließlich exportorientierten Modell der Jahrzehnte vor 1930 wurde die brasilianische Ökonomie infolge des von ihr verfolgten Typs von Industrialisierungsprozeß hinsichtlich der für sie unerläßlichen Importgüter vom Ausland verwundbarer und abhängiger als zuvor.[15] Denn um die ökonomische Aktivität des Landes auf dem jeweils erreichten Niveau aufrechtzuerhalten, war eine hohe und nicht reduzierbare Zahl von Importen an Rohstoffen, Zwischengütern und Maschinenanlagen unerläßlich. Unter sich verschlechternden Exportbedingungen für brasilianische Exportgüter, wie sie sich vor allem in den fallenden *terms of trade* nach 1955 dokumentieren, mußte dieser Typ von Industrialisierungsprozeß in eine Krise führen. Daran konnten auch die sehr starke Stellung des brasilianischen Staates sowie seine Forcierung des Industrialisierungsprozesses nichts ändern. Seine protektionistische Außenwirtschaftspolitik und vielfältige innerwirtschaftliche Maßnahmen zur Förderung der Privatwirtschaft (mit Hilfe von Steuerpolitik, Kreditpolitik, Wechselkursfestsetzungen, einer Politik sukzessiver Abwertungsmaßnahmen u. a.) haben die allgemeinen Akkumulationsbedingungen in der brasilianischen Ökonomie wesentlich erweitert und stimuliert; an den dargestellten *strukturellen* Engpässen konnte diese Wirtschaftspolitik jedoch nichts ändern – und schon gar nicht an der sich verschlechternden Außenwirtschaftsposition insgesamt. Die Krise des *politischen* Systems ist in diesen Jahren in solchen strukturellen *ökonomischen* Krisenerscheinungen begründet.[16]

## 5. Das brasilianische Entwicklungsmodell nach 1955: Wirtschaftswunder und Massenverelendung

Die Entwicklung der brasilianischen Gesellschaft nach 1955, also in der dritten Entwicklungsphase, ist durch das wachsende Interesse ausländischer Kapitalgruppen an privatwirtschaftlichen, sich schwerpunktmäßig auf die verarbeitende Industrie konzentrierenden Investitionen in der brasilianischen Ökonomie gekennzeichnet.

Während unmittelbar nach dem Zweiten Weltkrieg, in den Jahren 1946 bis 1950, die Direktinvestitionen ausländischer Quellen sich insgesamt auf 220 Millionen Dollar beliefen (bei einem jährlichen Durchschnitt von 44 Millionen), stieg diese Summe in den Jahren 1951 bis 1955 auf 350 Millionen Dollar (bei einem jährlichen Durchschnitt von 70 Millionen). In den Jahren 1956 bis 1960 erreichte der Wert dieser Direktinvestitionen 750 Millionen Dollar, d. h. durchschnittlich 150 Millionen Dollar pro Jahr.[17] Diese Jahre, die mit der Präsidentschaft von Kubitschek zusammenfallen, können als die Zeit des folgenschweren *Einbruchs ausländischen Kapitals* in die brasilianische Ökonomie beschrieben werden. Der Zufluß an Direktinvestitionen ließ in den Jahren 1961 bis 1964 nach, um dann nach 1964, dem Jahr des Militärputsches, wieder deutlich anzuwachsen. Während der ersten Phase des verstärkten Eindringens ausländischen Kapitals in die brasilianische Ökonomie war die Finanzierung innerwirtschaftlicher Produktion vermittels ausländischen Kapitals ein kurzfristig

*Tabelle 1:* Sektorale Verlagerung der privaten Direktinvestitionen der USA in Brasilien (Buchwerte in Millionen US-Dollar).

| Jahr | Insges. | verarbeitende Industrie Summe | % der Gesamt-invest. | Erdöl | öffentl. Einrichtungen | übrige Sektoren Handel | sonstige |
|---|---|---|---|---|---|---|---|
| 1929 | 194 | 46 | 24 | 23 | 97 | 28 | |
| 1940 | 240 | 70 | 29 | 31 | 112 | 27 | |
| 1946 | 323 | 126 | 39 | 45 | 125 | 27 | |
| 1950 | 644 | 285 | 44 | 112 | 138 | 73 | 37 |
| 1957 | 835 | 378 | 45 | 130 | 182 | 116 | 37 |
| 1961 | 1 000 | 543 | 54 | 92 | 198 | 127 | 40 |
| 1963 | 1 132 | 664 | 59 | 60 | 193 | 148 | 68 |
| 1964 | 994 | 673 | 68 | 51 | 41 | 153 | 76 |
| 1967 | 1 326 | 891 | 67 | 79 | 32 | 195 | 130 |

*Quelle:* Frank Ackermann, *Industry and Imperialism in Brazil*, in: *The Review of Radical Political Economics*, Jg. 3, Nr. 1, Frühjahr 1971, S. 10.

attraktiver Ansatz, um aus Engpässen der Importsubstitutions-Strategie herauszukommen. Wie in früheren Zeiten des Versuchs der Lösung überkommener sozioökonomischer Widersprüche vermochte diese gegenüber Direktinvestitionen betont offene und freundliche Wirtschaftspolitik zunächst durchaus zur Bewältigung der Strukturkrise beizutragen, doch schließlich rief sie neue, tiefergreifende Widersprüche hervor, die sich heute u. a. in der wachsenden Außenverschuldung Brasiliens dokumentieren.

Diese neue Außenverschuldung, die in der zweiten Hälfte der 60er und zu Beginn der 70er Jahre massiv angewachsen ist, ist im wesentlichen auf diese Form der Finanzierung des weiteren Entwicklungsprozesses der brasilianischen Ökonomie zurückzuführen. Wie in den Jahren nach 1880 hatte Brasilien bis 1970 eine positive Handelsbilanz (seit 1970 ist sie negativ) und eine negative Zahlungsbilanz. Letztere setzte sich insbesondere aus der Rückzahlung früherer Kredite, dem laufenden Schulden- und Zinsdienst und der Rückführung eines Teils jener Profite, die aus den privatwirtschaftlichen Aktivitäten ausländischen Kapitals in Brasilien entstehen, zusammen; von wachsender Bedeutung ist die Zahlung von Gebühren für Patente und Lizenzen, die auf der heutigen Entwicklungsstufe der brasilianischen Ökonomie, insbesondere für den weiteren Ausbau der Produktion dauerhafter Konsumgüter, unerläßlich sind. Was zunächst als eine Zahlungsbilanzerleichterung und damit als Ausweg aus den Engpässen der Importsubstitutions-Strategie erschien, ist inzwischen, auf erweiterter Stufenleiter, zu einem neuen Engpaßproblem geworden: Wenn auch in einem anderen Zusammenhang, so ist Brasilien heute wie im 19. Jahrhundert und in früheren Jahrzehnten dieses Jahrhunderts eindeutig finanziell und überdies technologisch von den Metropolen abhängig. Die Stufe eines sich selbst tragenden Industrialisierungsprozesses und wirtschaftlichen Wachstums hat es auch heute nicht erreicht, was – abgesehen von den neuen tiefgreifenden Verflechtungen der brasilianischen Gesellschaft und Ökonomie mit dem internationalen Kapital der USA, der EG-Staaten und Japans – unmittelbar mit dem Typ des heute in Brasilien verfolgten Entwicklungsmodells zu tun hat.[18] Wodurch ist dieses gekennzeichnet?

Obgleich die im folgenden genannten Aspekte aufs engste miteinander zusammenhängen, müssen sie hier zunächst getrennt aufgeführt werden.[19]

Ein erstes Merkmal des brasilianischen Entwicklungsmodells seit 1955 und insbesondere seit der zweiten Hälfte der 60er Jahre besteht in der *Aufteilung der ökonomischen Wirkungsbereiche* zwischen dem internationalen Kapital, den nationalen Kapitalfraktionen und dem Staatsapparat innerhalb des Industriesektors.[20]

Im großen und ganzen kann davon ausgegangen werden, daß das *internationale* (vor allem das amerikanische, westeuropäische und japanische) *Kapital* die sogenannten dynamischen Sektoren unter Kontrolle hat; hierbei handelt es sich im wesentlichen um jene Bereiche der Ökonomie, in denen *langlebige Konsumgüter* (Automobile, Haushaltselektrogeräte u. a.) produziert und entsprechende Dienstleistungen erbracht werden. Das in diesem *oligopolistisch* strukturierten Sektor tätige internationale Kapital operiert in strategischer Konzen-

*Tabelle 2:* Anteil der 10 größten Unternehmen in den Wirtschaftssektoren Brasiliens, 1968 (in %).

| Sektoren | Auslands-kapital | Staats-kapital | Privat-kapital |
|---|---|---|---|
| Infrastruktur | 17,2 | 73,1 | 9,7 |
| Zwischengüter | 34,6 | 52,0 | 13,4 |
| Kapitalgüter | 72,6 | — | 27,4 |
| langlebige Konsumgüter | 78,3 | — | 21,7 |
| kurzlebige Konsumgüter* | 53,4** | 6,4 | 40,2 |
| Handel | 7,0 | — | 91,8 |
| Dienstleistungen | 8,2 | — | 91,8 |

* u. a. Lebensmittelindustrie

** Der hohe Anteil des Auslandskapitals erklärt sich aus der Tatsache, daß die größten Unternehmen in dieser Branche besonders in der Luxuslebensmittelproduktion tätig sind. Im gesamten Sektor ist der Anteil des Auslandskapitals kleiner.

*Quelle:* José Serra, *El milagro económico brasileño*, in: *Revista Latinoaméricana de Ciencias Sociales*, Nr. 3, 1972, S. 200.

tration innerhalb der einzelnen Branchen (vor allem Automobilbranche, Elektrogeräte, Maschinenbau u. a.), weshalb diese sich unter nahezu ausschließlicher Kontrolle des ausländischen Kapitals weiterentwickeln. Die Produktion erfolgt mit moderner Technologie, die mit der in den Metropolen eingesetzten durchaus vergleichbar ist. Wie in den Metropolen, so ist auch dieser Sektor durch Monopolpreisbildung, durch Monopolprofitraten und durch monopolistische Extraprofitbildung gekennzeichnet, sowie durch Versuche, die lokale Industrie zu verdrängen oder sie in das Netz der Abhängigkeit zu bringen. Die Produktion von langlebigen Konsumgütern erfolgt im wesentlichen für die oberen Schichten der brasilianischen Gesellschaft (etwa 1-5% der Bevölkerung, also für einen Markt von 1-5 Millionen Konsumenten mittlerer und hoher Kaufkraft).

Die *Produktion von nicht dauerhaften Gütern* (Textilien, Getränke, Nahrung, Kleidung, Möbel u. a.) geschieht demgegenüber weiterhin im wesentlichen durch *lokale Industriegruppierungen.* Dabei handelt es sich um eine Produktion für Bevölkerungsschichten mit niedrigem Pro-Kopf-Einkommen und einen Markt, der nur beschränkt und in Abhängigkeit von

*Tabelle 3:* Einkommensverteilung (implizit: Produktionsstruktur und Nachfrageprofile) in Brasilien 1960 und 1970*.

| Einkommensgruppe | 1960 Bevölkerung | 1960 Jährliches Einkommen pro Kopf ($) | 1970 Bevölkerung | 1970 Jährliches Einkommen pro Kopf ($) | Zuwachs in % |
|---|---|---|---|---|---|
| Gruppe A (oberste 1%) | 700 000 | 3 242 $ | 900 000 | 6 644 $ | 105% |
| Gruppe $B_1$ (folgende 4%) | 2 800 000 | 1 081 $ | 3 600 000 | 1 726 $ | 63% |
| Gruppe $B_2$ (folgende 15%) | 10 500 000 | 502 $ | 13 500 000 | 669 $ | 33% |
| Gruppe C (folgende 30%) | 21 000 000 | 257 $ | 27 000 000 | 287 $ | 12% |
| Gruppe D (restliche 50%) | 35 000 000 | 98 $ | 45 000 000 | 102 $ | 4% |
| insgesamt (100%) | 70 000 000 | 277 $ | 90 000 000 | 373 $ | 34% |

* Die Umrechnung von Cruzeiros in US-$ erfolgte nach dem Kurs von 1970; die Werte von 1960 wurden in Preise von 1970 umgerechnet.

*Erläuterungen:*
Gruppe A : Großbürgertum (Großgrundbesitzer und Unternehmer).
Gruppe $B_1$ : höherer Mittelstand (verschiedene Freiberufe; höhere Manager; mittlere Unternehmer).
Gruppe $B_2$ : städtische Mittelschicht (private und öffentliche Angestellte und Beamte; Kleinhändler).
Gruppe C : städtische Lohnabhängige.
Gruppe D : Landarbeiter, städtische Gelegenheitsarbeiter; Marginalisierte.

*Quellen:* Die absoluten Bevölkerungsdaten sind entnommen aus: M. C. Tavares und J. Serra, *Mas alla del estancamiento. Una discusión sobre el estilo de desarrollo reciente en Brasil*, in: *Revista Latinoaméricana de Ciencias Sociales*, Nr. 3/1971, S. 2 ff.; diese Daten stellen ungefähre Schätzwerte dar.
Die übrigen Angaben der Tabelle stammen aus: Manfred Wöhlcke, *Das brasilianische »Modell«*, Hamburg 1974, Manuskript, S. 111.

der jeweiligen konjunkturellen Situation ausdehnbar ist. Die bedeutenden Produktivitätssteigerungen finden somit nicht in diesem Bereich statt, sondern in dem erstgenannten, auf die Produktion langlebiger Güter spezialisierten Sektor. Dieser Sektor ist insgesamt abhängig, nicht zuletzt von lokalen Kapitalmärkten, die mehr und mehr vom internationalen Kapital beherrscht werden. Eine Ausnahme davon bildet jener Subsektor, in dem für einen diversifizierten Konsum privilegierter Oberschichten mit höherer Produktivität und kapitalintensiv Massenkonsumgüter produziert werden.

Im brasilianischen Fall kommt der aktiven *Rolle des Staatsapparates* für den weiteren Gang der Industrialisierung und des wirtschaftlichen Wachstums eine besondere Bedeutung zu.[21] Seine Aktivitäten konzentrieren sich im wesentlichen auf die Herausbildung von industrialisierungsfördernden *Infrastrukturen* im Energie-, Transport- und Kommunikationsbereich, auf die Übernahme und Förderung von *Industriezweigen mit niedriger Rentabilität* sowie auf die *Nachfrage* nach spezifischen Gütern (wie z. B. im Rüstungsbereich). In den genannten Sektoren staatlicher Aktivität kommt es relativ häufig zu Unternehmungen, in denen der Staatsapparat und die lokale Industrie bzw. das internationale Kapital gemeinsam operieren *(joint ventures)*. Dies gilt auch zum Teil bei der Erschließung neuer mineralischer Ressourcen, an denen Brasilien sehr reich ist, beim Aufbau von Grundindustrien sowie bei der Erschließung neuer Gebiete im Westen und Norden des Landes (vgl. den Bau der Transamazonica-Fernstraße und das damit zusammenhängende Besiedlungsprogramm).

Diesen Produktionssektoren entsprechen in der brasilianischen Gesellschaft typische *Einkommens- und Nachfragestrukturen:* die heute erkennbaren Strukturen sind vorwiegend im Laufe der vergangenen zehn bis zwanzig Jahre im Zusammenhang mit dem Eindringen multinationaler Firmen und deren Effekten auf die Gesamtstruktur der brasilianischen Ökonomie entstanden (vgl. *Tabelle 3*).[22] Die multinationalen Firmen produzieren im wesentlichen für einen gehobenen, diversifizierten Konsum langlebiger Güter. Aufgrund einer enormen, von der staatlichen Wirtschafts- und Sozialpolitik bewußt geförderten Einkommenssteigerung der ohnehin privilegierten Gruppen der brasilianischen Gesellschaft erfuhr dieser Markt in den vergangenen zehn Jahren eine starke Ausdehnung. Nicht umsonst wird er als der eigentlich dynamische Sektor oder der alle anderen ökonomischen Aktivitäten mitprägende Wachstumspol der brasilianischen Ökonomie charakterisiert. Die enorme Einkommenskonzentration innerhalb der »oberen fünf Prozent« der brasilianischen Bevölkerung und die weitere Steigerung dieser Konzentration in den vergangenen zehn Jahren haben die relative Stagnation des Marktes für nicht dauerhafte Konsumgüter zur Kehrseite. Natürlich wächst auch dieser Markt absolut, doch seine relative Bedeutung in der gesamten brasilianischen Ökonomie ist angesichts der Verschiebungen in den Einkommensstrukturen rückläufig.

*Tabelle 4:* Durchschnittliche Wachstumsraten in der Produktion von ausgewählten Gütern in Brasilien 1964-1970 (in %).

| Gütertyp | Produktion insgesamt | Pro-Kopf-Produktion | Städtische Pro-Kopf-Produktion |
|---|---|---|---|
| Lebensmittel | 1,8 | −0,8 | −3,8 |
| Webwaren | 0,1 | −2,5 | −5,4 |
| Kleidung | 1,8 | −0,6 | −4,9 |
| Automobile | 14,3 | 11,7 | 8,8 |

*Quelle:* Alfred Stepan (Hrsg.), *Authoritarian Brazil. Origins, Policies, and Future,* New Haven und London 1973, S. 150.

Diese Verschiebungen sind, wenn man das Jahr 1960 mit dem Jahr 1970 vergleicht, nicht nur auf eine weitere Privilegierung der schon früher existierenden oberen Bevölkerungsschichten zurückzuführen, sondern auch auf die *Herausbildung einer neuen Mittelklasse,* deren Entstehen und Wachstum unmittelbar mit der Ausdehnung und *Internationalisierung des internen Marktes* in Zusammenhang steht.[23] Die hohen Wirtschaftswachstumsraten dieses Sektors und seine Expansion, die in dem Begriff des »brasilianischen Wirtschaftswunders« aufscheinen, sind ebenso wie eine fortschreitende Einkommenskonzentration nur auf dem Hintergrund einer *verstärkten Ausbeutung der Arbeitskraft* denkbar, die sich ihrerseits in sinkenden Reallohnniveaus nach 1964 dokumentiert.[24] Diese Ausbeutung wiederum konnte nur vermittels eines *diktatorischen Regimes* durchgesetzt werden, das nicht nur offen und erklärtermaßen die führenden Kapitalgruppen und die gesellschaftlichen Oberschichten systematisch bevorzugte (z. B. durch Steuerpolitik, Kreditpolitik u. a.), sondern vor allem auch die Arbeiterbewegung Brasiliens (die im Vergleich zur argentinischen immer schon relativ schwach war) zerschlug.[25] Der Aufbau eines innergesellschaftlichen *Repressionsapparates*, der der Verfolgung aller demokratischen oppositionellen Gruppierungen dient, ist nicht ein

*Tabelle 5:* Entwicklung des realen Mindestlohnes in São Paulo, 1963-1970.

| Jahr | Index | Jährliche Abweichung in % |
|---|---|---|
| 1963 | 100 | — |
| 1964 | 107,2 | 7,2 |
| 1965 | 101,2 | – 5,6 |
| 1966 | 85,0 | – 16,0 |
| 1967 | 80,4 | – 5,4 |
| 1968 | 78,5 | – 2,4 |
| 1969 | 75,7 | – 3,6 |
| 1970 | 76,9 | 1,6 |

Entwicklung des realen Mindestlohnes in Guanabara, 1963-1970.

| Jahr | Index | Jährliche Abweichung in % |
|---|---|---|
| 1963 | 100 | — |
| 1964 | 98,5 | – 1,5 |
| 1965 | 94,5 | – 4,1 |
| 1966 | 84,7 | – 10,4 |
| 1967 | 81,4 | – 3,9 |
| 1968 | 81,1 | – 0,4 |
| 1969 | 78,9 | – 2,7 |
| 1970 | 77,3 | – 2,0 |

*Quelle:* José Serra, *El milagro económico brasileño*, in: *Revista Latinoaméricana de Ciencias Sociales*, Nr. 3, 1972, S. 184.

anomaler, sondern ein wesentlicher Bestandteil des brasilianischen »Entwicklungsmodells«.[26]

*Tabelle 6:* Monatlich erforderliche Arbeitszeit zum Erwerb wesentlicher Nahrungsmittel, 1965 und 1971, auf der Grundlage des Mindestlohns in São Paulo.

| Produkt | Menge | Dezember 1965 | Dezember 1971 |
|---|---|---|---|
| Fleisch | 6,0 kg | 26 h, 24 Min. | 42 h, 42 Min. (+) |
| Milch | 7,5 l | 4 h, 15 Min. | 5 h, 22 Min. (+) |
| Bohnen | 4,5 kg | 7 h, 08 Min. | 8 h, 19 Min. (+) |
| Reis | 3,0 kg | 3 h, 45 Min. | 6 h, 03 Min. (+) |
| Mehl | 1,5 kg | 2 h, 23 Min. | 2 h, 09 Min. (−) |
| Kartoffeln | 6,0 kg | 7 h, 36 Min. | 4 h, 48 Min. (−) |
| Tomaten | 9,0 kg | 8 h, 24 Min. | 7 h, 48 Min. (−) |
| Brot | 6,0 kg | 7 h, 48 Min. | 13 h, 30 Min. (+) |
| (Pulver-)Kaffee | 600 g | 46 Min. | 3 h, 23 Min. (+) |
| Bananen | 7,5 Dtzd. | 4 h, 00 Min. | 3 h, 38 Min. (−) |
| Zucker | 3,0 kg | 3 h, 48 Min. | 3 h, 03 Min. (−) |
| Butter | 750 g | 7 h, 19 Min. | 9 h, 23 Min. (+) |
| Fett | 750 g | 3 h, 44 Min. | 3 h, 18 Min. (−) |

*Quelle:* José Serra, *El milagro económico brasileño,* in: *Revista Latinoaméricana de Ciencias Sociales,* Nr. 3, 1972, S. 213.

Aus diesem Grunde ist die seit der Machtübernahme von Präsident Geisel in den Massenmedien des Auslandes und auch in Brasilien diskutierte innergesellschaftliche Entspannung (»distensao« oder »Dekompression«) nicht zustande gekommen, so daß die französische Tageszeitung *Le Monde* Anfang April 1976 feststellen konnte, die Liberalisierung Brasiliens sei nicht mehr als Rhetorik.[27] Korrespondentenberichten zufolge ist die Gefahr einer weiteren Verhärtung des politischen Regimes, also das Gegenteil von »distensao«, keineswegs gebannt.[28]

Die Kontrolle der dynamischen Sektoren der brasilianischen Ökonomie durch multinationale Konzerne der USA, Westeuropas und Japans; ein »Wirtschaftswunder«, das *bewußt und absichtsvoll* eine enorme Einkommenssteigerung der ohnehin schon privilegierten Gesellschaftsschichten Brasiliens (ca. 5%

der Bevölkerung) betreibt; die Durchsetzung einer forcierten Kapitalakkumulation auf dem Rücken der Mehrheit der brasilianischen Bevölkerung und die Stabilisierung dieser wesentlichen Faktoren des gegenwärtigen brasilianischen Entwicklungsprozesses durch einen repressiven Militär- und Polizeiapparat (einschließlich des Einsatzes der Folter als politisches Instrument) – alle diese Faktoren sind heute konstitutive Merkmale des brasilianischen Entwicklungsmodells. Die in diesem Modell beobachtbaren Wachstumsraten sind ebenso wie die nicht zu leugnenden Massenverelendungsprozesse Ausdruck ein und derselben gesellschaftlichen Wirklichkeit. Das sogenannte brasilianische Wirtschaftswunder kann also nicht unter Absehung von der unleugbaren *Ausbreitung massenweiter Verelendung und Verarmung* bewertet werden, ebenso wie die Beseitigung bürgerlicher Rechte und Freiheiten nicht ein beliebiges, sondern ein konstitutives Moment dieses Systems ist. Deshalb sind Teilreformen z. B. im sozialpolitischen Bereich ohne gleichzeitige Veränderungen in anderen Segmenten der brasilianischen Politik, Gesellschaft und Ökonomie nicht nur schwer vorstellbar, sondern auch kaum realisierbar. Dasselbe gilt für eine Reorientierung der Industrialisierungspolitik insgesamt.

Die Funktionsfähigkeit des brasilianischen »Entwicklungsmodells« ist einerseits auf die verstärkte Integration der brasilianischen Gesellschaft in den kapitalistisch beherrschten Weltmarkt zurückzuführen (Brasilien ist heute das beliebteste Investitionsland innerhalb der gesamten Dritten Welt)[29]; andererseits ist das Modell aus verschiedenen Gründen leidlich praktikabel und lebensfähig, die nicht ohne weiteres für andere Gesellschaften der Dritten Welt repräsentativ sind. So kommt ihm insbesondere die Größe der brasilianischen Gesellschaft zustatten; der Teilmarkt für dauerhafte Konsumgüter der privilegierten Gesellschaftsschichten ist numerisch größer als der gesamte Binnenmarkt Schwedens und wie dieser größenmäßig lebensfähig. Auch haben nicht alle Gesellschaften der Dritten Welt vergleichbare natürliche Ressourcen zur Verfügung, noch derart weite unerschlossene Räume, in denen neue Wirtschaftsaktivitäten vorangetrieben werden können, die dann als neue Quelle von Akkumulation dienen. Das Überleben des brasilianischen Entwicklungsmodells hängt davon ab, ob es gelingt, die repressive Organisation der Gesellschaft und die sie kennzeichnende politische Stabilität aufrechtzuerhalten. Zwar hat sich das heutige politische Regime nach 1964 in denjenigen Sozialschichten, die in den modernen Sektoren operieren, eine Stütze geschaffen[30]; Rückschläge in der Wirtschaftsentwicklung, die nicht notwendigerweise nur aus dem Innern entstehen müssen, sondern beispielsweise auch durch eine Krise der internationalen Ökonomie von außen induziert werden könnten, würden diese Sozialschichten ihrer hervorstechenden Privilegien möglicherweise zum Teil berauben und unter Umständen sogar zu einer Politisierung Anlaß geben, die vielleicht nicht mehr im Rahmen der bestehenden politischen Organisation kanalisiert werden könnte. Anzeichen für eine solche Entwicklung sind jedoch heute, wo das brasilianische Entwicklungsmodell erneut in einer akuten Krise steckt, nicht erkennbar.

## 6. Auf dem Wege zu einem veränderten brasilianischen Entwicklungsmodell?

Die Durchsetzung eines neuen Akkumulationsmodells nach 1964, aufbauend auf der Herausbildung eines industriellen Sektors für die Produktion von dauerhaften Konsumgütern, auf starken wirtschaftspolitischen Interventionen des Staates, auf den Aktivitäten multinationaler Konzerne im Binnenmarkt, auf einer sich verstärkenden Einkommensungleichheit und der damit einhergehenden vertieften relativen und absoluten Verarmung der Masse der Menschen usw., verlief selbstverständlich nicht ohne Erschütterungen und ohne Krisen. Im Ausland wurden gewöhnlich nur die hohen Raten des Wirtschaftswachstums nach 1964 zur Kenntnis genommen, wobei die Hoffnung mitschwang, das ökonomische Wachstum werde sich in eine soziale Wandlung mit Tiefen- und Breitenwirkung übersetzen.[31]

Daß eine solche Hoffnung illusionär ist und daß die sie motivierende entwicklungstheoretische und wirtschaftspolitische Analyse falsch ist, wird inzwischen in Brasilien selbst deutlich erkannt. Die *strukturelle Krise*, in die das brasilianische Entwicklungsmodell seit einigen Jahren aus internen *und* externen Gründen hineingeraten ist, hat Raum für eine prinzipiellere Diskussion über den weiteren entwicklungs- und wirtschaftspolitischen Kurs des Landes geschaffen.

Im Dezember 1975 publizierte die *Gazeta Mercantil*, das »Handelsblatt« Brasiliens, einen Wirtschaftsausblick auf das Jahr 1976 in englischer Sprache mit dem im Editorial erklärten Ziel, der Welt des internationalen Business ein klares und ungeschminktes Bild von der Lage der brasilianischen Ökonomie zu vermitteln.[32] Einer der besonders interessanten Leitartikel von Aloysio Biondi trägt den Titel *Über die Notwendigkeit, das Modell zu überprüfen* – gemeint sind die vorherrschenden Annahmen und Folgewirkungen des heute geltenden brasilianischen Entwicklungsmodells.[33]

Drei falsche Annahmen, die durch modische ökonomische Theorien in den vergangenen Jahren am Leben erhalten worden seien, hält Biondi für besonders kritikwürdig:

1. die Annahme, daß die Handelsbilanz die ökonomische Politik determiniere;

2. die Annahme, daß die Ölpreiserhöhung für die augenblickliche Handelsbilanzlücke verantwortlich sei und daß das Land notwendigerweise für eine lange Zeit große Mengen von Öl einführen müsse, was dann unvermeidlicherweise zu Engpässen im Wachstumsprozeß der brasilianischen Ökonomie führen müsse;

3. die Annahme, daß hohe Wachstumsraten des Bruttosozialprodukts Entwicklung bedeuteten.

Der Autor schreibt, daß, wenn es Brasilien gelinge, von diesen falschen Annahmen abzulassen, eine Mobilisierung des *gesamten* ökonomischen Potentials möglich sei, ohne gleichzeitig die Saat zukünftiger Probleme und Störungen zu säen, wie dies mit dem überkommenen »exportorientierten und auf Einkommenskonzentration angelegten Entwicklungsmodell der vergangenen Jahre« der Fall gewesen sei.

Die kritischen Ausführungen des Autors zu den drei genannten falschen Annahmen sind aufschlußreich, so daß sie hier im einzelnen referiert werden sollen.[34]

Zu 1. Zu der ersten Annahme, die Engpässe in der Wirtschaftspolitik seien mit dem seit einigen Jahren beobachtbaren *Defizit in der Handelsbilanz* (mehr Importe als Exporte) zu erklären, stellt Biondi fest, daß in ihr Ursache und Wirkung verwechselt würden. Es sei nicht die Handelsbilanz, welche die ökonomische Politik bestimmt, vielmehr werde die Handelsbilanz durch die im Innern des Landes betriebene ökonomische Politik determiniert.

»Technokraten müssen aufhören, die öffentliche Meinung glauben zu machen, daß die ökonomischen Probleme aus dem Nichts entstehen oder das Ergebnis von unvorhersehbaren Ereignissen sind; im Gegenteil resultieren diese Probleme aus der vorherrschenden Wirtschaftspolitik, oder – in anderen Worten – sie sind das Ergebnis des ökonomischen Modells, das das Land angenommen hat. Wenn nun aber das Land in dem Augenblick, in dem diese Probleme entstehen, darauf insistiert, mit demselben Modell weiterzumachen, ist es klar, daß Versuche, diese Löcher zu stopfen, schließlich und endlich immer weniger effektiv sein werden, bis letztlich inmitten von sozialer und ökonomischer Unruhe es absolut notwendig wird, dieses Modell durch ein neues Modell zu ersetzen. Noch deutlicher gesagt, falls das Modell die Handelsbilanz determiniert, so muß man eben das Modell ändern, um diese Balance zu ändern. Dies ist offensichtlich, wird aber häufig vergessen.«

Zu 2. Im Hinblick auf die zweite falsche Annahme, das rapide Anwachsen brasilianischer Importe sei durch die *Ölpreiserhöhung* zu erklären, ist der Autor nicht weniger kritisch. »Früher oder später wäre dieses Defizit aufgrund von drei interdependenten und sich wechselseitig verstärkenden Faktoren ohnehin entstanden, die das ökonomische Modell in den vergangenen Jahren gekennzeichnet haben«:

a. Als ersten dieser drei Faktoren nennt der Autor das *boomartige Wachstum der Konsumgüterindustrie* und *die Vernachlässigung der Grundindustrien.*

»Klarer ausgedrückt heißt dies, Brasilien verstärkte die Produktion von Autos, Radios, Plattenspielern, von Gütern aus Plastik, von Aluminiumbestandteilen für schicke Appartmenthäuser usw., ohne in die Produktion von Plastik und Rohmaterialien, von Metallen und anderen Grundstoffen oder gar selbst in die Produktion von Teilen und Komponenten solcher Güter zu investieren. Es genügt in diesem Zusammenhang auf ein einziges Beispiel, nämlich den Elektro- und elektronischen Sektor hinzuweisen, der im Jahre 1974 860 Millionen US-Dollar an Importen aufbrauchte, von denen nur 70 Millionen für Ausrüstungsgüter und Maschinen ausgegeben wurden, während 520 Millionen für Teile und Komponenten und 130 Millionen für Rohmaterialien verbraucht wurden. Das Nettoergebnis dieser Politik ist unmißverständlich deutlich: je höher das Wachstum des industriellem Outputs und des Bruttosozialprodukts, um so drängender wird die Notwendigkeit, solche Güter zu importieren. In einer voreiligen

Analyse scheint diese Schlußfolgerung die Idee zu bestätigen, daß das Land nicht wachsen kann, da es nicht die Wachstumsrate seiner Importe aufrechterhalten kann. Während der zweite Teil dieser Beobachtung wahr ist, ist es der erste, nämlich daß Brasilien nicht weiterhin wachsen kann, keineswegs.«

b. Das zweite Merkmal, welches das brasilianische Entwicklungsmodell auszeichnet, sieht der Autor in der *bewußten Politik der Einkommenskonzentration*, die den Teilmarkt für die Produktion von dauerhaften Konsumgütern schuf, wodurch aber gleichzeitig nach Biondis Meinung 60 Millionen Brasilianer außerhalb des Konsummarktes gehalten wurden.

»Diese Enge im heimischen Markt für Konsumgüter wurde durch zwei Faktoren verborgen: zum einen durch Exporte, deren Wachstum aufgrund einer anhaltenden internationalen Nachfrage aufrechterhalten werden konnte, und zum anderen durch den Konsum von im wachsenden Maße raffinierten Güter von seiten derjenigen Klassen, welche von einer wachsenden Einkommenskonzentration Nutzen hatten, wobei zu bedenken ist, daß diese größere Verfeinerung des gehobenen Konsums noch einmal eine Zunahme in der Produktion von Gütern impliziert, welche den Import von Rohstoffen, von Nichteisenmetallen, um Autos und Elektrogeräte für den Haushalt zu produzieren, notwendig machte, ebensosehr den Import von petrochemischen Grundstoffen zur Produktion von Plastikgütern, von synthetischen Fasern zur Produktion von Textilien.«

c. Als dritten der das Handelsbilanzdefizit konstituierenden Faktoren nennt Biondi *die Öffnung der brasilianischen Ökonomie für ausländisches Kapital.* Diese Öffnung beschreibt er u. a. als einen Bestandteil der Export-Orientierung des brasilianischen Entwicklungsmodells, weil angenommen wurde, daß mit einer Niederlassung von Tochtergesellschaften multinationaler Firmen in der brasilianischen Ökonomie die Eroberung der Weltmärkte mit Gütern, die in Brasilien produziert würden, wesentlich erleichtert würde. »Die Vorherrschaft von ausländischen Konzernen in den Wachstumssektoren erzeugte einen neuen Druck auf die Handelsbilanz und verschärfte einige Verzerrungen im Entwicklungsmodell, insbesondere durch die zunehmende technologische Abhängigkeit.« Dabei scheinen dem Autor die ca. 300 Millionen US-Dollar an Zahlungen für ausländische Technologie, was die Größenordnung betrifft, weniger bedeutsam zu sein als die Tatsache, daß ausländische Technologie in sehr fundamentaler Weise auf der

Nutzung von Rohstoffen und Zwischenprodukten basiert, welche nicht in Brasilien hergestellt werden oder welche an die Stelle von Materialien treten, die in Fülle in Brasilien gefunden werden.

»Aus einer makro-ökonomischen Sicht führt die Übernahme von ausländischer Technologie, außer daß dadurch die Handelslücke vertieft wird, zu einer ernsthaften Vergeudung lokaler Produktionsfaktoren. [. . .] Im Fall von Textilien kann man sagen, daß, wenn die synthetischen Fasern durch Baumwolle substituiert würden, die Produktion von Baumwolle natürlich ermutigt würde – mit der darauffolgenden Schaffung von Zehntausenden von neuen Arbeitsplätzen und einem höheren Einkommen auf dem Lande, einschließlich aller Multiplikatoren-Effekte für die gesamte Ökonomie.«

In diesem Zusammenhang beobachtet der Autor einen weiteren problematischen Effekt technologischer Abhängigkeit, der sich auch im Handelsbilanzdefizit niederschlägt: die enge Verbindung zwischen dem Produktionsprozeß und der Maschinerie, welche erforderlich ist, um die Produktion zu bewerkstelligen. »*Falls das Land nicht seine eigene Technologie produziert, wird es auch nicht seine eigene Ausrüstungsgüter-Industrie entwickeln* – der Import von Maschinen und Ausrüstungsgüter übt einen erheblichen Druck auf die Handelsbilanz des Landes aus.«

Zu 3. Nach dieser mit vielen dependenzanalytischen Untersuchungen übereinstimmenden Diagnose[35] stellt der Autor die Frage (und es sei wiederholt, daß es sich um einen Leitartikel im »Handelsblatt« Brasiliens handelt), wie dieser Teufelskreis durchbrochen werden könnte.

»Es ist klar, daß zufällige und sporadische Korrekturen nicht ausreichen, denn der vorherrschende Trend in dem Entwicklungsmodell wird weiterhin Verzerrungen und Probleme akkumulieren und ein sich selbst tragendes Wachstum zunehmend problematisch machen. Das Land hat in diesem Fall nur eine einzige ›Option‹: das Modell von Grund auf zu ändern, so daß es nicht länger durch die Schranken bestimmt wird, welche ihm durch die Handelslücke auferlegt sind. Der einzige Weg für das Land, angemessene Wirtschaftswachstumsraten zu erreichen, besteht darin, die Produktion jener Güter zu ermutigen, welche nicht zu einem derartig hohen Ausmaße von ausländischen Inputs und Zwischengütern abhängt, sondern bei der vielmehr die überreichlich vorhandenen Produktionsfaktoren des Landes selbst benutzt werden. Aber um welche Faktoren handelt es sich dabei? Arbeit und Land – und aus diesem einfachen Grunde muß Brasilien die Landwirtschaft als die Hauptquelle der Ökonomie entwickeln, und es muß ebenfalls ein Programm für öffentliche Arbeiten annehmen, welches ebenfalls dazu beiträgt, den Arbeitsmarkt zu erweitern.«

Die Tatsache, daß es den Technokraten Brasiliens in den vergangenen Jahren nicht gelungen ist, die Landwirtschaft breitaufgefächert zu dynamisieren, ist für Biondi Grund genug zu der Bemerkung, daß es um einen totalen Bruch mit dem alten Modell gehe, da dieses nämlich auch im landwirtschaftlichen Sektor zu einer Konzentration von Einkommen durch die Förderung von Agrobusiness-Projekten geführt habe.

»Sollten Anstrengungen weiterhin in dieser Richtung [Agrobusiness, D.S.] gemacht werden, so ist klar, daß das Land weiterhin dieselben Fehler wiederholen und auch keinen Ausweg aus diesem Engpaß finden wird. Die Einkommen werden weiterhin in den Händen dieser Gruppe konzentriert – und als Folge wird der Binnenmarkt nicht wachsen, und die multiplikativen Folgewirkungen auf die gesamte Ökonomie werden minimal sein. Daneben wird der Landbesitz weiterhin in den Händen von Gruppen konzentriert, welche auch Maschinen und Ausrüstungsgüter intensiv benutzen, was dazu führt, daß Landarbeiter und Bauern vom Land getrieben werden, um sich schließlich der Masse der arbeitslosen und unterbeschäftigten Bewohner in den Außenbezirken von kleineren und größeren Städten einzugliedern. Mit anderen Worten, sofern sich die Einkommenskonzentration nicht verringert, wird der Binnenmarkt nicht wachsen. Was vielmehr geschehen würde, wäre das Paradoxon einer Zunahme des landwirtschaftlichen Output ohne eine äquivalente Zunahme der Nachfrage nach Konsumgütern oder der Schaffung von neuen Arbeitsmöglichkeiten.«

In seiner Analyse kommt Biondi folgerichtig zu der Forderung, die Konsumgüterindustrie Brasiliens müsse ganz anders als in den vergangenen zehn Jahren weiterentwickelt werden. In Übereinstimmung mit den relevanten industriestrukturellen Untersuchungen der vergangenen Jahre[36] sieht er den sekundären Sektor der brasilianischen Ökonomie in zwei Teile geteilt: einmal in den Zweig der sogenannten dynamischen Konsumgüter-Industrie für die Produktion von dauerhaften Konsumgütern (Autos, Elektrogeräte, elektronische Geräte, Produkte der Petrochemie) und zum anderen in einen traditionellen Zweig, in dem eigentlich Massenkonsumgüter produziert werden sollten, der jedoch in den vergangenen Jahren nicht erheblich gewachsen ist (mit der Ausnahme eines begrenzten Aufschwungs in der exportorientierten Textilindustrie). Der erste Sektor ist vital vom Import ausländischer Kapitalgüter, Technologie, Zwischengüter und Rohstoffe abhängig, der zweite dagegen nicht. Der zweite Sektor, in dem Textilien, Schuhe, Möbel, wenig raffinierte Elektrogeräte wie Elektroöfen und Transistoren und anderes produziert werden, wächst kaum, da es an einer entsprechenden Nachfrage mangelt. Es gibt diese Nachfrage nicht, weil es die sie tragenden Einkommen nicht gibt.

»Die Expansion dieser traditionellen Sektoren, welche Güter für den Massenkonsum produzieren und welche nur wenige importierte Zwischengüter und Rohstoffe benützen, erscheint folglich als ein Weg, auf dem die Industrie weiterhin wachsen kann, ohne daß Druck auf die Handelsbilanz ausgeübt würde. Dieses Wachstum jedoch würde die Herausbildung eines starken Binnenmarktes durch (und dieser Punkt muß besonders betont werden) die Eingliederung von neuen Sektoren der Bevölkerung in die Ökonomie bedeuten, welche heute aus dem Entwicklungsmodell ausgeschlossen sind. Wo sind diese Sektoren? Auf dem Lande oder unter den Unterbeschäftigten, welche an den Außenrändern der Landstädte und der großen überregionalen Städte leben, nachdem sie von ihren kleinen Ländereien auf dem Lande davongejagt worden sind [zur Größenordnung der Slums vgl. *Tabelle 7;* D. S.]. Es sollte klar sein,

*Tabelle 7:* Anteil der in Slums und »barrios marginales« lebenden Bevölkerung in Brasilien.

| Stadt | Jahr | Einwohner | Anteil in Slums und »barrios marginales« | |
|---|---|---|---|---|
| | | | insgesamt | in % der Einwohner |
| Rio de Janeiro | 1947 | 2 050 000 | 400 000 | 20,0 |
| | 1957 | 2 940 000 | 650 000 | 22,0 |
| | 1961 | 3 326 000 | 900 000 | 27,0 |
| Belo Horizonte | 1965 | 872 300 | 119 799 | 14,0 |
| Porto Alêgre | 1962 | 680 000 | 86 465 | 13,0 |
| Recife | 1961 | 792 000 | 396 000 | 50,0 |
| Brasilia | 1962 | 148 000 | 60 000 | 41,0 |
| Guanabara (Staat) | 1950 | 2 240 000 | 159 000 | 7,1 |
| | 1960 | 3 300 000 | 337 000 | 10,2 |

*Quelle:* Herbert J. Nickel, *Unterentwicklung als Marginalität in Lateinamerika*, München 1973, S. XXVII.

daß es für ein neues ökonomisches Modell nicht ausreicht, die Bedeutung der Landwirtschaft zu betonen. Man muß auch Einkommen verteilen, d. h. man muß Entwicklungsbedingungen für die Kleinbauern schaffen, welche heute vom Entwicklungsprozeß ausgeschlossen sind, nur ein sehr niedriges Einkommen haben und nur sehr niedrige Produktivitätsniveaus auf ihren Bauernhöfen erreichen. Mit höheren Einkommen wären diese Bauern die neuen Konsumenten für traditionelle Produkte, denn ihre Nachfrage nach Kleidern, Schuhen und selbst nach Nahrungsmitteln würde anwachsen.«

Biondi rechnet damit, daß es bei einer derart revidierten Entwicklungsstrategie zu einer *höheren Vermaschung der gesamten Ökonomie* kommen würde und damit zu *neuen Multiplikatoreneffekten innerhalb der gesamten Ökonomie.* Gleichzeitig schlägt er restriktive Maßnahmen gegenüber dem Sektor für die Produktion dauerhafter Konsumgüter vor, beispielsweise durch entsprechende Verbrauchssteuern oder durch eine höhere Einkommensbesteuerung der wohlhabenden Klassen. Durch eine entsprechende Besteuerung dieser Güter könnte ihr Preis so in die Höhe getrieben werden, daß die Nachfrage nach ihnen entmutigt würde. Auf jeden Fall ist es das Ziel des Autors, das Wachstum dieser Sektoren einzudämmen; allerdings geht es ihm nicht um eine Eliminierung dieser Sektoren, sondern um die Verhinderung weiterer Kapazitätsausweitungen.

Biondi gesteht zu, daß ein alternatives Entwicklungsmodell möglicherweise dazu beitragen könnte, daß kurzfristig die Wachstumsraten der brasilianischen Ökonomie geringer ausfallen würden als in den vergangenen Jahren. Dies ist für ihn kein Problem, da er keinen unvermittelt positiven Zusammenhang zwischen hohen Wachstumsraten und Entwicklung gelten läßt. Im übrigen setzt er auf die Chance, die Produktionsaktivität von Industrieunternehmen aus jenen Sektoren, die in Zukunft restriktiv behandelt werden sollten, in neue Bereiche umzuorientieren, die für die gesamte Ökonomie und nicht nur für die Ökonomie der Wohlhabenden von Bedeutung sind. Regierungsinvestitionen mißt er dabei eine katalytische Rolle zu, ebenfalls Investitionen, welche erst langfristig Früchte tragen, so z. B. Investitionen in den Bau von öffentlichen Verkehrsmitteln und Eisenbahnen.[37]

Für Biondi ist der Vorschlag eines »recycling« der brasilianischen Ökonomie identisch mit einer »totalen Reform an Haupt und Gliedern, aufbauend auf Analysen, welche nicht auf den falschen Annahmen begründet sind, welche das Klima eines exzessiven Optimismus im Brasilien der vergangenen Jahre geschaffen haben«. Da es sich bei der hier ausführlich referierten Analyse nicht nur um die private Ansicht des Autors handelt, sondern ganz offensichtlich um eine nicht unrepräsentative Meinungsäußerung einer spezifischen Schicht von brasilianischen Unternehmen, ist die Frage um so berechtigter, ob eine Reorientierung des brasilianischen Entwicklungsweges im vorgenannten Sinne des Autors realistisch und wahrscheinlich ist.

Obgleich man inhaltliche Zweifel haben kann, ob der Begriff der totalen Reform an Haupt und Gliedern zur Charakterisierung des Entwicklungsmodells von Biondi angemessen ist, wäre die abstrakt-theoretische (und für den Augenblick sicher wirklichkeitsfremde) Konsequenz seiner Überlegungen eine Gesellschafts- und Wirtschaftsstruktur, die aus Brasilien, anders als heute, eine *kapitalistische Metropole* (in dem Sinn, in dem dieser Begriff in diesem Buch benutzt wird) machen würde. Die deutlich hierarchisierte, durch extreme Formen struktureller Heterogenität gekennzeichnete dreiecksförmige sozioökonomische Struktur Brasiliens hätte dann, wie im *Schaubild* (S. 148) andeutungsweise gezeigt wird, einer hexagonalen Struktur der gezeichneten Form zu weichen, die idealtypisch die Binnenmarktstruktur einer Ökonomie vom Typ des metropolitanen Kapitalismus im Unterschied zur Binnenmarktstruktur vom Typ des peripheren Kapitalismus umrißhaft darstellt.[38]

Eine solche schematisch dargestellte Umstrukturierung der fortgeschrittenen und komplexen peripher-kapitalistischen Wirtschaftsstruktur Brasiliens in eine metropolitan-kapitalistische Struktur bei bleibender Weltmarktintegration (die ja auch von Autoren wie Biondi nicht prinzipiell in Frage gestellt wird) käme einem wirklichen »Wirtschaftswunder« gleich und hätte weder in der Geschichte des metropolitanen noch in der des peripheren Kapitalismus einen Vorläufer. Biondi, ein Kritiker des überkommenen technokratischen Entwicklungsmodells, ist in seinen Überlegungen nicht weniger technokratisch, wenn er unterstellt, daß durch eine entsprechende Wirt-

*Schaubild 1:* Idealtypische Darstellung der Marktstruktur einer peripher-kapitalistischen (Dreieck) und einer metropolitan-kapitalistischen Wirtschaft (Sechseck).

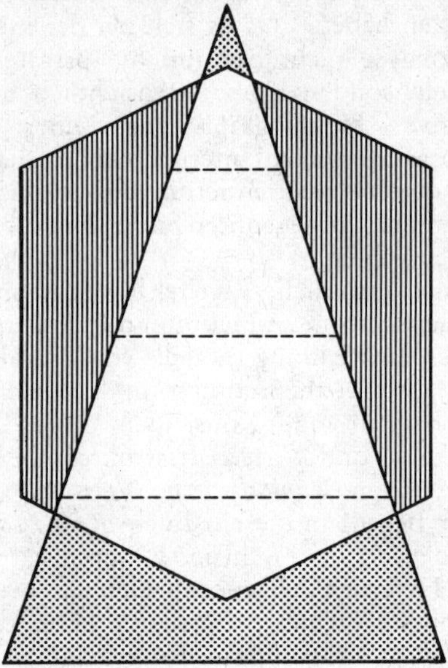

schafts-, Kredit-, Fiskal- und Steuerpolitik des brasilianischen Staatsapparates und durch eine Reorientierung der privatwirtschaftlichen Aktivitäten multinationaler und nationaler Konzerne auf einen neu zu erschließenden lokalen Markt für preismäßig günstige, doch qualitätsmäßig vorzügliche einfache Massenkonsumgüter eine grundlegende Restrukturierung einer peripher-kapitalistischen Ökonomie in eine metropolitane erfolgen könne, *ohne dabei die politischen Voraussetzungen eines solchen Prozesses zu reflektieren.* Gerade die brasilianische Geschichte hat, insbesondere in ihren akzentuiert populistischen Phasen nach 1930, gezeigt, daß selbst unter der Voraussetzung einer relativ hohen Mobilisierung relevanter Sektoren der Bevölkerung (wie seinerzeit vor allem der städtischen Bevölkerung) ein Strukturwandel zugunsten einer na-

# Ersatzbeleg für Lastschriften

1. 66/35
148×101,6

| | | | | | | | |
|---|---|---|---|---|---|---|---|
| Gut-Konto-Nr. | GK | GA | | | | DM | |

tional-kapitalistischen Entwicklung (von einer sozialistischen einmal ganz zu schweigen) im Rahmen der bleibenden restriktiven Bedingungen von Weltmarktintegration und einer klassenmäßig abgestützten peripher-kapitalistischen Struktur zum Scheitern verurteilt ist. An dieser konkreten Erfahrung kann genausowenig vorbeigegangen werden wie an den politischen Auseinandersetzungen über den weiteren Entwicklungsweg Brasiliens vor 1964. Letztlich stand damals die Option zur Debatte, ob der seit der Mitte der 50er Jahre beschrittene Weg der Öffnung für multinational operierende Konzerne und die damit verbundene Internationalisierung des Binnenmarktes (Aufbau von Produktionsstätten für die Erzeugung von dauerhaften Konsumgütern) fortgesetzt werden sollten oder eine vom Weltmarkt eher abgeschlossene, auf die Erschließung des großen eigenen Binnenmarktes bezogene Entwicklung. Die letzte Strategie hätte eine Umfunktionierung und Vertiefung der überkommenen und sich erschöpfenden Importsubstitutions-Industrialisierung bedeutet – ein Prozeß, der ohne Veränderung der überkommenen politischen Gewichte in Brasilien nicht hätte betrieben werden können[39], so wenig wie heute eine Veränderung der dreiecksförmigen fortgeschrittenen peripher-kapitalistischen Struktur in eine hexagonale Struktur ohne erhebliche politische Auseinandersetzungen denkbar ist.

Der Hinweis auf die aktuelle Diskussion des brasilianischen Entwicklungsmodells sollte zeigen, daß die Widersprüchlichkeit des Wirtschaftswunder-Modells sich derart zugespitzt hat, daß selbst in führenden Wirtschaftskreisen Analysen angestellt werden, die ganz ähnlich wie kritische dependenztheoretische Untersuchungen unter entwicklungspolitischen Perspektiven auf fundamentale Strukturschwächen des überkommenen Modells verweisen. Gleichzeitig vermag diese innerbrasilianische, doch nicht nur Brasilien betreffende Diskussion auf den begrenzten Konflikt zwischen einem multinational operierenden Kapital und Teilen des nationalen Kapitals aufmerksam zu machen; denn es ist ganz offensichtlich, daß eine Analyse wie die von Biondi (und die weiteren repräsentativen Beiträge im oben zitierten Wirtschaftsausblick für 1976) die Interessen von Kapitalfraktionen widerspiegeln, die versuchen, in erweiterten und von ihnen selbst zu erschließenden Märkten relativ autonom zu operieren und nicht im zweiten Glied unter der Dominanz multinationaler Konzerne aller eigenen Expanisonschancen intern und extern beraubt zu werden – ein typischer Effekt des überkommenen Entwicklungsmodells.

Wenn nun eine Strategie wie die von Biondi vorgeschlagene bei gegebener Machtkonstellation und unter gegebenen politischen Voraussetzungen relativ unwahrscheinlich ist[40], dann stellt sich die Frage, auf welchem Wege das überkommene Entwicklungsmodell sich trotz Strukturkrise weiterbewegen wird.

Oben wurde dargelegt, daß die industrielle Entwicklung Brasiliens nach 1964 zu einer Umstrukturierung der brasilianischen Ökonomie geführt hat. Die privilegierte Expansion der Industrie für die Produktion von dauerhaften Konsumgütern setzt die Fortsetzung von Investitionen durch den Staatsapparat in bestimmte Grundsektoren (Ölindustrie, Stahl, Energie u. a.) sowie in die Infrastruktur (Transport, Kommunikation) voraus. Obgleich sich beachtenswerte intra- und intersektorale Verflechtungen am Wachstumspol der brasilianischen Ökonomie (und nur dort) herausbildeten, sind mehrere grundlegende Schwächen der brasilianischen Ökonomie, die typische Reflexe peripher-kapitalistischer Strukturen sind, selbst an diesem Pol noch nicht behoben worden, so insbesondere nicht die mangelnde Produktion von Produktionsgütern.[41] Der Maschinenpark wurde zu einem hohen Prozentsatz im Ausland eingekauft. Dies hängt unmittelbar mit dem überkommenen Entwicklungsstil (und damit mit der Produktion von Konsumgütern für eine gehobene diversifizierte Nachfrage metropolitanen Charakters) zusammen. Mit den Metropolen ist die brasilianische Produktionsgüterindustrie, soweit sie überhaupt existiert, nicht konkurrenzfähig, insbesondere wenn es sich um den Produktionsapparat für die Produktion von langlebigen, technologisch ausgereiften dauerhaften Konsumgütern handelt. Die Produktion von Produktionsgütern geringerer Komplexität für weniger technologieintensive Güter, z. B. für Massenkonsumgüter, würde aber einen Massenkonsumgütermarkt voraussetzen, dessen Entstehen gerade durch das überkommene brasilianische Entwicklungsmodell verhindert worden ist – eine Beobachtung, auf der Biondi sein reorientiertes Entwicklungsmodell aufbaut. Im übrigen darf nicht vergessen werden, daß die Produktion von nicht dauerhaften Konsumgütern ebenfalls zum Teil mit metropolitaner Technologie erfolgt. Dies gilt insbesondere für jene Unterbereiche, die derartige Güter für den Export produzieren; es gilt aber auch für Industriezweige, die nicht-dauerhafte Konsumgüter für eine einkommensstarke Nachfrage produzieren. Dadurch erhöht sich die intrasektorale strukturelle Heterogenität, und die in diesen Untersektoren der Industrieproduktion von nicht dauerhaften Konsumgütern erzielten Produktivitätsfortschritte weiten sich nicht auf den eigentlichen traditionellen Subsektor dieses Produktionszweiges aus, dessen Produkte zur Reproduktion der weniger qualifizierten und einkommensschwachen Arbeitskraft erforderlich sind.

Die strukturelle Krise des überlieferten brasilianischen Entwicklungsmodells könnte zeitweilig möglicherweise durch eine intensivere Investitionstätigkeit in die *Produktion von spezifischen Produktionsgütern* gemildert werden. Dabei könnte es zu einem weiteren Verflechtungsschub kommen. Ein solcher Schritt zu einer weiteren Ausdifferenzierung der brasilianischen Ökonomie ist nicht identisch mit dem von Biondi anvisierten Ziel der Herstellung einer Produktionsbasis und eines Binnenmarktes metropolitanen Typs. Was allenfalls erreicht werden könnte, ist eine *stärkere Kohärenz im Wachstumspol* bei möglicher Ausnutzung von komparativen Vorteilen in der Produktion von Maschinen geringerer Komplexität auf dem Weltmarkt. Käme eine solche Ausdifferenzierung den 80 Prozent der Bevölkerung, deren Ausschluß aus dem überkommenen Entwicklungsmodell heute beklagt wird, zugute? Zweifel hieran sind berechtigt. Denn die Produktion von solchen Produktionsgütern ist relativ kapitalintensiv, und sie würde höchstwahrscheinlich nur dynamisierende Folgewirkungen auf die Verdichtung der schon bestehenden relativ dichten intra- und intersektoralen Vermaschungen im Wachstumspol nach sich ziehen und damit keineswegs zu einer Überwindung der krassen Disparitäten innerhalb der *gesamten* Ökonomie beitragen.

Das Beispiel deutet darauf hin, daß eine Ausdifferenzierung einer peripher-kapitalistischen Ökonomie, selbst auf einer Stufe der Produktivkraftentfaltung wie in Brasilien, nicht deckungsgleich ist mit ihrer Umstrukturierung zugunsten eines zu entfaltenden dichten Binnenmarktes.[42] Nur wenn man die politischen Voraussetzungen von Entwicklungsmodellen außer acht läßt, kann die Illusion der Deckungsgleichheit von ökonomischer Ausdifferenzierung und angestrebter Umstrukturierung des Binnenmarktes aufkommen.

Die Produktivkraftentfaltung der brasilianischen Ökonomie ist ohne Zweifel eindrucksvoll. Zu Recht wird sie als eine Wachstumsökonomie bezeichnet. Doch die mit diesem Begriff assoziierten und prognostizierten Entwicklungseffekte sind bisher ausgeblieben, wenn man unter Entwicklung die produktive Eingliederung der Masse der Menschen in eine Ökonomie als Basis wenigstens der Befriedigung ihrer Grundbedürfnisse begreift. In Brasilien fehlen die Grundlagen für die Herausbildung einer Ökonomie vom Typ des metropolitanen Kapitalismus. Und was für Brasilien gilt und in diesem Kapitel dargestellt wurde, gilt erst recht für Gesellschaften mit einer weit geringeren und weniger komplexen Produktivkraftentfaltung. Weil Brasilien an der Spitze der Produktivkraftentfaltung in der Dritten Welt steht, also eine Wachstumsökonomie im modernisierungstheoretischen Sinne *par excellence* darstellt, ist die Analyse seines Entwicklungsweges von erheblicher Bedeutung. Denn was sich in Brasilien immer noch an Strukturdefekten, die dem Peripherie-Kapitalismus inhärent sind, zeigt, ist ein letztes Lehrstück für das Scheitern der traditionellen Entwicklungspolitik.

# III. Ausgewählte Problembereiche abhängiger Akkumulation

# Der Weltmarkt als Sackgasse für Entwicklungsländer

## 1. Zur Problemstellung

Die Ölkrise und der spektakuläre Zusammenschluß aller wichtigen ölproduzierenden Länder (OPEC), das lobbyistische Auftreten der Diplomaten aus der Dritten Welt auf internationalen Konferenzen über die Ökologie-, Ernährungs-, Bevölkerungs-, Rohstoff- und Industrialisierungsproblematik und die Verunsicherung der Diplomatie westlicher Industriegesellschaften auf diesen Konferenzen, das Scheitern der überkommenen Entwicklungspolitik und die Suche nach neuen entwicklungspolitischen Orientierungen in nationalen und internationalen Gremien, die wirtschaftliche (und zum Teil politische) Krise in den führenden kapitalistischen Gesellschaften – und ihre Folgewirkungen für die Weltwirtschaft –: all dies hat in den vergangenen Jahren die internationale entwicklungspolitische Debatte erheblich in Bewegung gebracht. Die überkommene internationale Wirtschaftsordnung wird – vor allem von den Vertretern der Dritten Welt – politisch in Frage gestellt; die von derselben Seite geforderte »Neue internationale Wirtschaftsordnung« wird von den Verfechtern des überkommenen Weltwirtschaftssystems als Angriff auf »bewahrenswerte, wenn auch verbesserungswürdige« Fundamente mehr oder weniger deutlich abgewehrt. Dabei wird von manchen Verfechtern eines liberalen Welthandels und einer durchliberalisierten Weltwirtschaft keineswegs verkannt, daß diesem normativ gesetzten Ziel – der »Verbesserung« der bestehenden Weltwirtschaftsordnung *ohne* grundlegende Strukturveränderungen – in den westlichen Industriegesellschaften teilweise beträchtliche Widerstände entgegenstehen (so z. B. der Abbau von Zollmauern bei der Einfuhr von spezifischen Waren aus der Dritten Welt).

Dieser entwicklungspolitischen Diskussion liegen in der Regel zwei nichtproblematisierte Annahmen zugrunde, deren Kritik überfällig ist:

– Unterstellt wird, daß die Beteiligung der Entwicklungsländer am internationalen Handel in den vergangenen Jahrzehnten anteilmäßig laufend zurückgegangen sei, was eine relative Ausgliederung der Dritten Welt aus dem Weltwirtschaftssystem zur Folge habe *(Desintegrations-These)*;

– unterstellt wird ferner, daß durch eine verstärkte Wiedereingliederung dieser Gesellschaften und Ökonomien in das gegebene Weltwirtschaftssystem eine wesentliche Verbesserung der ökonomischen und sozialen Lage der Dritten Welt zu bewerkstelligen sei *(Reintegrations-These)*.

Beide Thesen – die der Desintegration wie die der Reintegrationsmöglichkeit – erscheinen im Lichte neuerer sozialwissenschaftlicher Erkenntnisse als außerordentlich fragwürdig. Das soll im folgenden hinsichtlich der Desintegrations-These unter Bezugnahme auf neuere Interpretationen von Unterentwicklung nachgewiesen werden; die Fragwürdigkeit der Reintegrations-These soll in Auseinandersetzung mit der fortgeschrittensten wirtschaftswissenschaftlichen Literatur gezeigt werden, die die Wiedereingliederung der Entwicklungsländer in den Weltmarkt noch immer als Konzept vertritt.[1]

## 2. Zur These von der Desintegration aus dem Weltmarkt

Der vielzitierten Desintegrations-These liegen Untersuchungen unter folgenden Fragestellungen zugrunde: 1. Welche Veränderungen in der Zusammensetzung der Güter, die im internationalen Handel ausgetauscht werden, sind in den vergangenen Jahrzehnten festzustellen? 2. Wie hat sich der Exportanteil der Länder der Dritten Welt am internationalen Handel entwickelt?

Die Untersuchung der ersten Frage führte zu dem Ergebnis, daß die Struktur des internationalen Handels sich beträchtlich verändert hat: der Anteil an Nahrungsmitteln und Rohstoffen (den sogenannten *Primärgütern*) ist im Verhältnis zum Anteil der Industriegüter zurückgegangen. Innerhalb der Primärgüter erfolgte eine Gewichtsverlagerung von den landwirtschaftlichen Rohstoffen (wie z. B. Sisal) zu mineralischen Brennstoffen, während der Anteil der *Nahrungsmittel*-Exporte ungefähr konstant blieb. Die Verschiebungen innerhalb der *industriellen* Exporte gingen vor allem zu Lasten der Textil- und

Bekleidungsindustrie, während der Anteil der Maschinen- und Transportgüter-Exporte deutlich zunahm. Der Export industrieller Konsumgüter *ohne* Textil- und Bekleidungsgüter konnte seinen Anteil einigermaßen halten.

Diese Veränderung in der Zusammensetzung der Handelsgüter – und damit in der *Struktur* des internationalen Handels – wirkt sich zwangsläufig darauf aus, in welchem Umfang die verschiedenen geographischen *Regionen* am Welthandel teilhaben. Denn der Export aus den Entwicklungsländern bestand in den vergangenen 30 Jahren zum überwiegenden Teil aus Rohstoffen und Nahrungsmitteln, während mehr als drei Viertel des Exports der westlichen Industrieländer sich aus Industriegütern zusammensetzen. 1950 betrug der Anteil der Entwicklungsländer am Welthandel 31%, heute dagegen weniger als 20%. Zieht man die auf wenige Länder konzentrierten Erdöl-Exporte ab, so hat sich der Anteil der übrigen Exporte von Entwicklungsländern am internationalen Handel im gleichen Zeitraum ungefähr halbiert; er beträgt heute etwa 10%.[2]

Gleichzeitig ist der Handel zwischen den westlichen Industrieländern nach dem Zweiten Weltkrieg sehr stark angestiegen. Ungefähr drei Viertel aller Güterexporte dieser Länder fließen heute in den Handel mit anderen *Industrieländern.* Der Anteil der Exporte aus den Industrieländern in die Entwicklungsländer war entsprechend rückläufig; er bewegt sich heute bei etwa 20% (die restlichen ca. 5% gehen in die sozialistischen Länder). Demgegenüber ist der Anteil der Exporte der Entwicklungsländer in die westlichen Industrieländer leicht gestiegen (er liegt heute bei knapp 75%). Der Export von Entwicklungsländern in Entwicklungsländer ist jedoch relativ zurückgegangen (von ungefähr einem Viertel auf ein Fünftel der Gesamtexporte dieser Ländergruppe).

Diese regionalen Verschiebungen in der Struktur des internationalen Handels haben bestimmte Gründe. Zu nennen sind 1. der hohe Anteil, den der stark expansive Handel mit Industriegütern am Gesamtexport der westlichen Industrieländer hat; 2. der hohe Anteil, den Rohstoff- und Nahrungsmittel-Exporte am Gesamtexport der Entwicklungsländer haben, Exporte, die – wie bereits gesagt – relativ stagnieren. Zwar hat sich auch der Anteil der Industriegüter-Exporte am

Gesamtexport der Entwicklungsländer in den vergangenen 20 Jahren auf etwa 20% erhöht; doch sind diese Exporte zum einen auf einfache Konsumgüter, zum anderen auf wenige Exportländer konzentriert. Bemerkenswert ist, daß der Anteil der Entwicklungsländer am Welthandel mit Industriegütern in den vergangenen 20 Jahren nicht zugenommen hat; er bewegt sich um 6%. Doch konnte das Wachstum des Handels mit diesem Gütertyp immerhin dazu beitragen, den rückläufigen Anteil der Gesamtexporte von Entwicklungsländern am internationalen Handel zu stützen.

Die Desintegrations-These bezieht sich auf die beschriebenen *statistischen* Sachverhalte. Die *relative* Ausgliederung von Entwicklungsländern aus dem Welthandel ist demnach darauf zurückzuführen, daß a) die meisten Entwicklungsländer in ihrem Gesamtexport unbestreitbar immer noch auf die Ausfuhr von Rohstoffen und Nahrungsmitteln angewiesen sind und daß b) der Handel mit diesen Gütern erheblich geringere Zuwachsraten als der Industriegüter-Handel hat. (Die Zuwachsraten im Handel mit Rohstoffen betragen nur knapp 50% der Zuwachsraten, die die Industriegüter aufweisen.)

Zu dieser so begründeten Desintegrations-These ist zweierlei anzumerken:

1. Wenn an anderer Stelle formuliert wird, daß die Entwicklungsländer heute *stärker* als früher in die internationale Ökonomie eingegliedert seien, so steht die Desintegrations-These zu dieser Feststellung nicht im Widerspruch. Eine solche Beobachtung ergibt sich nämlich, wenn man nicht nur die statistischen Anteile der Entwicklungsländer am internationalen Handel, sondern vor allem das Ausmaß berücksichtigt, in dem die Ökonomien der Entwicklungsländer von den Metropolen durchsetzt werden.[3] Diese Durchdringung ist heute sehr viel weiter aufgefächert als früher und erzeugt ein Strukturmuster eigener Prägung von »Peripherie-Gesellschaft« und »Peripherie-Ökonomie«.[4] Die These von der stärkeren Durchdringung der Dritte-Welt-Ökonomien durch die Metropolen bestätigt sich auch im Bereich des Außenhandels selbst: Die statistische Größe »Export von Entwicklungsländern« gibt nur sehr unzulänglich darüber Aufschluß, *durch wen* eine exportorientierte Produktion getätigt wird und wer die Ausfuhraktivitäten von Entwicklungsländern organisiert

und beherrscht. Das Ergebnis vieler Analysen ist eindeutig dies, daß sowohl die exportorientierte Produktion als auch die verschiedenartigen Ausfuhr-Aktivitäten (Transport, Versicherung u. a.) sich in den Händen des metropolitanen Kapitals befinden.[5] Der Exportsektor von Entwicklungsländern ist also vergleichsweise vielfältig und deutlich von metropolitanem Kapital durchsetzt. Wie später noch dargelegt wird, wäre eine strukturelle »Abkoppelung« peripherer Gesellschaften von der internationalen Ökonomie entwicklungspolitisch durchaus erstrebenswert. Die Desintegrations-These sollte trotz ihrer realen statistischen Grundlage jedoch nicht kurzschlüssig als Aussage über eine solche Abkoppelung verstanden werden. Fände eine Abkoppelung wirklich statt, so verringerte sich die strukturelle Abhängigkeit der Peripherien von den Metropolen; die ersteren würden an relativer Autonomie gewinnen. Davon kann jedoch heute keine Rede sein.

2. Die Desintegrations-These muß im Zusammenhang mit der nachlassenden Fähigkeit der Entwicklungsländer gesehen werden, Ausrüstungsgüter, Werkzeugmaschinen usw. (sogenannte *Kapitalgüter*) einzuführen. Von der Einfuhr lebenswichtiger Güter sind die Entwicklungsländer aufgrund der ihnen aufgezwungenen internationalen Arbeitsteilung abhängig.[6] Ihr Import muß im wesentlichen mit den Erlösen aus dem Export von Rohstoffen und Nahrungsmitteln bezahlt werden. Die Erlöse aus diesen Exporten sind aber, wie schon dargelegt, rückläufig und starken Preisschwankungen ausgesetzt. Außerdem verschlechtern sich zunehmend die Austauschrelationen zwischen Primärgütern und Industriegütern, d. h. die Entwicklungsländer bekommen heute für die gleiche Menge an Rohstoffen oder Nahrungsmitteln in der Regel weiterhin entschieden weniger als vor fünf oder zehn Jahren (sogenannte »terms of trade«-Problematik).[7] So entsteht ein für Entwicklungsländer typisches »Engpaß-Problem«. Die Verringerung ihrer von den Exporterlösen abhängigen Importmöglichkeiten ist für die gegebene lokale Entwicklungspolitik ein Hindernis für wirtschaftliches Wachstum und Beschäftigung. Werden die Kapitalgüter einer Gesellschaft nicht an Ort und Stelle produziert, müssen sie vielmehr eingeführt werden, so übernimmt jener Sektor, der die Devisen für den Import von Kapitalgütern erwirtschaftet, gewissermaßen die

Rolle eines Kapitalgüter-Sektors.[8] Aber der Export von Rohstoffen hat nicht annähernd jene gesamtwirtschaftlichen Ausweitungseffekte (auf vor- und nachgelagerte Industrien, auf Forschung und Entwicklung usw.), die mit der eigenen Produktion von Kapitalgütern verbunden sind und die man in den metropolitanen Ökonomien und ihren dichten Verflechtungsstrukturen beobachten kann.[9]

Es ist verständlich, daß die Entwicklungsländer Anstrengungen in zwei Richtungen unternehmen, um aus dieser Situation herauszukommen: a) sie versuchen, die Erlöse aus dem Export von Rohstoffen und Nahrungsmitteln zu erhöhen, oder wenigstens zu erreichen, daß die Erlöse stabil bleiben; b) sie versuchen zugleich, ihre Produktion so zu entwickeln, daß ein reicheres Exportangebot solcher Güter entsteht, für deren Produktion es in den Entwicklungsländern Standort-Vorteile gibt. Diese Ausweitung des Güterangebots (die sogenannte Diversifikation) soll den Entwicklungsländern bessere Chancen im internationalen Handel verschaffen. Beide Versuche sollen im folgenden (3.1 und 3.2) betrachtet werden.

## 3. Wiedereingliederung in den Weltmarkt?

### *3.1 Die Grenzen einer Expansion des Rohstoffexports*

Spätestens seit der ersten Konferenz der UNCTAD (UN-Conference on Trade and Development) im Jahre 1964 haben die Entwicklungsländer konzentrierte Vorschläge gemacht, um ihre Erlöse aus dem Export von Rohstoffen und Nahrungsmitteln zu erhöhen bzw. zu stabilisieren.[10] Die Vorschläge sind in den vergangenen Jahren auf allen bedeutenden entwicklungspolitischen Konferenzen neu artikuliert worden und z. T. auch in internationale Dokumente eingegangen, z. B. in das UN-Dokument über die *Zweite Entwicklungs-Dekade*, in die Erklärung über die Errichtung einer *Neuen internationalen Wirtschaftsordnung* und das dazu gehörende *Aktionsprogramm*, ebenfalls in die *UN-Charta der wirtschaftlichen Rechte und Pflichten der Staaten* – um nur einige neuere bedeutsame Dokumente zu nennen.[11]

Vorgeschlagen wurden *Produzenten-Vereinigungen* (Rohstoff-Kartelle) und *Grundstoff-Abkommen*. Die Produzenten-Vereinigungen sollen in ähnlicher Weise wie der Zusammenschluß der erdölproduzierenden Länder (OPEC) eine gemeinsame Heraufsetzung der Rohstoffpreise ermöglichen. Die Grundstoff-Abkommen zwischen Produzenten- und Verbraucher-Ländern sollen den Marktzugang der ersteren regeln und sichern. – Weiter wurden sogenannte *Warenabkommen* vorgeschlagen, also Absprachen in bezug auf Gütersektoren, in denen sowohl die Industrie- als auch die Entwicklungsländer Produkte herstellen, die auf den metropolitanen Märkten miteinander in Wettbewerb treten. – Verschiedene erlösstabilisierende Forderungen beziehen sich auf garantierte *Mindestpreise* oder auf *Marktinterventionen* bei unteren und oberen Preisgrenzen. Solche Interventionen könnten durch die Errichtung von Ausgleichlagern (buffer stocks) ermöglicht werden oder durch verschärfte quantitative Begrenzung (Kontingentierung) der Produktion und/oder des Exports. Erwähnenswert ist in diesem Zusammenhang auch die Forderung, den Industrieländern Beschränkungen bei der Produktion von synthetischen Produkten aufzuerlegen, wenn an ihrer Stelle *Naturerzeugnisse* aus der Dritten Welt den Markt befriedigen könnten. Andere Vorschläge richten sich auf *Ausgleichsfinanzierungen* im Falle von Preisschwankungen. Seit der Rohstoff-Konferenz im Jahre 1974 spielt auch die generelle Forderung einer Koppelung der Grundstoff-Preise an die Preise von Industriegütern (sogenannte *Indexierung*) eine bedeutende Rolle, ebenfalls die gelegentlich über eine solche Teilforderung hinausgehende allgemeine Forderung nach einer administrativen *Aufteilung der Märkte*.[12]

Hinsichtlich der Verwirklichung der oben dargestellten Maßnahmen besteht jedoch zwischen Industrie- und Entwicklungsländern keineswegs Einigkeit. Die UNCTAD z. B. befürwortet mit ihrem umfassenden *integrierten Grundstoff-Programm* eine *Kombination* derartiger Maßnahmen: Ausgleichslager und deren Finanzierung, Warenlager, Ausgleichsfinanzierungen und Maßnahmen zur Weiterverarbeitung von Grundstoffen in Entwicklungsländern.[13] Die ersten *konkreten* Maßnahmen haben sich freilich auf wenige Zugeständnisse der Metropolen zur Stabilisierung von Exporterlösen im

Grundstoffbereich beschränkt. Als Beispiele seien hier das Abkommen von Lomé, das neueste Assoziationsabkommen zwischen der Europäischen Gemeinschaft und den assoziierten Staaten in Afrika, der Karibik und im Pazifik genannt.[14]

Doch selbst wenn es gelänge, einige dieser – verständlichen – Forderungen in stärkerem Maße durchzusetzen als bisher[15], blieben sie aus entwicklungspolitischer Sicht *langfristig* fragwürdig: Sie würden wahrscheinlich dazu beitragen, die überkommenen, letztlich aussichtslosen Exportstrukturen zu zementieren.[16] Dies hat – wie Dorner zeigt – seinen Grund darin, daß die Exportstruktur der Entwicklungsländer vor allem von jenen Gütern geprägt ist, die in den Metropolen keine den steigenden Einkommen entsprechende Nachfragesteigerung auslösen.[17]

### *3.2 Die Grenzen einer Ausweitung des Exports von einfachen Konsumgütern*

Welche Aussichten bietet in der geschilderten Situation das schon angedeutete Verfahren, das Exportangebot solcher industriellen Güter auszudehnen, bei deren Produktion die Entwicklungsländer oft unterstellte Standort-Vorteile haben? Solche Vorteile bestehen nach der gängigen außenhandels- und entwicklungspolitischen Theorie bei der Produktion von arbeits- und rohstoffintensiven Konsumgütern. Die Forderung einer Ausweitung (Diversifikation) bezieht sich also nicht auf die herkömmliche Produktions- und Export-Struktur; es ist nicht die Überwindung z. B. einer Monokultur gemeint, mit dem Ziel, statt eines Grundstoffs jetzt mehrere und verschiedenartige Grundstoffe zu exportieren, sondern die Ausweitung des Exports einfacher industrieller Konsumgüter.

Die Forderungen nach Ausweitung des Exports im Bereich arbeits- und rohstoffintensiver Konsumgüter werden seit der ersten UNCTAD-Konferenz im Jahre 1964 erhoben; sie sind ein fester Bestandteil der entwicklungspolitischen Programmatik spätestens seit Mitte der sechziger Jahre.[18]

Indessen zeigt Dorner, daß auch diese Strategie ziemlich problematisch ist: Die Nachfrage nach einfachen arbeits- und rohstoffintensiven Konsumgütern ist in den Industrieländern ebenfalls relativ unelastisch[19]; das heißt, ein Einbruch in diesen Konsumgütermarkt ist zwar denkbar, doch würde es sich dabei um einen kurzfristigen Vorteil handeln – ohne die Möglichkeit langfristiger dynamischer Expansion; der Zugang der Entwicklungsländer zu den metropolitanen Märkten würde auf einem gegenüber dem heutigen leicht erhöhten Niveau stagnieren. Ferner ist zu berücksichtigen, daß – entgegen der vielfach in der Öffentlichkeit vorherrschenden Meinung – der Rohstoff- und Nahrungsmittel-Export der Industrieländer in den vergangenen 20 Jahren erheblich gesteigert wurde, ja, daß sein Zuwachs fast dreimal so groß war wie der entsprechende Exportzuwachs aus Entwicklungsländern. Im Bereich der landwirtschaftlichen Rohstoffproduktion gingen die Exporte der Entwicklungsländer sogar zurück, während die der Industrieländer sich erheblich erhöht haben. Auch im Bereich der einfachen Konsumgüter ist der Anteil der Entwicklungsländer an den Gesamtimporten der Industrieländer stetig gesunken. »Lediglich bei Textilien konnten sie – aufgrund der Exporterfolge einiger weniger Länder – ähnliche Exportzunahmen erreichen wie die Industrieländer.«[20]

Die Schwierigkeiten der Entwicklungsländer, in die Märkte von Industriegesellschaften mit Produkten vorzustoßen, bei deren Erzeugung sie über »natürliche Vorteile« verfügen, wurde seit zehn Jahren auf internationalen Konferenzen und in der wissenschaftlichen Literatur vor allem auf den *Handelsprotektionismus* der Industriegesellschaft in diesem Güterbereich zurückgeführt. Ohne Zweifel erschweren Zoll- und andere Schranken den Marktzugang für derartige Produkte aus Entwicklungsländern. Wenn die Industriegesellschaften dazu übergingen, ihre Zollschranken abzubauen, müßten sie sich erheblichen Strukturanpassungen unterziehen, wie vielfach festgestellt wurde.[21] Zu Recht wird jedoch von Dorner die Frage gestellt, ob dieser Handelsprotektionismus der alleinige Grund dafür ist, daß es den Entwicklungsländern nicht gelingt, mit Produkten in die Märkte der Industrieländer einzudringen, bei deren Erzeugung sie über vorgebliche oder vermutete komparative Vorteile verfügen. Die metropolitanen Ökonomien besitzen nämlich eine hohe Fähigkeit zu Strukturanpassungen bzw. Strukturveränderungen im Falle innerer und/oder äußerer Herausforderungen.[22]

Eine von mehreren Möglichkeiten des metropolitanen Kapitals, auf solche Herausforderungen und strukturellen Schwierigkeiten zu reagieren, ist die Verlagerung sogenannter strukturschwacher Branchen aus den Metropolen in die Länder der Dritten Welt.[23] Die Forderung nach Produktionsverlagerung ist denn auch gewöhnlich mit der These verbunden, die Märkte der industriellen Länder sollten in stärkerem Maße für einfache Konsumgüter aus den Entwicklungsländern geöffnet werden. *Produktionsverlagerung ist aber, wie gesagt, nur eine von mehreren möglichen Reaktionen des metropolitanen Kapitals.* Sieht man einmal von verstärkten protektionistischen Maßnahmen ab, so besteht eine andere Reaktion in der Erhöhung des Kapitaleinsatzes und in der Intensivierung des technischen Fortschritts. Beide können – unter der Voraussetzung einer Erweiterung der Betriebsgröße – die Wettbewerbssituation zunächst strukturell schwacher Branchen erheblich verbessern. Auf diese Weise lassen sich die »natürlichen« Vorteile, die die Entwicklungsländer bei einzelnen Branchen genießen, *zugunsten der Industrieländer* verändern. Dorner macht auf drei Faktoren aufmerksam, die langfristig solche Veränderungen bewirken können: 1. auf die Rolle des technischen Fortschritts, der sich insbesondere in der Entwicklung *neuer Güter,* z. B. synthetischer Produkte, dokumentiert; 2. auf die Entwicklung von *neuen Produktionsverfahren,* die zu einer Senkung der Durchschnittskosten und zu einer Steigerung des Ausstoßes führt, und schließlich 3. auf die Rolle, die *Größenersparnisse* auf den großen metropolitanen Binnenmärkten spielen (economies of scale).

Es kann gezeigt werden, daß als Antwort auf spezifische Herausforderungen in den metropolitanen Ökonomien häufig ein Prozeß der Kapitalintensivierung einsetzt, d. h. daß technischer Fortschritt systematisch vorangetrieben wird. Dieser Prozeß bewirkt, daß die Effizienz der Produktion deutlich zunimmt und die vorgeblichen komparativen Vorteile kompensiert bzw. überkompensiert werden. Dorner schreibt zu diesem Problem:

»Offensichtlich kann [. . .] festgestellt werden, daß Struktur und Entwicklung des Außenhandels zwischen Industrie- und Entwicklungsländern zwar von den komparativen Vorteilen bestimmt wird, daß diese Vorteile (und Nachteile) jedoch Veränderungen unterworfen sind und durch gezielte Maßnahmen beeinflußt werden können. Im Gegensatz zu den Annahmen der statischen Theorie sind die komparativen Vorteils- und Nachteils-Positionen der beiden Ländergruppen keine dauernden [. . .] Größen, sondern können durch einen bewußten Einsatz von technischem Fortschritt (in jeder Form) und Faktorsubstitution (Kapitalintensivierung) beeinflußt werden. Die Möglichkeiten derartiger Einflußnahmen werden weitgehend von der unterschiedlichen Entwicklung des technologischen und technischen Fortschritts und der Kapitalakkumulation der einzelnen Länder bestimmt, ein Sachverhalt, der die Entwicklungsländer in eine relativ ungünstige Position verweist. Durch die einseitige Verteilung des technologischen Fortschritts und die für eine Anwendung dieses technologischen Fortschritts günstige Entwicklung der Faktor-Ausstattung können die Industrieländer sowohl ihre Vorteile bei der Erzeugung kapitalintensiver Güter verteidigen als auch Kostenvorteile in jenen Branchen erlangen, die gemäß der statischen Theorie den Entwicklungsländern zufallen müßten. Der naheliegende Einwand der traditionellen Theorie, daß komparative Vorteile der Industrieländer in allen Produktionszweigen eine Art contradictio in adjecto wäre, ist in einer dynamischen Betrachtung nicht stichhaltig.«[24]

Und an anderer Stelle heißt es:

»Die eindeutige Konzentration des technischen Fortschritts in den Industrieländern und ihr relativer Kapitalreichtum ermöglichen es ihnen, auch bei jenen Gütern absolute oder gar komparative Vorteile zu erlangen und zu erhalten, bei denen in einer statischen Betrachtung [. . .] Kostenvorteile und damit Spezialisierungsmöglichkeiten für die Entwicklungsländer gegeben zu sein scheinen. Es ist nicht zu übersehen, daß diese Analyse äußerst pessimistische Aspekte für ein Eindringen der Entwicklungsländer in die Märkte der Industrieländer und damit für eine Reintegration der Entwicklungsländer in den Welthandel aufwirft. Ein Verharren bei der gegenwärtigen, vor allem von Primärprodukten bestimmten Exportstruktur führt zu einer relativ oder gar absolut stagnierenden Exportentwicklung, nicht zuletzt deshalb, weil die Industrieländer durch eine konsequente Nutzung des technischen Fortschritts und kapitalintensiver Erzeugungsmethoden die betreffenden (arbeits- oder bodenintensiven) Produkte oder einen synthetischen Ersatz selbst mit niedrigem Kostenaufwand herzustellen vermögen. Eine solche Tendenz ist zumindest bei jenen Grundnahrungsmitteln oder Nahrungsmittelrohstoffen festzustellen, die von Industrie- und Entwicklungsländern gleichermaßen produziert werden (closely competing foodstuffs), wie z. B. Zucker, Öle, Ölsaaten und Getreide. Tropische Öle und Ölsaaten wurden z. B. in den letzten Jahren mehr und mehr von tierischen Fetten verdrängt, die als Nebenprodukt in den Industrieländern anfallen. Die gleiche Wirkung ging von einer schnellen Zunahme der vor allem von den USA mit äußerst niedrigen Kosten produzierten Sojabohnen aus. Eine ähnliche Erscheinung zeigt sich bei Zucker, bei dem seit Jahren die Exporte der Industrieländer schneller zunehmen als jene der Entwicklungsländer. Versuchen die Entwicklungsländer auf der anderen Seite, neue (industrielle) Exportproduktionen zu errichten und mit diesen in die Märkte der Industrieländer einzudringen, so laufen sie Gefahr, daß die entsprechenden Branchen der Industrieländer unter dem zunehmenden Wettbewerbsdruck eventuelle faktorpreisbedingte Vorteile der Entwicklungsländer ebenfalls durch Kapitalintensivierung und technischen Fortschritt wieder zunichte machen. In einer solchen dynamischen Betrachtung ergeben sich äußerst ungünstige Prognosen für die weitere Exportentwicklung der Entwicklungsländer.«[25]

### *3.3 Die Expansion von Kapitalgütern und dauerhaften Konsumgütern als Ausweg?*

Wenn weder der Export von Rohstoffen und Nahrungsmitteln noch der Export von einfachen Konsumgütern aussichtsreich ist, und wenn dennoch an der Notwendigkeit festgehalten wird, die Entwicklungsländer in den Weltmarkt wieder zu integrieren, so stellt sich die Frage, welche Güter diese Länder eigentlich produzieren müßten, um ihre zunehmende Desintegration aus dem internationalen Handel zu unterbinden. Von den unterschiedlichen Expansionsraten einzelner Gütersorten im internationalen Handel her gesehen, ist diese Frage eindeutig zu beantworten. Auch die Entwicklungsländer müßten sich auf die Produktion von *Kapitalgütern* und *langlebigen* Konsumgütern spezialisieren, weil nur diese im gegenwärtigen internationalen Handel hohe Wachstumsraten aufweisen und weil die Austauschbeziehungen sich in aller Regel zugunsten der Produzenten solcher Güter entfalten. Diesen abwegig erscheinenden, aber folgerichtigen Schluß hat Klaus Dorner nach einer Analyse der verschiedenen »Engpässe« gezogen, die sich beim Export herkömmlicher verarbeiteter und nichtverarbeiteter Güter ergeben.

Nun handelt es sich bei Kapitalgütern und bei langlebigen Konsumgütern genau um jene Produkte, für die die Ökonomien der Entwicklungsländer *keine* komparativen Vorteile anzubieten haben. Die Produktion solcher Güter setzt eine komplizierte Technologie und eine hohe Kapitalintensität voraus, aber auch relativ große Binnenmärkte, die unter Rentabilitäts-Gesichtspunkten eine Produktion dieser Produkte erst lohnend erscheinen lassen.[26] Dorner stellt denn auch fest, daß der Ersatz des Imports von Kapitalgütern und langlebigen Konsumgütern durch eigene Produktion solcher Güter in den Entwicklungsländern »zum gegenwärtigen Zeitpunkt zu ineffizient« sei, »als daß sie zu einer Reintegration der Entwicklungsländer in den Welthandel beitragen könnte«.[27] Trotz dieser Beobachtung hält Dorner an dieser logisch korrekt abgeleiteten These fest, wenn er schreibt:

> »Wenn damit die außenwirtschaftlichen Probleme der Entwicklungsländer zumindest vorläufig nicht durch größere Industriegüter-Exporte in die Industrieländer zu lösen sind, so bleibt als letzte Möglichkeit nur noch eine Intensivierung des Güteraustausches zwischen den Entwicklungsländern.«[28]

Das Dornersche Konzept, bedeutsam wegen seiner systematischen theoretischen und empirischen Fundierung, besteht darin, den Entwicklungsländern zu empfehlen, ihre traditionellen Exporte durch Produkte zu ergänzen, die im Rahmen der Weltwirtschaft wachstumsträchtig sind. Als einen Hebel zur Unterstützung der dazu erforderlichen Umstrukturierungs-Prozesse bestimmt er die *regionale Integration innerhalb der Dritten Welt:*

> »Unter diesen Aspekten muß die entwicklungspolitische Bedeutung der regionalen Integration von Entwicklungsländern vor allem bei jenen Produktionszweigen liegen, die einerseits in den meisten Entwicklungsländern noch nicht voll ausgebaut sind, andererseits aber zu jenen weltwirtschaftlich expandierenden Branchen gehören, mit deren Hilfe eine Re-Integration der Entwicklungsländer in den Welthandel erfolgen könnte.«[29]

Zum Aufbau solcher Industriezweige in Zentral- und Lateinamerika, Afrika und Asien hält Dorner protektionistische Maßnahmen für nützlich, u. a. weil solche durch Außenzölle geschützten Integrationsprojekte einen erheblichen Anziehungseffekt auf private Auslandsinvestitionen ausüben. Darüber hinaus bestehe die Möglichkeit, die inländischen Ressourcen auf derartige Projekte umzulenken. Die regionale Integration herkömmlichen Musters war lediglich auf die Ausweitung des Spielraums für die Importersatz-Industrialisierung gerichtet. Diese Maßnahmen hält Dorner für ein wenig erfolgversprechendes Mittel, um die Entwicklungsländer wieder in die Weltwirtschaft zu integrieren.[30] Er empfiehlt, die regionale Integration auf Abkommen zu gründen, in denen die gegenseitige Ergänzung der Produktion festgelegt wird (Komplementaritäts-Abkommen). Sie müßten mit dem Ziel verbunden werden, *»Integrations-Industrien«* aufzubauen, d. h. Werke, die mehrere Länder der Dritten Welt direkt oder indirekt als Zulieferer beteiligen. Den »Status von Integrations-Industrien« sollen nach Dorner solche Betriebe erhalten, deren kleinste »optimale Produktionskapazität« so groß ist, daß sie nur durch die »Gesamtnachfrage des Regionalmarktes« voll ausgelastet werden kann.[31] Er erkennt, daß diese Möglichkeiten bisher wenig genutzt worden sind, und bedauert die geringe Zahl solcher Abkommen in den bestehenden Integrationsprojekten.

»Gerade auf diesem Gebiet wären größere Fortschritte wünschenswert, da sich hier grundsätzlich für die Entwicklungsländer die Möglichkeit bietet, im Rahmen der größeren Integrationsmärkte bei relativ niedrigen statischen Effizienzverlusten jene Industriezweige zu entwickeln, die langfristig über die Reintegration der Entwicklungsländer in den Welthandel entscheiden werden. Dieser entwicklungsstrukturelle Aspekt regionaler Zusammenschlüsse dürfte sich auf längere Sicht auch für eine wohlfahrtsökonomische Reintegration der Entwicklungsländer als gewichtiger erweisen, als die statischen Re-Allokationsgewinne der traditionellen Integrationstheorie oder die binnenmarkt-bezogenen Import-Substitutions-Gewinne des entwicklungspolitischen Integrationsansatzes.«[32]

## 4. Die Alternative: Abkoppelung und autozentrierte Entwicklung

Dorners Analyse hat den Vorzug, daß sie die gegebene Situation der Entwicklungsländer innerhalb der Weltwirtschaft umfassend und systematisch entfaltet, insbesondere das Problem, wie die Chancen der Entwicklungsländer erhöht werden können, am internationalen Handel teilzunehmen. Dorners eigenes Konzept kann jedoch nur dann optimistisch eingeschätzt werden, wenn man nicht danach fragt, welche Hauptagenten eigentlich für einen solchen Aufbau von Anlagen in Betracht kommen, in denen Kapitalgüter und weltmarkt-orientierte dauerhafte Konsumgüter erzeugt werden. In den wenigen Fällen, in denen heute – unter der Voraussetzung eines relativ großen Binnenmarktes – *multinationale Konzerne* bei der Errichtung von Produktionsstätten für langlebige Konsumgüter und von – im Umfang noch sehr bescheidenen – Kapitalgüter-Industrien beteiligt sind (wie z. B. in Brasilien), sind die Auswirkungen sehr problematisch.[33] Es ist wenig wahrscheinlich, daß die Auswirkungen der Tätigkeit von multinationalen Konzernen auf demselben Produktionsgebiet im *regionalen Verbund* andere wären. Sie würden (wie in den heute beobachtbaren Fällen) in einer verstärkten Polarisierung und Aufspaltung von Gesellschaften in der Dritten Welt bestehen: in einer Verschärfung ihrer strukturellen Zerklüftung, in der weiteren Konzentration der Einkommen auf einen sehr geringen Teil der Bevölkerung und in einer konsequenten Ausweitung von Massenelend.[34]

Wenn die Entwicklungsländer weder mit Rohstoffen und Nahrungsmitteln noch mit einfachen Konsumgütern ausreichende Expansionschancen auf dem Weltmarkt haben und wenn für die Produktion von Kapitalgütern und langlebigen Konsumgütern im regionalen Verbund die Voraussetzungen fehlen bzw. wenn diese nur über die Vermittlung von multinationalen Konzernen realisierbar wäre, dann ist *unter den gegebenen Umständen* nur eine pessimistische Gesamtbeurteilung einer exportorientierten Entwicklungsstrategie möglich.

»Angesichts der weltwirtschaftlichen Bedeutung der Entwicklungsproblematik erscheint es geboten, auch auf dem Gebiet der internationalen Wirtschaftsbeziehungen alternative Denk- und Handlungs-Ansätze zu diskutieren.« Mit diesem Satz endet die Studie Dorners über die Probleme einer weltwirtschaftlichen Integration der Entwicklungsländer. Hält man Dorners eigenen Denk- und Handlungsansatz für kaum realisierbar und für den Fall einer Realisierung gesellschaftspolitisch für verhängnisvoll, dann stellt sich in der Tat die Frage, *ob nicht eine Alternative zum Reintegrations-Konzept insgesamt zu suchen ist.* Denn im Hinblick auf eine künftige Wiedereingliederung der Entwicklungsländer in den Weltmarkt bleibt auch Dorners Argumentation der überkommenen wirtschaftswissenschaftlichen und entwicklungspolitischen Dogmatik verhaftet.[35] Eine solche Alternative müßte in einer Orientierung von Entwicklungspolitik am binnenwirtschaftlichen Aufbau lebensfähiger Ökonomien und Gesellschaften in Zentral- und Lateinamerika, Afrika und Asien selbst bestehen. Die Zuordnung zum Weltmarkt wäre diesem Ziel untergeordnet; Vorrang hätten im Gegenteil die Loslösung (Dissoziation) vom Weltmarkt und die autozentrierte Entwicklung an Ort und Stelle.[36] Eine Zusammenarbeit mit den Metropolen käme nur fallweise unter besonderen Bedingungen in Betracht.[37] Es käme darauf an, die Ökonomien der Dritten Welt so umzustrukturieren, daß *dichte Binnenmärkte*, orientiert am *Massenkonsum*, erschlossen werden.[38]

Es ist erstaunlich, daß diese durchaus naheliegende, wenn auch politisch schwer durchsetzbare Alternative von Dorner nicht erörtert wird. Sie findet nur eine kurze abwehrende Erwähnung: mit dem Hinweis auf die Unmöglichkeit, auf diesem Weg eine Wiedereingliederung der Dritte-Welt-Ökonomien in den Weltmarkt zu bewerkstelligen, wird sie abgetan.[39] Warum wird der Aufbau einer wenig komplexen Kapitalgüter-Industrie zur Herstellung von *einfachen* Produktionsmitteln für den landwirtschaftlichen Sektor und für die Erzeugung von *Massen*konsumgütern nicht als eine Alternative gesehen, die realistischer ist als die Produktion von *komplexen* Kapitalgütern und *langlebigen* Konsumgütern? Die Fixierung hat Hintergründe. Eine solche Erschließung des Binnenmarktes würde nämlich voraussetzen, daß die Ökonomien in der Dritten Welt umgestaltet werden. Die von Dorner angestrebte Wiedereingliederung dieser Ökonomien in den Weltmarkt setzt dagegen nur voraus, daß der Produktionsapparat im Hinblick auf jenen Gütertyp ausgeweitet wird, der an Ort und Stelle weiterhin nur von einkommensstarken Oberschichten nachgefragt werden könnte. Der Absatz solcher Güter auf dem Weltmarkt wäre dabei zunächst durchaus fraglich, und der größte Teil der Bevölkerung der betreffenden Länder wäre in diese Form der Produktion weiterhin *nicht* eingegliedert. Entwicklung wie in Brasilien oder wie in China – das ist die Alternative.

Nicht der Aufbau von komplementär einander zugeordneten Produktionsstätten in einem Regionalverbund ist problematisch[40]; auch die oben skizzierte entwicklungspolitische Alternative setzt die Überwindung balkanisierter ökonomischer Strukturen voraus. Problematisch ist vielmehr die angestrebte Orientierung der Produktionsaktivitäten an einem Typ von Kapital- und Konsumgütern, der wenig geeignet ist, die Binnenmärkte zu erschließen und die Masse der Menschen in die Ökonomie produktiv einzugliedern. Wenn nicht allseitige Mobilisierung der Produktivkräfte und damit die Überwindung der grundlegenden Mängel bei der Reproduktion von Peripherie-Ökonomien das Ziel sind; wenn statt dessen die Erzeugung von Konsumgütern für den Bedarf der Oberschicht angestrebt wird, dann werden die Gesellschaften der Dritten Welt ein weiteres Mal fremdbestimmten Entwicklungen ausgesetzt (metropolitane Technologie, metropolitane Konsummuster usw.). Die Herausbildung von eigenständigen, lebens- und widerstandsfähigen Wirtschaftsgebilden und Gesellschaften (d. h. eine autozentrierte Entwicklung) würde dann ein weiteres Mal vertagt werden.

## 5. Schlußbemerkung

Dorner hat in seiner Studie, wie mir scheint, *ungewollt* deutlich gemacht, daß die Wiedereingliederung der Entwicklungsländer in den internationalen Handel insgesamt keine aussichtsreiche politische Perspektive vermittelt. Er hat überdies verdeutlicht, daß die größte ökonomische Effizienz aufgrund von Standort-Vorteilen nicht automatisch optimale Wohlfahrt hervorbringt. Damit hat er eine der wichtigsten Säulen der traditionellen Theorie der Außenhandels- und Entwicklungspolitik umgestoßen. Die von ihm gegebene *dynamische* Analyse der Probleme einer weltwirtschaftlichen Integration von Entwicklungsländern läßt deren Gesamtlage im Kontext des Weltmarktes weit pessimistischer erscheinen, als traditionelle Theorien sie gewöhnlich interpretieren. Von solchen theoretisch und empirisch fundierten Beobachtungen aus kann eine Strategie *autozentrierter Entwicklung* nur schwerlich, wie es gelegentlich geschieht, weiterhin als eine realitätsferne Denk- und Handlungs-Alternative klassifiziert werden. Die Chancen für eine Verwirklichung autozentrierter Entwicklungspolitik mögen aufgrund der heutigen *politischen* Kräftekonstellationen vergleichsweise gering sein. Die Integration bzw. Reintegration in den Weltmarkt hat trotz der heute gegebenen, für diesen Zweck relativ günstigen politischen Bedingungen jedenfalls kaum Aussicht auf dauerhaften Erfolg.[41]

# Anlagerungsindustrialisierung und ungleiche Entwicklung

Der *metropolitane* Kapitalismus unterscheidet sich vom *peripheren* Kapitalismus durch seine Homogenität. Tendenziell werden in ihm alle wesentlichen Wirtschaftsbereiche durchkapitalisiert, was zu einer vergleichsweise starken Vereinheitlichung von Produktivitätsniveaus, Entlohnung, Kapitalrentabilität usw. führt. Eine solche Charakterisierung des metropolitanen Kapitalismus ist insbesondere dann gerechtfertigt, wenn man dessen tendenzielle Homogenisierung mit der sich vertiefenden strukturellen Heterogenität des peripheren Kapitalismus vergleicht. Dennoch sollte der Begriff »Homogenität« bzw. »Homogenisierung« nicht darüber hinwegtäuschen, daß es auch im metropolitanen Kapitalismus noch erhebliche Produktivitätsunterschiede zwischen Branchen und zwischen Industriezweigen innerhalb von Branchen gibt; sie sind jedoch von einem geringeren Ausmaß als die in Peripherien zu beobachtenden Unterschiede, die sich dort innerhalb des primären, sekundären und tertiären Sektors bekanntlich nicht verkleinert, sondern verschärft haben.[1]

## 1. Das Plädoyer für die Auslagerung von Industrien

Die Existenz unterdurchschnittlich produktiver Branchen bzw. Industriezweige innerhalb von Branchen im metropolitanen Kapitalismus hat in den vergangenen Jahren häufig Anlaß zu der Forderung nach einem überfälligen *Strukturwandel* in den metropolitanen Wirtschaften mit dem Ziel einer *teilweisen Industrieverlagerung in die Dritte Welt* gegeben.[2] Als Anwärter auf eine solche Verlagerung aus den Metropolen in die Peripherien werden die eher rohstoff- und arbeitsintensiven Industriebranchen bzw. Industriezweige genannt, die angesichts der in den Metropolen relativ hohen durchschnittlichen Lohnniveaus und angesichts möglicher prospektiver Reallohnsteigerungen in noch prekärere Engpässe als bisher hineingeraten würden, ohne – so die gängige These – die

Chance zu besitzen, innerhalb der metropolitanen Ökonomien langfristige Standortvorteile gegenüber Billiglohnländern zu bewahren bzw. zurückzuerobern, falls sie schon verlorengegangen sind.

Im Hinblick auf die Ökonomie der Bundesrepublik Deutschland wurde der hier angedeutete Sachverhalt jüngst in einem für die Bundesregierung bestimmten Gutachten folgendermaßen umschrieben:

»Die internationale Wettbewerbsfähigkeit wird sich, eine liberale Einfuhrpolitik vorausgesetzt, vermutlich bei jenen westdeutschen Branchen besonders stark vermindern, die in relativ starkem Ausmaß Produktionsfaktoren beanspruchen, die in der BRD knapp sind.

– Dies trifft sicherlich auf rohstoffintensive Branchen zu, deren Standort vornehmlich durch die Verfügbarkeit der jeweiligen Rohstoffe bestimmt wird. Da diejenigen Entwicklungsländer, die mit Rohstoffen reichlich ausgestattet sind, beabsichtigen, stärker als in der Vergangenheit ihre Rohstoffe im eigenen Lande zu verarbeiten, werden sie uns mehr und mehr mit rohstoffintensiven Industriewaren beliefern. Die westdeutsche Nahrungs- und Genußmittelindustrie, die Ledererzeugung, die Säge- und Holzbearbeitungswerke sowie die NE-Metallindustrie, die alle zusammen schon seit einigen Jahren einen der Schwerpunkte der Importkonkurrenz aus Entwicklungsländern bilden, werden infolgedessen relativ (u. U. auch absolut) schrumpfen müssen. Dies ist nicht nur allokationspolitisch erwünscht. Es ist auch von der Umweltbelastung einiger rohstoffintensiver Industrien (insbesondere NE-Metallhütten) her gesehen kein Nachteil.

– Einem verschärften Anpassungsdruck werden auch jene Branchen ausgesetzt sein, die relativ arbeitsintensiv (und lohnintensiv) produzieren und vergleichsweise wenig Einsatz an Sachkapital und qualifizierten Arbeitskräften (also an Ausbildungskapital) erfordern. Es handelt sich hierbei um verbrauchsnahe Industrien, so z. B. um die Holzverarbeitung, die Textilindustrie, die Bekleidungsindustrie, die Lederverarbeitung, die Schuhindustrie, die Elektrotechnik sowie die Musikinstrumenten-, Spiel- und Sportwarenindustrie. All diese Branchen sind natürlich heterogen, d. h. nicht alle Teilbereiche der jeweiligen Produktion werden gleichermaßen arbeitsintensiv sein; ja einige mögen sogar relativ viel Sach- und Ausbildungskapital beanspruchen und infolgedessen – aus ökonomischer Sicht zu Recht – den Standort in der BRD beibehalten. Doch dies kann nicht darüber hinwegtäuschen, daß die jeweiligen Branchen insgesamt, solange sie das komplette Produktionsprogramm aufrechterhalten, aus den strukturellen Schwierigkeiten, in denen sie sich heute schon befinden, nicht herauskommen. Zu groß ist das Lohngefälle zwischen der BRD und den Entwicklungsländern (die südeuropäischen Länder eingeschlossen), als daß bei wirksamem Angebotsdruck aus diesen Ländern unsere Unternehmen über hinreichend große Preiserhöhungsspielräume verfügen würden, mit denen sie knappheitsbedingte Lohnkostensteigerungen auffangen können, ohne eine fühlbare Kompression der Gewinnmargen hinnehmen zu müssen.«[3]

Wird das Postulat der überfälligen Strukturbereinigungen metropolitaner Ökonomien (die Äußerungen zur BRD stehen hier nur als Beispiele) mit *entwicklungspolitischen* Überlegungen gekoppelt, dann wird die Verlagerung unterdurchschnittlich produktiver Industriezweige aus den Metropolen in die Peripherien häufig als ein längst überfälliger Schritt auf dem Wege zu einer stärkeren *Durchrationalisierung der internationalen Ökonomie* begriffen.[4] Demnach sollten sich die Metropolen auf technologie- und kapitalintensive Produktion spezialisieren, während die »natürlichen« Standortvorteile der Peripherien in rohstoff- und arbeitsintensiver Produktion gesehen werden. Während rohstoff- und arbeitsintensive Industriezweige in den Metropolen an Strukturschwäche leiden würden, könnten sie in Ländern mit reichlich verfügbaren Rohstoffen und reichlich verfügbarer billiger Arbeitskraft sich als besonders vorteilhaft herausstellen. Überdies wird davon ausgegangen, daß sich mit der Eingliederung billiger Arbeitskräfte in derartige, in die Entwicklungsländer zu verlagernde Produktionsbereiche ein Teil des Arbeitslosenpotentials dieser Länder aufsaugen ließe. Damit könnte eine der gegebenen Faktorausstattung entsprechende Produktion in Gang gebracht werden, die der gesamtwirtschaftlichen Lage dieser Länder angemessener wäre als die in den vergangenen Jahrzehnten verfolgte Industrialisierung auf der Grundlage von meist sehr kapital- und technologieintensiven Industrieanlagen (sogenannte Importsubstitutions-Industrialisierung). Mit den in solchen »angemessenen« Produktionsstätten erzeugten Gütern könnten die Länder der Dritten Welt – so eine weitere These – eine neue Exportoffensive einleiten, die es ihnen ermöglichen würde, das in den vergangenen Jahren verlorengegangene Terrain im internationalen Handel zurückzugewinnen – eine Außenhandelspolitik, welche für die Entwicklungsländer um so erfolgreicher sein müßte, je mehr heute noch existierende protektionistische Importschranken in den metropolitanen Ökonomien (Zölle, Kontingentierungen, nichtzollmäßige Handelshemmnisse u. dgl.) beseitigt würden.[5]

Mit Hilfe einer Verlagerung unterdurchschnittlich produktiver Branchen aus den Metropolen in die Peripherien könnte es den metropolitanen Ökonomien gelingen, zum einen Strukturengpässe zu überwinden und zum anderen durch eine Konzentration ihrer Aktivitäten auf kapital- und technologieintensive Produktionsbereiche ein hypothetisch unterstelltes, heute nur latent vorhandenes Wachstumspotential zu aktualisieren.[6] Gleichzeitig könnte eine solche Strukturpolitik mit einer dezidiert liberalen Außenhandels- und Entwicklungspolitik gekoppelt werden, wobei zwei Probleme gleichzeitig gelöst werden könnten: zum einen (wenigstens zum Teil) die unleugbar wachsende Arbeitslosigkeit in den Ländern der Dritten Welt und zum anderen der drohende weitere Terrainverlust des Exportanteils dieser Länder am internationalen Handel – eine Erscheinung, die in der These von der wachsenden Desintegration der Entwicklungsländer aus dem Welthandel ihren Niederschlag gefunden hat.[7]

Im folgenden sollen nicht jene Argumente diskutiert werden, die sich auf die postulierte überfällige Strukturbereinigung in den metropolitanen Ökonomien beziehen; auch sollen nicht die Chancen erörtert werden, welche die Entwicklungsländer potentiell hinsichtlich des Absatzes von lohn- und rohstoffintensiven Gütern auf metropolitanen Märkten haben.[8] Die folgenden Überlegungen beziehen sich vielmehr auf eine Einschätzung der Verlagerungsvorgänge *aus entwicklungspolitischer Perspektive,* wobei davon auszugehen ist, daß die Auslagerung von unterdurchschnittlich produktiven Industriezweigen ein Vorgang ist, der lange begonnen hatte, bevor er in der akademischen Diskussion aus struktur- und entwicklungspolitischen Gründen als besonders sinnvoll propagiert wurde.[9] Läßt sich der Aufbau von industriellen Produktionsstätten in den Peripherien im Rahmen von *Anlagerungsindustrialisierung* – so wollen wir den Vorgang aus der Perspektive der Entwicklungsländer bezeichnen – *entwicklungspolitisch* derart nutzen, daß zentrale Strukturschwächen peripherer Ökonomien überwunden würden?

## 2. Billige Arbeitskraft als Grundlage ungleicher Entwicklung

Das Grundproblem der auf die Industrieverlagerung bezogenen entwicklungspolitischen Argumentation liegt in der Feststellung, daß die Entwicklungsländer über *ein reichliches Angebot an billigen* (unqualifizierten oder wenig qualifizierten) *Arbeitskräften* verfügen, deren extrem niedrige Entlohnung diesen Ökonomien einen potentiellen Standortvorteil gegenüber der weit besser entlohnten metropolitanen Arbeitskraft verschafft. Dieser Tatbestand ist, so beschrieben, als solcher nicht zu leugnen: Die Gesellschaften und Ökonomien der Dritten Welt zeichnen sich durch eine hohe offene und versteckte Arbeitslosigkeit aus[10], deren Folgewirkungen sich im Extremfall in der sogenannten Marginalität weiter Bevölkerungsschichten dokumentieren.[11]

In den entwicklungspolitisch wohlmeinenden Plädoyers für eine Industrieverlagerung unterdurchschnittlich produktiver Betriebe werden jedoch, bewußt oder unbewußt, die Gründe für die Existenz einer derart hohen Anzahl von arbeitslosen, unterbeschäftigten und marginalisierten Arbeitskräften nicht erörtert; das reichliche Angebot an billigen und brachliegenden Arbeitskräften wird als statistische Größe lediglich registriert. Werden Gründe genannt, so ergeben sie sich meist aus einer Kritik der ersten Phase einer gesamtwirtschaftlich kostspieligen Industrialisierung (sogenannte Importsubstitutions-Industrialisierung), die bekanntlich zur Produktion von kapital- und technologieintensiven Gütern für eine gehobene, diversifizierte Nachfrage einkommensstarker Schichten und damit zu erheblichen Strukturverzerrungen in peripheren Ökonomien geführt hat. *Doch die diagnostizierten Verzerrungen sind nur der Reflex tiefliegender gesamtgesellschaftlicher und gesamtwirtschaftlicher Strukturdefekte.*[12] Will man begreifen, aus welchen Gründen Arbeitskraft in Peripherien extrem billig ist oder gar brachliegt, so muß tiefer als an einer Kritik der Importsubstitutions-Industrialisierung angesetzt werden. Anzusetzen ist bei einer *Diagnose der strukturellen Defekte abhängiger Akkumulation*, die das historische Ergebnis der asymmetrischen Eingliederung Lateinamerikas, Afrikas und Asiens in den kapitalistischen Weltmarkt sind.

Auf der Grundlage vielfältiger theoretischer und empirischer Forschungen der vergangenen Jahre kann gezeigt werden, daß folgende Faktoren zur Entstehung einer Vielzahl von billigen und brachliegenden Arbeitskräften in peripheren Ökonomien beigetragen haben[13]:

– die *Zerrüttung vorkolonialer Gesellschafts- und Wirtschaftsstrukturen* durch Raub- und Plünderungskolonialismus;

– die Eingliederung politisch und wirtschaftlich zwangsmäßig balkanisierter Gesellschaften und Ökonomien Lateinamerikas, Afrikas und Asiens (als Kolonien, Quasi-Kolonien oder formal unabhängige staatliche Gebilde) in eine *ungleiche internationale Arbeitsteilung;*

– die Herausbildung von *ökonomisch defekten Wirtschaftskreisläufen,* z. B. in Form von Monokultur-Ökonomien der Enklaven-Ökonomien. Die im Einzelfall mehr oder weniger tiefgreifende Umfunktionierung des der Enklave nachgeordneten Hinterlandes auf die jeweiligen Bedürfnisse der Enklave (Boom- und Stagnationsphasen) spielt dabei für die Zerrüttung überkommener Subsistenzökonomie, der sogenannten *économie domestique,* eine wichtige Rolle;

– die Herausbildung eines *peripheren Akkumulationsmodells:* Die lebensfähige Ökonomien auszeichnende Grundverbindung einer Landwirtschaft, deren Produktivität sich steigert, einer Investitionsgüterindustrie, die für die Landwirtschaft und den Konsumsektor erforderliche Inputs größtenteils an Ort und Stelle zu produzieren imstande ist, und einer Konsumgüterindustrie, deren Produkte Massenkonsumbedürfnisse befriedigen, kommt nicht zustande. Die in den meisten peripheren Gesellschaften beobachtbare ursprüngliche Industrialisierung vermag diesen Grunddefekt nicht zu beheben; seine bleibende Bedeutung dokumentiert sich in der wachsenden Abhängigkeit dieser Gesellschaften von metropolitaner Technologie und metropolitanen Kapitalgütern; ferner in der Unfähigkeit, den in der überwiegenden Zahl der Fälle relativ großen Binnenmarkt allmählich zu erschließen; in dem Unvermögen, in vielen Fällen die eigene Bevölkerung zu ernähren, obgleich die Mehrzahl der Menschen oft noch in der Landwirtschaft lebt; kurz: in dem völligen *Versagen, die Masse der Menschen produktiv in den Reproduktionsprozeß einzugliedern, ihr Arbeit und Einkommen zu geben und damit eine Grundlage für die Überwindung von Armut zu schaffen.*

Diese hier nur knapp beschriebene, an anderer Stelle im einzelnen analysierte Reproduktionsstruktur ist die *Produktionsstätte von billiger Arbeitskraft, von Arbeitslosigkeit und Marginalität.* »Brachliegende Arbeitskräfte« sind also nicht eine naturgegebene ökonomische Faktorausstattung traditionaler Gesellschaften, sondern ein historisches Produkt der vielfältig untersuchten Umfunktionierung vorkolonialer Gesellschaften in Peripherie-Ökonomien; *sie sind ein Ergebnis abhängiger, im Unterschied zu autozentrierter, Akkumulation.* Die Indienststellung *solcher* billigen und brachliegenden Arbeitskraft ist deshalb gleichbedeutend mit der Manipulation an einem Symptom.

Durch die Anlagerungsindustrialisierung sollen spezifische Verzerrungen der verfolgten Industrialisierungspolitik (Importsubstitution unter starkem Protektionismus und für eine einkommensstarke Konsumnachfrage) korrigiert werden. Doch das Korrektiv bleibt, gemessen an den bestehenden gesamtwirtschaftlichen Strukturdefekten, oberflächlich und konterproduktiv. Denn durch den Aufbau rohstoff- und arbeitsintensiver Anlagerungsindustrien werden die für jede lebensfähige Ökonomie grundlegenden Vorwärts- und Rückwärtsverflechtungen von landwirtschaftlicher, Investitions- und Massenkonsumgüter-Produktion (im oben beschriebenen Sinne) nicht zuwege gebracht. *Die Bruchstückhaftigkeit der Anlagerungsindustrialisierung dokumentiert sich spektakulär in ihrem sozioökonomischen und soziogeographischen Enklavencharakter.* Die *Freie Produktionszone* ist nichts anderes als eine Neuauflage von Enklavenwirtschaft, nunmehr auf höherem industriellen Niveau, allerdings mit gleich katastrophalen Folgewirkungen.[14] Wo die Anlagerungsindustrialisierung sich auf eine sogenannte *Komponentenproduktion* beschränkt, d. h. auf die Erstellung arbeitsintensiver Teilprodukte eines letztlich in den Metropolen hergestellten komplizierten Endproduktes, zeigt sich der fragmentarische Charakter solcher Industrialisierung (oder sollte man eher Pseudo-Industrialisierung sagen?) noch deutlicher.[15] Es überrascht deshalb auch nicht, daß Input-Output-Analysen den Mangel an Verflechtungseffekten solcher Aktivitäten mit der lokalen Ökonomie nachweisen. Es ist auch nicht überraschend, daß diejenigen Länder, die sich auf eine derartige neue Phase ihrer Industrialisierung eingelassen haben, nicht anders als die Länder mit forcierter Importsubstitutions-Industrialisierung einen wachsenden Teil ihrer Exporterlöse zur Finanzierung der Kapitalgüterimporte aus den Metropolen aufzubringen genötigt sind. Auch ist nicht verwunderlich, daß die von solcher Anlagerungsindustrialisierung erhoffte Entlastung der Zahlungsbilanz bisher kaum eingetreten ist. Aufgrund der dem metropolitanen Kapital vom lokalen Staatsapparat eingeräumten Vergünstigungen (Bereitstellung der industriellen Infrastruktur wie Elektrizitätsversorgung, Kommunikationsnetze, Hafenanlagen, Flughafen usw.; Steuernachlässe, Befreiung von Zöllen usf.) entstehen der peripheren Ökonomie, *gesamtwirtschaftlich gesehen*, erhebliche Kosten, deren Amortisation auch unter Zugrundelegung eines langfristigen Kosten-Nutzen-Kalküls höchst fragwürdig ist.[16] Da die lokalen Staatsapparate und Bourgeoisien innerhalb der Dritten Welt um industrielle Anlagerungsprojekte untereinander wetteifern, ist die Position des weltweit operierenden metropolitanen Kapitals gestärkt worden.[17]

*Billige Arbeitskraft war immer schon und ist auch heute noch die Grundlage für die ungleiche Entwicklung von Metropolen und Peripherien.* Sie ist die entscheidende Bedingung für den Transfer ökonomischen Surplus' aus den Peripherien in die metropolitanen Ökonomien. Dies war während des durch Zwangsarbeit gekennzeichneten Raub- und Plünderungskolonialismus der Fall; auch zur Zeit des Konkurrenzkapitalismus, als sich die Strukturen ungleicher internationaler Arbeitsteilung zwischen Metropolen und Peripherien herausbildeten, kam die Existenz billiger Arbeitskraft in den damals arbeitsteilig in den Weltmarkt eingegliederten Peripherien der Verbilligung landwirtschaftlicher und mineralischer Produkte zugute, die in den Metropolen die Profitabilität industrieller Aktivitäten maßgeblich erhöhte. Allerdings wurden seinerzeit in der Regel die negativen Effekte der stofflich asymmetrischen Tauschstruktur zwischen Metropolen und Peripherien durch Austauschbeziehungen zugunsten der Peripherien aufgefangen – die Arbeitskraft war sowohl in den Metropolen als auch in den Peripherien damals überaus billig.[18] Die langfristige

Problematik des Gütertausches zwischen Metropolen und Peripherien ist für jene Periode vor allem in der nachhaltigen Verzerrung der Reproduktionsstruktur kolonialer Gesellschaften zu sehen; sie wurden zu Peripherie-Ökonomien im strikten Sinne des Begriffes, die ihre autonome Lebensfähigkeit im Maße ihrer Integration in einen asymmetrisch strukturierten und von den kapitalistischen Metropolen dominierten Weltmarkt verloren haben.

Die Weiterentwicklung des Konkurrenzkapitalismus zum hochmonopolisierten Kapitalismus führte nach 1880 und insbesondere im Laufe der vergangenen Jahrzehnte zu einer wachsenden Internationalisierung der Warenproduktion und zu einer verstärkten Unterordnung jener Teile peripherer Ökonomien unter die Dominanz kapitalistischer Produktionsweise, die im strengen Sinne des Begriffes selbst noch nicht als durchkapitalisiert bezeichnet werden können (formelle im Unterschied zur realen Subsumtion).[19] Während es im metropolitanen Kapitalismus in dieser Phase, langfristig gesehen, zu einer korrespondierenden Entwicklung von Produktivkraftentfaltung und Reallohnsteigerung gekommen ist (und damit u. a. auch zu einer weiteren Erschließung der metropolitanen Binnenmärkte für Massenkonsum), ist eine solche Entwicklung in peripheren Ökonomien nicht zu beobachten.[20] Die aus der ungleichen internationalen Arbeitsteilung resultierende defekte Reproduktionsstruktur peripherer Ökonomien erlaubt die Bereitstellung einer Armee von billigen Arbeitskräften.[21]

## 3. Ungleicher Tausch und die Internationalisierung von Kapital und Arbeit

So kommt es bei wachsenden metropolitanen Investitionen im Rohstoffbereich, in der importsubstituierenden Konsumgüterindustrie und in Anlagerungsindustrien zum Einsatz dieser billigen Arbeitskraft in Branchen, deren Produkte *Weltwaren* (Kupfer, Öl, Gummi, Fleisch usf.) und nur in den seltensten Fällen Waren spezifischer Natur (tropische Genußmittel) sind. Werden solche Waren in weltweit operierenden Verbundsystemen von Produktion und Handel hergestellt und vermarktet und werden diese Waren sowohl in den Metropolen als auch (in wachsendem Maße) in den Peripherien konsumiert, so begründet sich damit der *internationale Charakter einer weltweit operierenden kapitalistischen Produktion*, durch die die kapitalistische Weltwirtschaft heute mehr denn je zuvor als ein eigenständiges System konstituiert wird.[22] Die neuere entwicklungstheoretische Diskussion hat erkennen lassen, daß dieses System auch in jenen Bereichen erhebliche Folgewirkungen zeitigt, die keineswegs der kapitalistischen Produktionsweise direkt untergeordnet sind.[23]

Unter der Voraussetzung des *internationalen* Charakters der kapitalistischen Güterproduktion *(Produktion von Weltwaren)* kommt es bei einer *wachsenden internationalen Mobilität von Kapital- und Warenströmen* und einer gleichzeitigen *relativen Immobilität von Arbeitskraft* aufgrund der historisch gewachsenen Unterschiede von metropolitaner und peripherer Ökonomie zu einer kraß *ungleichen Entlohnung metropolitaner und peripherer Arbeitskraft*, obgleich die Produktion von Gütern ein und desselben Typs in Metropolen und Peripherien *mit gleicher Produktivität* erfolgt, d. h. unter Einsatz ein und derselben Technologie, sei sie nun – wie im Falle von importsubstituierenden Produktionsstätten und bei der Produktion von Rohstoffen – in der Tendenz eher *kapitalintensiv* oder – wie im Falle der Anlagerungsindustrien – eher *arbeitsintensiv*.[24] *Eine Produktion von Weltwaren, die weltweit mit gleicher (hoher oder niedriger) Produktivität und krasser ungleicher Entlohnung erfolgt, stiftet die Bedingungen einer ungleichen Ausbeutung von Arbeitskraft in Metropolen und Peripherien.*[25] In peripheren Ökonomien kann die reichlich verfügbare Arbeitskraft niedrig entlohnt werden, weil die defekte Reproduktionsstruktur eine Vielzahl von billigen Arbeitskräften ständig reproduziert. Die hohe Ausbeutungsrate von Arbeitskraft kommt jedoch nicht nur durch die faktische Verfügung des metropolitanen und lokalen Kapitals über eine unvergleichlich *große industrielle Reservearmee* zustande, sondern auch durch zusätzliche Verbilligung von Arbeitskraft aufgrund spezifischer Leistungen der nicht-durchkapitalisierten Sektoren peripherer Ökonomien wie der *économie domestique*, der Subsistenz-Landwirtschaft, die für die proletarisierten Menschenmassen in urbanen Zentren viele Funktionen existentieller Reproduktion und sozialer Rückversicherung übernehmen.[26] (Derartige Funktionen sind im Falle von Wanderarbeitern und zwangsmäßig angelegten Bevölkerungsreservaten besonders deutlich; ihre symbiotische Rolle bei der Verbilligung von Arbeitskraft ist jedoch auch außerhalb der genannten beiden Fälle von allgemeiner Bedeutung.)

Die weltweit operierende Produktion und Distribution von Weltwaren – Ausdruck der wachsenden *Internationalisierung von Kapital und Arbeit*[27] – erfolgt unter Bedingungen, die jenen Prozeß in Gang setzen, der in der neueren imperialismustheoretischen Diskussion als *ungleicher Tausch im engeren Sinne* bezeichnet wird.[28] Dieser besteht in der Fähigkeit des metropolitanen Kapitals, in der Peripherie die Arbeitskraft in höherem Maße auszubeuten als im Zentrum. Die Produktion von Weltwaren bei gleicher Produktivität, aber ungleicher Mehrwertrate in Metropolen und Peripherien führt zu dieser Form des ungleichen Tausches, der seit dem Beginn von produktiven Investitionen des metropolitanen Kapitals in Peripherie-Ökonomien die *ungleiche Entwicklung* von Metropolen und Peripherien begründet hat, wobei die Herausbildung deformierter Reproduktionsstrukturen in der früheren Phase eine entscheidende Voraussetzung für die Entfesselung einer ungleichen Entwicklungsdynamik in Metropolen und Peripherien war. Raub und Plünderung, ungleiche internationale Arbeitsteilung und deformierte Reproduktion, Internationalisierung von Kapital und Arbeit und ungleicher Tausch – dies sind die Stufen der Herausbildung ungleicher Entwicklung *mit der ständigen Reproduktion billiger Arbeitskräfte als Grundlage.*

Unter diesen Gesichtspunkten muß die Indienststellung billiger Arbeitskräfte von peripheren Ökonomien für rohstoff- und arbeitsintensive Anlagerungsproduktionen des metropolitanen Kapitals als eine Fortsetzung und Verschärfung der überkommenen asymmetrischen Beziehungsstruktur zwischen Metropolen und Peripherien begriffen werden. Dabei geht es nicht nur um eine *Fortschreibung ungleicher Arbeitsteilung auf nunmehr höherem Niveau*, früher: mineralische und landwirtschaftliche Rohstoffe gegen industrielle Fertigprodukte, heute: Rohstoffe und rohstoff- und arbeitsintensive industrielle Produkte gegen Kapitalgüter, Technologie und landwirtschaftliche Erzeugnisse[29]; diese Asymmetrie wäre allein schon Grund genug, unter entwicklungspolitischen Gesichtspunkten die höherstufige Form einer ungleichen Arbeitsteilung angesichts der ungleichen *spin-off*-Effekte in Metropolen und Peripherien zu verwerfen. Der gründlichere Einwand gegen Anlagerungsindustrialisierungen ist, daß hier die ungleiche Entwicklung zwischen Metropolen und Peripherien mit Mitteln angeblich eingedämmt oder gar aufgehoben werden soll, die ihrerseits gerade die Herausbildung ungleicher Entwicklung ursächlich gefördert haben. *Billige oder brachliegende Arbeitskraft für solche Tätigkeiten zu mobilisieren, ist geradezu ein Instrument, die überkommene (»ungerechte und unbillige«) Weltwirtschaftsordnung aufrechtzuerhalten.*[30]

## 4. Schlußbemerkung

Eine Überwindung des ungleichen Tausches und mit ihm der Grundlage für die ungleiche Entwicklung von Metropolen und Peripherien wäre nur dann denkbar, wenn die Strukturdefekte peripherer Ökonomien beseitigt werden könnten, d. h. wenn die Masse der Arbeitskräfte in Peripherien produktiv in den gesamtwirtschaftlichen Reproduktionsprozeß eingegliedert würde. Die gegebene Struktur peripherer Ökonomien ist aber gerade darauf angelegt, kontinuierlich billige Arbeitskraft bereitzustellen, und da die Anlagerungsindustrialisierung, genauso wie die metropolitanen Aktivitäten im Rohstoffbereich, in den Importsubstitutions-Industrien und neuerdings auch bei Agro-Business-Aktivitäten nicht darauf gerichtet ist, die Defekte von Peripherie-Ökonomien zu beheben, um aus Peripherien kohärente gesellschaftliche und wirtschaftliche Gebilde werden zu lassen, muß auch diese neuere Aktivität des metropolitanen Kapitals in Peripherien als diesen abträglich bestimmt werden. Im übrigen erfassen die Anlagerungsaktivitäten nur einen kleinen Teilbereich peripherer Ökonomien, weshalb die Masse der vorhandenen billigen, arbeitslosen und marginalisierten Arbeitskräfte nicht ihre überkommene faktische Rolle als kontinuierlich bereitstehende und einsatzfähige industrielle Reservearmee verliert.[31]

Angesichts der aufgezeigten Grundprobleme peripherer Ökonomien sind die programmatischen entwicklungspolitischen Äußerungen über die wohltuenden Wirkungen der Auslagerung unterdurchschnittlich produktiver Branchen aus den Metropolen in die Peripherien – so wohlmeinend sie gedacht sein mögen – nichts weiter als ein frommer Wunsch. Erstens vollzieht sich dieser Prozeß ungeachtet und außerhalb aller entwicklungspolitischen Programmatik an und für sich; er resultiert aus Strukturproblemen des metropolitanen Kapitalismus, deren Lösung ein Beitrag zur Durchrationalisierung metropolitaner Ökonomie ist. Zweitens treffen die Auslagerungsaktivitäten auf Ökonomien, die angeblich alle Vorteile besitzen, die hier als strukturschwach eingestuften Industriezweige aufzunehmen, um sie auf der Grundlage angemessener Standortvorteile in neuer Umgebung zu neuen Wachstumsindustrien zu machen. Daß auch dieses Wachstum sich *nicht* in Entwicklung übersetzt, wird, ähnlich wie während der ersten entwicklungspolitisch gescheiterten Phase der Industrialisierung in Peripherien, geflissentlich übersehen.[32] Beide Tatbestände, die Logik der Auslagerung und die Logik der Anlagerung, sind durch flankierende staatliche Maßnahmen hier und dort nur marginal verrückbar. Deshalb ist es wichtig, auch in Zukunft die mit diesen Vorgängen verbundene entwicklungspolitische Programmatik nicht mit der in der Wirklichkeit sich durchsetzenden weitergehenden Rationalisierung der internationalen Ökonomie zu verwechseln – eine Durchrationalisierung, welche keineswegs geeignet ist, die überlieferten defekten Reproduktionsstrukturen von Peripherie-Ökonomien überwinden zu helfen.

Nur eine auf die Erschließung des eigenen Binnenmarkts bezogene Landwirtschaft, eine Investitions- und Massenkonsumgüterindustrie koordinierende Produktivkraftentfaltung könnten zu einer schrittweisen Eingliederung der Masse der Bevölkerung in gesamtwirtschaftlich produktive Tätigkeiten und zu einer dem jeweiligen Stand der Entwicklung entsprechenden Steigerung der Realeinkommen führen. *Ein solches Entwicklungsszenario setzt jedoch*, aus verschiedenen Gründen, *den Bruch mit dem metropolitanen Kapitalismus voraus, weil nur* – wie in einschlägigen Fällen bewiesen – *unter derartigen dissoziativen Vorzeichen eine umfassende und ko-*

*härente Mobilisierung von Produktivkraft mit dem Ziel der Befriedigung von Massenbedürfnissen erreicht werden kann.*[33]

Es überrascht kaum, daß diese historisch belegbare und theoretisch begründbare Alternative in der gängigen wirtschaftswissenschaftlichen und entwicklungspolitischen Diskussion, die in der Regel die Durchliberalisierung der Weltwirtschaft zum Ziel hat, unberücksichtigt bleibt. Dieser Tatbestand läßt sich nur soziologisch erklären. Die Forderung nach einer weiteren Liberalisierung der gegebenen kapitalistischen Weltwirtschaft ist Ausdruck metropolitaner Interessen; ihr liegt das eingangs erörterte Bedürfnis einer Strukturbereinigung des *metropolitanen* Kapitalismus zugrunde. Da die Eliten der Dritten Welt – Opfer und Agenten abhängiger Reproduktion – in den internationalisierten Kernbereich dieses von den Metropolen beherrschten kapitalistischen Weltwirtschaftssystem eingegliedert sind, überrascht es kaum, daß auch von ihrer Seite eine weitergehende Liberalisierung der internationalen Ökonomie mit dem Ziel gefordert wird, die eigenen Ökonomien unter Ausnutzung spezifischer Standortvorteile verstärkt in die internationale Ökonomie zu reintegrieren. Davon erhoffen sie sich – fälschlicherweise – die Lösung einiger akuter gesamtwirtschaftlicher Probleme, insbesondere den Abbau der Arbeitslosigkeit und Marginalisierung breiter Bevölkerungsschichten.

Ungeachtet aller normativen wirtschaftstheoretischen und entwicklungspolitischen Überlegungen verlaufen der strukturbereinigende Auslagerungsprozeß und die Eingliederung der entsprechenden Industriezweige in die Peripherien keineswegs unter den Vorzeichen einer sinnvollen abgerundeten entwicklungspolitischen Planung. Da es sich um einen in erster Linie *privatwirtschaftlichen Vorgang* handelt, in dem die Rationalität von Einzelkapitalen vorherrscht[34], steht zwar eine Durchrationalisierung der metropolitanen Ökonomien zu erwarten (obgleich es auch hieran begründete Zweifel gibt); ein vergleichbarer Effekt in Peripherie-Ökonomien indes ist gänzlich unwahrscheinlich, da die entsprechenden politischen Voraussetzungen fehlen. Auch ist eine »Bereinigung« der asymmetrischen Beziehungsstruktur zwischen Metropolen und Peripherien (einschließlich der über sie erfolgenden Transferleistungen der Peripherien an die Metropolen) nicht absehbar.[35] *Der ungleiche Tausch wird durch Anlagerungsindustrialisierung auf neuer Ebene institutionalisiert.* Das Einvernehmen zwischen den metropolitanen Regierungen und denen der Dritten Welt hinsichtlich der von beiden Seiten oft gewünschten Beschleunigung des hier erörterten Prozesses sollte nicht über dessen Sozialschädlichkeit in den Peripherien hinwegtäuschen. Das soziale Elend der Bevölkerungsmehrheit in den Peripherien wird durch diese neue Variante von »Entwicklungspolitik« nicht behoben. Von welchen entwicklungspolitischen Bezugspunkten her die Ausbeutung von Arbeitskraft in Anlagerungsindustrien, insbesondere im Falle von Freien Produktionszonen, sich rechtfertigen lassen sollte, wenn nicht unter kruden Wachstumskriterien, bleibt ein Rätsel.

Es wäre gut, sich heute schon auf das Scheitern dieser »Entwicklungspolitik« einzustellen, da auf der Grundlage bisheriger Erfahrungen und mit Hilfe einer empirisch gehaltvollen Theorie peripherer Ökonomien prognostiziert werden kann, daß über diese Form der modifizierten internationalen Arbeitsteilung die akuten Grundprobleme der Dritten Welt nicht gelöst werden.[36]

*Anhang:* Rangfolge von 45 Entwicklungsländern, bezogen auf deren Export von Gütern der Leichtindustrie (1971).

| | Export pro Kopf | Exporte in Mio. $ | Bevölkerung in Mio. | BSP pro Kopf |
|---|---|---|---|---|
| 1. Hongkong | 478,0 | 1 913 | 4,0 | 1 007 |
| 2. Singapur | 74,0 | 148 | 2,1 | 1 160 |
| 3. Taiwan | 59,0 | 886 | 15,0 | 416 |
| 4. Israel | 42,7 | 128 | 3,0 | 1 823 |
| 5. Südkorea | 16,0 | 522 | 31,9 | 261 |
| 6. Jugoslawien | 16,0 | 346 | 20,5 | 730 |
| 7. Zypern | 10,0 | 6 | 0,6 | 1 053 |
| 8. Uruguay | 7,6 | 23 | 2,9 | 697 |
| 9. Jamaika | 7,5 | 15 | 1,9 | 729 |
| 10. Mexiko | 7,0 | 334 | 50,8 | 689 |
| 11. Trinidad und Tobago | 7,0 | 7 | 1,0 | 933 |
| 12. Iran | 5,6 | 168 | 29,8 | 428 |
| 13. Libanon | 4,5 | 13 | 2,9 | 580 |
| 14. Haiti | 3,5 | 17 | 4,9 | 93 |

| | Export pro Kopf | Exporte in Mio. $ | Bevölkerung in Mio. | BSP pro Kopf |
|---|---|---|---|---|
| 15. Argentinien | 2,3 | 54 | 23,5 | 1 111 |
| 16. Marokko | 2,2 | 33 | 15,2 | 245 |
| 17. Tunesien | 2,2 | 11 | 4,5 | 331 |
| 18. Malaysia | 2,0 | 18 | 9,0 | 384 |
| 19. Pakistan | 1,7 | 202 | 116,5 | 79 |
| 20. Philippinen | 1,3 | 50 | 37,9 | 194 |
| 21. Brasilien | 1,1 | 106 | 95,4 | 421 |
| 22. Kenia | 1,1 | 12 | 11,7 | 140 |
| 32. Kolumbien | 1,0 | 23 | 21,8 | 315 |
| 24. Guayana | 1,0 | 1 | 0,7 | 360 |
| 25. Indien | 0,8 | 460 | 550,4 | 100 |
| 26. Algerien | 0,7 | 11 | 14,8 | 370 |
| 27. Ägypten | 0,7 | 24 | 34,1 | 207 |
| 28. Afghanistan | 0,7 | 13 | 17,5 | 90 |
| 29. Thailand | 0,5 | 17 | 35,3 | 181 |
| 30. Paraguay | 0,5 | 1 | 1,8 | 267 |
| 31. Honduras | 0,5 | 1 | 1,9 | 265 |
| 32. Tansania | 0,4 | 6 | 13,6 | 103 |
| 33. Senegal | 0,3 | 1 | 4,0 | 205 |
| 34. Dominikanische Republik | 0,3 | 1 | 4,2 | 382 |
| 35. Madagaskar | 0,3 | 2 | 6,2 | 150 |
| 36. Elfenbeinküste | 0,3 | 1 | 4,4 | 387 |
| 37. Kamerun | 0,2 | 1 | 5,0 | 195 |
| 38. Ekuador | 0,2 | 1 | 6,3 | 251 |
| 39. Ghana | 0,1 | 1 | 8,8 | 221 |
| 40. Nigeria | 0,1 | 8 | 56,5 | 149 |
| 41. Chile | 0,1 | 1 | 9,0 | 795 |
| 42. Indonesien | 0,1 | 4 | 124,9 | 69 |
| 43. Zaire | 0,1 | 1 | 22,5 | 114 |
| 44. Gabun | 0,0 | 0 | 0,5 | 775 |
| 45. Kongo | 0,0 | 0 | 0,9 | 260 |

*Quelle:* Thomas K. Morrison, *Case Study of a ›Least Developed Country‹ Successfully Exporting Manufactures: Haiti,* in: *Inter-American Economic Affairs,* Bd. 29, 1975, Nr. 1, S. 21–31, Tabelle S. 23.

# Deformierte Agrarstrukturen als Produktionsstätte von Sozialkatastrophen

## 1. Deformierte Agrarstrukturen

Anders als in früheren Jahren wird in der neueren entwicklungspolitischen Diskussion häufig auf die strategische Bedeutung des landwirtschaftlichen Sektors für den allgemeinen Entwicklungsprozeß einer Gesellschaft hingewiesen. Die »Wiederentdeckung« der Landwirtschaft ist das Ergebnis sich ausweitender Sozialkatastrophen in den Ländern der Dritten Welt. Die sogenannte Welternährungskrise und die UN-Welternährungskonferenz (Rom 1974) haben eine Fülle von Studien angeregt, in denen die Welternährungslage im einzelnen analysiert wurde.[1] So umfangreich das inzwischen vorliegende statistische Material ist, so wenig befriedigend ist die in solchen, meist offiziellen Veröffentlichungen angebotene Interpretation der strukturellen Ursachen der mangelnden Nahrungsmittelversorgung in der Dritten Welt.[2] Besonders unzulänglich ist der vielfach wiederholte Hinweis auf ungünstige klimatische Veränderungen (wie z. B. Dürreperioden in bestimmten Regionen der Dritten Welt), die als direkte Ursache für massenhaften Hungertod und massive Nahrungsmittelimporte verstanden werden.

Dieser oberflächlichen Interpretation steht die Erfahrung entgegen, daß lange vor den Dürreperioden das Problem einer einigermaßen ausreichenden Nahrungsmittelversorgung akut war, und daß auch in jenen Ländern, die keineswegs von abträglichen klimatischen Schwankungen heimgesucht wurden, in der Regel die Nahrungsmittelimporte in den vergangenen zwei Jahrzehnten allmählich angestiegen sind, um schließlich dramatische Ausmaße anzunehmen.[3] *Während die Nahrungsmittelproduktion für den Eigenbedarf in vielen Peripherien relativ stagnierte, war die weltmarktorientierte Produktion von Agrargütern in der Dritten Welt keineswegs rückläufig.* Im Hinblick auf Schwarzafrika, das in den vergangenen Jahren in spezifischen Regionen, z. B. der Sahel-Zone und

Äthiopien, am meisten unter Dürre zu leiden hatte, schrieb Michael Lofchie jüngst treffend:

»Wenn der landwirtschaftliche Sektor des unabhängigen Afrika unfähig war, ausreichend Nahrungsmittel zu produzieren, so war ihm doch ein enormer Erfolg in der Erzeugung von landwirtschaftlichen Exportgütern beschieden. Diese beiden Aspekte der Leistungsfähigkeit der afrikanischen Landwirtschaft stehen in äußerstem Kontrast zueinander, und in Ermangelung eines besseren Begriffs können sie als Afrikas Landwirtschaftsparadox bezeichnet werden: Ein Kontinent, der unfähig ist, ausreichend Nahrungsmittel zu produzieren, um die Mehrheit seiner Menschen mit wenigstens einer minimalen Grundernährung zu versorgen, ist doch fähig, starke Zuwächse in der jährlichen Produktion von Agrargütern zu erzielen, die für externe Märkte bestimmt sind. Während der zweiten Hälfte des vergangenen Jahrzehnts, als die Nahrungsmittelproduktion schon hinter der Zuwachsrate der Bevölkerung herzuhinken begann, stieg die Produktion von agrarischen Exportgütern um ungefähr 4% jährlich an. Obgleich diese Zahl nicht schrecklich hoch zu sein scheint, besteht ihre Bedeutung – in menschliche Größenordnungen übersetzt – doch darin, daß Länder, in denen massenhafter Hunger in den frühen 70er Jahren drohend bevorstand, zur gleichen Zeit zehn, wenn nicht Hunderte von tausend Tonnen Agrargütern in die Märkte Europas und der USA exportierten.«[4]

Lofchie macht darauf aufmerksam, daß gerade in dem dramatischen Fall von Mali, einem Sahel-Land, welches am meisten unter der Dürre gelitten hatte, die Nahrungsmittelproduktion für den lokalen Konsum in den frühen 70er Jahren steil abfiel, während zur selben Zeit die agrarischen Exportgüter Malis neue Absatzrekorde erzielten.

»Während des Erntejahres 1971/72 erreichte die Produktion von Baumwollsamen eine Rekordhöhe von 68 000 Tonnen, eine Zahl, welche einen mehr als 400%igen Zuwachs innerhalb einer Sechsjahresperiode widerspiegelt. Die Erdnußproduktion belief sich auf mehr als 150 000 Tonnen in diesem Jahr, eine Zunahme von fast 70% während einer Vierjahresperiode. Die Reisproduktion, die ebenfalls weitgehend für den Export bestimmt ist, erreichte eine Rekordhöhe von 74 000 Tonnen im Jahre 1972. Das Landwirtschaftsparadox nimmt eine besonders grausame Form an, wenn eines oder mehrere der agrarischen Exportgüter ein Grundnahrungsmittel ist, welches auch an Ort und Stelle konsumiert werden könnte.«[5]

Auch für Tanzania gilt, daß der Export von Agrargütern (wie Baumwolle, Kaffee, Sisal, Nüsse u. a.) hohe Quoten erreichte, während das Land gleichzeitig gezwungen war, zur Abwendung von Hunger massiv Nahrungsmittel zu importieren.

»So kann Tanzania nicht nur mit Mali hinsichtlich seiner Abhängigkeit von ausländischen Nahrungsmittelzufuhren verglichen werden, sondern auch hinsichtlich der eindrucksvollen, erfolgreichen Leistungen seiner exportorientierten Agrarökonomie. [. . .] Die Zahlen von Mali und Tanzania werden nur angeführt, um eine ungefähre Größenordnung eines Problems aufzuzeigen, das für zahllose andere afrikanische Gesellschaften charakteristisch ist: das Paradox einer krassen Leistungsdiskrepanz zwischen den beiden Bereichen landwirtschaftlicher Aktivitäten. Dies ist sowohl in Ländern feststellbar, wo die Dürre die Schwäche des Nahrungsmittel produzierenden Sektors bloßgestellt hat, als auch in anderen Ländern (die ohne Zweifel die Mehrheit ausmachen), wo die Nahrungsmittelproduktion sich selbst in besten Zeiten zwischen Stagnation und Desaster hin- und herbewegt. Das Landwirtschaftsparadox ist für eine politische Analyse des Hungers in Afrika von zentraler Bedeutung. [. . .] Falls Dürre die Erklärung ist, warum hat sie dann nicht die agrarischen Exportgüter gleichermaßen in Mitleidenschaft gezogen wie die Nahrungsmittelproduktion? Und warum gibt es einen Nahrungsmittelmangel, der in Ländern ohne Regenprobleme fast gleichermaßen akut ist wie in Dürreregionen?«[6]

Lofchie sieht den Grund für dieses offene Paradoxon in einer dualistischen Struktur der Landwirtschaft. Dieser Dualismus bestehe in der Zergliederung des landwirtschaftlichen Sektors auf der einen Seite in einen Untersektor, in dem bei großen Betriebsgrößen und relativ kapitalintensiver Produktion wenige Typen von Exportgütern produziert werden, und auf der anderen Seite in einen Untersektor, in dem die Mehrzahl der Menschen arbeitsintensiv und mit geringer Produktivität Nahrungsmittel für den lokalen Bedarf produzieren.

Diese Struktur des landwirtschaftlichen Sektors ist das direkte Resultat der Umfunktionierung lokaler Ökonomien auf die Importbedürfnisse der jeweiligen Metropolen und auf die heute dominanten Nachfragestrukturen des Weltmarktes. Es prägt nicht nur den davon unmittelbar betroffenen Sektor, also z. B. die exportorientierte Enklavenökonomie, sondern die Ökonomie als Ganzes, weshalb der Begriff Dualismus kaum geeignet ist, den empirisch korrekt diagnostizierten Sachverhalt hinreichend zu fassen.[7] Was im Agrarsektor zutage tritt, ist ein Moment struktureller Heterogenität, die die

Peripherie-Ökonomie insgesamt kennzeichnet. *Denn die strukturell pauperisierte, für den Eigenbedarf produzierende Landwirtschaft, einschließlich der noch weit verbreiteten Subsistenzökonomie, ist nur die Kehrseite der dynamischen exportorientierten Agrarproduktion* (agrarische Rohstoffe, Nahrungsmittel u. a.). Die Asymmetrie zwischen einem je nach Weltmarktnachfrage dynamisierten oder relativ stagnierenden exportorientierten Agrarsektor auf der einen Seite und einer relativ stagnierenden, strukturell benachteiligten Produktion von Nahrungsmitteln für den Eigenbedarf auf der anderen Seite ist das folgerichtige Ergebnis abhängiger (im Unterschied zu autozentrierter) Reproduktion.[8] Sowenig die Tiefenstruktur von Peripherie-Ökonomien durch die in den vergangenen Jahrzehnten beobachtbaren beachtlichen ökonomischen Wachstumsprozesse überwunden wurde, so wenig ist strukturelle Heterogenität abgebaut worden. Im Gegenteil, es gibt viele Indizien dafür, daß sich die Kluft zwischen den genannten Subsektoren im Agrarbereich (analog zu den im sekundären und tertiären Bereich erkennbaren Prozessen) vertieft und die strukturelle Heterogenität sich also verschärft hat.[9]

Die Asymmetrie zwischen den zitierten beiden Subsektoren, die in vielen empirischen Untersuchungen inzwischen analysiert wurde, besteht u. a. in einer erheblich *ungleichen infrastrukturellen Ausstattung*.[10] Während die Infrastruktur der exportorientierten landwirtschaftlichen Produktion (agrarische Wachstumspole) relativ fortgeschritten ist und hier der Zugang zu Land, Dünge- und Schädlingsbekämpfungsmitteln, neuen Saatgütern, Wasser, Kredit und Regierungssubventionen gesichert oder doch erheblich erleichtert ist, muß sich – wie viele neuere Untersuchungen der Weltbank aufgezeigt haben – die für den Eigenbedarf produzierende Landwirtschaft ohne derartige Ausstattungen kärglich am Leben erhalten.[11] So wird, abseits von privilegierten agrarischen Wachstumspolen, Rückständigkeit bei der Produktion von Nahrungsmitteln für den Eigenbedarf systematisch verstärkt. Dies gilt auch für die öffentlichen Dienstleistungen sowie im Hinblick auf die Chance, Agrargüter zu vermarkten. Auch hier sticht die krasse Asymmetrie zwischen den logistisch raffinierten internationalen Vermarktungssystemen, in welche die exportorientierte Agrarproduktion eingegliedert ist, einerseits, und den unterentwickelten Vermarktungssystemen innerhalb des nationalen Marktes bzw. von regionalen und subregionalen Märkten andererseits ins Auge.

Wie wenig die Subsektoren der Landwirtschaft von Peripherie-Ökonomien als voneinander getrennt aufgefaßt werden können (wie dies der Begriff »dualistische Agrarstruktur« suggeriert), zeigt sich vor allem in der gesamtwirtschaftlichen Funktion des für den Eigenbedarf produzierenden landwirtschaftlichen Subsektors. Neben der Produktion von billigen Nahrungsmitteln ist dieser Bereich von Peripherie-Ökonomien vor allem die »Produktionsstätte« einer Armee billiger Arbeitskräfte, zum einen für den Exportsektor im allgemeinen, zum anderen für die meist in den urbanen Zentren lokalisierten Industrien. Wo diese Arbeitskraft nicht mit unmittelbarem politischen Zwang für neue agrarische und industrielle Tätigkeiten mobilisiert wurde[12], hatte sie oft keine andere Wahl, als solchen Tätigkeiten nachzugehen, um die eigene Existenz und die der Familienangehörigen zu sichern, deren Überleben allein auf der Grundlage einer sich in wachsendem Maße pauperisierenden Subsistenzökonomie nicht garantiert ist. Dadurch wurde Arbeitskraft proletarisiert, ohne daß die von diesem Prozeß Betroffenen notwendigerweise in jeder Hinsicht zu Proletariern geworden wären.[13] Die »Hauswirtschaft« *(économie domestique)*, in der billige Arbeitskraft für die anderen ökonomischen Sektoren mobilisiert wird, hat u. a. auch die Funktion, diese Arbeitskraft wieder zu absorbieren, sobald sie in jenen anderen ökonomischen Bereichen, sei es aus konjunkturellen Gründen oder wegen Krankheit, Arbeitsunfähigkeit und Alter, keine Verwendung mehr findet. Dann werden die Fürsorgekosten einer nutzlos gewordenen Arbeitskraft auf die *économie domestique* zurückverlagert, die dann die Rolle einer Kranken-, Sozial- und Arbeitslosenversicherung zu übernehmen hat.[14]

Angesichts solcher symbiotischen Beziehungen zwischen dem landwirtschaftlichen Subsektor, in dem in der Regel in Peripherie-Ökonomien die Masse der Bevölkerung sich zu reproduzieren hat, und den übrigen, meist relativ durchkapitalisierten ökonomischen Sektoren wird deutlich, wie abwegig es ist, die im ländlichen Raum entstehende Masse von billigen Arbeitskräften als eine »natürliche Faktorausstattung« von

Peripherie-Ökonomien zu betrachten.[15] Dieses Heer billiger Arbeitskräfte ist das konsequente Ergebnis der Reproduktionsdynamik peripher-kapitalistischer Gesellschaftsformationen, nicht ein »notwendiges Übel«, an dessen Beseitigung die dominanten Gesellschaftsklassen ein vitales Interesse hätten. Billige Arbeitskraft trägt zur Senkung der Produktionskosten bei, und gelingt es, eine Reihe von Reproduktionskosten dieser Arbeitskraft der *économie domestique* aufzubürden (wie die schon erwähnten im Falle von Krankheit, Arbeitsunfähigkeit und Alter), so bestehen um so weniger Anreize, irgend etwas zu unternehmen, was die Reproduktionskosten von Arbeitskraft erhöhen würde und damit die Profitabilität von agrarischen und industriellen Unternehmen senken müßte.[16]

Da überdies die lokalen Regierungen und Staatsapparate alles andere als die Repräsentanten dieser Armee von billigen Arbeitskräften sind, liegt es auf der Hand, daß die in öffentlichen Haushalten verfügbaren Ressourcen eher an die ohnehin existierenden Wachstumspole zurückfließen als in jene ländlichen Bereiche, deren Infrastruktur weit weniger ausgebildet ist als die der agrarischen und industriell-urbanen Wachstumspole.[17] Ohne Druck von unten besteht für die Regierungen kein Anlaß, Maßnahmen zu ergreifen, die über kurz oder lang zu einer Erhöhung der Reproduktionskosten der im ländlichen Raum mobilisierten Arbeitskraft führen würden – und damit auch zu einer unausweichlichen Machtverlagerung in Peripherie-Gesellschaften zugunsten bisher extrem ausgebeuteter Arbeitskraft. Denn die Absatzchancen auf dem Weltmarkt und die Profitabilität eigenen Wirtschaftens hängen von der Existenz billiger Arbeitskräfte ab, während billige Nahrungsmittelpreise sowohl im Interesse der dominanten Klassen als auch der städtischen Bevölkerung insgesamt liegen; beide zusammen bilden in der Regel die soziologische Basis für den politischen Status quo, der sich kontinuierlich zu Lasten der Masse der ländlichen Bevölkerung auswirkt.

Diese oft als »archaisch« bezeichneten Agrarstrukturen bleiben erhalten, solange ihre Profitabilität garantiert ist. Da die Belastung des für den Eigenbedarf produzierenden landwirtschaftlichen Sektors erheblich ist und gleichzeitig Neuinvestitionen in seine Infrastruktur kaum stattfinden, ist seine

Zerrüttung ein konsequenter Ausdruck der gesamtwirtschaftlichen Funktionen, die er zu erfüllen hat.[18] Die wachsende Leistungsunfähigkeit mündet in akute Versorgungskrisen, die sich dann durch abträgliche klimatische Einwirkungen dramatisch verschärfen.

Während sich einerseits dieser Prozeß unerbittlich fortsetzt, ist auf der anderen Seite die forcierte »Modernisierung« von Teilbereichen der Landwirtschaft nicht zu übersehen.[19] Dies gilt für die Penetration des landwirtschaftlichen Sektors durch internationale Agro-Business-Konzerne, die mit kapitalintensiven modernen Betrieben für den Export oder den städtischen Binnenmarkt produzieren; dies gilt auch für national operierende Modernisierungsprogramme, die – wie die internationalen – zur Ausweitung von Landkonzentration, zu einer weiteren Nettofreisetzung von Arbeitskraft und damit zu einer weiteren Marginalisierung und Verarmung der Masse der ländlichen Bevölkerung beitragen, während sie auf der anderen Seite die Tendenz der Kulakisierung fördern.[20] Dieser Prozeß der Modernisierung von Landwirtschaft hat für das bestehende System den Vorzug, die Agrarproduktion im Rahmen überkommener Strukturen erhöhen zu können, während gleichzeitig Arbeitskraft billig bleibt. Da durch ihn eine nennenswerte neue Kaufkraft nicht geschaffen wird, liegt es nahe, daß die großangelegten Modernisierungsprojekte meist exportorientiert sind und sich an der metropolitanen Kaufkraft bzw. an der Kaufkraft einkommensstarker lokaler Sozialschichten orientieren. Die dysfunktionalen Folgen solcher Modernisierung bestehen in den sich kumulierenden, politisch kaum noch steuerbaren Folgeerscheinungen: in erzwungener Landflucht, exzessiver Verstädterung, Ausbreitung von absoluter Armut usf. – Erscheinungen, die inzwischen in vielen Berichten statistisch dokumentiert sind. Insbesondere hat eine vielfältige empirische Forschung über die Voraussetzungen und Folgephänomene der sogenannten Grünen Revolution erhärtet, daß eine derartige Modernisierung von Landwirtschaft die strukturelle Heterogenität des Agrarsektors nicht abbaut, sondern erweitert.[21] *Damit wird verhindert, daß sich im ländlichen Sektor ein Agrikultur-Manufaktur-Gefüge herausbildet, in dem die Masse der ländlichen Bevölkerung einer produktiven Tätigkeit nachzugehen imstande wäre, deren*

*Zielsetzung die Befriedigung eigener Bedürfnisse wäre.*[22]

Die seit einigen Jahren zu beobachtende Modernisierung von Teilbereichen der Landwirtschaft sollte nicht über die Zählebigkeit der überkommenen binnenmarktorientierten Agrarstrukturen hinwegtäuschen. Solange Profitabilität garantiert ist, gibt es kaum Anreize, Strukturen zu ändern, und selbst ernsthaft beabsichtigte Agrarreformen müssen an eben diesen Strukturen schließlich scheitern. Wie lange sich solche Strukturen mit hoher Profitabilität am Leben erhalten können, zeigt der Latifundium-Minifundium-Komplex in Lateinamerika, in dem trotz erheblicher Verschwendung von Ressourcen bei einer gleichzeitigen extremen Ausbeutung von Arbeitskraft seit vielen Jahrzehnten, wenn nicht Jahrhunderten, mit erheblichem Gewinn gewirtschaftet wird.[23]

Die landwirtschaftlichen Probleme der Dritten Welt sind in erster Linie nicht ökonomisch-technischer, sondern politischer Natur. Eine Konzentration von Entwicklungsförderung auf den landwirtschaftlichen Sektor wird bei unangetasteten politischen Rahmenbedingungen fast zwangsläufig in Modernisierungsvorhaben münden, die nicht erlauben, die Masse der ländlichen Bevölkerung produktiv zu beschäftigen, Kaufkraft zu schaffen und eine lebensfähige lokale industriell-agrarische Wirtschaftsstruktur aufzubauen. Solange eine Machtverlagerung zugunsten der armen ländlichen Bevölkerung in Peripherie-Gesellschaften nicht stattfindet, ist die Chance gering, daß die sozialen Probleme der Dritten Welt einer Lösung nähergebracht werden. Diese Probleme haben sich in den vergangenen Jahren zugespitzt, und damit haben sich auch die gesellschaftlichen Konfliktstoffe vermehrt. Gleichzeitig hat die beschleunigte Militarisierung nach innen zu einer Stärkung der politischen Status-quo-Interessen geführt. So verringert sich die Wahrscheinlichkeit sinnvoller Agrarentwicklungen, die eine politische Mobilisierung der Masse der ländlichen Bevölkerung zur Voraussetzung hätten.[24]

## 2. Verteilung mit Wachstum?

In diesem Zusammenhang ist das Vorhaben der Weltbank zu diskutieren, die Kleinbauern zu fördern (gedacht ist an ca. 100

Millionen Familien, also 800 Millionen Menschen). Dieses Vorhaben verdient besondere Aufmerksamkeit, da es mit großer Publizität als ein Durchbruch der Entwicklungshilfe gepriesen wird.[25]

Hinter dem Projekt steht die Erkenntnis, daß ein Jahrzehnt rapiden Wachstums in unterentwickelten Ländern nur wenig oder keinen Nutzen für mindestens ein Drittel der Bevölkerung hatte. Erkannt wird, daß die in Entwicklungsländern bisher in der Regel verfolgte Wirtschafts- und Entwicklungspolitik sowie die internationale Entwicklungshilfe jene Bereiche strukturell stärkten, die ohnehin einen ökonomischen Vorsprung hatten und politisch relativ gut vertreten waren. Während dieser »organisierte Sektor« von Peripherie-Ökonomien in besonderer Weise unmittelbarer Nutznießer der zum Teil erheblichen Wachstumserfolge wurde, traten langfristig jene *»trickle-down«*-Prozesse von den Wachstumspolen in das Hinterland nicht auf, die sich nach der überkommenen Wachstums- und Entwicklungstheorie hätten einstellen müssen. In mehreren Weltbank-Studien werden die krasse ungleiche Verteilung von Kapitalausstattung und der ungleiche Zugang zu neuen Kapitalressourcen (Land, privates und öffentliches Kapital, menschliches Kapital usf.) als eine der strukturellen Konsequenzen der überkommenen, rein wachstumsorientierten Entwicklungspolitik diagnostiziert. Das Weltbank-Vorhaben, Kleinbauern systematisch zu fördern, geht von der Überzeugung aus, daß 1. ein beschleunigtes Wachstum des Bruttosozialprodukts der gesamten Ökonomie, 2. eine Umlenkung von Investitionsströmen in den Kleinbauernsektor, 3. eine Umverteilung der in der Ökonomie insgesamt erreichbaren Einkommenszuwächse zugunsten der Armen (ohne damit die Verfügung über Reichtum durch die Reichen absolut beschneiden zu müssen) und 4. ein Transfer bestehender und neuer Kapitalausstattung zugunsten der armen bäuerlichen Bevölkerung (z. B. durch Landreform, Neuregelungen des Zugangs zu Wasser, Düngemitteln, Schädlingsbekämpfungsmitteln, Vermarktungsmöglichkeiten, Krediten) Elemente einer sinnvollen *reformistischen Strategie* darstellen.[26] Damit wird von der Weltbank für Peripherie-Gesellschaften insgesamt und für den Agrarsektor im besonderen eine *Strategie von Wachstum mit Umverteilungseffekten* propagiert, die bisher höchstens in metropolitanen Gesellschaften mit dem sie auszeichnenden hohen politischen Organisationsgrad aller gesellschaftlichen Kräfte für leidlich aussichtsreich galt. Die herrschaftssoziologischen Voraussetzungen und Implikationen einer auf die Förderung von Kleinbauern gerichteten Entwicklungsstrategie werden zwar nicht verkannt; die Bedeutung der politischen Organisation einer bisher unorganisierten Bevölkerung und der politischen Repräsentation von bisher in den gegebenen politischen Systemen der Dritten Welt nicht repräsentierten Sozialschichten (wie z. B. der Masse der verarmten Kleinbauern und Landlosen) wird durchaus als Problem gesehen.[27] Doch bleibt die Frage offen, wie im Rahmen der gegebenen politischen und Sozial-Struktur die bisher fragmentierten Bevölkerungsmassen wirkungsvolle politische Organisationen überhaupt aufzubauen imstande sein sollen, wo die überkommene politische und sozioökonomische Ordnung gerade darauf gegründet ist, daß die Masse der Menschen weder politisch effektiv organisiert noch im politischen Regime repräsentiert ist. Zwar setzt die dem Weltbank-Vorhaben zugrunde liegende Studie auf Interessenkonflikte innerhalb der genannten dominanten Klassen (von Landoligarchie, Stadtbürgertum, Mittelklasse, Unternehmertum usf.), doch bleibt unklar, warum eine durch technokratische Entwicklungsplanung inszenierte Erweiterung des Machtspielraums der bisher weitgehend recht- und machtlosen Armen mehr Chancen haben sollte als die bisher meist gescheiterte Durchsetzung eigener Interessen im Rahmen von Bauernbewegungen, die ja bekanntlich in den vergangenen zwanzig Jahren wiederholt durch den staatlichen Repressionsapparat und durch private »Ordnungstruppen« zerschlagen worden sind.[28]

Das Projekt der Weltbank setzt auf das aufgeklärte Selbstinteresse dominanter Klassen; es stellt die langfristigen Vorteile einer Reformstrategie als Alternative zu revolutionären Veränderungen vor. Die Belastung, die die dominanten Klassen aufgrund einer derartigen Reformstrategie zu ertragen hätten, erscheint unerheblich, da es sich nur um eine *Umverteilung aus dem neuen Einkommenszuwachs* handelt und nicht um eine dramatische Strukturänderung.

Im Lichte der Erfahrungen mit vergangenen entwicklungspolitischen Teilstrategien ist die Vermutung nicht abwegig, daß auch diese neueste Version von Entwicklungsstrategie ihrer Zielsetzung wohl nicht genügen wird. Über diese allgemeine Prognose hinausgehend, kann man die Voraussage wagen, daß diese Entwicklungsstrategie, wie Ernest Feder formulierte, zu einer »kleinen Grünen Revolution« führen wird.[29] Feder erwartet durchaus Produktivitätsfortschritte im Bereich der geförderten Kleinbauern-Projekte, die allerdings – wie die Grüne Revolution – eine weitere strukturelle Ausdifferenzierung im Agrarbereich nach sich ziehen werden: Ein Teil der Kleinbauern wird sich der angebotenen Hilfeleistungen erfolgreich bemächtigen, neue Startchancen, einen besseren Zugang zu Wasser, Krediten, Vermarktungsmöglichkeiten usw. erlangen, sowie möglicherweise eine Ausweitung eigener Ländereien zuwege bringen; ein anderer Teil wird jedoch endgültig seine Überlebenschance im ländlichen Raum verlieren, dort noch mehr marginalisiert werden und möglicherweise den Zustrom zu den urbanen Zentren verstärken. Auch ist es nicht abwegig, davon auszugehen, daß die »erfolgreich« geförderten Kleinbauern-Projekte von vornherein in den dominanten politischen und ökonomischen Einflußbereich der Großgrundbesitzer gezogen werden, weshalb die Wahrscheinlichkeit groß ist, daß ihre Erträge vom Großgrundbesitz aufgesogen werden.

Obgleich zum gegenwärtigen Zeitpunkt der empirische Beweis für solche Prognosen noch nicht erbracht werden kann, sind diese doch weder weltfremd noch abstrakt; sie lassen sich angesichts bisheriger Erfahrungen mit Reformprogrammen im Agrarsektor, d. h. angesichts *der Umfunktionierung von Reformstrategien in Strategien der Gegenreform*, quasi empirisch begründen.[30] Warum eigentlich sollten die Kleinbauern-Projekte der Weltbank anders verlaufen als die gescheiterte Agrarreform der 60er und 70er Jahre, und warum sollte die Modernisierung der Subsistenzwirtschaft andere Effekte zeitigen als die Modernisierung des Großgrundbesitzes im Rahmen der Grünen Revolution? Es gibt keine plausible empirische Begründung dafür, warum eine solche neue Teilstrategie anders in den überkommenen Strukturen »verarbeitet« werden wird als die vielen Teilstrategien, die – Modezyklen ähnlich – in den vergangenen 20 Jahren auflebten und ebenso schnell wieder verschwanden.[31]

Angesichts der Penetration des landwirtschaftlichen Sektors in Peripherie-Ökonomien durch internationale Agro-Business-Aktivitäten, der weiteren Privilegierung der Exportagrarwirtschaft, der Aufrechterhaltung überkommener Landbesitzstrukturen, einschließlich der mit ihnen zusammenhängenden politischen und sozioökonomischen Begleiterscheinungen, ist die Chance praktisch null, daß innerhalb der überlieferten und sich modernisierenden Agrarstruktur jene essentiellen Ansatzpunkte gefunden werden können, die für eine binnenmarktorientierte, auf die Befriedigung des Eigenbedarfs konzentrierte Entwicklung unerläßlich wären. Dabei handelt es sich, wie erwähnt, nicht nur um eine entsprechende Restrukturierung des Agrarsektors, sondern um eine Koordination von binnenmarktorientierter Agrikultur *und* Manufaktur, deren Symbiose erst eine tragfähige Basis für eine autozentrierte Entwicklung abgibt.[32]

## 3. Warum internationale Agraranpassung?

Der Aufbau von lebensfähigen Agrarstrukturen im eben erwähnten Sinne wird auch durch die vielfach vorgetragene Forderung nach einer internationalen Agraranpassung keineswegs gefördert. Ihr zufolge sollen den Entwicklungsländern höhere Beteiligungschancen am internationalen Agrarhandel eingeräumt werden. Dies könnte u. a. durch die Beseitigung protektionistischer Maßnahmen gegen Agrarimporte in die Metropolen zustande gebracht werden (wofür hier nur der EG-Agrarmarkt stellvertretend genannt werden soll). Als Grund für die Forderung nach einer derartigen Marktöffnung wird gewöhnlich angegeben[33], der Entwicklungsprozeß in Entwicklungsländern hänge maßgeblich von Devisenerlösen ab, und Devisenerlöse könnten auf absehbare Zeit von vielen Ländern nur vermittels unverarbeiteter und verarbeiteter Agrarprodukte erwirtschaftet werden. Weiterhin wird darauf verwiesen, daß der Export von Agrarprodukten dann sich anbiete, wenn ein Entwicklungsland besondere komparative Vorteile bei der Produktion von Gütern, die für den Export bestimmt wird, besitze und diese Exporterlöse für den Import von Grundnahrungsmitteln genutzt werden könnten, bei deren Produktion möglicherweise eine geringere Wettbewerbsfähigkeit bestehe.

»Ferner ist der Nichtexport von Agrarprodukten keineswegs identisch mit erhöhtem Eigenverbrauch. Die Ursache der Unterernährung liegt oft nicht in einem Unterangebot von Nahrungsmitteln oder einem unzureichenden landwirtschaftlichen Produktionspotential, sondern ist auf das Fehlen ausreichender Kaufkraft zurückzuführen. Die Befriedigung der Auslandsnachfrage kann in solchen Fällen direkt und indirekt die allgemeine Entwicklung fördern.«[34]

So kann nur argumentiert werden, wenn von der Agrarstruktur – ihrer Grundlage und ihren Folgewirkungen – in Peripherie-Ökonomien gänzlich abstrahiert wird. So plausibel die Plädoyers für eine Durchliberalisierung des internationalen Agrarmarktes abstrakt-allgemein sind, so wahnwitzig ist die Vorstellung einer tieferen Eingliederung der Landwirtschaften der Peripherien in den Weltmarkt, wenn man bedenkt, daß dadurch Länder, die aus offenkundig strukturellen Gründen heute nicht einmal die Fähigkeit besitzen, die Nahrungsmittelversorgung ihrer eigenen Bevölkerung sicherzustellen, verstärkt international wettbewerbsfähige agrarische Produkte zu exportieren hätten, deren Erzeugung bisher stets zur Zerrüttung lokaler Agrarökonomien geführt hat.[35] Im übrigen ist wohlbekannt, daß die Einfuhr von Nahrungsmitteln in die Peripherien aus Ökonomien mit hoher landwirtschaftlicher Produktivität und die Nahrungsmittelhilfe aus den Metropolen die ökonomischen Anreize zur Produktion von Nahrungsmitteln für den Eigenbedarf in Peripherie-Ökonomien ebenfalls unterminiert haben. Dies ist durchaus das Ergebnis einer Politik, die eine vertiefte Integration des Agrarsektors von Peripherie-Ökonomien in den internationalen Agrarmarkt für sinnvoll hält. Demgegenüber kann nicht oft genug betont werden, was Priebe vor wenigen Jahren formulierte:

»Über den *Export* sind die Aufgaben für die Masse der ländlichen Bevölkerung, die an der Marktproduktion beteiligt werden, nicht zu lösen. Ohnehin bieten die Weltagrarmärkte wenig Chancen, und so bedauerlich die Handelshemmnisse seitens der EWG-Agrarpolitik sein mögen, darf man sich doch von ihrer Beseitigung nicht allzu viel versprechen. Angesichts der Größe der Aufgaben hat der Agrarexport nur marginale Bedeutung. Entscheidend ist überall die Ausweitung des inneren Marktes.«[36]

## 4. Schlußbemerkung

Während sich die Erkenntnis ausbreitet, daß eine umfassende Entwicklungspolitik ohne die Mobilisierung des landwirtschaftlichen Sektors nicht erfolgreich sein kann, vertieft sich die strukturelle Heterogenität dieses Sektors. Viele Agrarreformen wurden geplant, und die meisten sind gescheitert. Anfänglich positive Effekte wurden alsbald in den überkommenen Strukturen absorbiert. Das Los der Masse der ländlichen Bevölkerung hat sich nicht verbessert, und deshalb wird eine Reihe von sozialen Schlüsselproblemen in Peripherie-Gesellschaften noch für Jahrzehnte auf der Tagesordnung bleiben – wenn nicht durch eine tiefgreifende Veränderung der Gesellschaftsstruktur es der Bevölkerungsmehrheit ermöglicht wird, mit *eigenen* Ressourcen die Lösung der *eigenen* Probleme in Angriff zu nehmen.[37] Was Amoa kürzlich im Hinblick auf die Sahel-Zone gesagt hat, gilt wohl für den landwirtschaftlichen Sektor der meisten Länder der Dritten Welt:

»Es ist auf einzigartige Weise unlogisch, daß gewisse Länder dieser Region verpflichtet sind, Fleisch, Baumwolle und Erdnüsse zu produzieren, bzw. jedes andere Exportprodukt, während Millionen von Menschen an Hunger leiden. Was hinsichtlich der Sahel-Zone gilt, gilt gleichermaßen hinsichtlich anderer Teile Afrikas, deren bedeutendstes Charakteristikum die Erzeugung von Produkten darstellt, welche von den Produzenten nicht konsumiert oder direkt genutzt werden, während gleichzeitig lokale Bedürfnisse durch Import befriedigt werden müssen. Die Korrektur dieses Widerspruchs müßte manifest in jeder Aktion, die an einer Entwicklung des Kontinents orientiert ist, Priorität genießen«.[38]

# IV. Die alte Weltwirtschaftsordnung und ihre Modifikation

# Der Weltwirtschaftsordnung neue Kleider

## Vorbemerkung

Im Frühjahr 1975 wurde der Autor von der Redaktion der Zeitschrift *Wirtschaftsdienst* (hrsg. vom HWWA-Institut für Wirtschaftsforschung, Hamburg) eingeladen, im Rahmen eines »Zeitgesprächs« eine Stellungnahme zur Diskussion über eine »Neue internationale Wirtschaftsordnung« abzugeben. Der nachfolgende Aufsatz wurde im Mai 1975 im Rahmen einer Reihe von kontroversen Stellungnahmen publiziert. Dieser Artikel, der in zugespitzter Form auf die Fragwürdigkeit der gängigen Diskussion über eine »Neue internationale Wirtschaftsordnung« aufmerksam machen wollte, hat nach der Veröffentlichung unmittelbar eine erstaunlich große, wenn auch meist polemisch abweisende Resonanz gefunden. Da der Beitrag inzwischen mehrfach zitiert und kommentiert wurde (so z. B. ausführlich in dem von Engels, Khan und Matthies veröffentlichten Buch *Weltwirtschaftsordnung am Wendepunkt. Konflikte oder Kooperation?*, München 1976, S. 14 ff.), hielt ich es einerseits für sinnvoll, den aus aktuellem Anlaß geschriebenen Kommentar in dieses Buch aufzunehmen, und andererseits den Text bis auf einige Ergänzungen in den Anmerkungen unverändert zu belassen. Im übrigen habe ich an der Darstellung keine inhaltlichen Abstriche zu machen; die Auseinandersetzung über eine »Neue internationale Wirtschaftsordnung« ist seit der Erstveröffentlichung des Aufsatzes in den Metropolen weiterhin von Vorwürfen des Dirigismus und der Gefährdung einer freien Weltmarktwirtschaft geprägt, wenn auch allmählich und zögernd die Einsicht Fuß faßt, daß die offiziellen Vertreter der Dritten Welt sich weder aus der kapitalistischen Weltmarktwirtschaft herauslösen wollen, noch ihre angeblich dirigistischen Vorstellungen als etwas anderes begreifen als die *soziale* Komponente dieser Weltmarktwirtschaft, d. h. als eine Übertragung von Vorstellungen der sozialen Marktwirtschaft auf die internationale Ebene. Das echte oder nur rhetorisch gemeinte Einlenken mancher westlichen Metropolen auf der UNCTAD IV-Konferenz im Mai 1976 in Nairobi mag ein Indiz für diese sich möglicherweise durchsetzende Einsicht sein. Wie wenig die Forderungen der offiziellen Vertreter der Dritten Welt und die Gegenvorschläge aus den Metropolen an der eigentlichen Entwicklungsproblematik zu ändern vermögen, darauf hat sich eine kritische Auseinandersetzung mit den Forderungen der Gegenkritik und den modifizierten Vorschlägen über eine »Neue internationale Wirtschaftsordnung« zu beziehen. Für diese Diskussion hat der Beitrag seine Aktualität nicht verloren. Der *Anhang* wurde dem ursprünglichen Text hinzugefügt.

Im Konflikt zwischen Industriegesellschaften und Dritter Welt haben im vergangenen Jahr (1974) insbesondere zwei Dokumente eine zentrale Rolle gespielt: die »UN-Erklärung über die Errichtung einer neuen internationalen Wirtschaftsordnung« und die »UN-Charta über die Rechte und Pflichten von Staaten«.[1] Die Verabschiedung beider Dokumente, zum Teil gegen den Widerstand westlicher Metropolen (einschließlich der Bundesrepublik), wurde von ihren Verfechtern als ein Durchbruch auf dem Wege zur Überwindung der überkommenen »ungerechten und unbilligen internationalen Wirtschaftsordnung« verstanden – und gefeiert. Die Erregung über das Verhalten der offiziellen Vertreter der Dritten Welt (und insbesondere ihrer maßgeblichen Sprecher wie Algerien) ist auch hierzulande groß. Um so mehr muß danach gefragt werden, wie neu die Neue internationale Wirtschaftsordnung wirklich wäre, blieben ihre Zielsetzungen nicht nur fromme Wünsche und würden sie im Sinne ihrer Verfechter tatsächlich verwirklicht.

## 1. Liberale Grundforderungen

Während einzelne Beschwerden, Erklärungen und Forderungen der Dokumente in der ihre Beratung und Verabschiedung begleitenden Diskussion besondere Aufmerksamkeit und Kontroversen hervorriefen[2], blieb in den kritischen Kommentaren, soweit ich sie kenne, unberücksichtigt, daß die Dokumente selbst an den Grundprinzipien eines »freien Welthandels« bzw. an verwandten wirtschaftspolitischen Konzeptionen orientiert sind.[3] Diese Orientierung zeigt sich in drei entscheidenden Bereichen, die ihrerseits in einem engen Zusammenhang stehen:

– an dem Wunschbild eines liberalisierten Welthandels;
– an dem anvisierten Typ von internationaler Arbeitsteilung;
– an der in die Dokumente eingebrachten Entwicklungsprogrammatik.

## 2. Die Handelsprogrammatik

Das Wunschbild eines liberalisierten Welthandels baut implizit auf gängigen außenhandelstheoretischen Überlegungen auf, insbesondere auf Vorstellungen, die sich aus der Konzeption komparativer Vorteile ableiten lassen. Diese die klassische und neoklassische Außenhandelstheorie bestimmende Konzeption wird als solche natürlich nicht zitiert, doch kann kein Zweifel sein, daß sie – wie auch schon in früheren, von der Dritten Welt maßgeblich mitbestimmten Dokumenten – die Grundlage für viele Einzelforderungen gebildet hat. Dieser Konzeption zufolge soll sich die internationale Ökonomie derart strukturieren, daß jede Gesellschaft gemäß ihrer natürlichen Faktorausstattung (Land, Rohstoffe, Kapital, Arbeitskraft u. a.) jene Güter und Dienstleistungen in den Welthandel einbrächte, für deren Produktion sich an Ort und Stelle jeweils die günstigsten Bedingungen finden lassen. In den Dokumenten wird kritisiert, daß die Wirklichkeit aufgrund von politisch bedingten Außenwirtschaftsbarrieren in den Metropolen hinter den Postulaten dieser Vorstellung einer rational, gerecht und nach Billigkeitskriterien strukturierten internationalen Ökonomie zurückbleibt – und daß deshalb die Länder der Dritten Welt Einkommenseinbußen erleiden, die in einem liberalisierten Welthandel nicht aufträten. Folglich werden, wie schon auf allen UNCTAD-Konferenzen, konkrete Forderungen nach der Beseitigung solcher Handelshemmnisse mit dem Ziel der Erhöhung der Beteiligungschancen der Länder der Dritten Welt am Welthandel gestellt.[4] Diese Forderungen decken sich mit liberalen wirtschafts- und entwicklungspolitischen Vorstellungen in den Metropolen, denen zufolge die in den Metropolen relativ unterdurchschnittlich produktiv arbeitenden Branchen allmählich in die Dritte Welt verlagert werden sollten, um so eine neue Form von internationaler Arbeitsteilung zu inaugurieren.

## 3. Fortschreibung der überkommenen Arbeitsteilung

Die internationale Arbeitsteilung, die in den Dokumenten gefordert wird, ist von der heute vorherrschenden nicht grundlegend verschieden; die Forderungen beziehen sich vielmehr auf eine Fortschreibung der überkommenen. Besteht die alte Arbeitsteilung, vereinfacht formuliert, insbesondere im Tausch von unverarbeiteten mineralischen und agrarischen Rohstoffen gegen Fertigprodukte und Produktionsgüter, so erlaubt der erreichte Grad von Industrialisierung mancher Peripherien u. a. die Produktion eines auf dem Weltmarkt wettbewerbsfähigen Warenkorbs von Gütern niedrigen Verarbeitungsgrades. Solche in den Peripherien erzeugten Produkte fänden allerdings nur dann in den Metropolen Absatz, wenn dort entsprechende Produktionsabschnitte bzw. ganze Branchen eliminiert würden. Die Forderung nach einem solchen Typ von internationaler Arbeitsteilung deckt sich mit dem Credo einer nach liberalen marktwirtschaftlichen Grundsätzen organisierten internationalen Ökonomie.[5]

Die in die Dokumente eingebrachte Entwicklungsprogrammatik hat die von den Metropolen nachdrücklich unterstützte herkömmliche Strategie »Entwicklung durch Handel« zum Ziel. Aufbauend auf einer teilweise modifizierten internationalen Arbeitsteilung gilt – wie ehedem – der Exportsektor als der Entwicklungsmotor außenorientierter Ökonomien. Diese von den Vertretern der Dritten Welt eingebrachte Entwicklungsprogrammatik entspricht wohl jener liberalen Position in den Metropolen, der zufolge eine binnenmarktorientierte Importsubstitions-Strategie notwendigerweise eine Ergänzung durch Exportdiversifikation erfordert, um Wettbewerbsfähigkeit der Peripherien auf dem Weltmarkt zu gewährleisten; sie entspricht auch jener entwicklungspolitischen Strategie, die überhaupt bei einer Exportdiversifikation ansetzen will, um von hier aus allmählich eine binnenmarktorientierte Entwicklung einzuleiten. Dabei ist wichtig festzuhalten, daß der Außenhandel nicht (wie z. B. in den Metropolen) als eine Ergänzung zu binnenmarktorientierten Aktivitäten begriffen wird, sondern Entwicklung als eine Funktion von Außenhandel. Diese Gewichtung hat natürlich ihre Grundlage in den überkommenen außenorientierten Strukturen peripherer Ökonomien. Auch diese Entwicklungsprogrammatik folgt also den gängigen Vorstellungen von Wirtschaftstheoretikern und Entwicklungspolitikern in den Metropolen, die sich als die Anwälte liberaler Gedanken und liberaler Politik verstehen.[6]

## 4. Konservativismus der Radikalen

Eigentlich könnten sich die Verfechter einer freien Weltwirtschaft glücklich schätzen, daß die radikalen Vertreter der Dritten Welt nicht eine Kampagne gegen die zitierten wirklichen Grundfesten der »freien Weltwirtschaft« inszenierten, sondern offensichtlich bestrebt sind, entscheidende Prämissen der überkommenen internationalen Wirtschaftsordnung in die Neue internationale Wirtschaftsordnung zu übernehmen, ja, daß sie Plädoyers für eine uneingeschränkte Verwirklichung eines durchliberalisierten Welthandels vortrugen. Dieser Konservativismus bedeutet, daß die angestrebte Neue internationale Wirtschaftsordnung nur eine Spielart der alten wäre. Denn nicht die Kluft zwischen liberaler Wunschvorstellung und der Wirklichkeit der internationalen Ökonomie ist die Ursache für eine ungerechte internationale Wirtschaftsordnung, sondern vielmehr die weitgehende Kongruenz von liberaler Theorie und Wirklichkeit in einem konkreten Zusammenhang, in der liberale Struktur- und Aktionsprinzipien unvermeidlich zur Quelle weltweiter sozialer Ungerechtigkeit werden müssen: ich meine die Beziehung zwischen Metropolen und Peripherien.[7]

Diese Beziehungen sind gekennzeichnet durch eine Arbeitsteilung, die sich während des Kolonialismus und Imperialismus mit einem erheblichen Maß von Zwang herausgebildet hat. Diese Arbeitsteilung wird zu Recht als ungleich bezeichnet, weil sie in systematischer Weise ungleiche Folgewirkungen bei den Beteiligten hatte und noch hat. Im einen Fall, den Metropolen, begünstigte sie die Herausbildung von einigermaßen kohärenten sozioökonomischen Strukturen, die sich in der Vergangenheit und heute in der relativ hohen Vermaschung ökonomischer Subsektoren bekunden. Im Falle der Kolonialländer führte die zwangsweise Eingliederung Lateinamerikas, Afrikas und Asiens in die von den Metropolen bestimmte Arbeitsteilung zu struktureller Deformation, die sich in defekten Wirtschaftskreisläufen ausdrückt. Kurz gesagt besteht die durch die Eingliederung in die internationale Arbeitsteilung bedingte Deformation in einer nicht-existenten oder nur mangelnden Rückkoppelung einer Produktion von Produktionsgütern mit einer Produktion von Massenkonsumgütern, was seinerseits eine in der Dritten Welt heute nur bedingt beobachtbare Produktivitätssteigerung im landwirtschaftlichen Sektor voraussetzen würde. Die Eingliederung in den Weltmarkt, die zu einer strukturellen Abhängigkeit der Peripherien von den Metropolen führte, hat die Heterogenität der Peripherien verstärkt und nicht, wie im Falle der Metropolen, eine relative Homogenisierung beispielsweise der Produktivitätsniveaus verschiedener Sektoren nach sich gezogen.

Die Ungleichheit der überkommenen internationalen Arbeitsteilung zwischen Metropolen und Peripherien beruht also nicht nur darauf, daß die Metropolen gegenüber den Peripherien aus dieser Arbeitsteilung, u. a. durch einen relativ hohen Kapitalabfluß aus den Peripherien, mehr profitierten; das entscheidende Argument ist vielmehr, daß durch die internationale Arbeitsteilung ein Typ von Peripherie-Ökonomie geschaffen worden ist, der ihrerseits, für sich genommen, nicht lebensfähig und in ihren fortgeschrittensten Beispielen (wie Brasilien) noch heute in entscheidenden Dimensionen abhängig ist (Abhängigkeit von metropolitanen Kapitalgütern, metropolitaner Technologie und qualifizierter Arbeitskraft u. a.) und enklavenförmig organisiert bleibt. Auch ohne exzessiven Kapitalabfluß und ohne Verfall der *»terms of trade«* hätte dieser Typ von internationaler Arbeitsteilung pervertierte ökonomische und soziale Strukturen hinterlassen. Darin liegt die Bedeutung dieser Arbeitsteilung, und unsere gängige Entwicklungstheorie hat bis heute die strukturellen Unterschiede zwischen dem metropolitanen Kapitalismus und dem sogenannten Peripherie-Kapitalismus nicht begriffen, die es ratsam erscheinen lassen sollten, Theorien, die in den Metropolen über den metropolitanen Kapitalismus entstanden sind, nicht auf den Peripherie-Kapitalismus zu übertragen.[8]

## 5. Asymmetrische Beziehungen

Das Ergebnis dieser sich historisch entwickelnden ungleichen internationalen Arbeitsteilung besteht in den asymmetrisch strukturierten Beziehungen zwischen Metropolen und Peripherien. Die Vorstellungen über eine durchliberalisierte internationale Ökonomie gehen, ungeachtet dieser Wirklichkeit, jedoch von einer Symmetrie der Beziehungen aus – eine Annahme, die sich unter anderem in der sogenannten kosmopolitischen Prämisse niederschlägt, der zufolge alle Beteiligten an einem durchliberalisierten Welthandel nicht gleichen, aber doch gleichermaßen Nutzen und Vorteile haben, sofern sie nur der Konzeption komparativer Kosten folgen. Die kosmopolitische Ideologie kann sich bis heute am Leben erhalten, weil die in sie eingehenden Kalküle kurzfristig-statisch sind und auf tatsächliche Vorteile hinweisen können, und weil die langfristigen Folgewirkungen von Arbeitsteilung auf die Produktionsstruktur, die Einkommensverteilung, die Konsumprofile, den Arbeitsmarkt und die Infrastruktur der am Welthandel Beteiligten keinen systematischen Stellenwert in solchen Kalkülen besitzen. Auch ist es ausgesprochen fragwürdig, von der »natürlichen« Faktorausstattung von Gesellschaften auszugehen, wenn allenthalben erkennbar wird, wie sehr die heute in den Peripherien gegebene Faktorausstattung das konsequente Ergebnis ihrer Eingliederung in die internationale Arbeitsteilung ist. Es bedarf schon extrem modellplatonischer Argumente, um glauben zu machen, daß das Heer von billigen Arbeitskräften in den Ländern der Dritten Welt zur natürlichen Faktorausstattung gehöre, und davon abzusehen, daß diese Massen von arbeitslosen und marginalisierten Menschen der systematische Ausdruck desjenigen Typs von Gesellschaft und Ökonomie sind, der aufgrund der Eingliederung der Peripherien in den Weltmarkt entstanden ist.

Die Theorie einer durchliberalisierten internationalen Ökonomie und mit ihr die Konzeption komparativer Vorteile sind nicht an und für sich falsch: ihr Realitätsgehalt hängt von dem Zusammenhang ab, auf den sie projiziert werden. In asymmetrisch strukturierten Beziehungen, wie denjenigen zwischen Metropolen und Peripherien, wird sie ideologisch, weil von allseitigem Nutzen und Vorteilen einer ungleich angelegten internationalen Arbeitsteilung nicht die Rede sein kann, und weil die als natürlich unterstellte Faktorausstattung das systematische Fazit einer höchst unnatürlichen Arbeitsteilung ist.

## 6. Vertiefung der Ungleichgewichte

Erkennt man den Zusammenhang zwischen alter internationaler Wirtschaftsordnung und ihren katastrophalen Folgewirkungen für die Peripherien, so bedarf es weltfremder Spekulationen, um die These zu rechtfertigen, daß durch eine liberalen Prämissen folgende Perfektionierung einer heute nicht durchliberalisierten internationalen Ökonomie das strukturelle Ungleichgewicht zwischen Metropolen und Peripherien auch nur eingedämmt werden könnte. Viel eher ist eine Vertiefung der Ungleichgewichte zwischen Metropolen und Peripherien zu erwarten, weil auch eine modifizierte internationale Arbeitsteilung die überkommenen Asymmetrien zur Voraussetzung hat und diese auf einem leicht höheren Entwicklungsniveau fortschreibt.[9] Es ist ein Trugschluß, daß durch eine derart modifizierte internationale Arbeitsteilung lebensfähige Peripherien oder gar selbständige Wirtschaftsgebilde entstehen würden. Eine solche Vorstellung kann nur vertreten, wer von der simplen These ausgeht, daß ein Mangel an Deviseneinkommen das Haupthindernis eines selbstbestimmten Entwicklungsprozesses der Länder der Dritten Welt sei und daß deshalb eine vertiefte Integration dieser Gesellschaften in den Weltmarkt, die Erhöhung ihrer Beteiligungschancen am Welthandel, die zentrale Voraussetzung für eine allseitige Entwicklung produktiver Kräfte sei.

Nach allen historischen Erfahrungen ist diese Annahme abwegig. Ihre Kritik wurde übrigens schon im vergangenen Jahrhundert u. a. von Friedrich List in seiner Stufenlehre der internationalen Ökonomie, seiner Auseinandersetzung mit der Theorie der Werte und seiner ansatzweisen Entfaltung einer Theorie der produktiven Kräfte geleistet, doch die heutige Schulökonomie hat Friedrich List und die Beiträge ähnlich argumentierender Theoretiker und Wirtschaftshistoriker so gründlich verdrängt, daß sie mitten im 20. Jahrhundert häufig noch nicht einmal das Problembewußtsein eines Friedrich List besitzt.[10]

Es stellt sich die Frage, was der politische und letztlich herrschaftssoziologische Hintergrund der Art von Forderungen, die die Vertreter der Dritten Welt in die genannten Dokumente eingebracht haben, ist. Anders formuliert: Um welchen Konflikt handelt es sich eigentlich bei der Auseinandersetzung zwischen Industriegesellschaften und der Dritten Welt?

## 7. Identische Prämissen

Es wurde gezeigt, daß die Prämissen der Neuen internationalen Wirtschaftsordnung identisch sind mit denjenigen der überkommenen. *Die Forderungen der Vertreter der Dritten Welt beziehen sich auf die Spielregeln ihrer Integration in den Weltmarkt.* Durch deren Veränderung zu ihren Gunsten versuchen sie, *ihren eigenen Anteil am erwirtschafteten Mehrprodukt zu erhöhen.* Der Konflikt zwischen Metropolen und Peripherien ist also gegenwärtig nicht ein grundsätzlich-antagonistischer, sondern ein durchaus partikularer. Wo es um eine verstärkte Kontrolle der Peripherien über die ausländischen privatwirtschaftlichen Aktivitäten auf ihren Territorien geht (insbesondere im Rohstoffbereich und bei den binnenwirtschaftlichen Aktivitäten multinationaler Firmen im Agrar-, Produktions- und Dienstleistungssektor), versuchen offensichtlich die Staatsorgane der Dritten Welt, jenen Grad an Wohlverhalten durchzusetzen, der vergleichbaren Aktivitäten innerhalb der Metropolen und zwischen den Metropolen abverlangt wird. Es geht also um die Abschaffung von Exzessen, nicht um die Eliminierung von privatwirtschaftlichen Aktivitäten überhaupt.[11]

Die Betonung weltweiter Interdependenz und das Gewicht, das auf Kooperation aller in die internationale Ökonomie integrierten Gesellschaften gelegt wird – beides deutet darauf hin, daß nicht die überkommenen Grundlagen einer auf ihre Art schon immer interdependenten und kooperativ angelegten internationalen Wirtschaftsordnung verrückt werden sollen, sondern die Gewinn- und Nutzen-Relationen zwischen Metropolen und Peripherien. Die Betonung technischer Kooperation, des Transfers von Ressourcen in die Peripherien, einschließlich technischer Hilfe, u. a. weist in dieselbe Richtung: Der Status quo soll nicht gesprengt, sondern allenfalls den veränderten Umständen angepaßt werden. Das bisher singulär gebliebene OPEC-Kartell und die Instrumentierbarkeit internationaler Organisationen für die Artikulation eigener Forderungen gehören zu diesen veränderten Umständen.[12] Inwieweit der politische Wille besteht, die politische Rhetorik in veränderte Verhaltensweisen zu übersetzen, also beispielsweise verstärkte Kontrollen nicht nur zu fordern, sondern sie je einzeln und kollektiv in den Peripherien durchzusetzen, ist eine Frage, die heute noch nicht definitiv beantwortet werden kann.[13]

Ob die Forderungen nach einer verstärkten Kontrolle ausländischer privatwirtschaftlicher Aktivitäten von den Staatsorganen der Peripherien selbst erfüllt werden, hängt allerdings nicht nur von ihnen allein ab. Dies ist Ausdruck eines tiefgreifenden Tatbestandes, den man die *Metamacht der Metropolen* nennen könnte, d. h. also die Macht der Metropolen, Machtbeziehungen zu bestimmen. Da die Peripherien von den Metropolen in entscheidenden Dimensionen, z. B. in ihrer Ausstattung mit Investitions-, Kapital- und Produktionsgütern sowie im Technologiebereich, existentiell und nicht nur marginal abhängig sind, besitzen die Metropolen aufgrund dieser Monopolmacht eine viel größere bargaining power, als es der rhetorische Aufstand der Dritten Welt in den jüngsten internationalen Konferenzen ahnen läßt. Dies ist auch der Grund, warum nur jene Forderungen der Dritten Welt eine Chance haben, verwirklicht zu werden, die ihrerseits mit einigen maßgeblichen Entwicklungstrends der metropolitanen Ökonomie bzw. den Interessen von Teilfraktionen sozioökonomischer Gruppierungen in den Metropolen (im Widerstreit zu den Interessen anderer Gruppierungen) übereinstimmen. Die Forderung nach einer Strukturanpassung der Metropolen an einen liberalisierten Welthandel wird sich in dem Maße durchsetzen lassen, wie innerhalb der Metropolen aus Rentabilitätsgründen Produktionsabschnitte bzw. Branchen in die Dritte Welt ohnehin verlagert werden, um von dort aus den heimischen metropolitanen Markt zu beliefern. Dasselbe gilt für die 1975 während der UNIDO-Konferenz in Lima vorgetragene Forderung der Peripherien nach einem 25%igen Anteil an der Weltindustrieproduktion im Jahre 2000.[14] Bleibt der Entwicklungsweg der Peripherien außenhandelsorientiert, so wird diese Forderung sich nur in dem Maße erfüllen lassen, wie sie selbst autonomen Entwicklungstrends in den Metropolen, ungeachtet der Wünsche der Dritten Welt, entspricht.

## 8. Entwicklungs-Alternative

Die Alternative zu alledem wäre eine Entwicklung, in der die breiten Massen der Entwicklungsländer qua produktive Tätigkeit und qua Massenkonsum in den Entwicklungsprozeß voll eingegliedert wären. Unter diesen Voraussetzungen wäre eine Durchindustrialisierung der Peripherien auf einem den Massenbedürfnissen angemessenen Niveau viel eher möglich als auf dem Umweg einer Entwicklung durch weitere Integration in den Weltmarkt.[15] Daß die maßgeblichen Eliten der Dritten Welt in Kontinuität zur überkommenen Praxis den letzteren Weg beschreiten, hängt mit ihrer eigenen Interessenposition zusammen. Nach allen gängigen Standards (Einkommen, Ausbildung, Konsummuster u. dgl.) sind sie eingegliedert in den sogenannten internationalisierten Kernbereich des kapitalistisch bestimmten Weltwirtschaftssystems. Ihre Radikalität findet ihre Grenzen dort, wo die eigene Funktion und Position im Weltmarkt unterminiert würde. Deshalb bleibt unter den gegebenen gesellschaftspolitischen Verhältnissen in den Peripherien die Auseinandersetzung zwischen den Industriegesellschaften und der Dritten Welt im strikten Sinne ein Verteilungskonflikt zwischen den Metropolen und den in die internationale Ökonomie integrierten Sozialschichten der Dritten Welt. Diese sehen sich heute einem größeren innergesellschaftlichen Problemdruck gegenüber, den sie mit den herkömmlicherweise verfügbaren beschränkten Ressourcen nicht zu bewältigen vermögen. Ihr Interesse besteht offensichtlich in einer weiteren Teilmodernisierung ihrer Gesellschaften, z. B. in Form der Fortführung des überkommenen Typs beschränkter Industrialisierung, wovon sie sich möglicherweise jene Problemlösung erhoffen, die sie ohne eine marginale Strukturveränderung ihrer eigenen Gesellschaften nicht zu erreichen glauben. Im Klartext heißt dies, daß die breiten Massen der Dritten Welt in der Regel von dem Verteilungskonflikt zwischen Industriegesellschaften und ihren eigenen Eliten wenig profitieren werden. Dieser Verteilungskonflikt könnte sogar dazu führen, daß die Befriedigung der legitimen Bedürfnisse breiter Massen in den Peripherien weiter aufgeschoben wird. Denn eine systematische Politik der Befriedigung solcher Bedürfnisse von immerhin 60 bis 80

Prozent der Bevölkerung, deren Interessen heute im politischen System der Peripherien kaum oder nicht repräsentiert sind, müßte in der Tat von anderen Prämissen ausgehen als denjenigen, die von den Vertretern der Dritten Welt propagiert worden sind: nicht von der Integration in den Weltmarkt, sondern von einer *Dissoziation* aus diesem Weltmarkt; nicht von einer außenhandelsorientierten Entwicklungsstrategie, sondern von einer *allseitigen binnenmarktorientierten Entwicklung der produktiven Kräfte* mit dem Ziel der Herausbildung lebensfähiger vermaschter Wirtschaftskreisläufe (insbesondere zwischen Landwirtschaft und Industrie); nicht von einer weiteren, vertieften Integration in eine andauernd ungleiche internationale Arbeitsteilung, sondern vom Aufbau von *Strukturen gleicher Arbeitsteilung zwischen den Peripherien*, so daß an Ort und Stelle kohärente subregionale und regionale Wirtschaftskreisläufe entstünden, wo heute nicht nur im politischen, sondern gerade im ökonomischen Sinne balkanisierte Strukturen selbstbestimmte Wirtschaftsentwicklungen verhindern. Solche Entwicklungsprozesse sind nicht utopisch; *sie sind voll realisierbar, wenn man zum Maßstab der Entwicklung die Befriedigung der konkreten Massenbedürfnisse nimmt.* Dies setzt eine politische Repräsentation eben solcher Interessen voraus, die allerdings an Ort und Stelle erst noch zu erstreiten ist.

Fazit: Die Erregung in den Metropolen ist weithin unbegründet. Der Sturm, der die Weltwirtschaft durchweht, ist weithin ein Sturm im Wasserglas. Selbst die »radikalen« Verfechter einer Neuen internationalen Wirtschaftsordnung stehen auf dem Boden der überkommenen. An den Lebensnöten derjenigen, in deren Namen sie sich in Szene setzen, wird sich wohl am wenigsten ändern. Darin liegt wahrscheinlich auch der Keim des langfristigen Scheiterns dieser Versuche. Die internationale Diplomatie schickt sich an, der alten Wirtschaftsordnung neue Kleider zu verpassen.

## 9. Anhang

Die Forderungen der offiziellen Vertreter der Dritten Welt nach einer zu errichtenden Neuen internationalen Wirtschaftsordnung wurden in den Metropolen als politische Herausforderung, wenn nicht gar als Provokation empfunden. Zeitgeschichtliche Untersuchungen sowohl über diese Forderungen als auch die Herausbildung gemeinsamer lobbyistischer Organisationen der Dritten Welt in der internationalen Politik können jedoch eine erhebliche Kontinuität der heute als provokativ empfundenen Forderungen diagnostizieren. Und dies gilt nicht nur für die vier UNCTAD-Konferenzen seit 1964.

Odette Jankowitsch und Karl. P. Sauvant haben in einem Papier für die 17. Konferenz der International Studies Association in Toronto (Februar 1976) sowohl die Entwicklungsgeschichte dieser Forderungen untersucht, als auch eine Systematisierung der wichtigsten Forderungen vorgelegt.[16] Im Anschluß an die vorangegangenen Überlegungen zur Diskussion über eine »Neue internationale Wirtschaftsordnung« soll im folgenden die systematische Gliederung dieser Forderungen, wie sie von den beiden genannten Autoren, aufbauend auf den Dokumenten der 6. und 7. Sondervollversammlung der UNO (1974 und 1975) und unter Zugrundelegung der »UN-Charta über die Rechte und Pflichten von Staaten« erarbeitet worden ist, wiedergegeben werden. Die Forderungen wurden in sechs thematische Komplexe gegliedert, die ihrerseits jeweils die in der internationalen Diskussion umstrittenen Detailforderungen enthalten.

## 9.1 Zentrale Forderungen der Dritten Welt

I. *Internationaler Handel*

1. Expansion und Diversifikation des Handels von Entwicklungsländern; Zunahme der Deviseneinkommen aus Exporten und Verbesserung der Austauschrelationen (terms of trade).
2. Expansion des Exportes von Fertigwaren und Halbfertigwaren.
3. Regulierung der Rohstoff- und Warenmärkte vermittels eines integrierten Programmes, das folgende Detailelemente enthält:
   a) Internationale Vorratslager und andere Marktvereinbarungen;
   b) Internationale Finanzierung solcher Vorratshaltung;
   c) Lang- und mittelfristige Verträge;
   d) Verbesserte Finanzierungsvorsorge für den Fall von Fluktuation von Exporteinnahmen;

e) Förderung der Verarbeitung von Rohmaterialien in Entwicklungsländern;
f) Zunahme des Anteils von Entwicklungsländern im internationalen Dienstleistungsgewerbe.

4. Indexierung (Kopplung von Rohstoffpreisen an die Preise von Fertigwaren und Kapitalgütern).
5. Durchführung von Selbstbeschränkungsregulierungen (z. B. bei der Produktion von Synthetika in den Fällen, wo Naturerzeugnisse aus der Dritten Welt angeboten werden können).
6. Die Reduktion und Beseitigung von nichttarifären Importbeschränkungen in den Metropolen und die Verbesserung und Ausweitung der allgemeinen Präferenzsysteme.
7. Die Aufhebung von restriktiven Unternehmenspraktiken.
8. Spezifische Maßnahmen für die am wenigsten entwickelten, landeingeschlossenen und Insel-Länder in der Dritten Welt.

II. *Transfer von realen Ressourcen zur Finanzierung der Entwicklung von Entwicklungsländern und Reform des internationalen Währungssystems*

1. Substantielles Anwachsen der Finanzierungsfazilitäten für die Länder der Dritten Welt; Voraussagbarkeit der Ströme finanzieller Ressourcen; Entkoppelung der Entwicklungshilfeleistungen.
2. Offizielles Entwicklungshilfeziel von 0,7% Anteil am Bruttosozialprodukt bis 1980.
3. Verbindung zwischen den Sonderziehungsrechten und der Entwicklungshilfe sowie Etablierung eines Trustfonds, der durch den Verkauf von Goldreserven des internationalen Währungsfonds finanziert werden soll.
4. Substantielle Aufstockung des Kapitals der Weltbank und insbesondere der IDA (International Development Agency).
5. Schuldenentlastung für Entwicklungsländer; eine internationale Konferenz über diese Probleme.
6. Zugang zu den Kapitalmärkten; Expansion der IFC (International Finance Corporation).
7. Reduktion der Rolle von nationalen Währungen als internationale Währungsmittel; Sonderziehungsrechte als die zentrale Währungsreserve des internationalen Währungssystems.
8. Wachsende Partizipation der Länder der Dritten Welt in den Entscheidungsprozessen über internationale finanzielle Angelegenheiten.
9. Ausdehnung und Liberalisierung der Ausgleichsfinanzierungsfazilitäten; Überprüfung einer neuen Fazilität zur Absicherung von Entwicklungsvorhaben.
10. Verbesserung der finanziellen Fazilitäten für die Errichtung und Aufrechterhaltung von Ausgleichslagern (buffer stocks).

III. *Wissenschaft und Technologie*

1. Entwicklung der wissenschaftlichen und technologischen Infrastruktur von Entwicklungsländern, einschließlich der Errichtung einer industriell-technologischen Informationsbank.
2. Ausdehnung der Wissenschafts- und Technologiehilfe; Schaffung von angemessener einheimischer Technologie, wachsender Anteil an Forschungen über spezifische Probleme, die für Entwicklungsländer von Interesse sind.
3. Verhaltenskodex für den Technologietransfer.
4. Revision der internationalen Konvention über Patente und Warenzeichen.
5. Zugang zu relevanten Informationen über fortgeschrittene und andere Technologie; Ermutigung privater Institutionen der entwickelten Gesellschaften, Technologie zu transferieren.
6. Transparenz des Marktes des industriellen Eigentums.
7. UN-Konferenz über Wissenschaft und Technologie für Entwicklung.
8. Verhinderung des brain drain.

IV. *Industrialisierung*

1. Verwirklichung der Lima-Deklaration und des Aktionsplanes über Kooperation auf dem Gebiet der industriellen Entwicklung.
2. Verlagerung von Industrien in die Entwicklungsländer.
3. Förderung industrieller Kooperation.
4. Ermutigung von Unternehmen aus entwickelten Gesellschaften, an Investitionsprojekten im Rahmen von Entwicklungsplänen der Entwicklungsländer teilzunehmen.
5. Besondere Aufmerksamkeit für die Industrialisierung der am wenigsten entwickelten, landeingeschlossenen und Insel-Entwicklungsländer.

V. *Nahrung und Landwirtschaft*

1. Förderung der Nahrungsmittelproduktion in Entwicklungsländern.
2. Substantielle Zunahme der Hilfe für Entwicklungsländer hinsichtlich der Produktion von landwirtschaftlichen und Nahrungsgüter sowie Erleichterung des Marktzuganges für landwirtschaftliche Produkte in unverarbeiteter und verarbeiteter Form.
3. Priorität für die landwirtschaftliche und Fischereientwicklung; Reduktion der Nahrungsmittelverluste im Anschluß an Ernten.
4. Stabile und ausreichende Versorgung mit Düngern zu vernünftigen Preisen.
5. Übernahme der Zielsetzung garantierter Nahrungsmittelhilfe.

6. Aufrechterhaltung von Weltgetreide-Vorratslagern, um Produktionsfluktuationen auszugleichen.

VI. *Kooperation zwischen den Entwicklungsländern*

1. Restrukturierung der ökonomischen und sozialen Abteilungen des UNO-Systems.

## 9.2 Zur weiteren Interpretation der Forderungen

Ein Blick auf die Liste der Forderungen zeigt, daß eine erhebliche Zahl von ihnen ohne weiteres liberalen ordnungspolitischen Vorstellungen entspricht. Eine weitere Kategorie von Forderungen ist mit jenen staatsinterventionistischen Eingriffen in Marktwirtschaften zu vergleichen, die – ähnlich wie die Forderungen nach subventionistischen Hilfestellungen – in metropolitanen Ökonomien mehr oder minder gang und gäbe sind. Bestünde eine mit wirklicher Sanktionsgewalt versehene internationale Steuerungs- und Kontrollinstanz (z. B. in Form einer mit Souveränitätsrechten ausgestatteten supranationalen Organisation), so würde es zu deren regulären Aufgaben gehören, dort zu intervenieren und zu subventionieren, wo das freie marktwirtschaftliche Spiel der Kräfte zu vertiefter Polarisierung und zu sozial nicht tolerierbaren Disparitäten führt. So abwegig die These ist, daß derlei Maßnahmen innerhalb metropolitaner Ökonomien systemwidrig sind, so wenig überzeugend ist die These, daß sie auf internationalem Gebiet einer Umfunktionierung des Systems von Welthandel und Weltwirtschaft in eine planwirtschaftliche Ökonomie gleichkämen. Gerade hinsichtlich der auf den ersten Blick nicht einem konkurrenzkapitalistischen Wirtschaftsmodell entsprechenden Forderungen ist zu beobachten, daß mit ihrer Hilfe (nach unserer Meinung ohne Erfolg) auf internationalem Gebiet Standards des Wohlverhaltens durchgesetzt werden sollen, die im nationalen Rahmen metropolitaner Ökonomien leidlich akzeptiert sind. Andererseits ist der »gewerkschaftliche Aspekt« der Forderungen nicht zu übersehen: Das politische Gewicht der ökonomisch Unterlegenen soll verstärkt werden und eine Entwicklungspolitik gleich welcher Art durch einschlägige Maßnahmen (Sonderziehungsrechte, Erlösstabilisierung, Vorratslager usw.) unterstützt werden. So gesehen ist die polemisch-kritische Stellungnahme in den Metropolen zu den Forderungen der Dritten Welt nicht nur analytisch wenig sinnvoll, sondern auch politisch kurzsichtig, und eine Korrektur dieser Reaktion wird in dem Maße unausweichlich werden, wie die weltmarktintegrative Stoßrichtung der von den offiziellen Vertretern der Dritten Welt verfolgten internationalen Wirtschafts- und Entwicklungspolitik deutlich wird. Politisch kurzsichtige Stellungnahmen wie die z. B. des Bundesverbandes der Deutschen Industrie in seinem Memorandum *Zur Gestaltung der wirtschaftlichen Beziehungen zwischen Industrie- und Entwicklungsländern* werden dann wohl schnell ad acta gelegt werden müssen.[17] In dieser Stellungnahme wurde im April 1976 zusammenfassend formuliert:

»Die Entwicklungsländer fordern die Errichtung einer sogenannten Neuen Weltwirtschaftsordnung und meinen damit den weitgehenden Ersatz der liberalen marktwirtschaftlichen Prinzipien durch eine planwirtschaftliche Lenkung. Demgegenüber ist festzustellen, daß die bisherige Welthandelsordnung sich in den vergangenen Jahrzehnten als besonders leistungs- und anpassungsfähig erwiesen hat. Sie hat nicht nur zu einer enormen Steigerung des Welthandels geführt, sondern sich auch in kritischen Zeiten der wirtschaftlichen Rezession, der Energiekrise und der weltweiten inflationären Entwicklung bewährt. Die deutsche Industrie ist der Meinung, daß eine auf Marktmechanismen und freien Güter-, Kapital- und Leistungsverkehr aufbauende Ordnung die Basis der künftigen internationalen Wirtschaftsbeziehungen sein sollte. Wenn die Entwicklung der internationalen Wirtschaftsbeziehungen hinter den Erwartungen vieler Entwicklungsländer zurückblieb, so ist das keine Folge einer falschen Weltwirtschaftsordnung, sondern des unterschiedlichen Ausgangsniveaus, ihrer nationalen Wirtschaftspolitiken, der selbstgesetzten Prioritäten und der Nutzung ihrer eigenen Ressourcen. Die Aufgabe besteht darin, die Wettbewerbsfähigkeit der Entwicklungsländer zu stärken, ihre Strukturen zu verbessern und auf diese Weise ihre Einfügung in den organischen Kreislauf der Weltwirtschaft zu fördern.«

Die in dieser Stellungnahme zum Ausdruck kommende, nur an den eigenen kurzfristigen Interessen orientierte Bewertung[18] ist um so merkwürdiger, als sich nachweisen läßt, daß die »planwirtschaftlichen« und »dirigistischen« Eingriffe in die internationale Ökonomie während der vergangenen Jahre (Weltzinnabkommen, Internationales Textilabkommen usf.)

keineswegs zum Schaden der Metropolen, allerdings auch nicht zum Nutzen der Armen in der Dritten Welt sich auswirkten. Karl Grobe hat in einem Kommentar zum Verlauf und Ergebnis der UNCTAD-IV-Konferenz diesen Sachverhalt eindrucksvoll beschrieben:

»Ein Weltrohstoffonds, ein Weltschuldenabkommen und dergleichen wären ja doch nichts anderes als eine nach Planwirtschaft aussehende Zwischeninstanz, an deren beiden Enden dann lustig weiter frei, also zum Nutzen der ohnehin wirtschaftlich Mächtigen, herumgemarktet werden könnte. Den Milliardenmassen in der Dritten Welt wäre nichts geholfen. Schon die bisherigen Rohstoffabkommen haben kaum eine soziale Reform bewirkt. Sie haben, mit wenigen Ausnahmen, nur den Staatseliten im Süden und den Wirtschaftseliten im Norden klare Kalkulationsgrundlagen an die Hand gegeben. Die brasilianischen Kaffeebauern, die Kupferarbeiter von Zaire oder Sambia, die Holzfäller von Ecuador oder Gabun haben wenig davon gehabt, die viel zahlreicheren Bauern überhaupt nichts; die Abkommen haben bestehende soziale Ungleichheiten keineswegs abgemildert. Der Ertrag blieb an klebrigen Händen hängen, auf die die armen Mehrheiten nicht einmal klopfen können. Eine andere Weltwirtschaftsordnung muß entstehen, das ist unbestritten, wenigstens von denen, die ein wenig über die Nasenspitze ihrer eigenen Interessen hinaussehen können. Solange sie aber nicht auch am sozialen Nutzen orientiert ist, bewirkt sie das Gegenteil der guten Absichten. Genau an diesem Punkt beginnt das Thema politisch zu werden.«[19]

# Die neue internationale Militärordnung

## 1. Einleitung

Ende 1975 hat die Vollversammlung des Weltkirchenrates in Nairobi die Forderung nach einem Anti-Militarismus-Programm erhoben.[1] Damit lenkte dieses bedeutende Gremium die Aufmerksamkeit der Weltöffentlichkeit auf einen sich ausweitenden und ausdifferenzierenden Militarismus in der Welt. Während die Internationalisierung von Kapital und Arbeit nicht nur eine wissenschaftliche, sondern auch eine politische Diskussion hervorgerufen hat, blieb die *Internationalisierung des Militarismus* weithin unbeachtet. Ihre Untersuchung ist auf wenige Zentren der Friedensforschung konzentriert und keineswegs Gegenstand breiter, für selbstverständlich erachteter Forschungen in den verschiedenen Disziplinen der Sozialwissenschaft.[2] Die ungleiche Aufmerksamkeit, die gegenwärtig der Auseinandersetzung über eine »Neue internationale Wirtschaftsordnung« auf der einen Seite und einem sich ausweitenden Militarismus auf der anderen Seite gewidmet wird, ist dafür symptomatisch. Zeichnet sich die Debatte über eine »Neue internationale Wirtschaftsordnung« – für die einen ein Schreckbild, für die anderen ein Wunschbild – durch zahlreiche Konferenzen und eine emsige Berichterstattung aus[3], so entfaltet sich die *neue internationale Militärordnung* ziemlich lautlos, gewissermaßen unumstritten-selbstverständlich. Um so dringlicher ist ihre Problematisierung.

Das vorliegende Kapitel bezieht sich auf die hier angedeutete Problematik; in ihm werden jedoch nur einige Dimensionen des globalen Militarismusproblems ausschnitthaft herausgearbeitet. Dabei unterscheiden wir in dieser Abhandlung bewußt Rüstungsdynamik von Militarismusdynamik. Der Begriff der *Rüstungsdynamik* bezieht sich auf die vordergründigen Determinanten von Rüstungspolitik und Rüstungswettlauf, auf abgeleitete, gewissermaßen zweitrangige, aber dennoch höchst bedeutsame Faktoren.[4] Demgegenüber bezieht sich der Begriff der *Militarismusdynamik* auf die Rolle und Funktion staatlich und gesellschaftlich sanktionierter Gewaltapparate in gegebenen Konfliktformationen.[5] Folgende Problembereiche sollen erörtert werden:

1. Untersucht werden einige zentrale *Merkmale der metropolitanen Rüstungsdynamik.* Die Metropolen stellen die eigentlichen Innovations- und Produktionsstätten jeglicher Art von Rüstungsgerät dar. Dies gilt mit einigen Akzentunterschieden sowohl für die westlich-kapitalistischen Metropolen (USA, EG-Staaten, Japan) als auch für die militärtechnologisch einzig potente und weltweit operierende staatssozialistische Metropole, die Sowjetunion. Aus beider Aktivitäten resultiert – einzeln und im Wechselspiel – eine global orientierte Rüstungsdynamik, die ihre Begründung in den Interessenunvereinbarkeiten beider Metropolen findet. Dabei ist es in unserem Zusammenhang von geringerer Bedeutung, ob diese Unvereinbarkeiten im ideologischen Antagonismus und in einer gesellschaftspolitischen Systemkonkurrenz oder aber in den rivalisierenden geopolitischen Interessen einer Supermacht und einer »gewissen Supermacht« (wie die Chinesen zu sagen pflegen) verankert sind. Diese Fundamentalproblematik bedarf in der vorliegenden Abhandlung keiner ins einzelne gehenden Interpretation; dasselbe gilt für die Analyse der strukturellen Gründe für Rüstungsdynamik innerhalb der beiden Typen von Metropolen, weil beide Probleme Gegenstand einer Analyse des metropolitanen Militarismus wären, während für die vorliegende Abhandlung eine Analyse der metropolitanen Rüstungsdynamik genügt. Die aus dieser Rüstungsdynamik resultierenden Standards von Rüstungsgütern werden – vermittelt über den Transfer von Rüstungsgütern und Rüstungstechnologien aus den Metropolen in die Peripherien – immer mehr zu Standards der Rüstungsapparate in peripheren Gesellschaften.

2. Untersucht werden die Strukturveränderungen in den militärischen und Rüstungs-Beziehungen der Metropolen zu den Peripherien, welche zur Herausbildung einer *neuen internationalen Militärordnung* führen. Diese entwickelt sich parallel zu einer sich verändernden internationalen Arbeitsteilung, insbesondere zwischen westlich-kapitalistischen Metropolen und den kapitalistischen Peripherien. Da die Strukturveränderungen im politischen, ökonomischen und militärischen Bereich einigermaßen synchron verlaufen, bildet sich

eine neue Stufenfolge zwischen den Staaten in der Hierarchie der internationalen Gesellschaft, woraus neue Militarisierungsimpulse entstehen.

3. Eine solche Strukturanalyse findet ihre Ergänzung in einer Untersuchung der *Rolle und Funktion des Militarismus im Entwicklungsprozeß peripherer Gesellschaften.* In diesem dritten Abschnitt wird eine Militarismusanalyse im strikten Sinne versucht: Analysiert werden sollen die variablen Funktionen von Militär- und Gewaltapparaten innerhalb der Konfliktformationen, die sich im Entwicklungsprozeß peripherer Gesellschaften beobachten lassen.

Die Argumentationsgestalt dieses Kapitels resultiert aus der Absicht, die Militarismusanalyse für die aktuelle Debatte um eine »Neue internationale Wirtschaftsordnung« nutzbar zu machen. Der Schwerpunkt des Beitrags liegt deshalb *nicht* auf einer Untersuchung des metropolitanen Militarismus, sondern auf einer Analyse der Voraussetzungen und Dimensionen zunehmender Militarisierung peripher-kapitalistischer Gesellschaften – einschließlich der in diese Militarisierung eingehenden metropolitanen Vorgaben. Die Zuspitzung auf die aktuelle Diskussion über eine »Neue internationale Wirtschaftsordnung« erscheint sinnvoll, weil ohne eine Analyse des sich ausweitenden Militarismus – der selbst ein Ausdruck problematisch werdender Herrschafts- und Klassenstrukturen ist[6] – eine solche Diskussion leicht in illusionäre Bahnen gerät. Viele, sicherlich wohlgemeinte, Erwartungen an eine »Neue internationale Wirtschaftsordnung« erscheinen fragwürdig, wenn die heute beobachtbaren Ausdifferenzierungen der Herrschaftsstrukturen in und zwischen den Peripherien, deren militärische Grundlage eine *neue internationale Militärordnung* ist, berücksichtigt werden.

## 2. Einige zentrale Merkmale der metropolitanen Rüstungsdynamik

### *2.1 Entwicklungstrends der Rüstungsapparate*

Unsere Überlegungen zur Internationalisierung des Militarismus beginnen mit einer Charakterisierung einiger Merkmale der metropolitanen Rüstungsdynamik. In den Metropolen werden die kritischen Eventualfälle, für die weltweit militärisches Personal und Rüstungsgerät bereitgestellt werden, maßgeblich definiert. Hier wird die Geschwindigkeit militärtechnologischer Innovation bestimmt. Gegenüber der nicht-metropolitanen Welt haben diese Aktivitäten eine unbestreitbare Strukturierungs- und Prägekraft. Die wachsende Proliferation fortgeschrittener komplexer Waffensysteme aus den Metropolen in die Peripherien ist dafür ein Beispiel.[7]

In der Charakterisierung der metropolitanen Rüstungsdynamik sind folgende zentrale Faktoren zu berücksichtigen[8]:

1. Nachdrücklich wird die metropolitane Rüstungsdynamik durch die seit zwanzig Jahren vorherrschende wechselseitige Abschreckungspolitik zwischen den Metropolen bestimmt. Diese legitimiert eine umfassende Vorbereitung für *weltweit* gestreute kriegerische Eventualfälle als Voraussetzung für die Verhinderung von Kriegen und als Vorbereitung auf kriegerische Auseinandersetzungen im Falle eines Scheiterns von Abschreckung. Unter den gegenwärtigen politischen und militärtechnologischen Verhältnissen produziert diese Politik einen permanent einsatzbereiten Militärapparat, dessen Mobilisierungszeit gegen Null tendiert. Diese unmittelbare Einsatzbereitschaft gilt als Grundbedingung für eine effektive Abschreckung und als militärische Rückversicherung, sollte Abschreckung fehlschlagen.

2. Die umfassende Vorbereitung für kriegerische Eventualfälle aus Gründen wechselseitiger Abschreckung führt konsequent zu einer Ausdifferenzierung des gesamten Abschreckungsarsenals, von der Bekämpfung nationaler Befreiungsfronten bis zu den verschiedenen Versionen des Nuklearkrieges. Glaubwürdige Abschreckung verlangt eine umfassende Planung für alle denkbaren Eventualfälle. Daraus resultieren die konkreten Planungen in Kategorien von möglichen im Unterschied zu wahrscheinlichen Konfliktfällen. Die *worst case*-Doktrin, welche beim potentiellen Gegner beste technologische Fähigkeiten und übelwollende politische und militärische Absichten unterstellt, ist *ein* Ausdruck solcher Planung.

3. Ein differenziertes breites Abschreckungsspektrum ist nur auf der Grundlage differenzierter sozioökonomischer und technologischer Inputs in die Abschreckungspolitik herstell-

bar. Je aufgefächerter Abschreckungspolitik betrieben wird, um so aufgefächerter muß – ungeachtet der jeweiligen unterschiedlichen Gesellschaftsordnung – der Aufwand für Abschreckungspolitik sein. Aus solchen Anstrengungen resultiert eine über Zeit sich aufbauende Konfiguration von Interessen, Ideologien, Institutionen und Organisationen, die zusammengenommen eine breite soziologische Grundlage für diese Form von Sicherheitspolitik darstellen.[9]

4. Technologische Imperative und solche, die sich aus den Produktionsstätten von neuen Waffensystemen ergeben, entfalten ein eigenes, nicht zu unterschätzendes Gewicht.[10] Die Eigendynamik militärtechnologischer Entwicklungen wird nachdrücklich von den weit in die Zukunft ausgreifenden militärstrategischen und militärtechnologischen Planungen gefördert. In privatwirtschaftlich strukturierten Gesellschaften verschränken sich solche Imperative mit denen der Kapitalverwertung; in staatswirtschaftlich strukturierten Gesellschaften scheinen politische Führung, bürokratischer Apparat und die Zentren militärtechnologischer Expertise keineswegs geringere Antriebsimpulse zur forcierten Weiterentwicklung von hochqualifiziertem Rüstungsgerät auf allen Ebenen militärischer Planung freizusetzen.

Solche Merkmale der metropolitanen Rüstungsdynamik unterstreichen die seit dreißig Jahren zu beobachtenden intensiven Prozesse der Modernisierung und Innovation von Militärtechnologie in allen Teilen des Abschreckungsspektrums, das sich in diesem Zeitraum nach und nach herausgebildet hat. Der rapide *turnover* von Waffensystemen ist hierfür ein eindrucksvoller Beleg.[11] Jedoch ist Modernisierung und Innovation nicht nur auf die Herausbildung neuer Typen von Waffensystemen gerichtet (Raketen im Unterschied zu Militärflugzeugen), sondern auch auf höhere operative Leistungen jedes einzelnen Typs von Waffensystem. Generell läßt sich der Versuch beobachten, die Treffsicherheit von Waffensystemen zu erhöhen, und die Möglichkeit, einmal eingesetzte Waffensysteme politisch unter Kontrolle zu halten, zu verbessern. Kombiniert sollen höhere Präzision und eine verstärkte Kontrollmöglichkeit ein weites Spektrum politischer Optionen für den differenzierten Einsatz von Militärapparaten schaffen.[12] Solche Leitlinien werden der Abschreckungspolitik im allgemeinen zugrunde gelegt; sie sollen auch in jenem Falle gelten, in dem Abschreckung fehlschlägt. Dann nämlich werden die Militärapparate als Instrumente einer aktiven Kriegführung begriffen – weshalb die Ausdifferenzierung der Militärapparate, ihre Aufgliederung in Gewaltstufen und ihre Bereitstellung für differenzierte, politisch motivierte Operationen nicht das Resultat eines extremistischen militärischen Denkens sind, sondern die Konsequenz einer systematisch konzipierten Abschreckungspolitik auf allen Stufen potentieller Eskalation.

### 2.2 *Exkurs: Einige Bereiche zur Illustration*

Auf der *nuklearstrategischen Ebene* ist der Prozeß einer nicht enden wollenden qualitativen Modernisierung und Innovation von Waffensystemen am spektakulärsten. Sein Resultat dokumentiert sich in den bekannten Übertötungskapazitäten beider Supermächte. Die Zielsetzung von laufender Modernisierung und Innovation sind u. a. raffiniertere Lenksysteme, eine höhere Treffsicherheit und eine effizientere Abstufung von Zerstörungswirkungen gegebener und neuer Waffensysteme. Die jüngste Diskussion um die sogenannte *counter-force*-Doktrin (auch Schlesinger-Doktrin genannt) ist nur der punktuelle Ausdruck eines anhaltenden militärtechnologischen Prozesses, durch den das ursprüngliche Bild eines Nuklearkrieges als des zivilisationsvernichtenden Schlagabtausches allmählich überholt wurde.[13] Durch die Auffächerung gerade der nuklearstrategischen Waffenpotentiale sollten seit den fünfziger und frühen sechziger Jahren Nuklearwaffen zu einem potentiell selektiv verwendbaren Instrument in der Abschreckungspolitik und, gegebenenfalls, in kriegerischen Auseinandersetzungen zwischen den beiden Supermächten werden. An dieser Stoßrichtung hat sich prinzipiell nichts geändert, außer daß sie heute auch von der Sowjetunion stillschweigend akzeptiert zu sein scheint, während sie dort früher mit heftiger Kritik bedacht wurde. Neuere technologische Errungenschaften und ihre potentielle Übersetzung in zusätzliche operative Waffensysteme können als Ausdruck dieses Militärstrategie und Militärtechnologie durchgängig kennzeichnenden Trends begriffen werden. Die jüngste Debatte um die sogenannten *cruise missiles* hat dies noch einmal verdeutlicht[14]: Das neue

Waffensystem übertrifft offensichtlich die bemannte nuklearstrategische Bomberflotte, die land- und seegebundenen Interkontinentalraketen (selbst jene, die mit Mehrfachsprengköpfen bestückt sind) durch ihre variable, kontrollierbare Einsatzmöglichkeit (konventionell und/oder strategisch), durch ihre enorm hohe Treffsicherheit und durch eine relativ günstige Kosten-Nutzen-Relation (hinsichtlich des finanziellen Aufwandes) an *sophistication.* Es ist deshalb nicht überraschend, daß Rüstungskontrollfachleute dieses Waffensystem als einen neuerlichen Durchbruch zu einer neuen Runde des nuklearstrategischen Rüstungswettlaufs zwischen Ost und West begreifen und überdies diesem Waffensystem aus Gründen seiner relativ günstigen Kosten-Nutzen-Relation eine große Verbreitungschance über die Supermächte hinaus einräumen.[15]

Was im nuklearstrategischen Bereich insgesamt und im Falle der *counter-force*-Doktrin bzw. der Diskussion um die *cruise missiles* im einzelnen beobachtet werden kann, zeigt sich gleichermaßen im *taktisch-nuklearen Bereich.*

Die überkommenen taktischen Nuklearwaffen, welche ein weites Spektrum von nur taktisch verwendbaren Waffensystemen bis zu Waffensystemen strategischen Kalibers umfassen, unterlagen in den vergangenen Jahren einem Prozeß sogenannter Miniaturisierung, durch den relativ grobschlächtige, oft nur konterproduktiv einsetzbare Waffen durch kleinere, präziser und treffsicherer operierende taktische Nuklearwaffen abgelöst werden sollten, die überdies noch den von ihren Konstrukteuren vielgepriesenen Vorzug eines geringeren *fall-out* als die überkommenen haben sollen.[16] Weiterhin ist auch in diesem Gebiet die Kommunikations- und Kontrolltechnologie offensichtlich so fortgeschritten, daß heute, im Unterschied zu der ersten Generation von taktischen Nuklearwaffen im Rahmen der Strategie massiver Vergeltung in den fünfziger Jahren, dieser Typ von Waffensystem in Eventualfällen und Eskalationsprozessen abgestuft politischen Optionen zugeordnet werden kann.[17] Damit dürfte zum erstenmal eine Eingliederung dieser Waffensysteme in eine Strategie flexibler Antwort *(flexible response)* möglich werden, während die Eingliederung der überkommenen taktischen Nuklearsysteme in eine solche Strategie von vielfältigen prinzipiellen und operativen Widersprüchlichkeiten gekennzeichnet war.[18] Mit der Verbreitung der zivilen Nukleartechnologie in sogenannten Schwellen-Ländern wächst auch die Chance einer Verbreitung dieser Waffensysteme, so daß die Versuche einer Eindämmung der nuklearen Militärtechnologie zum Scheitern verurteilt wären.[19] Der nukleartechnologische Durchbruch Indiens hat hier einen deutlichen Markstein gesetzt, und das faktische Scheitern der Nonproliferations-Überprüfungskonferenz in Genf 1975 könnte eine Reihe von Ländern veranlassen, die Nuklearprogramme verstärkt zu fördern. Dies gilt insbesondere für die Länder in den südlichen Kontinenten, die in einem späteren Abschnitt als Subzentren bezeichnet werden.[20]

Auch auf *konventionellem Gebiet* ist der gleiche militärtechnologische Trend zu erkennen. In einem Bericht über neue konventionelle Waffentechnologien hieß es jüngst[21]:

»Wegen der durchgängigen Aufmerksamkeit, die auf neue nuklearstrategische Entwicklungen gerichtet ist, wurde bis jüngst wenig Notiz von grundlegenden technologischen Wandlungen genommen, die im Bereich konventioneller Waffensysteme sich abspielen. Während die Vereinigten Staaten keineswegs die einzige Nation sind, welche neue Wege in der Konstruktion solcher Waffen aktiv verfolgt, ist doch das Verteidigungsministerium der USA gegenwärtig in über dreißig Forschungs- und Entwicklungsprogrammen engagiert, welche neue Lenksysteme, Sensoren und Kommunikationstechnologien beinhalten, die den zukünftigen Waffen eine weit höhere Genauigkeit zu geben versprechen, weiterhin eine verbesserte Treffsicherheit und auch die Fähigkeit, Ziele in größerer Entfernung mit kleineren Sprengköpfen zu treffen. [. . .] Vielleicht besteht die außerordentliche Verbesserung der Leistung von konventionellen Waffen in der erreichbaren höheren Genauigkeit der sogenannten präzisionsgelenkten Munition (precision-guided munitions), die den wahrscheinlichen Streubereich (circular error probable, CEP) mancher Schlachtfeldwaffen auf weniger als zehn Fuß reduziert hat. (Das CEP ist ein Maß für die Genauigkeit von Raketenangriffen auf spezifische Ziele. Es handelt sich dabei um den Radius eines Kreises um das Ziel, innerhalb dessen zu erwarten ist, daß die Hälfte der angreifenden Sprengköpfe einschlagen. Konsequenterweise gilt, daß, je kleiner das CEP-Maß einer Rakete ist, sie als desto genauer eingestuft werden muß.) Diese sogenannten ›smarten Waffen‹ [. . .] sind relativ billig und einfach zu operieren, und sie sind inzwischen in die Waffenarsenale der USA in großer Zahl eingegangen – als Luftverteidigungsraketen, als Anti-Panzerwaffen und als aus der Luft abgeworfene Gleitbomben. Um eine hohe Treffwahrscheinlichkeit zu erreichen, wird die präzisionsgelenkte Munition gewöhnlich nach halbem Weg und in der Endphase ihrer Operation in die Ziele eingelenkt, indem eine wachsende Zahl von äußerst raffinierten radar-, laser-, infrarot- und/oder elektro-optischen Sensoren und Erkennungssystemen benutzt wird. [. . .] Die präzisionsgelenkten Waffen, welche nun entwickelt werden, um gegen Ende des Jahrzehnts beschafft zu werden, umfassen eine lasergelenkte Artilleriewaffe, multiple, unabhängig voneinander manövrierbare Subwaffen, einen kleinen Sprengkopf, der von einer Splitterbombe abgeschossen wird und der mit Hilfe eines in der Endphase operierenden Lenksystems individuelle Ziele angreifen könnte. Weiterhin konzentrieren sich Forschungsanstrengungen auf das, was man vielleicht als äußerste präzisionsgelenkte Waffe bezeichnen könnte: hochkalibrige lasergelenkte Waffensysteme. Die Entwicklung auf diesem technologischen Gebiet koinzidiert mit breiten Verbesserungen auf anderen konventionellen Fronten: Dort ist die Nutzung von ferngesteuerten Flugkörpern als Kampfjäger zu beobachten (remotely piloted vehicles), die Verbesserung in der Datenverarbeitung und Datenübermittlung, um eine größere Verläßlichkeit von Kommando- und Kontrollkapazitäten zu ermöglichen, die Einrichtung von operativen Erkennungssystemen und die Nutzung fortgeschrittener Kommunikations- und Sensorensysteme, die die Zielidentifikation und die Zielerreichung verbessern. Betrachtet man diese Entwicklungen zusammen, so könnten sie alle einen qualitativen Wandel in der Natur des konventionellen Krieges ankündigen, wie z. B.:

1. Kleine mobile Land- und Seestreitkräfte werden eine wachsende Feuerkraft zur Verfügung haben. Als ein Ergebnis können große und teure Systeme (Panzer, Kampfflugzeuge, Bomber und Flugzeugträger) in wachsendem Maße durch Waffen verwundbar werden, die von einzelnen Soldaten oder kleinen Einheiten befördert werden.

2. Wenn man die Leistungsfähigkeit der neuen Waffensysteme betrachtet, so könnte es weniger wünschenswert werden, Streitkräfte auf dem Schlachtfeld zu konzentrieren. Die Fähigkeit, Streitkräfte zu bewegen oder zu verstecken, wird wahrscheinlich bedeutsamer werden, was im übrigen darauf hindeutet, daß die neuen Technologien für den Verteidiger vorteilhafter sein werden als für den Angreifer.

3. Angesichts der höheren Treffgenauigkeiten könnte es sein, daß kleinere Sprengköpfe gegen spezifische Ziele wirklich benutzt werden können und dadurch den nicht beabsichtigten Schaden gegenüber zivilen Strukturen und Bevölkerung während des Krieges reduzieren helfen.«

Wie dieses Zitat zeigt, geht der Entwicklungstrend im konventionellen Bereich in die gleiche Richtung wie im nuklearstrategischen und im taktisch-nuklearen: Gesucht werden eine höhere Lenkpräzision, eine größere Treffsicherheit, Sprengköpfe mit geringerer Sprengkraft, eine höhere logistische Mobilität der Waffensysteme; insgesamt erweiterte politische Optionen für die Handhabung von Waffensystemen.

Auch in neuartigen Kriegsbildern wie z. B. dem des *automatisierten* oder *elektronischen Schlachtfelds* spielen diese Entwicklungstrends eine überragende Rolle. So ist im SIPRI-Jahrbuch für Rüstung und Abrüstung 1974 zu lesen:

»Die automatische Kriegführung ist ein extrem komplexes Feld, und die Entwicklung automatischer Systeme impliziert Fortschritte in vielen Branchen der Naturwissenschaft und Technologie, wie z. B. der Elektronik, der Telekommunikation, der Computertechnologie, der Chemie usf. Die automatisierte Kriegführung ist ein sehr dynamisches Feld. In allen Zweigen der Militärtechnologie folgt auf die Entwicklung eines neuen offensiven Waffensystems die Entwicklung eines neuen defensiven Systems, das gegen das offensive gerichtet ist; die letztere Entwicklung wird wieder abgelöst durch die Entwicklung eines nochmals offensiven Systems, das das erreichte defensive System überwinden soll. Im Bereich der automatisierten Kriegführung ist der Impuls des technologischen Rüstungswettlaufs vielleicht noch größer als in anderen militärischen Bereichen: Die meisten der automatisierten Systeme beruhen zumindest zum Teil auf Elektronik, z. B. für die Sammlung und Analyse von Daten über den Feind, zur Lenkung von Waffen in ihre Ziele usf., und die Entwicklung neuer elektronischer offensiver Systeme trägt zur Entwicklung elektronischer Gegenmaßnahmen bei, die ihrerseits wiederum die Entwicklung von neuen elektronischen Gegen-Gegenmaßnahmen anheizen usf., bis zu einer immer mehr zunehmenden Komplexität.«[22]

Die Militärs begrüßen eine solche Entwicklung nicht nur, weil neue Technologien neue Eventualplanungen nach sich ziehen, sondern auch, weil durch diese Technologien gewissermaßen unbegrenzte Optionen für sogenannte angemessene Antworten möglich werden sollen.[23] Der hier angezeigte Gang der Dinge revidiert nicht, sondern verstärkt das eigentlich problematische Ergebnis der militärtechnologischen Entwicklung der vergangenen dreißig Jahre in den Metropolen: *die Anhäufung von Übertötungskapazitäten und die Planung für weltweit gestreute Eventualfälle.* Was die Übertötungskapazitäten angeht, so beträgt allein das *nukleare* Zerstörungspotential der USA heute 8000 Megatonnen TNT, was einem 4000-fachen Äquivalent des allein von den USA im Krieg gegen Deutschland und Japan benutzten Zerstörungspotentials gleichkommt (damals ca. 2 Megatonnen TNT).[24]

Neben dieser furchterregenden Übertötungskapazität und den vorher geschilderten Versuchen einer erneuten Verfügbarmachung nicht nur konventioneller, sondern gerade auch nuklearer Destruktionspotentiale für eine tatsächliche Kriegführung im Falle eines Fehlschlagens von Abschreckung darf nicht übersehen werden, daß es eine ganze Reihe von Waffensystemen gibt, die nicht, um dem militärischen Sprachgebrauch zu folgen, »diskriminiert« eingesetzt werden können und deshalb als »indiscriminate weapons« bezeichnet werden. Es handelt sich um Waffen, die unterschiedslos gegen Zivilbevölkerung und Militär gebraucht werden. Sie wurden jüngst unter dem Titel »Incendiary Weapons« in einer Monographie des SIPRI-Instituts untersucht.[25] Obgleich weniger diskutiert, sind sie doch von großer militärischer Bedeutung und Anwendungsbreite: allein 400 000 Tonnen Napalmbomben wurden im Indochina-Krieg von den USA und ihren alliierten Streitkräften abgeworfen; größere Quantitäten von Brandmunition wurden im Indochina-Krieg benutzt als in jedem anderen Land und jedem anderen Krieg zuvor. Der unmenschliche Charakter solcher Waffen hat jüngst zu internationalen Verhandlungen geführt, die ihre Ächtung zum Ziele haben – bisher jedoch ohne Erfolg, und Berichte deuten darauf hin, daß die Forschungs- und Entwicklungsprogramme auf diesem Gebiet nicht weniger intensiv vorangetrieben werden als in den anderen Bereichen, die oben ausschnitthaft dargestellt wurden, und daß diese Waffensysteme in aller Welt eine weite Verbreitung finden.

Die Entwicklungen in den genannten Rüstungsteilbereichen betreffen nicht nur ihre Ursprungsstätten, die Metropolen, und deren Sicherheitspolitik und Kriegführung; sie sind unmittelbar für die Länder der südlichen Kontinente relevant, *einmal, weil eine ganze Reihe von diesen Waffensystemen dort in aktiver Kriegführung von den Metropolen eingesetzt wurden, zum anderen, weil sich eine ganze Reihe von ihnen heute schon in den Arsenalen der lokalen Militärapparate befinden.* Wie die Proliferationsdiskusssion beispielhaft zeigt, scheint es nur noch eine Frage der Zeit zu sein, bis auch Nuklearwaffen verschiedenen Typs in die Militärpotentiale zumindest der

Subzentren eingegliedert werden – eine Tendenz, die sich durch die Verbreitung nukleartechnologischen Wissens und die Verbilligung der Produktion von nuklearen Waffensystemen sicherlich beschleunigen wird.[26]

### *2.3 Expansive Impulse metropolitaner Rüstungsproduktion*

Die vorangegangenen Überlegungen haben auf einige Merkmale der Entwicklung der metropolitanen Rüstungsdynamik aufmerksam gemacht. Unberücksichtigt blieben in der Darstellung jene Impulse, die sich aus politischen und ideologischen Konfliktkonstellationen ergeben und die gewissermaßen den größeren Rahmen für die zuvor dargestellte Entwicklungsdynamik abgeben. Dabei ist nicht nur an die klassische Ost-West-Konfliktkonstellation zu denken, die trotz erkennbarer Entspannung weiterbesteht; zu denken ist vielmehr auch an die Konfliktkonstellation zwischen der Sowjetunion und China, die offensichtlich gerade im Bereich militärischer Eventualplanungen an Bedeutung zugenommen hat.

Da diese Konfliktkonstellationen sich nicht in abgekapselten politischen Räumen lozieren lassen – gerade die weltweite Orientierung gehört zu ihren Merkmalen –, konnte eine Penetration insbesondere der Peripherien mit militärischen Aktivitäten der Metropolen (Militärallianzen, Militärbasen, Militärhilfe, militärische Ausbildungshilfe, Waffenverkäufe, Waffengeschenke, offene oder verdeckte militärische Interventionen, Geheimdienstaktivitäten u. a.) nicht ausbleiben.

Eingegliedert in diese übergeordneten Konfliktkonstellationen, blieben lange Zeit die nicht-metropolitanen Länder der Spielball der jeweils einflußsuchenden und -findenden Hauptagenten des Kalten Krieges, der USA und ihrer Verbündeten sowie der Sowjetunion. Der umfassende Versuch des Westens, in der Nachkriegszeit gegen die Sowjetunion und China eine Reihe von Militärallianzen aufzubauen, wurde in der Literatur viel diskutiert, ebenfalls die gesellschaftspolitischen Folgewirkungen der Übertragung des Kalten Krieges in Gesellschaften, die sich zumeist im Prozeß der Dekolonisation befanden.[27]

Zusätzlich zu den aus weltpolitischen und makro-ideologischen Konfliktkonstellationen resultierenden Militarisierungsimpulsen gibt es solche, die sich aus dem Wettbewerb von Rüstungsindustrien der kapitalistischen Metropolen um Absatzgebiete außerhalb des metropolitanen Marktes ergeben. Mit der Auflockerung der politischen, je bilateralen Metropolen-Peripherien-Beziehungen infolge der politischen Dekolonisation hat die Nachfrage nach Rüstungsgütern auf dem internationalen Rüstungsmarkt diesen Inter-Metropolen-Wettbewerb, insbesondere zwischen den USA und den westeuropäischen Gesellschaften (und hier vor allem Frankreich und England), nachdrücklich verstärkt.

Ungeachtet dieses Nachfragesogs der Peripherien gibt es jedoch eine Reihe von Faktoren, die zu einer (im Jargon der Rüstungsexporteure) »aggressiven« und expansiven Rüstungsexportpolitik der westlich-kapitalistischen Metropolen führen. Dies hängt u. a. mit den strukturellen Merkmalen heutiger Rüstungsproduktion und ihren Folgeproblemen zusammen.[28] Dazu wurden jüngst folgende Hypothesen aufgestellt und empirisch belegt[29]: Die erforderliche Kapazität für die Produktion von Waffensystemen wird um so größer, je höher die Stückzahlen für einzelne Waffensysteme und je kürzer die Entwicklungs- und Fertigungszeiten sind; andererseits gilt, daß die Stückkosten um so geringer werden, je höher die Stückzahl ist. Es ist eine bekannte Tatsache, daß Waffensysteme heute gegenüber ihren jeweiligen Vorgängern an Komplexität sukzessive zunehmen, wodurch Entwicklungs- und Produktionskosten sowie die Entwicklungs- und Produktionszeiten anwachsen. Einsparungen erscheinen, insbesondere unter budgetären Zwängen, nur durch eine Senkung der Stückzahlen möglich; sie sind jedoch offensichtlich geringer als der Kostenanstieg durch die höhere Komplexität der Waffensysteme. Eine völlige Kompensation gestiegener Entwicklungs- und Produktionskosten durch eine Stückzahlverringerung ist auch deshalb nicht möglich, weil die daraus resultierenden kleinen Serien militärisch sinnlos wären. Eine Streckung der Entwicklungs- und Produktionszeitspanne würde zu einer Überalterung von Waffensystemen zum Zeitpunkt ihrer Einführung führen. Auch erscheint eine solche Ausdehnung angesichts des Wettbewerbs im internationalen Rüstungsgeschäft ruinös. Da jede neue Waffengeneration komplexer ist, sind mehr qualifizierte Arbeitskraft und mehr Kapital nötig, wobei – um *up-to-date* und wettbewerbsfähig zu bleiben – die allgemeine Tendenz zum Ausbau von Rüstungskapazitäten verstärkt wird. Die Auslastung von Rüstungkapazitäten wird damit zu einem Dauerproblem für die Rüstungsindustrie. Neben den Versuchen einer Rationalisierung des Rüstungswesens insgesamt, der Diversifikation von Rüstungsindustrie in zivile Produktionsbereiche und der Transnationalisierung von Rüstungsproduktion gelten Rüstungsexporte als taugliche Mittel zur Lösung der angedeuteten permanenten Unterauslastung der Rüstungsindustrie. Rüstungsexporte ermöglichen größere Serien, was sich in geringeren Stückzahlkosten niederschlägt. Damit werden über Exporte (wie zum Teil auch über transnationale Kooperation)[30] die Metropolen in die Lage versetzt, hochkomplexe und konkurrenzfähige Waffensysteme zu produzieren, die sie ohne zusätzliche Absatzgebiete kaum zu finanzieren imstande wären. Insbesondere gilt für die führenden westeuropäischen Rüstungsindustrien, daß sie auf dem internationalen Rüstungsmarkt nur konkurrenzfähig sind, insofern sie über Kooperationsprogramme oder über wechselseitige Exporte oder solche in die Dritte Welt relativ große Serien zu produzieren instand gesetzt werden.[31] So ist in der Rüstungskonkurrenz zwischen den USA und Westeuropa einer der wesentlichen Impulse für den internationalen technologischen Rüstungswettlauf zu sehen, der nicht weniger bedeutsam ist als die aus dem Ost-West-Konflikt resultierenden kompetitiven Rüstungsanstrengungen. Die Rolle von Rüstungsexporten bei der Auslastung von Kapazitäten der Rüstungsindustrie im Falle drohender auslaufender Serien und ausbleibender Anschlußaufträge liegt auf der Hand.

So resultiert, ungeachtet der Nachfrage, aus der Struktur gegenwärtiger Rüstungsproduktion und aus der oligopolistisch geprägten internationalen Konkurrenzsituation der Rüstungsindustrien ein ökonomischer Zwang, gerade auch komplexe Rüstungsgüter in Regionen unterzubringen, in denen ein Bedarf für solche Güter möglicherweise gar nicht existiert.

### *2.4 Zum Verständnis der globalen Militarismusdynamik*

Die ausführliche Betrachtung einiger zentraler Merkmale der metropolitanen Rüstungsdynamik als dem Gravitationszentrum für die Internationalisierung des Militarismus war erforderlich, weil in der metropolitanen Rüstung die global sich ausbreitenden und akzeptierten Standards von Rüstungsgerät gesetzt werden. Werden Rüstungsgüter in der Dritten Welt, wie erkennbar, als nationale Prestigeobjekte begriffen, so trifft eine entsprechende Nachfrage nach ihnen mit den kompetitiven Werbe- und Verkaufskampagnen metropolitaner Rüstungsindustrien zusammen. Stehen Angebot und Nachfrage im Zusammenhang mit einem akuten Konflikt oder gar einer kriegerischen Auseinandersetzung in der Dritten Welt, dann beschleunigt sich der Transfer von neuesten und hochkomplexen Rüstungsgütern aus den Metropolen in die Peripherien. In der Regel sind die Militärs in den Peripherien keineswegs mehr bereit, ohne weiteres Rüstungsgüter zweiter Qualität zu akzeptieren. Dazu sehen sie unter der Voraussetzung aufgelockerter politischer Metropolen-Peripherien-Beziehungen keine Veranlassung, da sich in jedem Falle auf dem internationalen Rüstungsmarkt ein Anbieter von fortgeschrittenen Rüstungsprodukten finden würde. Der politische Spielraum, den Peripherien heute besitzen, ist also einer Ausbreitung von Rüstungsgerät höchst förderlich; unterstützt wird dies durch das Interesse der Sowjetunion, je nach politischer Opportunität in den internationalen Rüstungsmarkt vorzustoßen.

Je mehr der Druck für eine Aktivierung von Rüstungsexportpolitik in den Metropolen wächst, um so poröser werden jene früher zum Teil existierenden Restriktionen des Exports von komplexen Militärgütern und von Rüstungslieferungen in latente und akute Krisengebiete. Auch ist unter diesen Bedingungen eine horizontale Proliferation neuer waffentechnologischer Kenntnisse von den Metropolen in die Peripherien kaum zu verhindern. Der oligopolistisch strukturierte Wettbewerb zwischen den führenden kapitalistischen Produktionszentren im Militär- und Zivilbereich beschleunigt natürlich auch diesen Vorgang. Die Proliferation der Nukleartechnologie ist nicht das einzige, wenn auch das wohl spektakulärste Beispiel.

In diesem Abschnitt wurden einige Gründe aufgezeigt, warum – abgesehen von den kompetitiven weltpolitischen Zielsetzungen der kapitalistischen und sozialistischen Metropolen – eine Kenntnis der metropolitanen Rüstungsdynamik

(Ost-West und West-West) zum Verständnis der globalen Militarismusdynamik erforderlich ist. Im folgenden Abschnitt sollen einige Dimensionen der Internationalisierung des globalen Militarismus und einige Strukturveränderungen in den Beziehungen zwischen den westlich-kapitalistischen Metropolen und den Peripherien ihres Einflußbereiches dargestellt werden.

## 3. Über die Herausbildung einer neuen internationalen Militärordnung

### *3.1 Modifikationen in den Beziehungen zwischen Metropolen und Peripherien*

Die herkömmlichen Beziehungen zwischen Metropolen (früher den sogenannten Mutterländern) und Peripherien (den sogenannten Kolonialländern) waren im militärischen Bereich durch militärische Besetzung, den Aufbau lokaler kolonialer Militärapparate unter metropolitaner Führung, die Verwendung metropolitanen Rüstungsgeräts usf. gekennzeichnet. Mit dem Ende der Dekolonisation erfolgte in den meisten Fällen eine rasche Nationalisierung der Militärapparate. Allerdings blieben viele Peripherien in metropolitane Militärbündnisse eingebunden; viele von ihnen waren Empfänger von Militärhilfe, und viele räumten freiwillig oder unter Druck den Metropolen das Recht zur Errichtung von Militärbasen ein. Mit Ausnahme der USA hat sich die personelle Präsenz metropolitaner Militärapparate in den Peripherien jedoch drastisch reduziert, und selbst Frankreich, das lange Zeit noch Sonderregelungen mit seinen ehemaligen Kolonien hatte, ist heute personell nur noch in wenigen Fällen und mit geringem Aufwand an Ort und Stelle engagiert.[32] Mit der nationalen Unabhängigkeit, der Nationalisierung des Militärapparates und dem Zerbröckeln der Militärbündnisse des Kalten Krieges hat sich die Position insbesondere der Peripherien im westlichen Einflußbereich verändert. In der Regel ist sie heute weit weniger satellitenhaft als früher; gerade im politischen und militärischen Bereich wird Eigenständigkeit betont, wenngleich dieser oft die reale ökonomische Grundlage fehlt. Sofern Peripherien eng oder locker noch in militärischen Bündnissen der Metropolen verankert sind, haben sie in wachsendem Maße einen eigenen finanziellen und personellen Beitrag innerhalb der globalen Strategie der Metropolen zu leisten. Die sogenannte Nixon-Doktrin hat (insbesondere in Asien) diesem Strukturwandel Ausdruck verliehen, der allerdings weniger aus bereitwilligen Konzessionen gegenüber den Peripherien resultiert als aus den für die Metropolen (und hier insbesondere für die USA) ökonomisch nicht mehr akzeptablen Lasten direkter imperialer Politik. Diese revidierte imperiale Strategie wurde technologisch durch das Aufkommen sogenannter *big lift*-Kapazitäten erleichtert. In der sogenannten maritimen Inselstrategie der USA kombinieren sich *big lift* und *burden sharing*; ihr zufolge bemühen sich die USA, insbesondere im asiatischen Bereich – ausgehend von der kalifornischen Küste über Japan bis in den Bereich des Nahen Ostens hinein – eine Kette von meist auf Inseln gelegenen Militärstützpunkten zu sichern bzw. neu aufzubauen, die als Interventionsbasen gedacht sind. Von ihnen aus können Militäraktionen zur Unterstützung lokaler asiatischer Verbände in einzelne umstrittene und umkämpfte Einfluß- und Interessengebiete erfolgen.[33] Das Wachstum der Seestreitkräfte der Sowjetunion hat, gerade im asiatischen Raum, dieser maritimen Inselstrategie eine zusätzliche Legitimation verschafft.

In der Hauptsache werden bis heute die Rüstungsbeziehungen zwischen Metropolen und Peripherien durch den *Transfer fertiger Rüstungsgüter* von den Metropolen in die Peripherien geprägt. Während dieser Transfer früher durch Güter zweiter und dritter Qualität gekennzeichnet war, ist heute, wie oben schon angedeutet, in wachsendem Maße die Verbreitung militärtechnologisch komplexer Waffensysteme in der Dritten Welt zu beobachten.[34]

In einer Studie über die Struktur des Waffentransfers kam der schwedische Friedensforscher Jan Øberg jüngst zu folgenden Ergebnissen[35]: Die durchschnittliche jährliche Wachstumsrate des Imports von großen Waffen in die Peripherien betrug zwischen 1950 und 1973 ca. 9%, während die Militärausgaben jährlich durchschnittlich um 7% gewachsen sind und das Bruttosozialprodukt durchschnittlich um 5%. Würde man den Import von kleineren Waffen noch hinzuzählen, so würde sich die überdurchschnittliche Größenordnung des Wachstums von Rüstungsimporten gegenüber den anderen gesamtwirtschaftlichen Daten noch klarer zeigen. Øberg weist nach, daß in den Jahren zwischen 1950 und 1973 der Waffentransfer im wesentlichen seinen Ursprung bei vier Großproduzenten von Rüstungsgerät hatte: 90% aller Transfers in die Peripherien wurden von den USA, der UdSSR, Frankreich und England getätigt; Øberg spricht in diesem Zusammenhang von einer bemerkenswerten Konzentration der Macht der Rüstungslieferanten. Im Hinblick auf die Empfänger (96 an der Zahl) stellt der Autor eine hohe Konzentration fest, da die fünf größten Empfänger 38% der Importe auf sich vereinigen. Überdies ist eine sehr starke monopolistische Abhängigkeitsbeziehung zwischen einzelnen Lieferanten und einzelnen Empfängern zu beobachten: zwischen 1950 und 1973 beobachtete Øberg in 68 von 96 Fällen eine extreme Abhängigkeit eines einzelnen Empfängers von einem einzelnen Lieferanten. Dieses Ergebnis ist um so erstaunlicher, als der Zeitraum der Untersuchung 23 Jahre umgreift. Mit diesem Ergebnis korreliert die Beobachtung einer relativen Stabilität der Beziehungsmuster in dem genannten Zeitraum. Es gibt nur wenige sogenannte *turnovers,* d. h. die Lieferanten-Empfänger-Beziehungen sind relativ stabil; wo ein Austausch der Handelspartner zu beobachten war, ging er meist zu Lasten Englands und zugunsten der USA.

Øbergs Untersuchung der Korrelation der Rüstungsbeziehungen mit anderen ökonomischen Beziehungen zwischen Metropolen und Peripherien ist von besonderem Interesse. Seine Ergebnisse lassen sich wie folgt zusammenfassen: Die zivilen Handelsbeziehungen und die Muster des Rüstungstransfers korrelieren relativ hoch; d. h. die beiden Beziehungsmuster sind im großen und ganzen relativ deckungsgleich (Frankreich macht eine Ausnahme, übrigens auch die BRD). Die Korrelation zwischen Investitionsbeziehungen und Rüstungstransfers ist weniger deutlich, obgleich in jenen Fällen, in denen eine starke monopolistische Lieferanten-Empfänger-Struktur im Rüstungsbereich wahrzunehmen ist, sich auch eine hohe Korrelation zwischen Rüstungstransfer und Investitionstätigkeit nachweisen läßt. Øberg will eine weniger kongruente Beziehungsstruktur von metropolitanen Aktivitäten im Rohstoffsektor der Peripherien auf der einen Seite und Rüstungstransfers auf der anderen Seite beobachtet haben. Insgesamt meint er, daß die Kongruenz der genannten Beziehungsmuster im Falle der sowjetischen Aktivitäten am höchsten ist, gefolgt von den USA, England und Frankreich, wobei in den letzteren Fällen die Deckungsgleichheit sich tendenziell auflockert.

Die durch die Ölpreiserhöhungen seit 1973 verursachten Zahlungsbilanzschwierigkeiten vieler Metropolen haben zu einem enormen Rüstungsexport-Boom geführt, dessen Ausmaße und Wachstumsraten alle in den fünfziger und sechziger Jahren feststellbaren durchschnittlichen Größenordnungen in den Schatten stellen.

Zwei Autoren des SIPRI-Institutes, Barnaby und Huisken, kommentierten jüngst den Trend des Handels mit Waffen wie folgt:

»Es ist klar, daß das Ausmaß, in dem komplexe Waffensysteme sich ausbreiten, zunimmt. Während der Nachkriegszeit hat sich der Charakter des Waffenhandels signifikant geändert. Unmittelbar in den Jahren nach dem Zweiten Weltkrieg bestand der Waffenhandel vor allem im Handel mit Überschußmaterial aus dem Krieg. Diese Phase wurde durch die Lieferungen von solchen Waffen abgelöst, welche durch den rapiden technologischen Fortschritt in den hauptsächlichen Produzentenländern rasch obsolet wurden. Heute schon sind die fortgeschrittenen Waffensysteme und Ausrüstungen unmittelbar für den Export verfügbar, und sie werden in der Tat aggressiv vermarktet. Das spektakulärste Beispiel dieses Trends ist die jüngste Entscheidung der USA, das F-14A-Flugzeug an den Iran zu verkaufen, ebenfalls der berichtete Export der MIG-25 aus der Sowjetunion nach Syrien. Beide Flugzeugtypen, die zu den raffiniertesten Kampfflugzeugen, die in den USA und der Sowjetunion verfügbar sind, gehören, wurden innerhalb von zwei Jahren für den Export freigegeben, nachdem ihre Produktion für die einheimischen Streitkräfte aufgenommen worden war.«[36]

Im übrigen glauben die SIPRI-Autoren, fünf größere miteinander in Beziehung stehende Faktoren als die Determinanten von Rüstungstransfers erkannt zu haben: drei Faktoren als Voraussetzungen (Konfliktherde, Nationalismus und die Rolle der bewaffneten Streitkräfte) und zwei Faktoren, die die Verfügung über Ressourcen betreffen (die Rolle der Deviseneinkommen und die Interessen der USA und der Sowjetunion).

Neben dem Transfer von fertigen Rüstungsgütern aus den Metropolen ist der *Aufbau von eigenständigen Rüstungsproduktionsstätten* in den Peripherien, meist mit metropolitaner Unterstützung, zu beobachten.[37] Dieser Aufbau ist um so erstaunlicher, als periphere Ökonomien über gewisse Voraussetzungen für den Bau von Rüstungsgerät (qualifizierte Infrastruktur, qualifizierte Arbeitskraft, erforderliche Inputs u. a.) nicht verfügen. Dies hält industriell fortgeschrittenere Peripherien jedoch nicht davon ab, erhebliche Investitionen im Rüstungsproduktionsbereich zu tätigen, um eine partielle oder langfristig vollständige Unabhängigkeit von Rüstungszulieferungen aus den Metropolen zu erlangen. Diese Prioritätensetzung bedarf um so mehr der kritischen Aufmerksamkeit, als durch den Aufbau von lokalen Rüstungsproduktionsindustrien nicht nur die Weiterentwicklung des lokalen Militärapparates vorgezeichnet wird, sondern auch die sozioökonomische Entwicklung insgesamt.[38]

Der Aufbau lokaler Rüstungsproduktionsstätten scheint in vielen Fällen einem einheitlichen Muster zu folgen.

»Anfänglich decken die Rüstungsimporte den gesamten Bedarf der bewaffneten Streitkräfte. Ein geeigneter Typ von Waffensystem wird dann aus dem ausländischen Angebot für eine lokale Lizenzproduktion ausgewählt, was den Import von Technologie oder Know-how anstelle eines bloßen Imports des fertigen Rüstungsgutes bedeutet. Wenn eine beispielsweise lokale Luftfahrtindustrie aufgebaut wird, so involviert, ehe mit der Lizenzproduktion begonnen wird, die anfängliche Aufgabe oft den Aufbau von Reparatur- und Wartungsanlagen, wie dies z. B. in Indien und Israel zu beobachten war. Nachdem einige Erfahrungen im Produktionsprozeß, dem Training von Personal u. dgl. gewonnen worden sind, kann es zur Entscheidung hinsichtlich des Aufbaus einer eigenständigen Planungskapazität kommen, was natürlich von der Verfügbarkeit von Forschungs- und Entwicklungsfonds und qualifizierten Wissenschaftlern abhängig ist. [...] Schließlich ermöglicht der Erfolg eines lokalen Rüstungsprogrammes dem Lande, einige seiner Produkte zu exportieren sowie auch seine eigenen Streitkräfte auszurüsten, so daß es nicht mehr insgesamt von ausländischen Lieferanten abhängig ist.«[39]

Was den Stand der Proliferation von Rüstungsproduktionsstätten in der Dritten Welt angeht, so berichtet das SIPRI-Jahrbuch 1975 folgende Tatbestände:

»Im Jahre 1960 besaß praktisch kein Land der Dritten Welt die Kapazität, größere Waffensysteme zu produzieren – mit der bemerkenswerten Ausnahme von Argentinien und Brasilien. 1974 sind 18 Länder der Dritten Welt in dem SIPRI-Register der Lizenzproduktion von größeren Waffensystemen festgehalten. Von diesen erscheinen auch 14 in dem Register derjenigen Länder, welche eine lokale Planungs- und Entwicklungskapazität erworben haben.«[40]

Das SIPRI-Jahrbuch über Rüstung und Abrüstung 1975 berichtet, daß Brasilien, Indien, Israel und Südafrika praktisch in der Produktion von leichten Waffen (Handfeuer-Waffen), Munition, Bomben, Explosivstoff und im Flug nicht steuerbaren Raketen Selbstversorger sind. Argentinien, Brasilien und Israel produzieren lokal entwickelte leichte Trainings- und Transportflugzeuge, die für die *counter-insurgency*-Kriegführung geeignet sind und die auch eine bestimmte Attraktivität auf den Exportmärkten haben, weil sie dort gegenüber den kompetitiven Waffensystemen aus den herkömmlichen Lieferantenländern billiger sind. Indien und Südafrika produzieren fortgeschrittene düsenangetriebene Kampfflugzeuge in Lizenz – mit dem Ergebnis, daß diese Länder tatsächlich fähig sind, die hauptsächliche Kampfkraft ihrer Luftstreitkräfte selbst herzustellen. In Brasilien und Südafrika wird mit einer italienischen Lizenz ein typisches *counter-insurgency*-Flugzeug gebaut. Auch die lateinamerikanischen Nationen verfolgen eine substantielle Verlagerung ihrer Aktivitäten von direkten Waffeneinkäufen hin zu Koproduktions-Vorhaben zusammen mit den Rüstungsindustrien der Metropolen. Im Fernen Osten kann Taiwan als ein Beispiel eines Landes angesehen werden, das von direkten Importen zur lizensierten Produktion übergegangen ist (Hubschrauber, Kampfflugzeuge). Im Nahen Osten sieht das SIPRI-Jahrbuch in der Eröffnung von Gesprächen zwischen Ägypten und den Engländern über die Lizenzproduktion einer großen Zahl von Hubschraubern eine wichtige Entwicklung im Gebiet sogenannter Rüstungs-Koproduktion.

»Pläne für eine gemeinsame arabische Rüstungsindustrie sind schon seit einigen Jahren in Beratung, wobei die ölproduzierenden Länder, einschließlich Libyens, als die primäre Finanzquelle fungieren würden. Pakistan ist in dieses Schema als eine produzierende Nation eingegliedert und kann möglicherweise in der Zukunft eine bedeutende Rolle spielen. Im Jahre 1974 haben sowohl Saudi-Arabien als auch Abu Dhabi Kriegsschiffe in Pakistan bestellt.«[41]

Israel und Südafrika produzieren lokal entworfene Raketensysteme, auch für den Export in andere Länder.

Das SIPRI-Jahrbuch 1975 kommentiert die jüngsten Entwicklungen folgendermaßen:

»Die Ausbreitung militärischen Know-hows in weitere, Rüstungsgüter produzierende Nationen schafft ein immer komplexer und obskurer werdendes Muster von Interdependenz. Die Chancen, irgendeine Form von Kontrolle über den Rüstungshandel zu sichern, verringert sich proportional zur Zahl der Länder, die die technischen und industriellen Fertigkeiten besitzen, die für die Produktion moderner Waffen notwendig sind.«[42]

Trotz dieser komplexer und obskurer werdenden Interdependenzen vermag die neuere Forschung über die Proliferation des Aufbaus von lokalen Rüstungs*produktions*stätten in der Dritten Welt einige allgemeine Entwicklungsmuster aufzuzeigen. Ihr zufolge ist der bisherige Aufbau völlig autonomer Rüstungsproduktionsstätten in der Dritten Welt nur wenigen Ländern in Teilsektoren gelungen (vor allem Indien[43], Israel, Südafrika).

Der Aufbau von Produktionsstätten, in denen mit Hilfe von *metropolitanen Lizenzen* Rüstungsgüter hergestellt werden, ist demgegenüber in einer größeren Zahl von Ländern der Dritten Welt zu beobachten (z. B. u. a. in Argentinien, Brasilien, Ägypten, Indonesien, dem Iran, Südkorea, Pakistan, den Philippinen und Taiwan). Die vielfach erhofften Resultate lokaler Rüstungsproduktion, so z. B. das Einsparen von Devisenkosten, die Schaffung von Arbeitsplätzen, eine Qualifizierung von Arbeitskräften, eine größere nationale Unabhängigkeit u. a., sind in der Mehrzahl der Fälle nicht eingetroffen. Ungeachtet der erforderlichen hohen Kosten der Investitionen in die Rüstungsindustrie und in die für Rüstungsproduktion erforderlichen Zulieferbetriebe und Infrastrukturmaßnahmen konnte die Zahlungsbilanz der eigene Rüstungsproduktionsstätten aufbauenden Länder nicht entlastet werden, da neue gesamtwirtschaftliche Aufwendungen für Lizenzen, Patente, nicht verfügbare Rohmaterialien, Zwischenprodukte, ausländische Militärtechnologen und Ingenieure notwendig wurden. Die Kostenbelastungen insgesamt sind erheblich, wenn man den durchschnittlich höheren Stückkostenpreis von den in der Peripherie produzierten Rüstungsgütern mit berücksichtigt.[44]

Ein weiterer Entwicklungstrend zeigt sich in der Eingliederung mancher Peripherien in eine *weltweit vertikal integrierte Rüstungsproduktion,* bei der einfache, insbesondere arbeitsintensive Produktionsschritte in der Peripherie stattfinden, während die Metropole sich die kapitalintensiven Produktionsschritte, einschließlich der Forschungs- und Entwicklungsphasen, vorbehält.[45] Diese Auseinanderlegung von Produktionsabschnitten ist durch moderne Fertigungstechnologien möglich geworden. Bei einer Eingliederung von Peripherien in diese Strategie des *world-wide sourcing* von Rüstungsproduktion besteht in der einzelnen Peripherie meist nicht die Absicht, autonom operierende Rüstungsproduktionsstätten aufzubauen. Das Ziel der Eingliederung in einen derart vertikal strukturierten Produktionsprozeß setzt vielmehr die metropolitane Rüstungsindustrie: Ausnutzung einer Masse verfügbarer billiger Arbeitskräfte für einfache Produktionsvorgänge, während die Peripherie auf die Ausweitung des Arbeitsplatzangebotes hofft. Die in solchen Verbünden produzierten Rüstungsgüter werden zu einem Teil lokal genutzt, während ein anderer Teil für den Export in Drittländer bestimmt ist; auch gibt es Fälle ihres Exportes in die Metropole, in der eine derart transnational operierende Rüstungsindustrie ihren Hauptsitz hat.

### *3.2 Zur Parallelität sich verändernder Beziehungsmuster im Zivil- und Rüstungsbereich*

Die Parallelität zwischen der Entwicklung im Rüstungsproduktionsbereich und im allgemeinen Industrialisierungsprozeß in den Peripherien ist offensichtlich.

Der *herkömmlichen Arbeitsteilung* zwischen Metropolen und Peripherien im Zivilgüterbereich (Rohstoffe gegen Fertigwaren) entspricht im Rüstungsbereich der Austausch von in den Metropolen fertig produzierten Rüstungsgütern gegen Rohstoffe.

So wie im Zivilgüterbereich die *Importsubstitutions-Strate-*

*gie* zur teilweisen lokalen industriellen Produktion von ehedem aus den Metropolen importierten Gütern führt, kann im Rüstungsbereich die Lizenzproduktion von Rüstungsgütern in den Peripherien als Importsubstitution charakterisiert werden. In beiden Fällen tritt die Abhängigkeit von metropolitanen Lizenzen an die Stelle von Güterimporten aus den Metropolen. In beiden Fällen finden Koproduktion und *joint ventures* Anwendung, sofern der lokale Staatsapparat und die lokalen Produktionsstätten keine ausreichende autonome Grundlage für eine eigenständige Produktion von relativ komplexen Gütern besitzen. In beiden Fällen treten heute metropolitane multinationale Konzerne als Vermittlungsagenten auf.[46]

Dies gilt ebenfalls für die Strategie des *world-wide sourcing*, d. h. des Aufbaus vertikal strukturierter Produktionsverbünde, in denen sowohl im zivilen als auch im Rüstungs-Bereich Peripherien die Funktion eines Lieferanten von billigen Arbeitskräften für einfache, arbeitsintensive Produktionsschritte übernehmen. Bei der Produktion von zivilen Gütern im Rahmen vertikaler Produktionsverbünde spielt der Export (im Rahmen sogenannter *Exportdiversifikations-Strategien*) eine überragende Rolle; in vertikal strukturierten Rüstungsproduktionsverbünden scheint dies nicht weniger der Fall zu sein. In beiden Fällen ist zu unterstellen, daß bei einer Ausdehnung des internen Marktes der jeweiligen Peripherie, in der eine solche Komponenten-Produktion stattfindet, der lokale Markt ein zusätzliches potentielles Absatzgebiet darstellt.

Die hier aufgezeigte Parallelität zwischen dem Entwicklungsstand und der Entwicklungsdynamik in der Produktion von Zivil- und Rüstungsgütern in einigen Typen von Peripherien hat zweifellos gemeinsame strukturelle Hintergründe.[47] Die Fähigkeit, an Ort und Stelle Rüstungsgüter autonom oder in Lizenz zu produzieren bzw. *joint ventures* einzugehen, korrespondiert in der Mehrzahl der Fälle mit der andernorts analysierten *Teilindustrialisierung* im Zivilgüterbereich. So setzte die Importsubstitutions-Phase im Industrialisierungsprozeß Brasiliens in den dreißiger Jahren forciert ein, während erst Jahrzehnte später umfassende Anstrengungen unternommen wurden, größere Waffensysteme selbst an Ort und Stelle zu produzieren. Die Auslagerung von arbeitsintensiven Produktionsabschnitten aus den Metropolen in dazu geeignete Peripherien ist im Militär- und Zivilbereich jüngeren Datums und erfolgte relativ parallel.

Dem jeweiligen *Industrialisierungsprofil* im Zivil- und Rüstungsbereich entspricht meist ein spezifisches *politisches Profil* innerhalb der Peripherien. Gesellschaften und Ökonomien, die die Fähigkeit zu einer fortgeschrittenen Teilindustrialisierung (deformierter Prägung) und zur Produktion eigenen Geräts (autonom oder in Lizenz) besitzen, nehmen inzwischen in der politischen, ökonomischen und technologischen Hierarchie zwischen Metropolen und Peripherien klassischen Typs die Stellung von politischen, militärischen und ökonomischen *Subzentren* ein. Dies gilt für Gesellschaften wie Brasilien, Indien, Israel und Südafrika; in Zukunft möglicherweise für den Iran, Indonesien, die Philippinen, Pakistan, Ägypten, Nigeria und Mexiko; ebenfalls für einige weitere devisenpotente Ölländer wie Saudi-Arabien und Venezuela, die heute noch weitgehend den Status von Peripherien haben. Als Subzentren könnten jene Länder der Dritten Welt genannt werden, die einen fortgeschrittenen Teilindustrialisierungsprozeß durchlaufen haben (einschließlich des Aufbaus von Teilbereichen der Schwerindustrie und der Kapitalgüterindustrie) und die sich seit einigen Jahren anschicken, eigenständige Rüstungsproduktionsbetriebe aufzubauen, die entweder mit lokalen Designs arbeiten oder mit Hilfe von metropolitanen Lizenzen. Ihnen übergeordnet wären *Metropolen,* in denen sowohl Forschungs- und Entwicklungsprogramme als auch die Fertigung von Rüstungswaren und deren Verkauf an die eigenen und an andere metropolitane Streitkräfte sowie an die der Dritten Welt verfolgt werden.

Als *Peripherien* wären jene Gesellschaften weiterhin zu bezeichnen, die sich im Zivilbereich in der Phase der »einfachen« Importsubstitution leichtindustrieller Güter befinden und die bisher im Rüstungsbereich keine lokale Rüstungsproduktion von größerem und komplexem Gerät anstreben, die jedoch, ganz ähnlich wie *Subperipherien,* aufgrund ihrer spezifischen Faktorausstattung für international operierende, vertikal strukturierte Produktionsverbünde logistisch interessant sind. Subzentren, Peripherien und Subperipherien im hier definierten Sinne sind weiterhin Peripherie-Ökonomien im Sinne der

Definition im einleitenden Kapitel.

Es kann nicht ausbleiben, daß unter den gegenwärtigen welt- und regionalpolitischen Bedingungen eine solche Ausdifferenzierung der Gesellschaften der Dritten Welt in Subzentren, Peripherien herkömmlichen Typs und Subperipherien (bei diesen handelt es sich um Länder, die unter den gegenwärtigen Bedingungen kaum die Chance komplexer ziviler oder rüstungsbezogener Industrialisierung besitzen) *neue lokale Konfliktkonstellationen* entstehen bzw. alte verschärft werden – mit dem schließlichen Resultat *lokaler horizontaler und vertikaler Rüstungswettläufe,* wie sie seit längerem zwischen Brasilien und Argentinien, neuerdings insbesondere in der Persischen Golf-Region, aber auch zwischen Äthiopien und Somalia, Tanzania und Uganda und an anderen Stellen sich abzeichnen bzw. bereits im Gange sind.[48]

Die Strukturwandlungen in der internationalen Ökonomie dokumentieren sich sowohl in einer modifizierten internationalen Arbeitsteilung im Zivilgüterbereich als auch in der Produktion von Rüstungsgütern. Mit ihnen korrespondieren Veränderungen in der internationalen Herrschaftsstruktur, innerhalb derer gewissen Subzentren neue Ordnungsfunktionen zufallen, die bisher von den Metropolen wahrgenommen wurden.[49]

Die gegenwärtige Krise des metropolitanen Kapitalismus wird ein übriges dazu beitragen, die hier beschriebenen Entwicklungstrends in der internationalen Gesellschaft zu verstärken. Krisen in den Metropolen haben bisher immer die politische Abhängigkeit der Peripherien von den Metropolen auf Zeit ein wenig aufgelockert. Unter den gegenwärtigen herrschaftssoziologischen Bedingungen wird dies in den Peripherien höchstwahrscheinlich nur zu einer weiteren Forcierung der überkommenen Form defekter Industrialisierung führen, die eine Militarisierung lokaler Gesellschaften zur Folge hat.

## 4. Über die zunehmende Militarisierung peripher-kapitalistischer Gesellschaftsformationen

Im vorangegangenen Abschnitt wurde auf die Ausdifferenzierung der Peripherien gemäß ihrem jeweiligen Entwicklungsniveau in Subzentren, Peripherien und Subperipherien aufmerksam gemacht. Diese Ausdifferenzierung ist das Resultat spezifischer Entwicklungsprozesse, die zu unterschiedlichen Niveaus sogenannter abhängiger Reproduktion peripher-kapitalistischer Gesellschaften geführt haben. Der jeweils erreichte Stand der Produktivkraftentfaltung ist von einer Reihe von Faktoren abhängig, z. B. von der Intensität der Integration spezifischer außenorientierter Sektoren in den Weltmarkt, vom Ausmaß und Typ der Industrialisierungsprozesse (Importsubstitution; Exportdiversifikation), von der Beziehung zwischen einer im Aufbau befindlichen Industrie und dem landwirtschaftlichen Sektor u. a.

Der Begriff der abhängigen Reproduktion verweist auf ein grundlegendes strukturelles Merkmal von Gesellschaft und Ökonomie dieser Länder: zum einen auf ihren peripheren Status innerhalb der internationalen Ökonomie, auf ihre objektive Zweitrangigkeit; zum anderen auf die Peripherisierung ihrer sozioökonomischen Strukturen, die sich auch noch in Peripherien mit fortgeschrittener Produktivkraftentfaltung (wie Brasilien) zeigen. Diese an anderer Stelle beschriebenen Deformationen und Defekte haben eine mangelhafte strukturelle Kohärenz peripherer Ökonomien und folglich auch peripherer Gesellschaften insgesamt zur Folge; deshalb werden solche Gesellschaften als strukturell heterogen bezeichnet. Diese strukturelle Heterogenität wird durch eine vertiefte und aufgefächerte Penetration der Peripherien mit metropolitanen Aktivitäten (heute insbesondere vermittels multinationaler Konzerne) verstärkt, wobei sich einige Merkmale von Peripherien wie krasse soziale Ungleichheit, regionale Disparitäten, strukturelle Arbeitslosigkeit usf. noch deutlicher als in früheren Entwicklungsstadien ausprägen.[50]

Die asymmetrische Integration der Peripherien in den Weltmarkt und die daraus resultierende abhängige Reproduktion haben in bestimmten Entwicklungsetappen peripherer Gesellschaften zu strukturell brüchigen Klassenkonstellationen geführt, einschließlich einer erheblichen politischen Krisenanfälligkeit der dominanten Klassen selbst. Diese Brüchigkeit und Krisenanfälligkeit resultiert aus einer Wirtschaftsstruktur und Gesellschaftsformation, ja, einer politischen Kultur, deren spezifische Entwicklungsdynamik durch eine von den herrschenden Klassen in peripheren Gesellschaften geförderte Integration in den übergeordneten Weltmarkt nachdrücklich geprägt wird. Dem Militär und dem Militarismus kommen in diesem Prozeß abhängiger Reproduktion und im Hinblick auf ihre herrschaftssoziologischen Resultate (z. B. Nicht-Existenz einer schlagkräftigen industriekapitalistischen nationalen Bourgeoisie auf solider sozioökonomischer Grundlage, Fortbestehen ökonomisch *kapitalistisch* operierender, herrschaftlich jedoch *traditional* agierender Landoligarchien usf.) bedeutende Rollen zu.

Die Funktion von Militär und Militarismus im abhängigen Reproduktionsprozeß kann freilich nicht auf einen einfachen, allgemeinen Nenner gebracht werden. Militär und Militarismus müssen im jeweiligen gesellschaftsstrukturellen Zusammenhang gesehen werden[51], der allerdings von Peripherie zu Peripherie weit weniger unterschiedlich ist, als dies die gängige Diskussion über militärische Staatsstreiche und ihre jeweiligen Besonderheiten nahelegt. Das Militär operiert im Entwicklungsprozeß peripherer Gesellschaften in der Regel im Kräftefeld zwischen der *Landoligarchie* und der *Handelsbourgeoisie*, dem meist die Dekolonisation erkämpfenden intellektuellen, handwerklichen und Händler-*Kleinbürgertum*, den zeitweise mobilisierten oder in politische Apathie abgedrängten *Bauernmassen* und einer selten zu einer eigenständigen subjektiven Klasse herangereiften *Arbeiterschaft*. Dem Staatsapparat und der Staatsbürokratie fallen in dieser Kräftekonstellation wichtige Steuerungsfunktionen zu, da die Besetzung des *Staatsapparates* in peripheren Gesellschaften wenn schon nicht im 19. und zu Beginn des 20. Jahrhunderts, so doch sicherlich seit den fünfziger und sechziger Jahren den Zugang nicht nur zu den administrativen Schalthebeln vermittelt, sondern auch zur nationalen Ökonomie. In dieser – im Einzelfall jeweils spezifisch ausgeprägten – Kräftekonstellation lassen sich, je nach dem Entwicklungsstand der Produktivkräfte und dem damit verknüpften Grad an Mobilisierung von Gruppen, die neu auf die politische Bühne treten, spezifische Typen von Intervention und spezifische Funktionen von Militär und Militarismus im Entwicklungsprozeß ausmachen.[52]

Eine offen repressive Disziplinierungs- und Ordnungsfunktion hat das Militär, wenn es im Dienste der traditionalen Landoligarchie und Kompradoren-Bourgeoisie einer Veränderung des überkommenen Status quo entgegenwirkt. Viele Beschreibungen der lateinamerikanischen Szenerie im vergangenen und in diesem Jahrhundert lassen sich genau auf diese politische Konstellation und die Funktionalisierung des Militärs zur Aufrechterhaltung des gesellschaftlichen Status quo beziehen. Die hohe soziologische Synchronisation der dominanten ökonomischen Klasse und des Militärapparates hat die Legitimation einer derartigen Rolle des Militärs begründet.[53]

Die Intervention des Militärs in Auseinandersetzungen der Oligarchie selbst, also in oligarchische Fraktionskämpfe, stellt nur einen Nebenschauplatz des zuvor genannten Aktionsbereichs des Militärs dar. Dies gilt gleichermaßen für die Auseinandersetzungen innerhalb der Landoligarchie wie auch zwischen dieser und der Handelsbourgeoisie. Der Aufstieg von Abenteurer-Caudillos aus einem solchen gesellschaftlichen Zusammenhang ist nicht überraschend, zumal die Armee gelegentlich als ein Vehikel des sozialen Aufstiegs von Angehörigen gesellschaftlich diskriminierter Schichten bis in die höchsten Ränge und Ämter fungierte.[54]

In denselben Zusammenhang gehört die Intervention des Militärs zugunsten ausländischer handels- und industriekapitalistischer Interessen in jenen Fällen, in denen eine breite, geschlossene nationale Front gegen die ausländischen Interessen nicht zustande kam und das Militär, zusammen mit einem Teil der lokalen dominanten Klasse, für die Durchsetzung und Konsolidierung ausländischer Interessen gewonnen werden konnte.

Eine andere Konstellation für die Intervention des Militärs in Entwicklungsprozesse ergibt sich, wenn die Auseinandersetzung zwischen der herkömmlichen Oligarchie auf der einen Seite und den sozialen Schichten, die infolge von Importsubstitutions-Industrialisierung bzw. infolge erweiterter Aktivitäten im Rohstoffbereich hervorgetreten sind, auf der anderen

Seite einen Stand erreichen, von dem aus weder die überkommene dominante Gruppierung noch die aufstrebenden Sozialschichten eine eindeutige politische Hegemonie über die restliche Gesellschaft auszuüben vermögen, ein politischer Engpaß sich also aus der *soziologischen Pattsituation* ergibt, die die *Krisenanfälligkeit des überkommenen politischen Regimes* erheblich erhöht. In einer solchen Situation kann eine militärische Intervention jenen politischen Durchbruch nachrückender Sozialschichten (kleines Industriekapital, an Agro-Business orientierte Landunternehmer, Arbeiterschaft usf.) ermöglichen, der ohne eine solche Intervention nicht ohne weiteres zustande kommen könnte. Charakteristisch für diesen Typ von Intervention ist die gebotene teilweise politische Mobilisierung der nachrückenden Sozialschichten als Voraussetzung für eine Entmachtung der traditionellen Oligarchie, wobei im Maße einer politischen Konsolidierung des neuen Kräftearrangements eben diese Mobilisierung sehr früh an ihre Grenzen stößt und in eine Phase der Entmobilisierung oder der Pseudo-Mobilisierung übergeht.[55]

Eine Machteroberung, die zu einer Gesamtmobilisierung mit dem Ziel einer *totalen Restrukturierung* peripherer Gesellschaften führt, war in den vergangenen Jahrzehnten nur in jenen Fällen zu beobachten, in denen sich die Gesamtmobilisierung aus einer Kampfsituation des revolutionären Nationalismus gegen imperialistische Intervention (wie im Falle von Vietnam) ergab. Prinzipiell sollte jedoch die Möglichkeit einer derartigen Gesamtmobilisierung auch außerhalb einer solchen übergeordneten, gewissermaßen weltpolitischen Konstellation nicht ausgeschlossen werden.[56]

Die Militärs wurden insbesondere in der Literatur der sechziger und frühen siebziger Jahre mit dem Image der eigentlichen Modernisierer peripherer Gesellschaften ausgestattet, weil sie eine Reihe von überfälligen Infrastrukturmaßnahmen (im Transport-, Kommunikations- und administrativen System) in Angriff genommen hatten, die verbesserte Bedingungen für privatwirtschaftliche Aktivitäten schufen.[57] In der Offenheit gegenüber insbesondere ausländischen Investitionen haben sich militärische Regimes – bei einer prinzipiellen Akzeptierung von privaten ausländischen Investoren – in Nuancen unterschieden, vor allem im Hinblick auf Ausmaß und Strenge der vom ausländischen Kapital einzuhaltenden Spielregeln. Ob derartige Nuancen die zentrale Entwicklungsdynamik des peripheren Kapitalismus zu beeinflussen vermögen, ist jedoch zu bezweifeln. Im übrigen besteht zwischen autoritären Zivilregimes und Militärregimes kaum ein Unterschied im Konzept des weiteren Entwicklungsweges des peripheren Kapitalismus. In peripheren Gesellschaften unterschiedlichen Entwicklungsstandes haben *autoritäre Regimes* und *offene Militärdiktaturen* verläßliche Rahmenbedingungen für Investitionen geschaffen, die als eine wesentliche Voraussetzung für ein attraktives Investitionsklima gelten.[58] Der politischen Entmobilisierung bzw. der Depolitisierung solcher Gesellschaften entspricht eine Entmündigung von Bauern, Arbeitern und der kritischen Intelligenz – die Kehrseite einer ansonsten mit oder ohne Staatsintervention verfolgten Wachstumspolitik. In einem solchen Zusammenhang werden dann Investitionsprojekte politisch möglich, die ohne einen autoritären politischen Rahmen vermutlich höchst umstritten, wenn nicht gar prinzipiell gefährdet gewesen wären. Dabei spielen die Disziplinierung der Arbeiterschaft und der Bauernmassen und ein tendenzieller Reallohnverfall eine entscheidende Rolle bei der Durchsetzung neuer Industrialisierungsetappen.[59] Dies gilt sowohl für den Aufbau von exportorientierten freien Produktionszonen, wie in Südkorea, Singapur und andernorts, als auch für die weitere Öffnung des Rohstoffsektors für metropolitane Aktivitäten (wie in Indonesien, Bolivien und andernorts).[60]

Von ausschlaggebender Bedeutung für die weitere Entwicklung einer peripher-kapitalistischen Gesellschaft ist die Intervention des Militärs dann, wenn eine Entwicklungsetappe, wie z. B. die der Importsubstitutions-Industrialisierung, sich erschöpft hat und ein erbitterter politischer Kampf darüber ausgetragen wird, auf welche Ziele die weitere Entwicklung gerichtet werden soll: entweder auf eine Entwicklung, die eher national orientiert wäre und in der der Versuch unternommen würde, die Masse der Bevölkerung in einen kohärent strukturierten Reproduktionsprozeß einzugliedern – mit der Absicht der Befriedigung wichtiger elementarer Bedürfnisse –, oder auf eine Entwicklung, die zu einer weiteren Privilegierung ohnehin schon privilegierter Sozialschichten führen würde, beispielsweise infolge des Aufbaus eines Produktionsgütersektors für die Produktion von dauerhaften Luxuskonsumgütern. Gerade das brasilianische Beispiel, auf das wir uns hier beziehen, zeigt, wie der Ausbau entsprechender Produktionsstrukturen eine ungleiche Einkommensverteilung weiter vertieft und wie infolge solcher Aktivitäten eine Nachfrage nach luxuriösen Konsumgütern bei einer neuen Mittelklasse entsteht, die die Vertiefung der Kluft zwischen Reich und Arm sichtbar dokumentiert.[61] Die Militärdiktatur und das autoritäre politische Regime haben in solchem Zusammenhang die Funktion, politische Geburtshelfer einer *strukturell erweiterten kapitalistischen Akkumulation* zu sein. Die Akkumulationsstruktur der gegenwärtigen brasilianischen Ökonomie ist in der Tat mit der noch vor zwanzig und dreißig Jahren existierenden, auf einfache Importsubstitution hin orientierten Akkumulation nicht vergleichbar. Diese erweiterte Akkumulation ist jedoch nur auf der Grundlage großer politischer und sozialer Kosten realisierbar. Die militärische Intervention hat die Möglichkeit eines alternativen Entwicklungsweges um den Preis weiterer Fremdbestimmung der eigenen Gesellschaft und Ökonomie ausgelöscht. Die *dynamische* Funktion militärischer Intervention besteht unter diesen Bedingungen in der massiven Förderung von Kapitalakkumulation und Produktivkraftentfaltung, in der Differenzierung des Produktionsapparates; die *reaktionäre* Funktion ergibt sich aus der Tatsache, daß der erweiterte Akkumulationsprozeß den Interessen der dominanten in- und ausländischen Klassen subsumiert wird und der Preis für eine nur einer Minderheit nützliche forcierte Wachstumspolitik von der Bevölkerungsmehrheit zu bezahlen ist, unter der sich sichtbar und unleugbar Massenelend verbreitet.

Von dieser Situation ist jene reaktionäre Intervention des Militärs zu unterscheiden, durch die in einer relativ mobilisierten, die Bedürfnisse der Mittelschicht und Unterklassen wenigstens zum Teil berücksichtigenden Gesellschaft das Rad der Geschichte zugunsten der überkommenen dominanten Oberschichten und Klassen zurückgedreht werden soll. Es handelt sich um den *Putsch à la Pinochet.* Dieser Typ von militärischer Intervention ist im doppelten Sinne reaktionär, weil auf der einen Seite erreichte Standards von Bedürfnisbefriedigung und Bürgerrechten für die breite Masse der Bevölkerung drastisch gesenkt werden und gleichzeitig nicht einmal jene minimalen Kontrollen des nationalen Staatsapparates gegenüber inländischem und insbesondere ausländischem Kapital zur Anwendung kommen, die in vielen Militärdiktaturen nicht zuletzt deshalb eingesetzt werden, weil sie die Grundlage für die innenpolitische Legitimation solcher Regimes darstellen.[62] Die gelegentlich zu beobachtende anti-imperialistische Rhetorik von Militärregimes ist in eben diesem Zusammenhang zu sehen.

Die genannten Fälle militärischer Intervention sind von einem weiteren Typ von militärischem Staatsstreich zu unterscheiden, der in Zusammenhängen stattfindet, in denen die Armee ihre Kraft aus der Schwäche der zivilen Gesellschaft schöpft. Häufig wird die Militärintervention als Reaktion auf »die Dekadenz des politischen Regimes« interpretiert. Eine solche Interpretation muß oberflächlich bleiben, da die Krisenanfälligkeit des politischen Regimes mit der ihr zugrunde liegenden Schwäche der Gesellschafts- und Wirtschaftsstruktur korreliert. Diese Strukturschwäche rührt daher, daß keine einzelne Klasse imstande ist, eine eindeutige Machtposition innerhalb der eigenen Gesellschaft und Ökonomie aufzubauen. Diese Lage kennzeichnet insbesondere die post-kolonialen Gesellschaften Schwarzafrikas, in denen weder jene Sozialschichten, die den Dekolonisationsprozeß getragen haben, noch ein keimhaft vorhandenes Industriekapital jene politisch entscheidende Durchsetzungsfähigkeit besitzen, welche die Hegemonie einer Klasse über andere begründen könnte. Dasselbe gilt für die Landoligarchie und das neuere städtische Kleinbürgertum.[63] Während die Masse der Bauern und Arbeiter nur bedingt Anteil am politischen Leben hat, kommt dem Staatsapparat in einer derart brüchigen Konstellation der dominanten Klassen eine politisch entscheidende Rolle zu. Die Kontrolle der Regierung und der Staatsbürokratie vermittelt gleichzeitig einen direkten Zugang zur Ökonomie; sie ist damit eine wichtige Quelle für Kapitalakkumulation. In einer solchen Situation haben die Militärs die unbestrittene Fähigkeit, wenigstens kurzfristig eine chronisch werdende politische Krise zu unterbrechen und gewisse Widersprüche in der überkommenen Gesellschaftsstruktur und Wirtschaftsordnung zu eliminieren oder jedenfalls bestimmte partikulare Interessen zu verdrängen. Zeitweilig werden die akkumulationsfähigen Klassen insbesondere gegenüber den Übervorteilungen durch das ausländiche Kapital geschützt, wodurch eine Konsolidierung des lokalen Kapitals eintritt und ein weiterer Teil des in den Peripherien erwirtschafteten Surplus für die Staatsökonomie mobilisiert wird. Ganz abgesehen davon, worauf die Militärs in Gesellschafts- und Wirtschaftspolitik den Akzent setzen, scheinen sie allesamt eine relative Verachtung für die breite Masse zu empfinden, die (wie das Beispiel Schwarzafrikas zeigt) gleichwohl keine ernsthafte Bedrohung der Herrschaft des Militärs und der Staatsbürokratie darstellt. Die Verfügung über einen Großteil der Ressourcen erlaubt den Aufbau eines administrierten staatlichen Industriesektors, der dann sogar im Falle von Militärdiktaturen gelegentlich die propagandistische Rede von sozialistischer Politik rechtfertigen muß.[64]

In all den genannten Fällen kann beobachtet werden, daß die eigenen Interessen des Militärs nachdrücklich gefördert werden.[65] In der Regel fließen ihnen nach Staatsstreichen weit mehr Mittel zu als unter Zivilregimes. In allen Fällen ist auch unausweichlich, daß die Entwicklungspolitik unter das Primat militärischer Zielsetzungen gerät. Ein hoher Anteil der Staatsökonomie wird militärisch verwaltet, und die Investitionstätigkeit geschieht unter perzipierten militärischen Imperativen.

Es ist auch nicht überraschend, daß in allen diesen Fällen die durch militärische Staatsstreiche angeblich überwundene politische Krisenanfälligkeit peripherer Gesellschaften nach kurzer Zeit wiederkehrt und sich in aufeinanderfolgenden militärischen Staatsstreichen dokumentiert. Gleiches gilt für die enorme, geradezu endemische Rolle der Korruption, die eine Begleiterscheinung der Aufblähung des Staatsapparates und der Staatsökonomie ist. Aufeinanderfolgende Staatsstreiche haben deshalb nicht selten die Funktion, die durch wachsende Korruption entstehende Belastung des öffentlichen Haushaltes und der Gesamtwirtschaft auf jenes Maß zu reduzieren, das dysfunktionale Folgewirkungen unterbindet. Der militärische *coup d'état* als Korruptionsregulator verdient angesichts der Ausmaße von Korruption mehr Aufmerksamkeit als bisher, wie auch der militärische Staatsstreich als Mittel sozialer

Mobilität, durch den insbesondere in der post-kolonialen Phase teilweise der Aufstieg aus jenen sozialen Schichten in relativ hohe administrative und Führungspositionen ermöglicht wird, die weder einen besonders distinguierten Anteil am Dekolonisationsprozeß hatten noch zu den Nutznießern der ersten Phase nach der politischen Unabhängigkeit gehörten. In diesem Zusammenhang wurde wahrscheinlich nicht zu Unrecht im Hinblick auf den afrikanischen Bereich von einer Retraditionalisierung von Militär und Politik gesprochen.[66]

Die Militarisierung peripher-kapitalistischer Gesellschaften dokumentiert sich weiterhin im massiven Ausbau der Kräfte zur *counter-insurgency*-Kriegführung. Die militärische Eindämmung gesellschaftlicher Konfliktpotentiale ist inzwischen in allen Varianten von peripher-kapitalistischen Gesellschaften an der Tagesordnung. Diese Programme haben ihre Vorläufer in Militärhilfe- und Ausbildungsprojekten, insbesondere der USA, Englands und Frankreichs für ihre eigenen Armeen zur Bekämpfung nationaler Befreiungsfronten, aber auch für die Angehörigen bewaffneter Streitkräfte und der Polizeitruppen in Peripherien.[67] Die Vorbereitung auf den *sozialen Krieg* ist nicht weniger Ausdruck von Militarisierung, wie es der steigende Import von Rüstungsgütern bzw. der Aufbau lokaler Rüstungsproduktionsstätten ist. Der Militarisierung im Makro-Bereich entspricht ganz konsequent eine verstärkte Militarisierung derjenigen Kräfte, die gegen autoritäre Zivil- und autoritäre Militärregimes vorzugehen Anlaß sehen. Diese Militarisierung von gesellschaftspolitischen Konflikten ist inzwischen selbst dort zu beobachten, wo die Militärs lange Zeit nicht förmlich die Macht ergriffen haben, wie z. B. im Libanon, der in den vergangenen Jahren Schauplatz innergesellschaftlicher Auseinandersetzungen mit militärischen Mitteln bei gleichzeitiger vorläufiger Nicht-Intervention des Militärs war *(Mikro-Militarismus)*.[68]

## 5. Schlußbemerkung

Es kann wohl kein Zweifel bestehen, daß die Welt heute stärker militarisiert ist als jemals zuvor. Nicht nur haben sich die Eventualplanungen für Konfliktfälle erheblich ausgeweitet und ausdifferenziert, auch die faktischen Einsatzbereiche des Militärs haben sich vervielfältigt. Internationale, zwischengesellschaftliche und innergesellschaftliche Dimensionen von Rüstungsanstrengungen überlagern sich heute mehr als je zuvor – in den Metropolen nicht weniger als in den Peripherien.

Die Militärapparate brauchen um ihre Zukunft nicht zu bangen. Sie sind eingebettet in zwischen- und innergesellschaftliche Konfliktformationen, die durch mehr oder weniger virulente Konfliktherde immer wieder eine Existenzbestätigung erfahren. Aus ihnen resultiert die Dynamik des Militarismus; in ihr wiederum ist Rüstungsdynamik begründet. Gibt es Auswege aus dieser – in ihren Konsequenzen katastrophenträchtigen – Entwicklung?

Bei der Beantwortung dieser Frage ist zunächst von dem ernüchternden Tatbestand auszugehen, daß alle heute erkennbaren Trends eher auf weiteres Wachstum, eine weitere Ausdifferenzierung und auf ein höheres Maß an *sophistication* hinweisen als auf das Gegenteil. Abbau, Reduzierungen lassen sich kaum beobachten, und wo sie stattfinden, betreffen sie veraltete, militärtechnologisch nicht mehr interessante Teilbereiche des Militärapparates; sie werden durch qualitativ höherstehende Anstrengungen meist überkompensiert. Auf dem Hintergrund dieses überkommenen dynamischen Wachstumsprozesses ist auch die bisherige Geschichte der Rüstungskontrollversuche zu sehen. Sie haben die Rüstungsdynamik unberührt gelassen; in manchen Fällen haben sie sogar zur Intensivierung von Rüstungen beigetragen.[69]

Dies hängt damit zusammen, daß Rüstungen Ausdruck von Konfliktformationen sind und nicht ihre Verursacher, wenngleich sie erheblich zur Petrifizierung von solchen Konfliktformationen beitragen und ein Eigengewicht zu gewinnen vermögen. Deshalb ist die Vorstellung, Rüstungen könnten als solche gebändigt und limitiert werden, ohne daß Interessenunvereinbarkeiten, die sie produzierten, beseitigt oder doch wenigstens substantiell abgeschwächt oder umstrukturiert worden wären, wahrscheinlich schon im Ansatz unrealistisch. In einer solchen Vorstellung werden Rüstungsdynamik und Militarismusdynamik konzeptuell vermengt, also die Ursachen des weiteren Wachstums von Rüstungsvorbereitungen

(Rüstungspolitik und Rüstungswettlauf) mit den Ursachen der Interessenunvereinbarkeiten, zu deren wie immer gearteter Bewältigung Instrumente militärischer Gewalt geschaffen und eingesetzt werden.

Es scheint keine Lösungen des weltweiten Militarismusproblems ohne eine Auflösung bestehender Konfliktformationen zu geben. Diese Erkenntnis ist insbesondere dann bedrükkend, wenn man Versuche partieller und segmenthafter Lösungen des Rüstungsproblems angesichts der Explosivität der Rüstungsapparate innerhalb bestehender Konfliktformationen nicht von vornherein als hoffnungslos aufzugeben bereit ist.[70] Doch eine solche Hoffnung auf Lösungen in Rüstungsteilbereichen erscheint angesichts der in nüchterner Analyse dokumentierbaren vorherrschenden Entwicklungstrends von Rüstung und Militarismus utopisch. Wenn erhebliche korrigierende Eingriffe in die Rüstungs- und Militarismusdynamik nicht zu erwarten sind, kann dann angenommen werden, daß eine teilweise verheerende Katastrophe (beispielsweise in der Art eines begrenzten Nuklearkrieges) jenen Bewußtseinsschub erzeugen würde, der eine Auflösung fixierter Interessenunvereinbarkeiten ermöglichte und damit eine Wende herbeiführen könnte? Allein schon die katastrophalen Folgewirkungen eines solchen bewaffneten Konfliktes auf begrenztem Terrain verbieten es, die Hoffnung auf eine sich verbreitende Einsicht in die Gewaltträchtigkeit überkommener Konfliktstrukturen und der aus ihnen abzuleitenden angemessenen Konsequenzen aufzugeben.[71] Das Fundament für eine solche Hoffnung ist sicher dünn und brüchig, doch ohne sie ist ein Ausweg nicht zu finden. Anders als es des Dichters Wort will, wächst nicht immer, wo Gefahr ist, auch das Rettende.

Das vorliegende Kapitel ist als ein ergänzender Beitrag zur aktuellen Debatte über eine »Neue internationale Wirtschaftsordnung« konzipiert. Der Befund ist wenig ermutigend. Die fremdbestimmte und die aus eigenem Antrieb erfolgende *Durchmilitarisierung der Dritten Welt* sollte Anlaß zur Skepsis gegenüber einer euphorischen Einschätzung dieser Debatte und ihrer möglichen sozioökonomischen Folgewirkungen geben. Zu beobachten ist eine begrenzte Machterweiterung der dominanten Klassen mancher Peripherien der Dritten Welt, die auf der Grundlage erhöhter Einkommen sowohl Teilindustrialisierungsprozesse als auch eine massive Aufrüstung forcieren können. Auch in den nicht mit reichlichen Deviseneinkommen gesegneten Ländern ist offensichtlich inzwischen so viel gesellschaftlicher Konfliktstoff herangereift, daß – soll der überkommene Status quo aufrechterhalten bleiben – ihre Militarisierung in der einen oder anderen dargestellten Form unausweichlich erscheint.

Da die Vorschläge für eine »Neue internationale Wirtschaftsordnung« von den Repräsentanten der dominanten Klassen kommen, ist kaum anzunehmen, daß die *pay offs* dieses partiellen Konflikts zwischen den Metropolen und den dominanten Klassen der Peripherien um die Verteilung des in den Peripherien erzeugten gesellschaftlichen Surplus in erster Linie der Masse der verarmten Bevölkerung zugute kommen. *Diese zusätzlichen Ressourcen könnten auch in die Waffenarsenale des sozialen Krieges fließen.* Im Augenblick spricht mehr für diese als für die gegenteilige Annahme. Die faktischen Militarisierungsvorgänge in der Dritten Welt sind hierfür ein Beleg. Auch haben die Strukturverschiebungen in der Nord-Süd-Konfliktformation eher einen *weiteren Militarisierungsschub* zur Folge als eine unter entwicklungspolitischen Gesichtspunkten wünschbare und überfällige Eindämmung des Militarismus. Da wir den Militarismus als eine Reaktion auf gesellschaftliche Konfliktpotentiale interpretierten, ist für uns nicht überraschend, daß virulent werdende gesellschaftliche Konflikte eine weitere Vitalisierung von Militarismus begünstigen. Die um die Jahrhundertwende geschriebenen berühmten Traktate über den Militarismus erscheinen wie Berichte über eine heile Welt, wenn man die in ihnen dargestellte politische, militärische und sozioökonomische Wirklichkeit mit der gründlich durchmilitarisierten Realität von heute vergleicht.[72] Es ist verhängnisvoll, daß die Dritte Welt in einem Zustand zugespitzter latenter und offener innergesellschaftlicher und zwischenstaatlicher Konflikte einen mit Katastrophen markierten Weg zu beschreiten sich anschickt. Es ist nicht weniger verhängnisvoll, daß die Metropolen alles Erdenkliche zur Unterstützung und Förderung dieser Entwicklung tun.

# V. Dissoziation als entwicklungspolitischer Imperativ

# Versuch über autozentrierte Entwicklung

## 1. Zur Revision des Entwicklungsbegriffes

Angesichts des Scheiterns der überkommenen Entwicklungspolitik sah man sich gezwungen, den *Entwicklungsbegriff* selbst neu zu überdenken. Die programmatische Zielsetzung der herkömmlichen Entwicklungstheorie, die Modernisierung traditionaler Gesellschaften durch forciertes Wirtschaftswachstum, wurde angesichts sich verschärfender Brüche und Probleme in vielen theoretischen und empirischen Untersuchungen kritisch befragt. Erneut entspann sich eine Diskussion über den Entwicklungsbegriff und seine Übersetzung in operative Entwicklungsstrategien.[1] Die Erklärung von Cocoyoc, die von namhaften Wissenschaftlern 1974 formuliert worden ist[2], hat diesen Sachverhalt folgendermaßen zum Ausdruck gebracht:

»Als erstes müssen wir überhaupt Ziel und Zweck von Entwicklung neu definieren. Es kann sich nur darum handeln, den Menschen, nicht die Dinge zu entwickeln. Menschen haben bestimmte Grundbedürfnisse: Nahrung, Unterkunft, Kleidung, Gesundheit und Bildung. Jeder Wachstumsvorgang, der nicht zur Befriedigung dieser Bedürfnisse führt – oder sogar störend eingreift –, ist eine Verkehrung des Entwicklungsgedankens. Wir befinden uns noch in einem Stadium, wo das Hauptproblem der Entwicklung ist, wie weit die elementaren Bedürfnisse der ärmsten Teile in der Gesellschaft, die bis zu 40% der Bevölkerung ausmachen können, befriedigt werden können. Hauptziel des wirtschaftlichen Wachstums sollte es sein, die Verbesserung der Lebensbedingungen dieser Gruppen sicherzustellen. Ein Wachstumsprozeß, der nur der wohlhabenden Minderheit nutzt und die Gefälle zwischen den Ländern und innerhalb der Länder noch vergrößert, ist keine Entwicklung. Es handelt sich vielmehr um Ausbeutung. Und der Zeitpunkt, ein echtes wirtschaftliches Wachstum, das zu einer besseren Verteilung und zur Befriedigung der Grundbedürfnisse führt, einzuleiten, ist heute gekommen. Wir sind nach 30 Jahren Erfahrung der Meinung, daß die Hoffnung, daß schnelles wirtschaftliches Wachstum zum Nutzen weniger zur Masse des Volkes ›durchsickern‹ wird, sich als illusorisch erwiesen hat. Deshalb verwerfen wir den Gedanken: zuerst Wachstum – Gerechtigkeit bei der Verteilung des Nutzens später. Entwicklung soll sich nicht auf die Befriedigung von Grundbedürfnissen beschränken. Es gibt noch andere Bedürfnisse, andere Ziele, andere Werte. Entwicklung heißt auch Freiheit der Meinung und deren freie Weitergabe, auch das Recht, Ideen und Anregungen zu geben und zu erhalten. Es besteht ein tiefes soziales Bedürfnis, an der Gestaltung der Grundlagen der eigenen Existenz mitzuwirken und einen Beitrag zur Gestaltung der Zukunft der Welt zu leisten. Vor allem aber heißt Entwicklung auch Recht auf Arbeit, womit wir nicht nur meinen, einen Broterwerb zu haben, sondern Selbstverwirklichung in der Arbeit zu finden, das Recht, nicht veräußert zu werden durch Produktionsprozesse, die Menschen nur als Werkzeuge benutzen.«[3]

Diese Sätze machen deutlich, daß die neuere Entwicklungsdiskussion nicht wachstumsfeindlich ist. Kritisiert wird der Wachstumsfetischismus, also der Glaube an gewissermaßen automatisch sich einstellende soziale Ausweitungseffekte eines forcierten Wirtschaftswachstums.[4] Die Kehrseite dieser Kritik ist der Versuch, Entwicklungsprogramme zu formulieren, die auf der Grundlage eines qualifizierten Wirtschaftswachstums zwei wesentliche Zielsetzungen von Entwicklungspolitik zu verwirklichen geeignet wären: *die Eingliederung der Masse der Menschen in eine produktive Beschäftigung und die Befriedigung von Grundbedürfnissen.* Doch die neuere entwicklungspolitische Debatte zeigt, daß mit einer derartigen Zielvorgabe, über die eine weitgehende Übereinstimmung besteht, das Problem erst formuliert, jedoch operativ noch nicht gelöst ist. Welche Entwicklungsstrategie soll im allgemeinen und im einzelnen verfolgt werden, um die genannten Zielsetzungen zu verwirklichen?

Es überrascht nicht, daß entwicklungspolitische Lösungsvorschläge von der ihnen zugrunde liegenden Diagnose über die Ursachen von Unterentwicklung im allgemeinen und von der Diagnose über die entwicklungspolitischen Fehlentwicklungen der vergangenen zwei Jahrzehnte im besonderen abhängig sind. Begreift man die entwicklungspolitischen Mißerfolge der vergangenen zwei Jahrzehnte beispielsweise als das Resultat von Investitionen an falscher Stelle mit ungeeigneter Technologie, so bietet sich als Korrektiv eine Strategie an, die Investitionen mit angepaßter Technologie in jene Bereiche zu lenken sucht, die in den vergangenen Jahren sträflich vernachlässigt worden sind. *Eine begrenzte Diagnose übersetzt sich folgerichtig in eine begrenzte entwicklungspolitische Kurskorrektur*, so wie sie in neueren Dokumenten der Weltbank[5] und des Internationalen Arbeitsamtes[6] zum Ausdruck kommt

(»redistribution with growth«).[7]

Bescheidet man sich nicht mit einer analytisch begrenzten Diagnose der offensichtlichen Fehlentwicklungen in der Dritten Welt, so wird die von einer umfassenderen Analyse ausgehende Entwicklungsprogrammatik mehr als partielle Kurskorrekturen ins Auge zu fassen haben. Die Theorie des peripheren Kapitalismus (einschließlich ihrer verschiedenen Teilelemente) erhebt den Anspruch, eine gegenüber konventionellen Entwicklungstheorien umfassendere historisch-genetische und strukturelle Analyse der Reproduktionsdynamik von peripheren Gesellschaftsformationen zu sein.[8] Die in dieser Theorie erarbeitete Diagnose der grundlegenden Strukturdefekte von Peripherie-Ökonomien kann als Ausgangspunkt einer neuen konstruktiven Entwicklungsprogrammatik betrachtet werden.[9] Diese Programmatik wurde in den vergangenen Jahren mit dem Begriff *autozentrierte Entwicklung* umschrieben.[10] Im folgenden sollen einige Elemente der Theorie bzw. Strategie autozentrierter Entwicklung skizziert werden.

## 2. Elemente einer Theorie/Strategie autozentrierter Entwicklung

Was heißt autozentrierte Entwicklung? Die Konzeption autozentrierter Entwicklung stellt eine analytische Reaktion auf die Diagnose der Strukturdefekte von peripheren Gesellschaftsformationen im allgemeinen und von Peripherie-Ökonomien im besonderen dar. Diese Strukturdefekte begründen, allgemein formuliert, einen Mangel an Selbstbestimmtheit.[11] Eine autozentrierte Ökonomie zeichnet sich demgegenüber durch die dynamische Entwicklung ihres *Binnenmarktes* aus, in den die Masse der Bevölkerung produktiv eingegliedert ist. Deren Nachfrageprofile übersetzen sich in eine zuallererst *binnenmarktorientierte* Produktionsstruktur, die auf eine Mobilisierung von *lokal* verfügbaren Ressourcen und eine Nutzung dieser Ressourcen *an Ort und Stelle* angelegt ist und die Anreize zur Produktion *eigener* Technologie entfaltet. Das Resultat einer solchen autozentrierten Ökonomie ist die Befriedigung der Grundbedürfnisse der Bevölkerung, wobei die inhaltliche Bestimmung dessen, was als Grundbedürfnisse anzusehen ist, im Verlaufe einer stetigen Produktivkraftentfaltung sich erweitert und ausdifferenziert.

Demgegenüber bestehen heute die Strukturdefekte in Peripherie-Ökonomien darin, daß die Masse der Bevölkerung randständig bleibt und die vorherrschenden ökonomisch relevanten Nachfrageprofile einer einkommensstarken Minorität in der Regel metropolitane Konsummuster spiegeln.[12] Derartig differenzierte Konsumerwartungen können entweder durch Importe befriedigt werden oder durch den Aufbau eines lokalen Produktionsapparates mit Hilfe eines metropolitanen Maschinenparks und metropolitaner Technologie.[13] Es ist bekannt, daß dabei die in Peripherie-Ökonomien vorhandenen internen Ressourcen nur insoweit mobilisiert werden, als sie für die Produktion von Konsumgütern metropolitanen Typs genutzt werden können; ansonsten müssen die lokal nicht verfügbaren Ressourcen importiert werden, um eine Produktion solcher Güter überhaupt erst zu ermöglichen. Abgesehen von den wirtschaftlichen Strukturdefekten implizieren ein derartiger Produktionsapparat und die mit ihm synchronisierte Konsumnachfrage erhebliche, dem Stand der Produktivkraftentfaltung nicht angemessene gesamtwirtschaftliche Kosten.[14]

*Autozentrierte Entwicklung* besteht also im allgemeinsten Sinne aus der organischen Verbindung folgender Aktivitäten:

– erneute Prospektierung der lokal verfügbaren Ressourcen[15];
– lokale Nutzung lokaler Ressourcen;
– Aufbau eines eigenen industriellen Sektors für die Produktion von Produktionsmitteln[16];
– Weiterentwicklung bestehender und Erfindung angepaßter Technologie;
– Produktivitätssteigerung der Landwirtschaft[17];
– industrielle Produktion von Massenkonsumgütern.

Nur die Konvergenz dieser Aktivitäten erlaubt eine breitangelegte, schrittweise *Erschließung des Binnenmarktes*, durch die die Masse der Bevölkerung in produktive Tätigkeiten eingegliedert wird, Kaufkraft erwirbt und durch die die Nachfrage nach agrarischen und industriellen Ausrüstungs-

und Massenkonsumgütern sowie nach privaten und öffentlichen Dienstleistungen an Ort und Stelle dynamisiert wird.[18]

Wie läßt sich eine solch *umfassende, differenzierte und ausgeglichene Produktivkraftentfaltung* einer Gesellschaft und Ökonomie bewerkstelligen?

Eine allgemeine Antwort auf diese Frage wurde vor mehr als 100 Jahren in einer Preisschrift, die Friedrich List der französischen Akademie einreichte, entfaltet.[19] List hat in dieser Schrift auf die Bedeutung einer koordinierten Entwicklung von Landwirtschaft und Manufaktur als Grundlage für eine umfassende Entwicklung der produktiven Kräfte einer Gesellschaft aufmerksam gemacht. Im einzelnen schrieb er dazu:

»Der isoliert betriebene Ackerbau ist und bleibt ein elender Zustand. Ohne vollkommene Werkzeuge und genügend Kapitalien, ohne Erziehung, Aufklärung und Wetteifer sowie ohne den Anreiz neuer Bedürfnisse, verrichtet der Bauer seine Arbeit für sich allein und einförmig, von Generation zu Generation immer der gleichen Routine folgend, schon glücklich, wenn er nur die auf dem Boden lastenden Abgaben leisten und sein Leben elend und mühsam von der Wiege bis zum Grabe hinschleppen kann. Seine besten Kräfte verkümmern. Nicht einmal seine physische Kraft entwickelt sich weiter. [...] Da der Bewohner eines ausschließlich ackerbautreibenden Landes selbst produziert, was er für seine Bedürfnisse braucht, und da er nur wenig davon erübrigen kann, hat er auch nichts zu tauschen, noch zu transportieren. In einer rein ackerbautreibenden Gegend besteht daher auch keine Veranlassung, die Verbindungswege und Transportmittel, diese mächtigen Triebkräfte bei der Zivilisierung der Völker, zu verbessern.«[20]

Die Landwirtschaft eines Landes kann – nach List – nur durch die Industrie Bedeutung erlangen. List betont,

»daß die Landwirtschaft eines Landes um so blühender und die Entwicklung für alle Zukunft um so fester gesichert ist, daß sie um so wirkungsvoller gegen jede Rückentwicklung und jede Krise geschützt ist, je mehr sich Landwirt und Fabrikant in territorialer Hinsicht nahestehen, je weniger ihre gegenseitigen Beziehungen natürlichen oder politisch verursachten Unterbrechungen unterworfen sind, je mehr die Manufakturindustrie in dieser Nation selbst entwickelt und in allen ihren Zweigen vervollkommnet ist, je besser sich schließlich Produktion und Konsumption wie auch die Bevölkerung beider Klassen – Landwirte und Manufakturisten – das Gleichgewicht halten.«[21]

Befinden sich Manufakturkraft und Agrikultur Seite an

Seite, so treten jene ökonomischen Verkettungen auf, die eine Gesellschaft auf sich erweiternder Stufenleiter zu einem lebensfähigen selbständigen Gebilde machen.[22]

»Eine Nation, der es erst einmal gelungen ist, ihre eigenen Manufakturen wie auch ihre Landwirtschaft voll zu entwickeln und beide auf eine solche Weise ins Gleichgewicht zu bringen, daß der Verbrauch des einen der Produktion des anderen Wirtschaftszweiges entspricht, eine solche Nation hat sich für alle kommenden Jahrhunderte ihre Fortschritte in den produktiven Kräften und im Reichtum, in nationaler Macht, Wohlstand und Zivilisation gesichert; während eine Nation, die in bezug auf die Manufakturkraft vom Ausland abhängig ist, allen Störungen und allen Erschütterungen ausgesetzt ist, auf die wir [...] aufmerksam gemacht haben. Es ist gerade die aktive Wechselwirkung zwischen diesen beiden Zweigen der Produktion – der Manufaktur- und der Agrarproduktion –, aus der teilweise die Größe und Macht der produktiven Kräfte Englands erklärt werden muß; eine Wechselwirkung, die dort seit Jahrhunderten in ihren ständigen Fortschritten durch nichts gestört und durch nichts unterbrochen wurde.«[23]

Die Diskrepanz zwischen der entwicklungspolitischen Leitvorstellung eines Friedrich List vor mehr als 100 Jahren und der heutigen Realität in Peripherie-Ökonomien ist beachtlich. Nicht nur, daß die »Nähe« von Agrikultur und Manufaktur im Listschen Sinne dort nicht existiert; Agrikultur und Manufaktur sind je einzeln so zerklüftet, daß sie auch als Teilsektoren von Peripherie-Ökonomien keine Kohärenz aufweisen. In der Regel ist die Landwirtschaft in einen effizienten exportorientierten Subsektor und einen produktivitätsschwachen Subsektor für die Erzeugung von Nahrungsmitteln und Rohstoffen für den Eigenbedarf gegliedert[24]; dasselbe gilt für den industriellen Sektor, in dem Konsumgüter für eine einkommensstarke Nachfrage produziert werden, während die Produktivität der industriellen Erzeugung von Massenkonsumgütern, die die Masse der Bevölkerung kaum erreichen, relativ stagniert. Beide Erscheinungen sind ein treuer Reflex der strukturellen Heterogenität von Peripherie-Ökonomien.[25] Soll es zu einer *Binnenmarkterschließung mit sozialen Breitenwirkungen* kommen, dann ist eine Restrukturierung sowohl des Agrarsektors als auch des industriellen Sektors und der Verbindung beider Sektoren unerläßlich. Der Aufgabe des landwirtschaftlichen Sektors, ausreichend Nahrungsmittel für den lokalen und nationalen Eigenbedarf sowie ausreichende Rohstoffmengen für die Weiterverarbeitung im heimischen industriellen Sektor herzustellen, steht die Aufgabe des industriellen Sektors gegenüber, ausreichende industrielle Inputs für die Steigerung der landwirtschaftlichen Produktivität und eine ausreichende Menge von industriellen Konsumgütern für den lokalen Markt zu produzieren.[26] Angesichts der Lage der Mehrheit der Menschen in den Peripherie-Ökonomien, die in der Regel allenfalls auf Subsistenz-Niveau leben, kann kein Zweifel daran bestehen, *daß in einer schrittweisen wechselseitigen Verkettung von Landwirtschaft und Industrie ein enormes Entwicklungspotential angelegt ist.* Wie anders als auf diesem Weg soll es zu einer eigenbestimmten Erschließung der Binnenmärkte mit dem Ziel einer zunehmenden Differenzierung der Produktivkraftentfaltung kommen?[27] Das Gegenmodell, z. B. die großen und kleinen Grünen Revolutionen, hat in der Praxis deutlich gezeigt, wie Produktivkraft gesteigert werden kann, ohne gleichzeitig die elementaren sozialen Probleme von Peripherie-Ökonomien zu lösen, und wie die Fremdbestimmung dieser Gesellschaften durch eine unangemessene Form der Modernisierung sich drastisch erhöht.[28]

Eine wirksame Verkettung von Landwirtschaft und Industrie setzt eine frühzeitige Differenzierung des industriellen Sektors voraus. Eine von mehreren Dimensionen einer solchen Differenzierung ist der Aufbau von sogenannten *industrialisierenden Industriezweigen.*[29] Diese sind in allen Ökonomien durch erhebliche Vorwärts- und Rückwärts-Verkettungseffekte gekennzeichnet und haben deshalb einen hohen entwicklungsstrategischen Stellenwert. Werden deren Produkte nicht an Ort und Stelle erzeugt, so gehen die entsprechenden vor- und nachgelagerten Folgeeffekte (*spin-off*-Effekte) verloren.[30] Ihre Produkte können als *Grundprodukte* bezeichnet werden: zum Teil dient ihr Einsatz an anderer Stelle in Industrie und Landwirtschaft der Produktivitätssteigerung (Inputs in agrarische und industrielle Ausrüstungsgüter, landwirtschaftliche Inputs usf.), zum anderen stellen sie die unerläßlichen Inputs für eine Vielzahl von industriell produzierten Konsumgütern dar. Destanne de Bernis, auf den der Begriff der industrialisierenden Industrien in der neueren Diskussion zurückgeht, zählt zu diesen vor allem die Eisen-

und Stahlproduktion, den Maschinenbau, die metallverarbeitende und die chemische Industrie sowie die Energieproduktion als eine für alle Sektoren unerläßliche Basis. Industrialisierungs-Industrien sollen den Aufbau vor- und nachgelagerter Branchen anreizen. Indem in ihnen tendenziell mit *moderner* Technologie produziert wird, verbilligen sich Vor- und Zwischenprodukte, und es verbessern sich die allgemeinen Produktionsbedingungen.[31]

Ohne eine derartige Produktion von Grundgütern ist ein autonomer Entwicklungsprozeß nicht denkbar, denn ihm würde ein wesentliches Stück *innerer Dynamik* fehlen. Soll ein solcher Prozeß eine soziale Breitenwirkung haben, so ist allerdings erforderlich, *daß die Produktion von Grundgütern mit einer Produktion von allgemein erwerbbaren Ausrüstungsgütern und von Konsumgütern zur Befriedigung von Grundbedürfnissen gekoppelt wird* und nicht mit einer Produktion komplexer, nicht erwerbbarer Ausrüstungsgüter und Luxuskonsumgüter.[32] Denn nur dann scheint innerhalb einer ersten Phase einer autozentrierten Entwicklungsstrategie gesichert sein, daß solche Güter (qua Inputs in Ausrüstungsgüter bzw. in industrielle Verarbeitungsprozesse) schließlich *massenwirksam* sind. Nur unter dieser Bedingung dürfte auch die eingangs postulierte Verbindung zwischen der Nutzung *lokaler* Ressourcen, einem *lokalen* Produktionsapparat (mit einer eigenständigen technischen Komponente) und der Befriedigung von Grundbedürfnissen der *lokalen* Bevölkerung herzustellen sein.[33]

In einer bemerkenswerten Studie hat Ann Seidman annäherungsweise für Schwarzafrika eine Strategie der autozentrierten Entwicklung entfaltet.[34] Hinsichtlich der Industrietypen, welche sie für eine derartige Strategie für notwendig hält, fordert die Autorin die Produktion von 1. landwirtschaftlichen Inputs zur Steigerung agrarischer Produktivität; 2. die Produktion von Transportausrüstungen zur Erleichterung der Expansion interner Arbeitsteilung und Austauschprozesse; 3. die Konstruktion von Baumaterialien zur Herstellung von Billigwohnungen wie auch als Input in alle Bauprojekte, die für eine Expansion der Produktion erforderlich sind; 4. die Erzeugung von einfachen Konsumgütern, um der Nachfrage eines expandierenden internen Marktes begegnen zu können, der sich aus steigenden landwirtschaftlichen Einkommen ergibt; 5. Grundindustrien, welche Eisen und Stahl, chemische Produkte, Glas usf. produzieren. Es ist deutlich, daß auch Seidmans Ansatz folgerichtig auf einer engen Verkettung der Produktions- und Konsumgüterindustrie mit landwirtschaftlichen Aktivitäten gründet.

Die Strategie autozentrierter Entwicklung schließt nicht die Existenz moderner technologieintensiver Industrien aus, wie dies manchmal in Unkenntnis ihrer Zielsetzung behauptet wird. Gerade die fortschreitende Vermaschung von Landwirtschaft, einer ländlichen Industrie *und* einer regional oder überregional operierenden modernen Grundindustrie bildet die Basis für eine allmähliche Erschließung von nationalen Wirtschaftsräumen.[35] Am Beispiel der chinesischen Entwicklung hat Jon Sigurdson exemplarisch *den Entfaltungs- und Verkettungsprozeß zwischen Landwirtschaft, einer landwirtschaftsnahen Industrie und der modernen Industrie* dargestellt.[36]

In einer ersten Stufe, so schreibt Sigurdson, wird die landwirtschaftsnahe oder örtliche Industrie als Transmissionsriemen für Wissen aufgebaut. Die Verbindung mit der modernen Industrie ist im wesentlichen eine Einwegbeziehung, in der die örtliche Industrie mit der notwendigen Technologie ausgestattet wird. Die Verbindung zwischen Landwirtschaft und örtlicher Industrie dagegen ist eine wechselseitige Beziehung, in der die örtliche Industrie für die Herausbildung technischer Fertigkeiten im landwirtschaftlichen Sektor verantwortlich ist, während sie gleichzeitig in wachsendem Ausmaß Inputs für die Landwirtschaft produziert. Die Landwirtschaft ihrerseits liefert Rohmaterialien und Kapital.

Auf der zweiten Stufe werden örtliche Industrie und Landwirtschaft zum Teil integriert, indem die Landwirtschaft die Industrie mehr und mehr mit Rohstoffen für die Leichtindustrie versorgt und die örtliche Industrie einen Großteil der landwirtschaftlichen Produkte verarbeitet. Die Zunahme an Kaufkraft, die aus der steigenden landwirtschaftlichen Produktivität resultiert, erlaubt es, mehr Maschinen zu finanzieren. Die Absorption von Arbeitskräften wird auf dieser Stufe vor allem innerhalb der Landwirtschaft oder in darauf bezoge-

*Schaubild 1:* Stufenweise Herausbildung von Verkettungen zwischen Landwirtschaft (L), landwirtschaftsnaher (lokaler) Industrie (LI) und moderner Industrie (MI).

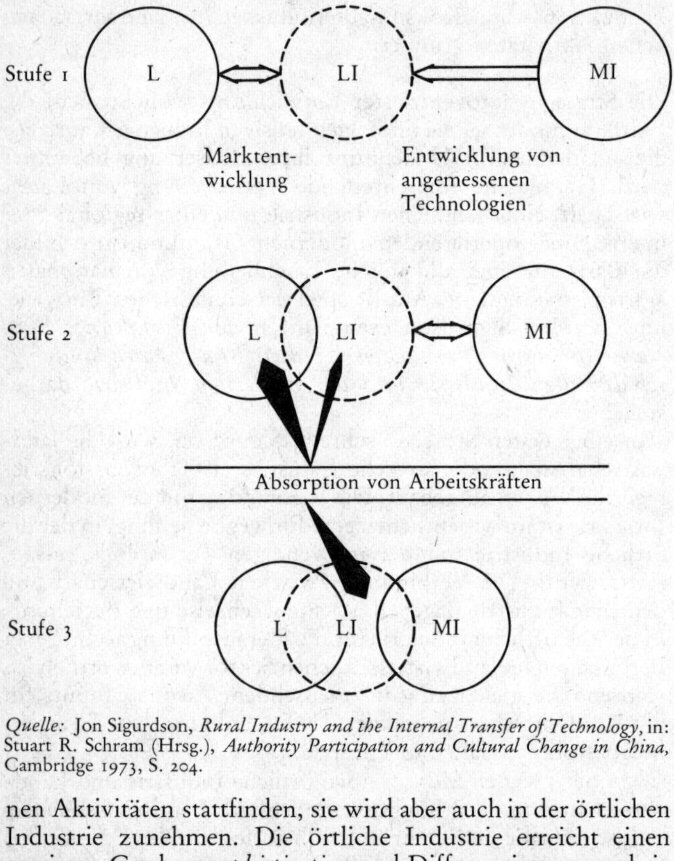


*Quelle:* Jon Sigurdson, *Rural Industry and the Internal Transfer of Technology*, in: Stuart R. Schram (Hrsg.), *Authority Participation and Cultural Change in China*, Cambridge 1973, S. 204.

nen Aktivitäten stattfinden, sie wird aber auch in der örtlichen Industrie zunehmen. Die örtliche Industrie erreicht einen gewissen Grad an *sophistication* und Differenzierung, und sie kann die moderne Industrie mit mehr Produkten beliefern. So kommt es zur Verkettung der beiden Sektoren von Landwirtschaft und örtlicher Industrie.

Auf der dritten Stufe dieser Folge verketten sich örtliche und moderne Industrie mehr oder weniger. Es kommt zu

Produktionsverlagerungen aus dem modernen Sektor in die örtliche Industrie. Die Qualitätsstandards und die Standardisierung innerhalb der örtlichen Industrie verbessern sich beträchtlich, die örtlichen Industrien werden zu Zulieferanten für die moderne Industrie. Die örtliche Industrie und die darauf bezogenen Dienstleistungen werden auf dieser Stufe für die Absorption von Arbeitskraft besonders wichtig, und ein relativ substantieller Transfer von Beschäftigten aus der Landwirtschaft in die örtliche Industrie kann in dem Maße stattfinden, wie die Landwirtschaft mechanisiert wird.

»So kann man also sehen, daß der Aufbau von örtlichen Industrien, welche auf lokalen Ressourcen von einigermaßen qualifizierter Arbeitskraft und Kapital beruhen, die Grundlage für die Mechanisierung der Landwirtschaft abgibt, welche dann ihrerseits es wiederum den Bauern möglich macht, neuen Aktivitäten nachzugehen (wie z. B. Mehrfachernten) und ihre landwirtschaftlichen Erträge zu erhöhen. Mit höheren Erträgen können mehr landwirtschaftliche Rohstoffe für die Industrie angebaut werden, was seinerseits dann der örtlichen Leichtindustrie die erforderlichen Rohstoffe verschafft. In diesem Prozeß wird Arbeitskraft in der örtlichen Industrie absorbiert, die Kaufkraft steigt an, und es entsteht ein lokaler Markt für leichtindustrielle und andere industrielle Güter. Grundsätzlich sollte die örtliche Industrie die lokal verfügbaren Ressourcen benutzen; sie sollte an Ort und Stelle produzieren und ihre Produkte im eigenen Umkreis verteilen. Dies impliziert auch, daß die Planung, die Zuweisung von Rohmaterialien und die Organisation der Industrieproduktion in lokalen Entscheidungen begründet sein müssen. Aber sobald weiterreichende sekundäre Zielsetzungen (wie z. B. die Fertigung von Produkten für die moderne Industrie) betont werden, wird die lokale Planung im wachsenden Maße mit den zentralen Plänen zu koordinieren sein, die sehr häufig die Pläne der nächsthöheren administrativen Ebene sind. Indem man sich bemüht, das allererste Ziel zu erfüllen, nämlich der Landwirtschaft zu dienen, entsteht eine *symbiotische Wechselbeziehung zwischen örtlicher Industrie und dem sie umgebenden landwirtschaftlichen Sektor.* Wenn weiterreichende sekundäre Zielsetzungen allmählich auf der dritten Stufe der Entwicklung ins Auge gefaßt werden können, entfaltet sich eine ähnliche *symbiotische Wechselwirkung zwischen örtlicher Industrie und der modernen Industrie.*«[37]

Sigurdson betont, daß die örtliche Industrie im Falle Chinas allmählich aufgebaut wird und eng mit der landwirtschaftlichen Entwicklung koordiniert ist, so daß es zu keiner Zerrüttung der lokalen Ökonomie kommt. *Der Landwirtschaft zu Diensten zu sein* bedeutet für die örtliche Industrie ein Dreifaches: erstens Produktion von industriellen Inputs für die Landwirtschaft; hier spielt das System der fünf kleinen Industrien eine Rolle (örtliche Produktion von Eisen und Stahl, von chemischen Düngemitteln, Zement, Maschinen und Energie); zur zweiten Aufgabe der örtlichen Industrie gehört die Bereitstellung von Reparatur- und Versorgungswerkstätten für den landwirtschaftlichen Maschinenpark; darin ist gewöhnlich die Anfertigung von landwirtschaftlichen Werkzeugen und Maschinerien eingeschlossen; die dritte Funktion der örtlichen Industrie besteht in der Bearbeitung landwirtschaftlicher Produkte.[38]

Diese Inputs haben eine katalytische Wirkung auf die Produktivitätssteigerung in der Landwirtschaft; von ihnen ausgehend kommt eine Entwicklungsdynamik in Gang, die zur sukzessiven Erschließung lokaler Märkte führt, wobei immer weiterreichende Verkettungen stattfinden.

Es bedarf wohl keiner Begründung im einzelnen, daß ein solches Entwicklungsszenario einen besonderen politischen Rahmen, innerhalb dessen es sich entfalten kann, erfordert. Abgesehen von der prinzipiellen Orientierung der Entwicklung an einer Befriedigung von Massenbedürfnissen setzt dieses Entwicklungsszenario eine *gegenseitige Abstimmung von zentraler Planung und lokaler Selbständigkeit und Initiative* voraus. Die lokalen Aktivitäten sind zwar ortsgebunden, aber sie sind nicht isoliert, sondern Teil einer übergreifenden Strategie.[39] Und dies unterscheidet grundlegend eine autozentrierte Entwicklungsstrategie von den heute modisch gewordenen landwirtschaftlichen Kleinbauern-Projekten, wie sie insbesondere seit einigen Jahren von der Weltbank konzeptuell und praktisch gefördert werden.[40] Am Beispiel von China kann Sigurdson nachweisen, wie die meisten Aktivitäten in Form von *hierarchisch angeordneten Netzstrukturen* organisiert sind, wobei eine wachsende Spezialisierung zu beobachten ist, je höher man in der Hierarchie aufsteigt.[41] Diese Struktur hat es offensichtlich ermöglicht, von zentralen technologisch fortgeschrittenen Zentren Impulse in regionale und örtliche Aktivitäten zu vermitteln, die dann dort im Laufe der Zeit eigenständige Entwicklungen, z. B. bei der Anpassung von vorgegebener (meist veralteter) Technologie und bei der Erfindung von neuer, den örtlichen Bedürfnissen entsprechender Technologie, ausgelöst haben.

»Die Entwicklung von Produktionsstätten wie z. B. für chemische Dünger und Eisen wird zentral überwacht, um kontinuierliche, sich ausweitende Verbesserungen zu ermöglichen. Dies macht es gleichzeitig möglich, Leistungen alternativer Innovationen und alternativer Anpassungsvorgänge zu vergleichen, um immer noch bessere Designs für neue Produktionsstätten auszuwählen. Innovationen bei den Produktionsgütern, die in örtlichen Unternehmen benutzt werden, welche Maschinen produzieren oder reparieren, werden fast ausschließlich lokalen Aktivitäten überlassen, da sie die Möglichkeit erhalten sollen, den bestmöglichen Gebrauch von der Kombination von Kapital, Arbeitskraft und Rohmaterialien zu machen. Die Herstellung und die Benutzung von örtlich produzierten Maschinen wird immer dann ermutigt, wenn die Kapazität von modernen, und d. h. teuren, Maschinen nicht voll ausgenutzt würde. Die in der Landwirtschaft benutzten Maschinerien und Produktionsgüter sind immer noch das wesentliche Resultat lokaler Innovationen, und es wurde oft betont, daß die Massenkampagnen zur Verbesserung von landwirtschaftlichem Werkzeug und zur Entwicklung von halbmechanischen und verbesserten landwirtschaftlichen Produktionsgütern nachdrücklich die Arbeitseffizienz verbessern könnten. Die Entwicklung von angemessener Technologie für die örtlichen Industrien findet in dem Maße kontinuierlich statt, wie die örtlichen Industrien sich mehr und mehr differenzieren. In diesem Prozeß ist ein progressives Element enthalten, indem nämlich die angemessenen Technologien an größere Skalen- und Kapitalintensitätserfordernisse angepaßt werden und indem der Markt sich entwickelt und die Unterbeschäftigung reduziert wird. [. . .] In dem Maße, wie die Größenordnung und die *sophistication* der örtlichen Industrie sich entwickeln, entwickelt sich auch die lokale Fähigkeit, eigene Lösungen zu finden. Sobald der Entwicklungsprozeß einigermaßen selbstbestimmt ist und die einzelnen Orte fähig werden, ihre Erfordernisse für die weitere ökonomische und soziale Entwicklung zu analysieren, wird die symbiotische Beziehung zwischen der in der Stadt angesiedelten Industrie und der örtlichen Industrie wichtig. Die industrielle Organisation, welche die effektive Nutzung von kleinen Industrieanlagen in Kooperation mit modernen industriellen Komplexen erlaubt, scheint in mehreren Gegenden Chinas sich entwickelt zu haben. Um jedoch effektiv zu funktionieren, müssen die kleinen lokalen Industrien nicht nur fähig sein, Techniken so anzupassen, daß den Standards der modernen Industrie Genüge getan wird, sie müssen auch ihre Aktivitäten effektiv koordinieren und ihre Produktionsprozesse innerhalb der größeren industriellen Komplexe zeitlich abstimmen. Diese Umorientierung und die Management-Fertigkeiten werden effektiv in landwirtschaftlichen Gebieten entwickelt, indem die lokalen industriellen Systeme sich ausdifferenzieren.«[42]

Die vorangegangene Darstellung macht deutlich, daß die in den letzten Jahren häufig gehörte These, die Länder der Dritten Welt müßten sich auf die Produktion arbeitsintensiv herstellbarer Güter konzentrieren, so formuliert, falsch ist. Kapitalintensive oder arbeitsintensive Produktion, moderne oder lokale Industrie – das ist nicht die Alternative.[43] Schon das Beispiel der japanischen Entwicklung[44] und noch mehr die erfolgreichen Entwicklungsmodelle nach 1945 zeigen[45], daß es einer spezifischen *Mischung von Technologieniveaus* bedarf, um eine umfassende Produktivkraftentfaltung zu garantieren.[46] Dabei spielen gerade moderne kapitalintensive Industrien in spezifischen Bereichen (wie z. B. in der Energieproduktion, in der Erzeugung von Stahl und Grundstoffen der chemischen Industrie usf.) eine erhebliche dynamisierende Rolle. Werden solche Industrien (wo sie in Peripherien heute überhaupt existieren) mit Konsumgüterindustrien rückgekoppelt, deren Produkte auf eine gehobene, einkommensstarke Nachfrage konzentriert sind (wie im Falle von dauerhaften Konsumgütern), so führt dies – neben anderen Ursachen – folgerichtig zu jenen gesellschaftlichen Symptomen (wie Marginalität usf.), die heute allenthalben beklagt werden. Im Kontext einer Gesellschaft, in der aus politischen Gründen die Einkommensunterschiede eher verringert werden und in der die breite Mobilisierung von Menschen Ausgangspunkt eines alternativen Entwicklungsweges ist, vermögen solche modernen und kapitalintensiven Industrien Erhebliches zur Produktivitätssteigerung einzelner Sektoren wie der Landwirtschaft, ja, der gesamten Ökonomie (beispielsweise über verschiedene Inputs in den Aufbau der Infrastruktur) beizutragen. Auf Destanne de Bernis zurückgehend, hat Elsenhans am Beispiel Algeriens nach 1965 (sicher keinem Idealtyp von autozentrierter Entwicklung) die Bedeutung von modernen Industrialisierungs-Industrien aufgewiesen, deren Güter-Output für den Aufbau der Infrastruktur, den Ausbau der Konsumgüterindustrien und für die im genannten Falle noch überfällige Produktivitätssteigerung der Landwirtschaft erforderlich ist.[47]

## 3. Implikationen einer Strategie autozentrierter Entwicklung

Die autozentrierte Entwicklung beruht auf einem Akkumulationsprozeß, der durch eine wechselseitige Verschränkung der binnenmarktorientierten Aktivitäten von Landwirtschaft, Produktionsgüterindustrie und Massenkonsumgüterindustrie seine Dynamik erhält. Gegenüber dieser Selbstzentriertheit, welche das Wirtschaften mit *eigenen* Ressourcen für *eigene* Bedürfnisse der *eigenen* Bevölkerung kennzeichnet, kommt den Import-Export-Aktivitäten eine insgesamt eher sekundäre Funktion zu.[48] Diese Prioritätensetzung, die konsequent aus der Theorie/Strategie autozentrierter Entwicklung folgt, ist das genaue Gegenteil dessen, was in der sozioökonomischen Wirklichkeit von Peripherie-Ökonomien heute zu beobachten ist; selbst jene, deren Import-Export-Aktivitäten sich nur auf einen kleinen Bruchteil des Bruttosozialproduktes belaufen (z. B. im Falle von Brasilien), sind dennoch – wie an anderer Stelle im einzelnen nachgewiesen – in ihrer Grundstruktur weltmarktorientiert und durch die aufgefächerten Aktivitäten des metropolitanen Kapitals bestimmt – mit der Folge, Peripherie-Ökonomie zu bleiben.[49]

Es gilt zu betonen, daß eine Strategie autozentrierter Entwicklung in der Regel nicht (und höchstens im Grenzfall) mit einer Autarkie-Politik identisch ist. Eine Politik des Selbstvertrauens, des Sichverlassens auf die eigenen menschlichen und natürlichen Ressourcen und auf die Fähigkeit zu selbständiger Zielsetzung und Entscheidungsfindung setzt eine *Abkoppelung* gegebener Peripherie-Ökonomien von den dominanten Strukturen des gegebenen kapitalistisch bestimmten Weltmarktes voraus, jedoch nicht notwendigerweise eine totale Abschottung. Auf diesen Tatbestand hat Kim il Sung aufmerksam gemacht, wenn er über die seit dem Ende der 50er Jahre in Nordkorea verfolgte Entwicklungspolitik des Vertrauens auf eigene Kraft und Selbstbestimmtheit schreibt:

»Wir haben keineswegs die Absicht, gegen die wirtschaftliche Zusammenarbeit von Ländern aufzutreten und den Sozialismus abgekapselt aufzubauen. Wogegen wir uns wenden, das sind die Großmachttendenzen, die darauf hinauslaufen, unter dem Vorwand der ›wirtschaftlichen Zusammenarbeit‹ und der ›internationalen Arbeitsteilung‹ die selbständige und komplexe Entwicklung der Wirtschaft eines anderen Landes zu hemmen und sich die Wirtschaft dieses Landes zu unterwerfen. Wir meinen, daß jedes Land auf der Grundlage des Aufbaus seiner eigenen nationalen Wirtschaft mit anderen zusammenarbeiten muß und daß man erst dann die wirtschaftliche Zusammenarbeit zwischen den Ländern nach den Prinzipien der völligen Gleichberechtigung und des gegenseitigen Vorteils unablässig ausdehnen und weiterentwickeln kann. Heute baut unser Land seine Wirtschaft mit der eigenen Technik, mit den eigenen Ressourcen, mit der Kraft der eigenen Kader und des eigenen Volkes aus und deckt den Inlandsbedarf an Erzeugnissen der Schwer- und Leichtindustrie sowie an landwirtschaftlichen Produkten im wesentlichen aus der eigenen Produktion.«[50]

Bei aller Vielfalt der gegebenen Entwicklungsniveaus und Außenverflechtungen einzelner Peripherie-Ökonomien sollte im Rahmen einer Strategie autozentrierter Entwicklung der *Außenhandel* prinzipiell nur als eine Ergänzung und Fortsetzung binnenmarktorientierter agrarischer und industrieller Aktivitäten begriffen werden – und nicht umgekehrt.[51] Nehmen die Export-Import-Aktivitäten eine eigene Dynamik an, dominiert also die Außenorientierung einer Ökonomie über die Binnenmarkterschließung, so bedürfte es normalerweise einer erheblichen Interventionsfähigkeit des lokalen Staatsapparates zur Abwehr von politischen, ökonomischen und kulturellen Überlagerungserscheinungen, die aus solcher Außenorientierung resultieren. Ohne eine solide Grundlage des staatlichen Interventions- und Steuerungspotentials innerhalb der eigenen binnenmarktorientierten Ökonomie ist aber ein starker steuerungsfähiger Staatsapparat nach außen nicht denkbar. Heteronome Einflüsse lassen sich der eigenen Autonomie nur unterordnen, sofern Entwicklung selbstbestimmt ist.[52] Dann können auch Import-Export-Aktivitäten höchst selektiv und zum Nutzen einer beschleunigten Produktivkraftentfaltung eingesetzt werden. Vermögen solche *selektiven* Aktivitäten zusätzliche dynamische Entwicklungsimpulse zu vermitteln, so sind sie förderungwürdig; der Nachdruck der Formulierung liegt auf *zusätzlich,* im Unterschied zu den primären, im Binnenmarkt entstehenden und auf die Erweiterung des Binnenmarkts gerichteten Wachstums- und Entwicklungsimpulse.

Eine solche Strategie des Vertrauens in die Eigenmittel, der *self-reliance,* hat erhebliche *Implikationen für die Restruktu-*

*rierung lokaler Ökonomien und der Weltwirtschaft:*

Sie ist ohne eine *Dezentralisierung* der heute in Wachstumspole und Hinterland zergliederten Peripherie-Gesellschaften nicht denkbar.[53] Dies bedeutet eine *neue sozioökonomische Raumstruktur,* in der außerhalb der bestehenden Wachstumspole auf lokaler, subregionaler und regionaler Ebene eigenständige komplementäre Mikro-Wirtschaftskreisläufe geschaffen werden, die ein Gegengewicht gegen die überkommenen internen Dependenzstrukturen zwischen Wachstumspol und Hinterland schaffen.[54] Daß im Lauf der Zeit eine Rückkopplung zwischen derart dezentralisierten eigenständigen Mikro-Wirtschaftskreisläufen und neu einzurichtenden nationalen Makro-Wirtschaftskreisläufen erforderlich ist,

*Schaubild 2:* Peripherie-Raumstruktur.

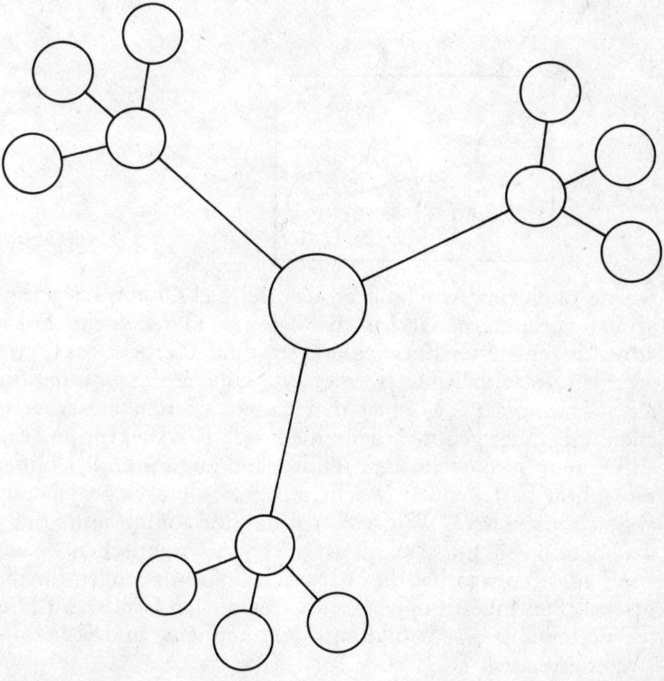

*Schaubild 3:* Autozentrierte Raumstruktur.

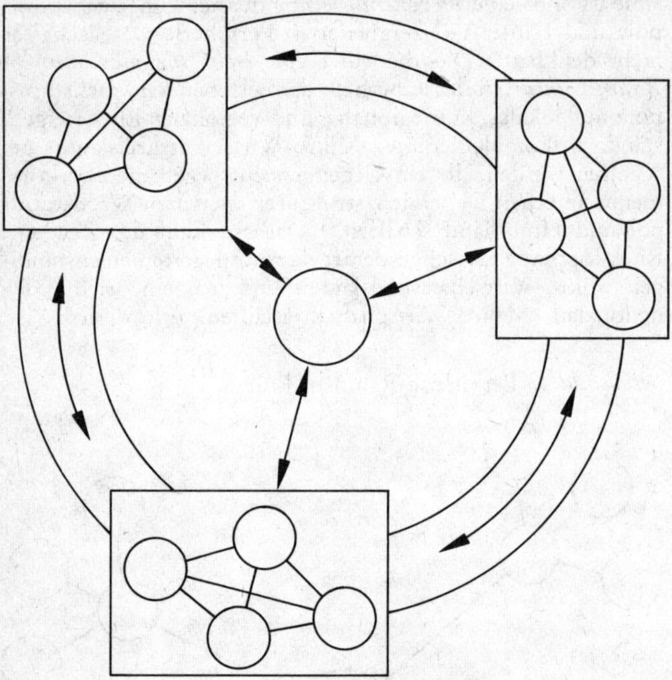

wurde oben (im Anschluß an das Beispiel China) dargelegt. Um zu verhindern, daß Mikro-Regionen, in denen eine Form von autozentrierter Entwicklung stattfindet, erneut das Opfer internen Kolonialismus werden, ist eine *Horizontalisierung der Beziehungen* zwischen den autozentrierten Unterbereichen unbedingt geboten, denn hierdurch läßt sich verhindern, daß erneut Surplus aus dem Hinterland zugunsten der ohnehin schon bestehenden Wachstumspole ohne Gegenleistung abgeschöpft wird.[55] Wird eine solche Horizontalisierung von den nationalen Entscheidungszentren aus politischen Gründen angestrebt, so hat dies natürlich Folgewirkungen für die öffentlichen Investitionen aus überregionalen Fonds, z. B. für die Verteilung von Ausbildungs-, Gesundheits- und Sozialfürsorgestätten usf.

Wie im Innern von Peripherie-Ökonomien, so hat eine Strategie autozentrierter Entwicklung bzw. von *self-reliance* auch Folgen für eine *Umstrukturierung der ökonomischen Raumstruktur der internationalen Ökonomie.* Ohne einen Abbau des vertikalen Handels zwischen Metropolen und Peripherien und der ihm eigenen ungleichen *spin-off*-Effekte ist eine solche Strategie nur schwerlich denkbar. Während der Nord-Süd-Handel sicherlich drastisch zu reduzieren und auf jenes oben qualitativ definierte Ausmaß an selektiver Kooperation zu beschränken wäre, würden dem Aufbau *horizontaler Handelsstrukturen zwischen Peripherie-Ökonomien gleichen oder ähnlichen Entwicklungsniveaus insbesondere in ein- und demselben kontinentalen, regionalen und subregionalen Zusammenhang* keine prinzipiellen Einwände entgegenstehen. Doch auch hier wäre zumindest in einer ersten Phase autozentrierter Entwicklung dem Prinzip einer streng *selektiven* Kooperation (im oben definierten Sinne) Rechnung zu tragen. Die Folge wäre eine deutliche *Enthierarchisierung der heute unvergleichlich hierarchisierten internationalen Ökonomie* – und damit die Abkoppelung größerer Wirtschaftsräume von den dominanten Trends der metropolitan bestimmten internationalen Ökonomie.[56] Eine Regionalisierung und Subregionalisierung der internationalen Ökonomie käme so zustande, dieses Mal allerdings nicht als Mittel zur optimalen Beherrschung der integrierten Räume durch die von den Metropolen aus weltweit operierenden multinationalen Konzerne. Eine solche Dezentralisierung würde nicht nur Handels-, Kapital- und Technologietransaktionen restrukturieren sowie eine noch stärkere Konzentration der Austauschbeziehungen der Metropolen untereinander hervorbringen; sie würde sicherlich auch zu einer Restrukturierung des internationalen Währungssystems mit der Folge neuer regionaler Leitwährungen, neuer regionaler Zoll- und Zahlungsunionen usf. führen.[57]

Das Vertrauen in die eigenen Kräfte *(self-reliance)* ist also eine Konzeption, die nicht nur auf lokaler oder nationaler Ebene zum Zuge kommt, sondern auch in der Struktur der internationalen Ökonomie. Der Cocoyoc-Erklärung ist in ihrer Definition der Konzeption von *self-reliance* zuzustimmen:

»Sie schließt Abhängigkeit von äußeren Einflüssen und Mächten, die zu politischem Druck werden könnten, aus. Sie schließt auch ausbeuterische Handelsstrukturen aus, die die Länder ihrer natürlichen Hilfsquellen für die eigene Entwicklung berauben. Es besteht offensichtlich ein Bedarf an Spielraum für Technologietransfer, aber das Hauptgewicht sollte auf der Anpassung und Erfindung örtlicher Technologie liegen. Das beinhaltet auch die Dezentralisierung der Weltwirtschaft und manchmal auch der nationalen Volkswirtschaft, um das Gefühl der persönlichen Teilnahme zu erhöhen. Die Konzeption beinhaltet aber auch wachsende internationale Zusammenarbeit für kollektives Selbstvertrauen. Vor allem bedeutet sie Vertrauen in Völker und Nationen, Vertrauen in die Fähigkeit der Menschen selbst, neue Hilfsquellen und Techniken zu erschließen, um ihre Fähigkeit zu verstärken, sie zu übernehmen und zum sozialen Nutzen anzuwenden, die Wirtschaft zu beherrschen, zu steigern und einen eigenen Lebensstil zu schaffen.«[58]

So begriffen, ist eine Politik der subnationalen, nationalen und kollektiven *self-reliance* die Grundlage für eine *qualitativ neue Definition von globaler Interdependenz.* Trifft dieser Begriff heute selbst bei den offiziellen Vertretern der Dritten Welt auf Skepsis, weil mit ihm eine fundamental asymmetrische Struktur der internationalen Ökonomie zugedeckt wird[59], so könnte mit der Entwicklung regional oder subregional kohärenter politischer oder sozioökonomischer Strukturen eine Grundlage auch für eine chancenreichere Beziehung der Peripherie-Ökonomien zu den potenteren Metropolen geschaffen werden. Jedenfalls ist eine nicht von vornherein ideologische Konzeption von globaler Interdependenz so lange kaum denkbar, wie die vorherrschende Fragmentierung der einzelnen Peripherie-Gesellschaften untereinander der relativ dichten politischen, sozioökonomischen, militärischen und kulturellen Austauschstruktur, so wie sie zwischen den Metropolen existiert, gegenübersteht. Mit der Überwindung der genannten Fragmentierung der Peripherien untereinander – und der aus ihr resultierenden internationalen *divide et impera*-Strukturen – könnten auch jene Ungleichgewichte in bestehenden internationalen Organisationen aufgehoben werden, denen in den vergangenen Jahren durch eine verstärkte Selbstartikulation der Dritten Welt kaum mehr als nur oberflächlich entgegengewirkt wurde.

Eine Horizontalisierung der Beziehungen zwischen den heutigen Peripherie-Ökonomien in jeweils geeignetem Rahmen setzt den Aufbau entsprechender *gemeinsamer Infrastrukturen* voraus. Dies gilt insbesondere hinsichtlich der heute kaum existierenden gemeinsamen Informations-, Kommunikations- und Dienstleistungssysteme (gemeinsame Nachrichten-Agenturen, Schiffahrtslinien, Versicherungsgesellschaften, horizontale Verkehrserschließung zu Land, Wasser und Luft, etc.) und einer auf denselben Raum bezogenen gemeinsamen Ressourcenpolitik als Grundlage für neue Formen horizontaler Arbeitsteilung innerhalb dieser neuen Wirtschaftsräume.

Ohne Zweifel handelt es sich hierbei um einen langwierigen und prekären Prozeß. Es ist sicherlich nicht sinnvoll, eine autozentrierte Entwicklung im ersten Schritt zu eng an den Erfolg solcher übernationalen Koordinations- und Integrationsprozesse zu binden.[60] Allein die Gefahr der Herausbildung neuer Dependenz-Strukturen in solchen Gebilden läßt Vorsicht geboten erscheinen. Aber es kann auch kein Zweifel daran bestehen, daß eine autozentrierte Entwicklung einzelner Ökonomien langfristig nur durch ihre wechselseitige Rückkopplung in solchen subregionalen, regionalen und kontinentalen Wirtschaftsräumen erfolgreich sein kann, und daß nur von derart großräumigen Strukturgefügen aus die heute bestehende krasse Asymmetrie zwischen Metropolen und Peripherien reduziert, ja die Metropolen-Peripherien-Beziehung als solche aufgelöst werden kann.

## 4. Politische Voraussetzungen einer Strategie autozentrierter Entwicklung

Eine Strategie autozentrierter Entwicklung im genannten Sinne hängt wesentlich von der politischen Mobilisierung derjenigen ab, in deren Interesse sie verfolgt werden soll. Die entwicklungsstrategische Rolle einer derartigen *Massenmobilisierung* wird neuerdings auch in offiziellen Entwicklungsdokumenten, wie z. B. im Entwicklungsprogramm des Internationalen Arbeitsamtes: *Beschäftigung, Wachstum und Grundbedürfnisse*, erkannt und hervorgehoben.[61] Dort heißt es:

»In den meisten Entwicklungsländern käme eine bedarfsorientierte Strategie [wie sie von der ILO vorgeschlagen wird, D. S.] einer großen

Mehrheit der Bevölkerung zugute. Die in Frage kommenden Nutznießer sind jedoch in den seltensten Fällen so organisiert, daß sie nachhaltigen Druck zu ihren Gunsten ausüben könnten. Es fehlt ihnen auch an Bildung, gesellschaftlichem Gewicht und Reichtum, um wirksam zu politischen und verwaltungstechnischen Verfahren beitragen zu können. Die vorgeschlagene neue Strategie würde auch mit Aufwendungen für mindestens einen Teil der oberen Einkommensklassen verbunden sein, die zwar nicht zahlreich, aber im allgemeinen gut organisiert und in der Lage sind, einen nachhaltigen Druck auf Beamte und Politiker auszuüben. Infolge der Meinungsverschiedenheiten zwischen einigen Interessengruppen und Klassen haben die Regierungen häufig einen gewissen Spielraum, um Änderungen der ursprünglichen Maßnahmen und Strategien vornehmen zu können. Die entsprechende Fähigkeit hängt natürlich davon ab, ob sie einen Konsensus fördern, Gruppen, die durch diese Änderungen voraussichtlich verlieren werden, schwächen und die Unterstützung derjenigen mobilisieren können, die aus solchen Änderungen Nutzen ziehen würden. In diesem Zusammenhang ist die aktive Beteiligung von Gewerkschaften und Bauernorganisationen ein wesentlicher Faktor. [. . .] Die wichtigsten Voraussetzungen für die wirksame Durchführung dieser Strategie dürfte daher eine leistungsfähige, dezentralisierte und demokratische Verwaltungsstruktur sein, die Grundsätze in Entscheidungen und Handlungen umsetzen kann, sowie eine Massenbeteiligung der armen Bevölkerungsgruppen am Entwicklungsprozeß. [. . .] Die Organisierung der nicht organisierten armen Bevölkerungsgruppen ist daher eine Voraussetzung, der Priorität zukommt.«[62]

Was für eine Strategie im Sinne der ILO gilt, die ja bekanntlich eine Lösung der gesellschaftlichen Probleme in der Dritten Welt durch eine Korrektur der Entwicklungspolitik im Rahmen des gegebenen gesellschaftlichen Status quo für möglich hält, gilt erst recht für eine konsequente Strategie autozentrierter Entwicklung. Dabei ist die politische Mobilisierung der Bevölkerung, vor allem der Masse der Bauern und Arbeiter, eine wesentliche Bedingung für die Durchsetzung von *Machtverlagerungen in Peripherie-Gesellschaften,* ohne die ein alternativer Entwicklungsweg politisch blockiert bleibt.[63] Eine solche politische Mobilisierung ist jedoch auch eine unerläßliche Voraussetzung der Überwindung der strukturellen Heterogenität des bestehenden Binnenmarktes, weil ohne die Beachtung jener Bedürfnisse, die in den überkommenen Strukturen weder angemessen artikuliert noch gar befriedigt werden konnten, eine breite Erschließung des Binnenmarktes und damit auch seine relative Homogenisierung kaum zu bewerkstelligen sein dürften.

Politisch betrachtet, kommt der ersten Phase einer Strategie autozentrierter Entwicklung eine besondere Bedeutung zu. In ihr droht sich eine Diskrepanz zwischen bestehendem Produktionspotential und einer rapide ansteigenden Nachfrage nach alltäglichen Gütern zur Befriedigung von Grundbedürfnissen aufzutun. Einem solchen Mangel kann nur durch eine konsequente Politik der *self-reliance* jeweils an Ort und Stelle begegnet werden[64], weiterhin durch eine nur politisch zu vermittelnde Einsicht, daß erst eine nachdrückliche Steigerung des Produktionspotentials mit Hilfe des produktiven Einsatzes der Bevölkerungsmehrheit die legitimen Konsumansprüche dieser Menschen auch erfüllbar macht.[65] Weitet sich der zeitliche Abstand zwischen Produktivkraftentfaltung und der Befriedigung von Konsumerwartungen (gerade auch hinsichtlich einfacher elementarer Konsumgüter) aus, so ist das Scheitern einer Strategie autozentrierter Entwicklung fast unvermeidlich, da die für ihren Erfolg erforderliche Partizipation der Masse der Menschen am Entwicklungsprozeß ohne eine spürbare Verbesserung ihres eigenen Lebensstandards sich kaum aufrechterhalten läßt.[66] Enttäuschung und politische Verweigerung setzen ein, die dann ein anfänglich progressives Regime leicht in autoritäre oder repressive Bahnen abdrängen und über kurz oder lang neue Formen der Privilegierung erzeugen.[67] Ob eine politische Führung auf den verschiedenen Ebenen (lokal, subregional, regional, national) eine Strategie autozentrierter Entwicklung verfolgt, läßt sich nicht zuletzt an ihrer Bereitschaft ablesen, die Partizipation der Menschen als eine wichtige Entwicklungsressource zu fördern und zu pflegen.

Darüber hinaus sind politische Mobilisierung und eine genuine Partizipation der Menschen am Entwicklungsprozeß Bedingungen dafür, daß die generellen Zielsetzungen einer Strategie autozentrierter Entwicklung mit den zu ihrer Verwirklichung erforderlichen Teilmaßnahmen auf den verschiedenen Ebenen angemessen rückgekoppelt bleiben. Ohne das ständige kritische Korrektiv von Mobilisierung und Partizipation droht stets Verbürokratisierung der Entwicklungsplanung und des Entwicklungsprozesses.[68] Kommt es nicht zu kritischer Teilnahme der Menschen am Entwicklungsprozeß, so entstehen nicht selten bleibende gesellschaftliche Strukturschwächen, versiegen Loyalität, Teilnahme- und Opferbereitschaft – Werte, ohne die eine autozentrierte Entwicklung unmöglich ist.

## 5. Schlußbemerkung

Die Strategie autozentrierter Entwicklung ist, wie oben formuliert, die praktische Schlußfolgerung aus einer Vielzahl von empirischen Untersuchungen über Entwicklungsprozesse, die zur Herausbildung peripherer Gesellschaftsformationen geführt haben. In der Theorie des peripheren Kapitalismus wurden die wesentlichen Aussagen dieser empirischen Forschung analytisch zusammengefaßt. Während sich diese Theorie auf eine breit aufgefächerte Empirie und eine Fülle von empirischen Untersuchungen stützen kann, gleicht die Theorie/Strategie autozentrierter Entwicklung einem *Kontrastprogramm*, das mit wenigen Ausnahmen keineswegs für die in der Dritten Welt beobachtbaren Entwicklungsprozesse repräsentativ ist.[69] Der normative und postulatorische Charakter der Theorie/Strategie autozentrierter Entwicklung ist deshalb so unübersehbar wie begründet.

Um die Aktionsrichtung einer Strategie autozentrierter Entwicklung abschließend noch einmal zu verdeutlichen, erscheint es sinnvoll, auf wesentliche Aspekte der vorherrschenden Reproduktionsdynamik in den heute gegebenen peripheren Gesellschaftsformationen aufmerksam zu machen. Jüngst hat der Generalsekretär der UN-Wirtschaftskommission für Lateinamerika, Iglesias, den in Lateinamerika (außer Kuba) vorherrschenden Entwicklungsstil folgendermaßen charakterisiert (wobei seine Beschreibung sich auf die anderen südlichen Kontinente übertragen ließe):

»Der Stil, welcher in der Mehrzahl der lateinamerikanischen Länder vorherrscht, gibt vor, die produktive Struktur einer entwickelten Konsumgesellschaft zu reproduzieren, also einer Gesellschaft, welche möglich wird durch die breiten und diversifizierten Produktionsgrundlagen in Ländern, wo das Einkommensniveau 4000 $ pro Kopf übersteigt. Und dies geschieht in den lateinamerikanischen Ökonomien, welche nicht über eine derartige Grundlage verfügen und wo das Pro-Kopf-Einkommen in der Umgebung von 600 $ sich bewegt. Dieser Stil tendiert dazu, die Einkommen zu konzentrieren; er löst nicht die kritischen Probleme der Armut von breiten Bereichen der Gesellschaft, noch die Probleme der Beschäftigung, welche gegenwärtig sich jeglicher Kontrolle in zahlreichen Ländern der Region entziehen; darüber hinaus tendiert er zur Schaffung einer sehr starken geographischen Konzentration des Fortschritts im Innern jedes einzelnen Landes. Im ökonomischen Bereich benötigt das System, um weiterfunktionieren zu können, eine wachsende Konzentration der Einkommen in den höheren und mittleren Einkommensschichten, um die Nachfrage aufrechtzuerhalten. Daraus entsteht dann ein ganzes Bündel von Teufelskreisen, welche dazu tendieren, die Ungleichheiten zu perpetuieren und sie mit einer derartigen Langsamkeit zu beheben, daß, wenn diese Tendenz nicht korrigiert wird, sie mehr und mehr die Quelle von politischen und sozialen Spannungen werden wird.«[70]

In ähnlicher Weise hat sich der frühere Generalsekretär der UN-Wirtschaftskommission für Lateinamerika und spätere langjährige Generalsekretär der UNCTAD, Raúl Prebisch, während der UNCTAD-IV-Konferenz im Mai 1976 in Nairobi geäußert.[71] Sein Statement verdient ausführlich zitiert zu werden, da Prebisch repräsentativ für jene Entwicklungstheoretiker und -politiker ist, die nach dem Zweiten Weltkrieg zunächst eine Strategie der Importsubstitutions-Industrialisierung anstrebten, gekoppelt mit Maßnahmen zur Stabilisierung der Austauschrelationen zwischen Industriegesellschaften und Entwicklungsländern, und die später eine solche Strategie durch Maßnahmen der Exportdiversifikation ergänzt sehen wollten. Wohin dieser mit verschiedenen Akzentuierungen im einzelnen tatsächlich verfolgte Entwicklungsweg führte, hat Prebisch auf der genannten Konferenz deutlich gesagt: *zu einer Entwicklung, die den vergangenen und gegenwärtigen Entwicklungsprozeß in den Metropolen nachzuahmen versucht, anstatt innovativ zu sein.*

»In dieser Imitation erfolgt von der Konsumgesellschaft eine tiefgreifende Penetration, vor allem in jenen Gesellschaften [der Dritten Welt, D. S.], die die meisten Fortschritte in der Industrialisierung gemacht haben. Dies wurde praktisch durch große und wachsende Ungleichheiten in der Einkommensverteilung ermöglicht. In letzter Analyse muß die Tendenz zur Konsumgesellschaft durch den Einfluß erklärt werden, den innerhalb des Systems einkommensstarke Gruppen haben, welche auf sich den größeren Teil der Produktionsmittel konzentrieren, um die Erträge aus einer durch den technischen Fortschritt ermöglichten wachsenden Produktivität selbst einzuheimsen. Diese Erträge stellen ein beachtliches Akkumulationspotential dar, das jedoch weitgehend dadurch vergeudet wird, daß die Peripherie die Konsumstile der Metropolen nachzuahmen sich bemüht. Je höher die Produktivitätsfortschritte, um so größer muß der Akkumulationszuwachs sein, um eine wachsende Zahl von Arbeitskräften absorbieren zu können. Es ist jedoch wohlbekannt, daß dies in der Wirklichkeit nicht eintritt und daß ein großer Teil der Bevölkerung randständig bleibt und keineswegs in den Genuß der Erträge dieser Entwicklung kommt. [. . .] All dies wird durch die willkürliche Natur eines Verteilungssystems verursacht, welches durch Machtbeziehungen geformt wird, die sich aus der politischen und sozioökonomischen Struktur ergeben. [. . .] Obgleich die Nachahmung der metropolitanen Konsummuster im wesentlichen auf der Konzentration der Einkommen in den höheren Einkommensschichten beruht, spielen die multinationalen Konzerne eine immer aktivere Rolle. Sie tragen in der Tat zur Verherrlichung der Konsumgesellschaft bei, indem sie Imitation mit Hilfe von Werbemaßnahmen fördern, vermittels derer sie die sogenannte Souveränität des Verbrauchers zu manipulieren imstande sind. Sie schaffen die Konsumgesellschaft nicht, aber sie säen die Saat allenthalben – und sie ernten reichlich. Die multinationalen Konzerne sind in der Tat ambivalent – sie haben sowohl positive als auch negative Züge. Hinsichtlich der letzteren lege ich großen Wert auf die Tatsache, daß diese Konzerne mit den Interessen von gesellschaftlichen Schichten verklammert sind, welche von der Konsumgesellschaft profitieren – und dies nicht nur ökonomisch, sondern auch politisch; daß sie die Macht mit diesen Schichten teilen, eine Macht, welche gestärkt wird durch das Gewicht, welches sie im Entscheidungsprozeß der Metropolen haben, in denen sie ansässig sind. Dies ist nicht eine Bemerkung am Rande, sondern eine von erheblicher Bedeutung, da der in Frage stehende Tatbestand ein wesentliches Hindernis für die Transformation darstellt, welche in peripheren Gesellschaften unbedingt nötig ist, sollen die bisher randständig gebliebenen Massen in den Entwicklungsprozeß eingegliedert werden. Dieses allererste Ziel kann nicht erreicht werden, ohne die Konsumgesellschaft zu kritisieren, ihre Entwicklung zu beschränken oder sie gemäß der Natur des Problems zurückzustutzen, um eine Beschleunigung der Akkumulationsrate zu ermöglichen. Die politischen Schwierigkeiten an Ort und Stelle, die daraus resultieren, sind an und für sich schon beträchtlich, und sie werden durch diese enge Verbindung zwischen den multinationalen Konzernen und den vorherrschenden Formen der Entwicklung akzentuiert. [. . .] Von allen Menschen auf der Erde sind bis heute die breiten rückständigen Massen unfähig gewesen, am politischen Prozeß aktiv sich zu beteiligen, und sie kamen auch nicht in den Genuß der Erträge des technologischen Fortschritts. Es gibt sicherlich keine ökonomische Theorie, welche fair entscheiden könnte, wem diese Erträge gehören. Das Problem muß deshalb auf der Grundlage moralischer Prinzipien gelöst werden, und eine von ihnen sich herleitende weitsichtige Nutzung des Akkumulationspotentials ist erforderlich, damit diese Massen in den Entwicklungsprozeß eingegliedert werden können und eine wirklich gerechte Verteilung zustande kommt.«

Iglesias und Prebisch formulieren angesichts des Scheiterns der überkommenen Entwicklungspolitik ein Programm, das der Theorie und Strategie autozentrierter Entwicklung zugrunde liegt. Ob eine andersartige Entwicklung eine Verwirklichungschance besitzt, dürfte weniger vom Erfolg oder Mißerfolg internationaler Entwicklungskonferenzen und der Formulierung von technokratisch ausgeklügelten Entwicklungsstrategien abhängig sein, als vielmehr von den politischen Transformationsprozessen in Peripherien, durch die die Rahmenbedingungen für eine *alternative Entwicklung* verwirklicht werden. Es ist nicht illusionär, anzunehmen, daß eine Reihe von ernsthaften und handfesten Fehlschlägen internationaler Entwicklungskonferenzen einen solchen Transformationsprozeß eher zu beschleunigen geeignet sind als die auf solchen Konferenzen erzielbaren symbolischen Kompromisse.

Daß heute in der entwicklungspolitischen Diskussion ein *Plädoyer für Dissoziation* überfällig ist, ist selbst ein Reflex vorherrschender Entwicklungstrends. Im Grunde genommen ist es selbstverständlich, daß nur eine solche Gesellschaft und Ökonomie lebensfähig ist, in der der Aufbau eines differenzierten Produktionsapparates, die breite Nutzung lokal verfügbarer Ressourcen und die Befriedigung der Bedürfnisse der eigenen Bevölkerung vermittels einer schrittweisen Erschließung des eigenen Binnenmarktes konvergieren. Daß hier Außenaktivitäten verschiedenster Art nicht ausgeschlossen sind, wurde oben ausdrücklich betont. Dennoch sind sie, zumindest in einer ersten Entwicklungsphase, zweitrangig. Ein Plädoyer für einen solchen Entwicklungsweg, der im einzelnen Falle auch einen je spezifischen Entwicklungsstil (einschließlich der dazugehörenden politischen Kultur- und Konsummuster) impliziert, setzt im Grunde auf Selbstverständliches. Wie wenig diesem Selbstverständlichen in der Wirklichkeit heute Rechnung getragen wird, wurde in den Studien dieses Buches darzustellen versucht. Es gibt in der gesamten Geschichte der vergangenen 300 Jahre keinen einzigen Fall erfolgreicher Entwicklung, in dem nicht zentrale Determinanten autozentrierter Entwicklung kombiniert wirksam gewesen wären:

1. Die erfolgreiche Herausbildung eigener *Identität* von Individuen, Kollektiven und der politischen Kultur insgesamt.

2. Die wachsende Fähigkeit zur *Selbstkontrolle* und *Selbststeuerung* von Politik, Gesellschaft, Ökonomie und Kultur.

3. Die *differenzierte Produktivkraftentfaltung* in allen wesentlichen Bereichen: der Landwirtschaft, der Produktionsgüterindustrie, der Erfindung und Produktion von Technologie, der Massenkonsumgüterindustrie, den privaten und öffentlichen Dienstleistungen.

4. Der *Austausch* mit sozialen Einheiten jenseits der eigenen Grenzen zum wechselseitigen Nutzen, zunächst streng selektiv gehandhabt, um in späteren Entwicklungsphasen sich dann weiter aufzufächern.

Das vorherrschende Entwicklungsszenario steht, wie aus dieser Auflistung leicht ersichtlich ist, auf dem Kopf:

1. Forcierte Austauschprozesse im Rahmen einer ungleichen internationalen Arbeitsteilung führen zu

2. einer deformierten Produktivkraftentfaltung, die

3. das Potential für Selbstkontrolle und Selbststeuerung begrenzt hält und

4. eine eigene Identitätsfindung nicht erlaubt.

Zwar ist richtig, daß eine einfache Enklaven-Ökonomie diesem Bild besonders entspricht, doch ist nicht zu übersehen, daß selbst Fälle mit einigermaßen aufgefächerter Produktivkraftentfaltung weiterhin am grundlegenden Strukturdefekt aller Entwicklungsländer leiden: *an ihrer Nicht-Identität, die ihre eigentliche Identität ausmacht,* wodurch Autonomie, Selbstkontrolle, Fertigkeiten und Lernkapazitäten strukturell verzerrt werden und beschränkt bleiben.

# Anmerkungen

*Anmerkungen zum Vorwort*

1 Diese Einheit entwickelte sich infolge der allmählichen Verbreitung der kapitalistischen Produktionsweise, die zur Durchkapitalisierung der Metropolen und zur Unterordnung vorkapitalistischer Produktionsweisen unter die kapitalistische Produktionsweise in Peripherien führte. Vgl. Ernest Mandel, *Der Spätkapitalismus*, Frankfurt 1972, Kap. II; André Gunder Frank: *On Capitalist Underdevelopment*, Bombay 1975.

2 Ein derartig aggregativer Begriff von Weltwirtschaft liegt der Studie von Wassily Leontief, *Structure of the World Economy*, in: *American Economic Review*, Dezember 1974, S. 823-834, zugrunde sowie den Untersuchungen von C. Fred Bergsten (Hrsg.), *Toward a New International Economic Order. Selected Papers of C. Fred Bergsten, 1972-1974*, Lexington 1975; C. Fred Bergsten und Lawrence Krause (Hrsg.), *World Politics and International Economics*, Sondernummer von *International Organization*, Bd. 29, Nr. 1, 1975.

3 Vgl. hierzu u. a. Hartmut Elsenhans und Gerd Junne, *Deformation und Wirtschaftswachstum. Die Auswirkungen der wirtschaftlichen Ost-West-Kooperation auf die osteuropäischen Länder*, in: *Leviathan. Zeitschrift für Sozialwissenschaft*, Nr. 4, 1974, S. 534-571; Immanuel Wallerstein, *The Rise and Future Demise of the World Capitalist System*, in: *Comparative Studies in Society and History*, Bd. 16, Nr. 4, 1974, S. 387-415; André Gunder Frank, *Accumulating Exploitation*, London (im Druck), besonders die Einleitung »On So-Called Primitive Accumulation«.

4 Vgl. u. a. Pierre Jalée, *Le tiers monde en chiffres*, Paris 1974; Claus Leggewie, *Politische Ökonomie des internationalen Systems*, Hannover 1975.

5 Vgl. u. a. Dieter Senghaas (Hrsg.), *Imperialismus und strukturelle Gewalt. Analysen über abhängige Reproduktion*, Frankfurt 1975[3]; Dieter Senghaas (Hrsg.), *Peripherer Kapitalismus. Analysen über Abhängigkeit und Unterentwicklung*, Frankfurt 1974; Dieter Senghaas und Ulrich Menzel (Hrsg.), *Multinationale Konzerne und Dritte Welt*, Wiesbaden 1976 sowie Samir Amin, *Die ungleiche Entwicklung. Essay über die Gesellschaftsformationen des peripheren Kapitalismus*, Hamburg 1975.

6 Diese Beobachtung wird im genannten Bericht nicht explizit formuliert, doch ist sie ihm zu entnehmen. Vgl. Mihailo Mesarović und Eduard Pestel, *Menschheit am Wendepunkt*, Stuttgart 1974.

7 Eine solche Bestandsaufnahme der Entwicklung Chinas, Nordkoreas, Albaniens und Kubas werde ich zusammen mit einer Studiengruppe demnächst (1978) vorlegen.

8 Vgl. unten S. 33 ff. Wenn in diesem Buch von Peripherien, Peripherie-Ökonomien etc. die Rede ist, dann handelt es sich durchgängig um peripher-*kapitalistische* sozio-ökonomische Formationen, auch wenn nicht ausdrücklich Kapitalismus als Begriff erscheint.

9 Im vorliegenden Buch wird fast durchweg von Peripherie-Ökonomie, Peripherie-Gesellschaft usf. gesprochen und in der Regel nicht von Unterentwicklung, unterentwickelten Gesellschaften usf., da der Begriff der *Unterentwicklung* in

mehrfacher Hinsicht theoretisch fragwürdig ist. Er ist Teil der überkommenen traditionellen Entwicklungstheorie und mit all deren Mängeln behaftet. Wenn gelegentlich der Begriff Unterentwicklung benutzt wird, dann in einem Zusammenhang, der auf seine Benutzung in einem umgangssprachlichen pragmatisch-politischen Sinne verweist.

10 Eine vorzügliche Zusammenfassung der allgemeinen sozialwissenschaftlichen, wirtschaftswissenschaftlichen und sozialgeographischen Zentrum-Peripherie-Theorien, in denen die akkumulationstheoretische Verwendung des Begriffes von Peripherie-Ökonomie im Sinne des vorliegenden Buches unbekannt ist, findet sich in Ingrid Schilling-Kaletsch, *Wachstumspole und Wachstumszentren. Untersuchungen zu einer Theorie sektoral und regional polarisierter Entwicklung.* Arbeitsberichte und Ergebnisse zur wirtschafts- und sozialgeographischen Regionalforschung, Institut für Geographie und Wirtschaftsgeographie der Universität Hamburg, Hamburg 1976. Vgl. demgegenüber unter akkumulationstheoretischer Perspektive Aldo Ferrer, *América Latina y los países capitalistas desarrollados. Una perspectiva del modelo centro-periferia*, in: *El Trimestre Económico*, Bd. 42, Nr. 168, 1975, S. 1003-1056.

11 Rainer Tetzlaff, *Die Forderung der Entwicklungsländer nach einer neuen Weltwirtschaftsordnung, die Internationalisierung der Produktion und das AKP-Abkommen von Lomé*, in: *Verfassung und Recht in Übersee*, Bd. 9, 1976, S. 33-56.

12 Vgl. u. a. Hartmut Elsenhans und Gerd Junne, *Einige Aspekte des gegenwärtigen Wandels der internationalen Arbeitsteilung*, in: Klaus Jürgen Gantzel (Hrsg.), *Herrschaft und Befreiung in der Weltgesellschaft*, Frankfurt 1975, S. 234-281; Peter Rogge, *Weltwirtschaft im Strukturwandel*, in: *Eine neue Ordnung der Weltwirtschaft? Die zukünftige Zusammenarbeit zwischen Rohstoff- und Industrieländern.* Gespräche der List-Gesellschaft. Neue Folge, Band 1, Baden-Baden 1975, S. 10-30, insbesondere S. 24 ff.; Hans Bülow, *Entwicklungstendenzen der internationalen Arbeitsteilung und Rückwirkungen auf die Industriestruktur der Bundesrepublik Deutschland, WSI-Mitteilungen*, Nr. 5, 1976, S. 254-267, besonders S. 257 ff. Siehe weiterhin in dieser Arbeit unten die im Zusammenhang mit unserer Militarismus-Diskussion formulierte Typologie, S. 247 ff.

13 Vgl. hier unten S. 65 ff.

14 Von besonderer Relevanz in diesem Zusammenhang sind die jüngst vom französischen Ministerium für Industrie und Forschung in Auftrag gegebenen und publizierten Studien zur Struktur der internationalen Arbeitsteilung. Vgl. hierzu den informativen Bericht und die entsprechenden Angaben in Barbara Mettler-Meibom und Peter Mettler, *Internationale Arbeitsteilung. Entwicklungstendenzen aus französischer Sicht*, in: *Wirtschaftsdienst*, Bd. 56, Juli 1976, S. 360-365.

15 Vgl. u. a. Ga-Kwame Amoa, *Les relations économiques internationales et le problême du sous-développement. La communauté économique européenne et l'Afrique*, in: Ga-Kwame Amoa und Oscar Braun, *Echanges internationaux et sous-développement*, Paris 1974, S. 59-127.

16 Vgl. hierzu Eva Senghaas-Knobloch, *Neue Formen der Rohstoffvermarktung – neue internationale Arbeitsteilung?*, in: Dieter Senghaas und Ulrich Menzel (Hrsg.), *Multinationale Konzerne und Dritte Welt*, Wiesbaden 1976, S. 232-258.

17 Ein weiterer Grund resultiert aus dem relativ erfolgreichen Entwicklungsprozeß in sozialistischen Gesellschaften, die eine *dissoziative Strategie* verfolgt haben und weiterhin verfolgen. Eine theoretische und empirische Auswertung dieser Erfahrung erfolgt in der in Anmerkung 7 avisierten Studie.

18 Vgl. hier unten S. 88 ff. In diesem Zusammenhang kann das vorliegende Buch auch als eine Antwort auf Fragen begriffen werden, die Carl Friedrich von

Weizsäcker in einem nach Drucklegung diese Bandes erschienenen Buch: *Wege in der Gefahr. Eine Studie über Wirtschaft, Gesellschaft und Kriegsverhütung*, München 1976, aufgeworfen hat. Siehe dort vor allem S. 74-79.

19 Vgl. hier unten S. 75 ff.

20 Egon Bahr, *Die neue wirtschaftliche Entspannung*, Broschüre des Bundesministeriums für Wirtschaftliche Zusammenarbeit, Bonn 1976. Eine ausführliche Diskussion von sozialpolitischen Imperativen hinsichtlich der Überwindung des »Nord-Süd-Konfliktes« findet sich in Jòn Saemundur Sigurjònsson, *Sozialpolitik im Weltmaßstab. Versuch einer Darstellung am Beispiel des UN/FAO Welternährungsprogrammes*, München 1975.

Zur assoziativen Orientierung der vorherrschenden entwicklungspolitischen Forschung siehe James Howe, *The Developing Countries in a Changing International Economic Order*, in: C. Fred Bergsten (Hrsg.), *The Future of the International Economic Order. An Agenda for Research*, Lexington 1973, S. 197-264.

21 Vgl. hierzu die umfassende Studie von Arno Tausch, *Die Grenzen der Wachstumstheorie*, Wien 1976 (Publikation des Wiener Instituts für Entwicklungsfragen). Der amerikanische Wirtschaftswissenschaftler Nathan Keyfitz hat in einer noch nicht publizierten Studie errechnet, daß von dem jährlichen Wachstum der Weltbevölkerung von gegenwärtig 75 Millionen Menschen (am Ende des Jahrhunderts ca. 100 Millionen) ungefähr 20 Millionen Menschen zusätzlich in die Mittelklasse absorbiert werden, während ca. 55 Millionen die Masse der Armen vergrößern. Es mag sein, daß ein solches System leidlich stabil bleibt, insbesondere dann, wenn der Versuch gelingen sollte, die relativ arrivierten Sozialschichten der Dritten Welt fest in die gegebene Weltwirtschaftsordnung zu integrieren. Einen diesbezüglich konkreten Vorschlag (Kooptation weniger Staaten wie Nigeria, Brasilien, Venezuela, Mexiko, Saudi-Arabien, Iran, Indien und Indonesien als kapitalistische Subzentren) entwickelt Tom Farer, *The United States and the Third World. A Basis for Accomodation*, in: *Foreign Affairs*, Oktober 1975, S. 79-97, hier besonders S. 93.

22 Vgl. in diesem Sinne Bill Warren, *Imperialism and Capitalist Industrialization*, in: *New Left Review*, Jg. 1973, Nr. 81, S. 3-44 (vgl. die Antwort von A. Emmanuel sowie P. McMichael, J. Petras und R. Rhodes, in: *New Left Review* Nr. 86); weiterhin Wolfgang Schoeller, *Weltmarkt und Reproduktion des Kapitals*, Köln 1976, S. 258 ff.

23 Vgl. hierzu Dieter Senghaas, *Plädoyer für eine Reorientierung von Entwicklungsforschung*, in: Khushi Khan und Volker Matthies (Hrsg.), *›Hilfswissenschaft‹ für die Dritte Welt oder ›Wissenschaftsimperialismus‹? Kritische Diskussionsbeiträge zu Aufgaben und Möglichkeiten und Grenzen der Entwicklungsforschung*, München 1976, S. 119-142.

24 Dies gilt auch hinsichtlich der in Anm. 7 avisierten Studie über gegenwärtige sozialistische Entwicklungsländer.

25 Vgl. hierzu Patrick Tissier, *La Chine. Transformations rurales et développement socialiste*, Paris 1976, wo der Autor die Nutzbarmachung, die Kritik und die Transformation von Erfahrbarem und die Schaffung von Neuem als eine Stufenfolge autonomer Problemlösungsfähigkeit begreift, die er in China relativ fortgeschritten verwirklicht sieht (S. 85).

1 Ich bezeichne, wie im Vorwort dargestellt, im folgenden die westlich-kapitalistischen Industriegesellschaften als *Metropolen* und die Gesellschaften der Dritten Welt als *Peripherien,* weil beide Begriffe, Metropole und Peripherie, analytisch angemessen den Sachverhalt wiedergeben, daß die Gesellschaften Lateinamerikas, Afrikas und Asiens nur hinsichtlich ihrer Eingliederung in die internationale Ökonomie begriffen werden können. Dieser Sachverhalt wird im vorliegenden Kapitel im einzelnen begründet.

2 Aus einer Fülle von Literatur siehe vor allem die von wissenschaftstheoretisch unterschiedlichen Positionen ausgehenden Beiträge in Otto Kreye (Hrsg.), *Multinationale Konzerne. Entwicklungstendenzen im kapitalistischen System,* München 1974, sowie Dietrich Kebschull und Otto Mayer (Hrsg.), *Multinationale Unternehmen. Anfang oder Ende der Weltwirtschaft?,* Frankfurt 1974. Der von Kreye edierte Band enthält eine vorzügliche Auswahlbibliographie (S. 271-292); sowie jetzt Hugo Radice (Hrsg.), *International Firms and Modern Imperialism,* Harmondsworth 1975; Dieter Senghaas und Ulrich Menzel (Hrsg.), *Multinationale Konzerne und Dritte Welt,* Wiesbaden 1976 (mit Bibliographie); Volker Bethke und Georg Koopmann, *Multinationale Unternehmen und Entwicklungsländer,* Hamburg 1975.

3 Die historische Dimension dieses Prozesses wird in einem vierbändig konzipierten Werk von Immanuel Wallerstein entwickelt, dessen 1. Band 1974 erschienen ist und in dem der Beginn der kapitalistischen Weltökonomie im 16. Jahrhundert differenziert bearbeitet wird: Immanuel Wallerstein, *The Modern World System. Capitalist Agriculture and the Origins of the European World Economy in the Sixteenth Century,* New York 1974. Eine kompakte Darstellung desselben Prozesses findet sich in Ekkehart Krippendorff, *Internationales System als Geschichte,* Frankfurt 1975. Weiterhin demnächst André Gunder Frank, *Exploitating Accumulation,* London (i. E.); Hartmut Elsenhans, *Geschichte und Ökonomie der europäischen Welteroberung,* Frankfurt 1977 (i. E.).

4 Siehe als Beleg für diese Behauptung exemplarisch die im wesentlichen theoretischen Beiträge in Jagdish Bhagwati (Hrsg.), *International Trade,* Harmondsworth 1969, sowie die mehr empirisch und praxeologisch angelegten Studien in Herbert Giersch (Hrsg.), *The International Division of Labour. Problems and Perspectives,* Tübingen 1974.

Zur Kritik vgl. neuerdings Hartmut Elsenhans und Gerd Junne, *Einige Aspekte des gegenwärtigen Wandels der internationalen Arbeitsteilung,* in: Klaus Jürgen Gantzel (Hrsg.), *Herrschaft und Befreiung in der Weltgesellschaft,* Frankfurt 1975, S. 234-281. Vgl. weiterhin Ekkehard Bechler, *Internationale Arbeitsteilung und Dritte Welt,* Köln 1976; und Alfons Lemper, *Handel in einer dynamischen Weltwirtschaft,* München 1974.

5 Als Ricardo-Güter werden jene Mineralien, landwirtschaftlichen Produkte und Manufakturwaren bezeichnet, die einen hohen Anteil von lokal verfügbaren natürlichen Ressourcen enthalten und deren komparativer Vorteil durch die natürliche Faktorausstattung eines Landes oder einer Region gekennzeichnet wird; als Heckscher-Ohlin-Güter werden demgegenüber jene bezeichnet, bei deren Produktion sich die komparativen Vorteile aus der verschiedenartigen Faktorausstattung einzelner Ökonomien, insbesondere was die Verfügbarkeit von Kapital und Arbeit angeht, ergeben. Nähere Erläuterungen, auch hinsichtlich einiger problematischer Prämissen, finden sich in dem Beitrag von Seev Hirsch, *Hypotheses Regarding Trade between Developing and Industrial Countries,* in: Herbert Giersch, a.a.O. (Anm. 4),

S. 65 ff. Obgleich es in subtileren außenhandelstheoretischen Abhandlungen prinzipielle theoretische Einwände hinsichtlich der Übertragung des Theorems komparativer Vorteile auf den »Kolonialhandel« gibt, spielen diese in der praktischen Argumentation keine Rolle, wie eine Inhaltsanalyse der heutigen Tagespresse und offizieller Verlautbarungen leicht belegen könnte.

6 Dies gilt selbst für jene Beiträge, die noch am ehesten den Zusammenhang von internationalem Handel und dem Prozeß der Kapitalakkumulation in den Peripherien thematisieren. Vgl. hierzu die Beiträge in Teil II von I. Livingstone (Hrsg.), *Economic Policy for Development*, Harmondsworth 1971, S. 83-232. Interessant ist, daß selbst bei Klaus Dorner, *Probleme einer weltwirtschaftlichen Integration der Entwicklungsländer*, Tübingen 1974, wo die herkömmliche statische Theorie kritisiert und eine dynamische entwickelt wird, eine systematische Reflexion auf den Typ von Ökonomie, der durch ungleiche internationale Arbeitsteilung entsteht, nicht erfolgt.

7 Der historische Prozeß der Herausbildung verschiedenartiger Entwicklungsniveaus wird kurz umrissen bei Paul Bairoch, *Les écarts des niveaux de développement économique entre pays développés et pays sous-développés de 1770 à 2000*, in: *Revue Tiers Monde*, Bd. 12, 1971, S. 497-514, sowie bei Surendra Patel, *World Economy in Transition, 1850-2060*, in: C. H. Feinstein (Hrsg.), *Socialism, Capitalism, and Economic Growth*, Cambridge 1969, S. 255-270. Ein differenziertes Bild der Gesamtstruktur der internationalen Gesellschaft, wie sie aus der Herausbildung ungleicher Entwicklungsniveaus resultiert, wird dokumentiert in Gerd Junne und Salua Nour, *Internationale Abhängigkeiten. Fremdbestimmung und Ausbeutung als Regelfall internationaler Beziehungen*, Frankfurt 1974.

8 Ich habe auf diesen Zusammenhang in einem Kapitel weiter unten aufmerksam gemacht, in dem die frühe Kritik von Friedrich List an der klassischen Schulökonomie wieder aufgegriffen sowie auf jene wenigen Autoren verwiesen wird, die in der nichtmarxistischen Ökonomie den Zusammenhang von ungleicher internationaler Arbeitsteilung und ihren unterschiedlichen Folgewirkungen kritisch bearbeitet haben (Prebisch, Perroux, Sideri, Singer, Myrdal und neuerdings, insbesondere unter systemtheoretischen Ansätzen, Baumgartner). Nähere Angaben siehe S. 307/308.

9 In Teil 3 des vorliegenden Kapitels wird der theoretische Gehalt dieser Begriffe (kohärent – strukturell heterogen) erläutert.

10 Vgl. Stephen Hymer, *Multinationale Konzerne und das Gesetz der ungleichen Entwicklung*, in: Dieter Senghaas (Hrsg.), *Imperialismus und strukturelle Gewalt. Analysen über abhängige Reproduktion*, Frankfurt 1972, S. 201-239; sowie die theoretisch weit ausgreifende Studie von Robin Murray, *Underdevelopment, International Firms, and the International Division of Labour*, in: *Towards a New World Economy*, Rotterdam 1972.

11 Die folgende Darstellung referiert einen Beitrag von Rolf Güsten, der aufgrund seiner detaillierten Erläuterungen paradigmatischen Charakter für eine global orientierte Investitions-Prospektierung hat. Der Beitrag hat den Titel *Prerequisites for Importsubstitution and Export Diversification as Development Strategies in Africa;* er ist abgedruckt in Herbert Giersch, a.a.O. (Anm. 4), S. 316 ff.; die Zitate finden sich auf den Seiten 326-328.

12 Eine Ausnahme bildet der Band von Paul Streeten (Hrsg.), *Trade Strategies for Development*, London 1973, in dem insbesondere die Beiträge von Ökonomen aus der Dritten Welt die überkommene außenhandelstheoretische Orthodoxie hinterfragen. Eine prinzipielle, auf Afrika bezogene Kritik an globalen Investitions-Prospektierungen unter der Prämisse komparativer Vorteile findet sich in Samir Amin

(Hrsg.), *Modern Migrations in Western Africa*, London 1974, insbesondere S. 84 ff. Der Autor arbeitet hier insbesondere die völlig verschiedenartigen Rationalitätskriterien von weltmarktorientierten und autozentrierten Entwicklungsstrategien heraus. Eine neuere Prospektierungsstudie ist: Ifo-Schnelldienst, *Industriestandort Afrika: Keine Utopie. Möglichkeiten für die Errichtung von Exportindustrien in den assoziierten afrikanischen Staaten*, München, 31. Juli 1975 (Nr. 21).

13 Vgl. hierzu die interessanten, die neuere sozial- und wirtschaftsgeschichtliche Diskussion aufarbeitenden Studien insbesondere über die Nachfragestruktur, den technologischen Fortschritt und den landwirtschaftlichen Sektor in Carlo Cipolla (Hrsg.), *The Fontana Economic History of Europe*, London 1973, Band 3; sowie jetzt Hartmut Elsenhans, a.a.O. (Anm. 3).

14 Zur historischen Analyse dieser Zusammenhänge vgl. die frühe Studie von Walther Hoffmann, *Stadien und Typen der Industrialisierung. Ein Beitrag zur quantitativen Analyse historischer Wirtschaftsprozesse*, o. O. 1931, insbesondere Teil II. Hoffmann kommt zu dem Ergebnis, daß der Aufbau der Industriewirtschaften Europas und der USA sich durch drei Stadien der Entwicklung kennzeichnen lasse: 1. das Vorherrschen der Konsumgüterindustrien; 2. das relative Wachstum der Kapitalgutindustrien und 3. das Gleichgewicht zwischen Konsumgut- und Kapitalgutindustrien (mit der Tendenz zum Überwiegen der Kapitalgutindustrien (S. 95 ff.).

Der konkurrenzkapitalistische Charakter dieses Prozesses ist von erheblicher Bedeutung für die Binnenmarkterschließung. Vgl. hierzu David Levine, *The Theory of the Growth of the Capitalist Economy*, in: *Economic Development and Cultural Change*, Bd. 24, 1975, S. 47-74.

15 Auch der metropolitane Kapitalismus ist durch die Existenz von internem »Hinterland« gekennzeichnet, weiterhin durch spezifische Formen der strukturellen Heterogenität (z. B. Rolle der Frau); dennoch überwogen die säkular wirksamen *Homogenisierungsprozesse*. Über die funktionalen Erfordernisse von strukturellen Disparitäten für die kapitalistische Akkumulation vgl. Ernest Mandel, *Der Spätkapitalismus*, Frankfurt 1972, Kapitel II und passim. Über die Ausmaße interner Disparitäten vgl. jetzt Arno Tausch, *Die Grenzen der Wachstumstheorie*, 2 Bde., Salzburg und Wien 1976.

Über die BRD stellte jüngst eine Dokumentation des CDU-Sozialministers des Landes Rheinland-Pfalz, Heinrich Geißler, fest, daß rund zwei Millionen Haushalte (von insgesamt cirka 22,2 Mill. Haushalten) in der BRD im Jahre 1974 ein monatliches Nettoeinkommen unter den Bedarfssätzen der Sozialhilfe hätten. 2 Mill. Haushalte übersetzen sich in cirka 5,8 Mill. Personen. Siehe die publizierte Dokumentation *Wir sind arm an Wissen über die Armut*, in: *Frankfurter Rundschau* vom 27. 11. 1975, Nr. 275, S. 14.

16 Hinsichtlich der differenzierten Analyse metropolitaner Ökonomien im Rahmen ihres Stellenwerts innerhalb der Hierarchie internationaler Arbeitsteilung vgl. den interessanten Bericht über neuere französische Studien von Barbara Mettler-Meibom und Peter Mettler, *Internationale Arbeitsteilung. Entwicklungstendenzen aus französischer Sicht*, in: *Wirtschaftsdienst*, Band 56, Juli 1976, S. 360-365. Diesem Aufsatz ist auch *Schaubild 1* entnommen.

17 Eine exemplarische Monographie über diese erste Etappe ist Armando Córdova, *Inversiones extranjeras y subdesarrollo. El modelo primario-exportador imperialista*, Caracas 1973. Vgl. auch Fernand Bézy, *Hégémonie économique et domination par le commerce extérieur*, in: *Revue Tiers Monde*, Bd. 12, 1971, S. 787-817, und George Beckford, *Persistent Poverty. Underdevelopment in Plantation Economies of*

*the Third World,* London 1972. Jetzt auch Geoffrey Kay, *Development and Underdevelopment. A Marxist Analysis,* London 1975.

18 Neben zahlreicher Literatur vgl. Rodolfo Stavenhagen, *Las clases sociales en las sociedades agrarias,* Mexiko 1969, sowie zur Analyse von Importsubstitutions-Industrialisierung den Aufsatz von Dieter Ernst, *Entwicklung durch importsubstituierende Industrialisierung?,* in: *Das Argument,* 79, 1973, S. 332-403.

Zur Weiterentwicklung von Enklavenwirtschaften vgl. Douglas Paauw und John Fei, *The Transition in Open Dualistic Economies,* New Haven 1973, und Tamás Szentes, *Politische Ökonomie der Entwicklungsländer,* Frankfurt 1974.

19 Diese Orientierung der Produktionsgüterindustrie ist deshalb von Bedeutung, weil sie einmal sehr viel Kapital absorbiert und zum anderen bei sich ausweitender Diversifikation der Produktion von Luxus-Konsumgütern in der Tendenz technologisch so hoch spezialisiert wird, daß ihre denkbaren Effekte für die Produktion von Massenkonsumgütern immer geringer werden. Vgl. hierzu auch Héctor Silva-Michelena, *Struktur und Funktionsweise einer Volkswirtschaft im Stadium fortgeschrittener Unterentwicklung,* in: Klaus Jürgen Gantzel, a.a.O. (Anm. 4), S. 212-233.

20 Die strategische Rolle des landwirtschaftlichen Sektors für den Aufbau einer kohärenten Wirtschaft ist heute unbestritten. Ohne eine Veränderung der gegebenen Agrarstrukturen sind die diversen Funktionen des landwirtschaftlichen Sektors in peripheren Gesellschaftsformationen offensichtlich nur noch durch eine Überausbeutung natürlicher und menschlicher Ressourcen einlösbar, was konsequenterweise agrarische Katastrophengebiete und massenweite Hungersnöte produziert. Vgl. hierzu Samir Amin und Kostas Vergopoulos, *La question paysanne et le capitalisme contemporain,* Paris 1974, sowie Ernest Feder, *Die neue Penetration der Landwirtschaften der unterentwickelten Länder durch die Industrienationen und ihre multinationalen Konzerne,* in: Dieter Senghaas und Ulrich Menzel (Hrsg.), *Multinationale Konzerne und Dritte Welt,* Wiesbaden 1976, S. 103-127. Über die Problematik der Grünen Revolution, einer Sackgassen-Strategie zur Lösung des genannten Problems, vgl. Keith Griffin, *The Political Economy of Agrarian Change. An Essay on the Green Revolution,* London 1974. Die diversen Funktionen und Belastungen des strukturell petrifizierten Agrarsektors werden im einzelnen herausgearbeitet bei Parviz Khalatbari, *Ökonomische Unterentwicklung. Mechanismus – Probleme – Ausweg,* Frankfurt 1972.

21 Dieser neue Typ eines erweiterten Akkumulationsmodells des Peripherie-Kapitalismus ist am besten am Beispiel von Brasilien untersucht worden. Vgl. hierzu die bahnbrechenden Studien von M. C. Tavares und J. Serra, *Mas alla del estancamiento. Una discusión sobre del estillo de desarrollo reciente en Brasil,* in: *Revista Latinoaméricana de Ciencias Sociales,* Nr. 3, 1971, S. 2-38; José Serra, *El milagro economico brasileño. ¿Realidad o mito?,* in: *Revista Latinoaméricana de Ciencias Sociales,* Nr. 3, 1972, S. 171-215; Francisco Oliveira, *La economía brasileña. Crítica a la razón dualista,* in: *El Trimestre Económico,* Bd. 40, 1973, Nr. 158, S. 411-484; Fernando Henrique Cardoso, *Associated-dependent Development: Theoretical and Practical Implications,* in: Alfred Stepan (Hrsg.), *Authoritarian Brazil,* London 1973, S. 142-178; sowie ders., *La contradicciones del desarrollo asociado,* in: *Desarrollo económico,* Band 14, Nr. 53, 1974, S. 3-32; Paul Israel Singer, *El milagro brasileño. Causas y consecuencias,* in: *El Trimestre Económico,* Band 40, Nr. 160, 1973, S. 753-819; Celso Furtado, *The Brazilian Model,* in: *Social and Economic Studies,* Band 22, Nr. 1, 1973, S. 122-131; sowie die Studien unter dem Titel von *Accumulation et surexploitation* der Zeitschrift *Critiques de l'économie politique,* Nr. 16, 17, Paris 1974.

22 Vgl. hierzu Samir Amin, *Die ungleiche Entwicklung. Essay über die Gesellschaftsformen des peripheren Kapitalismus,* Hamburg 1975; Parviz Khalatbari, a.a.O. (Anm. 20); Héctor Silva-Michelena, a.a.O. (Anm. 19); sowie die frühe Studie von Meir Merhav, *Technological Dependence, Monopoly, and Growth,* London 1969; sowie jetzt Carlo Benetti, *L'accumulation dans les pays capitalistes sous-développés,* Paris 1974; Karl Wohlmuth, *Multinationale Konzerne, nationaler Markt und Unterentwicklung,* in: Dieter Senghaas und Ulrich Menzel (Hrsg.), *Multinationale Konzerne und Dritte Welt,* Wiesbaden 1976, S. 67-102.

23 Die Bedeutung dieses Tatbestandes als der Grundlage einer totalen Monopolstellung der Metropolen gegenüber den Peripherien hat insbesondere Oscar Braun herausgearbeitet: *Wirtschaftliche Abhängigkeit und imperialistische Ausbeutung,* in: Dieter Senghaas (Hrsg.), *Peripherer Kapitalismus. Analysen über Abhängigkeit und Unterentwicklung,* Frankfurt 1974, S. 137-155; sowie Merhav, a.a.O. (Anm. 22); jetzt auch Wolfgang Schöller, *Weltmarkt und Reproduktion des Kapitals,* Köln 1976, S. 210 ff.

Sucht man Indikatoren für diesen grundlegenden Tatbestand, so wären sicher die folgenden weit aufschlußreicher als die in üblichen Indikatoren-Listen über »Unterentwicklung/Entwicklung« präsentierten: prozentualer Anteil der Industrieproduktion von Gütern des Produktionsgütersektors; prozentualer Anteil der importierten Produktionsgüter und Technologien; Leontiefsche input-output-Koeffizienten zur Messung des Grades der Vermaschung des Produktionsgütersektors mit dem Konsumgütersektor und der Landwirtschaft. Hinsichtlich der (konzeptuell später noch erläuterten) strukturellen Abhängigkeit der Peripherien von den Metropolen ist der Aufwand für den Import von Kapitalgütern am Ausmaß der Exporte einer Peripherie ebenso sinnvoll wie die Relation von selbstproduzierten Produktionsgütern zu importierten Produktionsgütern.

24 Vgl. Giovanni Arrighi, *Multinationale Konzerne, Arbeiteraristokratien und die ökonomische Entwicklung in Schwarz-Afrika,* in: Dieter Senghaas, a.a.O. (Anm. 23), S. 221-275.

25 Zur Theorie struktureller Heterogenität siehe den zusammenfassenden Beitrag von Aníbal Quijano, *Marginaler Pol der Wirtschaft und marginalisierte Arbeitskraft,* in: Dieter Senghaas, a.a.O. (Anm. 23), S. 298-341; weiterhin Armando Córdova, *Strukturelle Heterogenität und wirtschaftliches Wachstum,* Frankfurt 1973; sowie Aníbal Pinto, *La heterogeneidad estructural. Aspecto fundamental del desarrollo latinoaméricano,* in: Gerhard Drekonja (Hrsg.), *Modelos de desarrollo,* Berlin 1974; Aníbal Pinto, *Inflación. Raíces estructurales. Ensayos,* Mexiko 1973, bes. S. 104 ff. Jetzt auch Wolfgang Schoeller, *Weltmarkt und Reproduktion des Kapitals,* Köln 1976, S. 246 ff.

26 Vgl. zur Technologie- und Technologietransfer-Problematik u. a. die Beiträge in Karl Heinz Stanzick und Horacio Godoy (Hrsg.), *Inversiones extranjeras y transferencia de tecnologia en América Latina,* Santiago 1972; Miguel Wionczek (Hrsg.), *Comercio de tecnología y subdesarrollo económico,* Mexiko 1973; Surendra Patel, *The Technological Dependence of Developing Countries,* in: *The Journal of Modern African Studies,* Bd. 12, Nr. 1, 1974, S. 1-18; sowie die Studien in dem dieser Problematik gewidmeten Sonderheft der Zeitschrift *Nueva Sociedad,* Nr. 8/9, 1973 (hrsg. von der Friedrich-Ebert-Stiftung, Bonn).

27 Insbesondere werden die Strukturen internen Kolonialismus' auf einem höheren Entwicklungsniveau noch einmal reproduziert. Zur Theorie des internen Kolonialismus vgl. Pablo González Casanova, *Sociología de la explotación,* Mexiko 1969.

28 Vgl. die in Anm. 21 zitierte Literatur. Weiterhin Aníbal Quijano, *Nationalism*

*and Capitalism in Peru. A Study in Neo-Imperialism,* in: *Monthly Review,* Band 23, Nr. 3 (Sonderausgabe), 1971.

Die lateinamerikanische Literatur ist reich an empirischen Belegen über den in diesem Abschnitt abgehandelten Sachverhalt. Vgl. u. a. als neuere Fallstudie die Untersuchung von Fernando Fajnzylber, *Les empresas transnacionales y el sistema industrial de México,* in: *El Trimestre Económico,* Bd. 42, Nr. 168, S. 903-931, in der das in diesem Abschnitt entwickelte Strukturmuster einer von MNK-Aktivitäten durchsetzten Gesellschaft empirisch verifiziert wurde. Fajnzylber kann auf das Gestaltungsprivileg multinationaler Konzerne gegenüber der restlichen Ökonomie, auf die Verdrängungseffekte, die verstärkten Oligopolisierungstendenzen, die resultierende Umverteilung von Einkommen, die Herausbildung von Teilmärkten, die strukturelle Heterogenität des Arbeitsmarktes, die Belastung der Zahlungsbilanz, auf das Entstehen eines »gefangenen oder gefesselten Handels« *(comercio cautivo)* und andere Dimensionen aufmerksam machen.

Hinsichtlich einer Analyse der Zergliederung des Agrarsektors siehe Pedro Calil Padis, *Frontière agricole et population active,* in: *Tiers Monde,* Nr. 64, 1965, S. 757-772.

29 Merhav, a.a.O. (Anm. 22), hat zu Recht in seiner bedeutsamen Studie darauf hingewiesen, daß der Herausbildung hochmonopolisierter Wirtschaftsstrukturen in peripheren Ökonomien in der bisherigen Literatur zur Problematik von Unterentwicklung/Entwicklung kaum eine angemessene Beachtung geschenkt wurde. Vgl. auch Volker Bornschier, *Multinationale Konzerne und Unterentwicklung,* Universität Zürich (unv. Ms.); sowie Arno Tausch, *Die Grenzen der Wachstumstheorie,* Salzburg und Wien 1976.

30 Über die Aktivitäten des metropolitanen Kapitals im tertiären Sektor der Peripherien siehe insbesondere Hélène Lamicq und Cathérine Paix, *Formes de domination, activités tertiaires supérieures et organisation de l'espace,* in: *Tiers Monde,* Nr. 61, 1975, S. 7-112. Über die internationale Werbeindustrie und ihre Bedeutung bei der Übermittlung von metropolitanen Konsummustern in die Peripherien siehe Karl P. Sauvant, *Multinational Enterprises and the Transmission of Culture: The International Supply of Advertising Services and Business Education,* in: *Journal of Peace Research,* Bd. 13, 1976, S. 49-65; Armand Mattelart, *Multinationales et systèmes de communication,* Paris 1976. Hinsichtlich des hier relevanten Wissenschaftssektors siehe jetzt u. a. Germán Kratochwil, *Wissenschaftlich-technologische Entwicklung und internationale Zusammenarbeit in Lateinamerika,* Tübingen und Basel 1976, vor allem Teil 1.

31 Vgl. die in Anm. 21 zitierte Literatur, insbesondere den Beitrag von Pierre Salama, *Vers un nouveau modèle d'accumulation,* in der angeführten Zeitschrift *Critiques de l'économie politique,* S. 42 ff.

32 Über den Zusammenhang von kapitalintensiver Produktion, korrespondierenden Einkommensniveaus und komplexen Konsummustern siehe Hans Singer, *The Strategy of International Development,* London 1975, S. 20: »Die kapitalintensive Technologie schafft eine ungleiche Einkommensverteilung, und die ungleiche Einkommensverteilung schafft ein Nachfrageprofil, das einen begrenzten Markt für Produkte schafft, welche durch die Vertreter importierter kapitalintensiver Technologie bevorzugt werden. Das Ganze ist ein Teufelskreis, weil Märkte begrenzt werden und Ineffizienz und eine niedrige Kapazitätsauslastung erfolgt, aber noch wichtiger: weil eine große Masse der Bevölkerung und insbesondere junge arbeitsuchende Menschen von diesem begrenzten Wirtschaftskreislauf ausgeschlossen werden.«

Zur Theorie des Zusammenhangs von Technologienniveaus, Produktionsstruktur, Einkommensverteilung und Nachfrageprofile siehe die grundlegenden Beiträge von Frances Stewart, *Trade and Technology*, in: Paul Streeten (Hrsg.), *Trade Strategies for Development*, New York 1973, S. 231-261, bes. S. 241 ff.; und von derselben Autorin *Technology and Employment in LDCs*, in: Edgar Edwards (Hrsg.), *Employment in Developing Nations*, London 1974, S. 83-132, bes. S. 92 ff. Stewart insistiert in ihren Studien zu Recht darauf, daß die Frage nach der Angemessenheit der Technologie im Entwicklungsprozeß nicht außerhalb der Frage nach dem Typus der zu produzierenden Güter und nach dem Konsumstil einer Gesellschaft gestellt, geschweige denn beantwortet werden kann.

Vgl. in diesem Zusammenhang auch den Kommentar von Ernest Mandel: »Wenn Konsumenten über unterschiedliche Einkommen verfügen, werden sie ihr Geld in unterschiedlichen Proportionen ausgeben. [...] Wenn die Investitionen sich im wesentlichen nach der effektiven Nachfrage richten, dann wird sich die ganze industrielle Struktur auf die ungleiche Verteilung der Einkommen ausrichten. Also werden Luxusgüter produziert, ehe noch die Bedürfnisse nach lebensnotwendigen Gütern für die ärmeren Teile der Gesellschaft befriedigt sind. Es wird eine Überproduktion an Waschmaschinen geben, noch ehe jeder Haushalt über ein gutes paar Winterschuhe verfügt. Die Investitionen werden dazu tendieren, sich in wohlhabenderen Gegenden zu konzentrieren auf Kosten ärmerer Regionen; ebenso wie sie dazu tendieren werden, die Bedürfnisse der höheren Einkommensschichten eher als die der niedrigeren zu befriedigen«, zitiert nach Arno Tausch, *Die Grenzen der Wachstumstheorie*, Salzburg und Wien 1976, Bd. 1, S. 202 (Mandel bezieht seine Beobachtung auf Jugoslawien, doch ist sie gleichermaßen auf jede periphere Ökonomie anwendbar). Zur allgemeinen Theorie hierzu vgl. Rolf Steppacher, *Investitionsstruktur und wirtschaftliche Entwicklung in der Dritten Welt. Die Bedeutung der Wahl der Technik, der Eigentumsverhältnisse und der Wahl der Güterproduktion im sozialen System*, Bern 1975 (Entwicklungspolitische Diskussionsbeiträge Nr. 4).

33 Die Literatur über die gesellschaftspolitischen Folgen der Aktivitäten multinationaler Konzerne in der Dritten Welt wächst ins Uferlose. Vgl. die zusammenfassenden Darstellungen in Richard Barnet und Ronald Müller, *Die Krisenmacher. Die Multinationalen und die Verwandlung des Kapitalismus*, Reinbek 1975, Teil II; Ronald Müller, *Poverty is the Product*, in: *Foreign Policy*, Nr. 13, 1974, S. 71-103; Ronald Müller, *The Multinational Corporation and the Underdevelopment of the Third World*, in: Charles Wilber (Hrsg.), *The Political Economy of Development and Underdevelopment*, New York 1973, S. 124-151; sowie Constantine Vaitsos, *Efectos de las inversiones extranjeras directas sobre la occupación en los países en vias de desarrollo*, in: *El Trimestre Económico*, Nr. 162, 1974, S. 377-406; vgl. jetzt auch C. Vaitsos, *Die Dritte Welt wehrt sich*, in: *Multinationale im Nord-Süd-Konflikt*, Magazin Brennpunkte, Nr. 3, Frankfurt 1976, S. 33-64.

Obgleich viele Studien über MNK-Folgen in der Dritten Welt auf Lateinamerika und Afrika bezogen sind, lassen sich ihre Ergebnisse auch auf Asien übertragen. Siehe u. a. Jun Nishikawa, *Towards Economic Independence of South-East Asia*, in: *The Developing Economies*, Bd. 11, Nr. 4, 1973, S. 466-481; Sung-Jo Park, *Effekte der Auslandsinvestitionen und autonome Entwicklung in Südostasien*, in: *Asien-Forum*, Bd. 6, Juli 1975, S. 346-356.

Bemerkenswert ist auch, daß allgemein statistische und ökonometrische Analysen die negativen Effekte der Aktivitäten multinationaler Firmen auf periphere Gesellschaftsformationen eruiert haben, z. B. die Studie von Chris Chase-Dunn, *The Effects of International Economic Dependence on Development and Inequality.*

*A Cross-National Study*, unv. Ms. 1974 (Stanford University), sowie noch nicht publizierte empirische Studien von Volker Bornschier, Soziologisches Institut, Universität Zürich.

Eine Darstellung aus der Sicht der DDR-Wissenschaft über MNKs findet sich jetzt in *IPW-Forschungshefte* Nr. 4, 1974: *Internationale Konzerne in Entwicklungsländern*, Berlin 1975.

34 Die Theorie der Herausbildung marginalisierter Bevölkerungsschichten entwickelt Aníbal Quijano, a.a.O. (Anm. 25); Daten über das Ausmaß relativer und absoluter Armut finden sich in Hollis Chenery u. a., *Redistribution with Growth*, London 1974.

Die in diesem Kapitel dargestellten Sachverhalte scheinen mir auch die Grundlage dafür zu sein, daß Peripherie-Ökonomien nicht als sogenannte Spätentwickler *(late developers)* im Sinne des Wirtschaftshistorikers Alexander Gerschenkron interpretiert werden können. Solange die Tiefenstruktur von Peripherie-Ökonomien dergestalt ist, wie in diesem Kapitel dargestellt, sind Peripherie-Ökonomien auch nicht mit Frühphasen metropolitaner Ökonomien vergleichbar. Deshalb halte ich den Versuch einer derartigen Analyse, wie er von William Tyler vorgelegt worden ist, für problematisch. Vgl. William Tyler, *Manufactured Export Expansion and Industrialization in Brazil*, Tübingen 1976, S. 59 ff. und Schlußkapitel.

Für ähnlich problematisch halte ich den Versuch von Bernd Stecher, *Erfolgsbedingungen der Importsubstitution und der Exportdiversifizierung im Industrialisierungsprozeß*, Tübingen 1976, die Hoffmannschen Entwicklungsstadien (vgl. Anm. 14) auf die Entwicklungsstufen von Peripherie-Ökonomien zu übertragen (im genannten Buch S. 13 ff.), obgleich die Sequenz einer Produktion von verbrauchsnahen Gütern, von Zwischengütern, von dauerhaften Gütern und schließlich von Investitionsgütern plausibel erscheint. Dennoch übersieht eine solche Argumentation die andersartige Grundkonfiguration der Aufschwungphase von metropolitanen Ökonomien gegenüber den Wachstumsdeterminanten peripher-kapitalistischer Ökonomien.

35 Siehe A. Boeckh, *Interne Konsequenzen externer Abhängigkeit. Eine vergleichende empirische Analyse der Dependenz am Beispiel der Industriearbeiterschaft Venezuelas, Kolumbiens und Perus*, unv. Ms., Gesamthochschule Essen 1976.

36 Ich habe die relevante Literatur bibliographisch erfaßt in: Dieter Senghaas (Hrsg.), a.a.O. (Anm. 10) und ders., a.a.O. (Anm. 23).

37 Das Bild stammt von Friedrich List (vgl. weiter unten S. 83 ff.; es hat den Vorzug, daß es – ungleich anderen – mit Hilfe einer Leontiefschen Input-Output-Tabelle, einem wichtigen Instrument zur empirischen Analyse struktureller Heterogenität, operationalisierbar ist. Überhaupt gehört die Leontief-Methode der Analyse von Wirtschaftskreisläufen zu den wichtigsten Instrumenten in der operationalen Demonstration des Unterschiedes von metropolitanem und peripherem Kapitalismus, d. h. in der Darstellung der relativen Kohärenz bzw. Nicht-Kohärenz von Wirtschaftskreisläufen im einen und im anderen Fall. Vgl. auch Osvaldo Sunkel, *External Economic Relations and the Process of Development* (unv. Ms. 1973).

38 Neben den im folgenden angeführten Gründen der Abgrenzung zwischen Abhängigkeit und *struktureller* Abhängigkeit ist auf die klassentheoretische Differenz in der Terminologie hinzuweisen. Während die Rede von Abhängigkeit meist die Interdependenz zweier Gesellschaften insgesamt im Auge hat, liegt der Theorie struktureller Abhängigkeit ein klassentheoretisch spezifiziertes Metropolen-Peripherien-Modell zugrunde (welches sich auch von einem Metropolen-Peripherien-Modell à la Prebisch unterscheidet, in dem bekanntlich Nationalwirtschaften und

Nationalstaaten interagieren).

39 Zur Problematik der run-away-Industrien siehe den Beitrag von G. Adám, *Neue Tendenzen in der internationalen Ökonomie. Industrieverlagerung und weltweite Produktion,* in: Otto Kreye (Hrsg.), a.a.O. (Anm. 2), sowie G. K. Helleiner, *Manufactured Exports from Less Developed Countries and Multinational Firms,* in: *The Economic Journal,* März 1973, S. 21-47; sowie weiter unten S. 173 ff. und S. 206 ff.

40 Siehe zu dieser Argumentation weiter unten S. 173 ff.

41 Zur theoretisch-grundsätzlichen Auseinandersetzung über die in dieser Frage angesprochene Problematik siehe weiter unten S. 54 ff.

42 Vgl. Wolfgang Schoeller, *Weltmarkt und Reproduktion des Kapitals,* Köln 1976, S. 149 ff. sowie zur allgemeinen Problematik Klaus Dorner, *Probleme einer weltwirtschaftlichen Integration der Entwicklungsländer,* Tübingen und Basel 1974, Kapitel VI. Dorners Arbeit gibt einen vorzüglichen Einblick sowohl in die die Auslagerung antreibenden Kräfte wie auch in die Gegenkräfte, die sich in den Metropolen gegen eine Ausverlagerung entwickeln. Siehe hierzu weiter unten S. 164 ff.

43 Ein Beispiel für eine derartige Argumentation ist u. a. Wolfgang Klaiber und Joachim Leckscheidt, *Auslandsinvestitionen. Strukturanpassung oder Ausverkauf deutscher Arbeitsplätze?,* in: *Wirtschaftsdienst,* Bd. 56, Juli 1976, S. 366-369.

44 Jan Annerstedt und Rolf Gustavsson, *Towards a New International Economic Division of Labour? Patterns of Dependence and Conditions for Liberation in the Periphery of Capitalism,* Roskilde 1975.

45 Vgl. hierzu Schoeller, a.a.O. (Anm. 42), S. 185 ff. sowie Folker Fröbel, Jürgen Heinrichs und Otto Kreye, *Die neue internationale Arbeitsteilung,* Reinbek 1977.

46 Zitiert aus der Einführung Samir Amins zu dem Buch von Ga-Kwame Amoa und Oscar Braun, *Echanges internationaux et sous-développement,* Paris 1974, S. 13/14.

47 Vgl. zur theoretischen und empirischen Begründung einer derartigen praktischen Möglichkeit das in Anmerkung 42 zitierte Buch von Dorner, insbesondere das Kapitel VI, »Komparative Vorteile in dynamischer Sicht«.

48 Siehe hierzu weiter unten S. 164 ff.

49 Die bisherige Erfahrung mit einer exportorientierten Teilindustrialisierung gibt kaum Grund zu Optimismus. Eine Untersuchung signifikanter Fälle kam jüngst zu folgendem Ergebnis: »Nur im Falle relativ kleiner Volkswirtschaften kann die industrielle Exportsteigerung eine treibende Kraft bei der Schaffung von Arbeitsplätzen sein, und zwar in einem solchen Umfange, daß in der nahen Zukunft eine wesentliche Milderung der Probleme, der nicht vollständigen Nutzung ihres Arbeitskräftevorrates, zu erwarten ist. Sogar für die kleinen Länder mag der Erfolg auf einige wenige glückliche begrenzt sein. Bei begrenzter Bereitschaft der entwickelten Länder, große Mengen arbeitsintensiver Produkte zu importieren, stellt sich die Frage, ob Hongkongs oder Taiwans Erfahrung universelle Gültigkeit besitzen. Sollten alle Entwicklungsländer versuchen, diesem Beispiel zu folgen, so wären die Aussichten im günstigsten Falle ungewiß. Exportorientierte Entwicklungsländer mögen in einer Nullsummen-Welt leben. Für größere Entwicklungsländer bietet die Förderung der Fertigwarenexporte, während sie interessant und effizient hinsichtlich anderer Zwecke sein mag, nur geringe unmittelbare Hoffnung auf eine wesentliche Abhilfe von ihren Beschäftigungsproblemen. Andere Lösungen und Mittel, um das vorhandene Arbeitspotential zu nutzen, müssen gefunden werden, auch wenn solche Alternativen politisch weniger attraktiv sein mögen. Alle, die weiterhin die

exportorientierte Industrialisierung als Allheilmittel ansehen, scheinen sich selbst und jene, die auf sie hören, zu täuschen. Außerdem liefern sie eine wissenschaftliche Erklärung dafür, daß keine radikaleren Maßnahmen zur Lösung des Problems der nicht-vollständigen Nutzung des Arbeitskräftepotentials und des Arbeitskräfteüberschusses ergriffen werden.« Aus: William Tyler, *Die Schaffung von Arbeitsplätzen und die Förderung des Fertigwarenexports in weniger entwickelten Ländern,* in: Herbert Giersch und Heinz-Dieter Haas (Hrsg.), *Probleme der weltwirtschaftlichen Arbeitsteilung,* Berlin 1974, S. 409-450, Zitat S. 425/426. Derselbe Autor konnte in einer umfassenden Monographie über den brasilianischen Fall den relativ geringen Effekt hinsichtlich der Schaffung von Arbeitsplätzen durch eine exportorientierte Industrialisierung aufzeigen. Vgl. William Tyler, *Manufactured Export Expansion and Industrialization in Brazil,* Tübingen 1976, Kapitel 6.

50 Zitiert aus dem in Anmerkung 49 aufgeführten Brasilienbuch von Tyler, dort S. 161.

51 Vgl. hierzu Samir Amin u. a., *La crise de l'impérialisme,* Paris 1975.

52 Vgl. zur allgemeinen Problematik Jürgen Ritter, *Die Entwicklung arbeitsintensiver Technologien für Entwicklungsländer,* in: Herbert Giersch und Heinz-Dieter Haas (Hrsg.), *Probleme der weltwirtschaftlichen Arbeitsteilung,* Berlin 1974, S. 507-535.

53 Johan Galtung, *Übertragung von Technologie – keine Einbahnstraße. Wer lernt von wem?,* in: *Forum Vereinte Nationen,* Juli/August 1976, S. 1/2.

54 Diesen Zusammenhang hat Frances Stewart vorzüglich herausgearbeitet: *The Direction of International Trade. Gains and Losses for the Third World,* in: G. K. Helleiner (Hrsg.), *A World Divided. The Less Developed Countries in the International Economy,* London 1976, S. 89-110, besonders S. 100 ff.

55 Ein in dieser Hinsicht interessantes und konsistentes entwicklungspolitisches Dokument stellt die von der Kommission Schweizerischer Entwicklungsorganisationen herausgegebene Broschüre *Entwicklungsland Welt – Entwicklungsland Schweiz,* Basel 1975, dar.

56 Vgl. hierzu den in Anmerkung 22 zitierten Aufsatz von Karl Wohlmuth.

57 Nimmt man den finnischen Binnenmarkt als Minimum und den österreichischen als Maximum, so haben fast 100 Entwicklungsländer einen Binnenmarkt, der zwischen oder über der Größenordnung beider (ungefähr 4-8 Millionen) liegt!

58 Vgl. hierzu Dieter Senghaas, Hartmut Elsenhans, Hans Bosse, Hans-Ekkehard Bahr, *Die Überwindung von Unterentwicklung. Theoretische, forschungsstrategische und handlungspolitische Perspektiven,* in: Deutsche Gesellschaft für Friedens- und Konfliktforschung, *Informationen* (Sonderheft), Bonn 1974, sowie Hartmut Elsenhans, *Die Überwindung von Unterentwicklung,* in: Dieter Nohlen und Franz Nuscheler (Hrsg.), *Handbuch der Dritten Welt,* Bd. 1, Hamburg 1974, S. 162-189.

59 Vgl. hierzu auch die Überlegungen im Kapitel über autozentrierte Entwicklung, weiter unten S. 265 ff.

60 Ernest Schumacher, *Geeignete Technologien,* in: Herbert Giersch und Heinz-Dieter Haas (Hrsg.), *Probleme der weltwirtschaftlichen Arbeitsteilung,* Berlin 1974, S. 495-506, Zitat S. 506; siehe auch E. Schumacher, *Small is Beautiful. A Study of Economics as if People Mattered,* London 1973.

61 Hierzu insbesondere die sogenannte *dependencia*-Literatur; sowie jetzt auch die konventionelle wirtschaftliche Literatur zusammenfassend und überprüfend: Bernd Stecher, *Erfolgsbedingungen der Importsubstitution und der Exportdiversifizierung im Industrialisierungsprozeß,* Tübingen 1976.

62 Siehe weiter unten S. 189 ff. und S. 265 ff.

63 Ga-Kwame Amoa in: Ga-Kwame Amoa und Oscar Braun, a.a.O. (Anm. 46), S. 77. Eine solche autozentrierte binnenmarktorientierte Entwicklung setzt, angesichts der heutigen Entwicklungsunterschiede zwischen Metropolen und Peripherien und innerhalb der Peripherien eine Dissoziation der Peripherien vom kapitalistisch bestimmten Weltmarkt voraus, weil dessen Rationalitätskriterien nicht übereinstimmen mit den Rationalitätskriterien einer solchen Strategie. Zur Diskrepanz zwischen Weltmarktrationalität, lokaler Produktionsaktivität und der Rationalität autozentrierter Entwicklung zur Befriedigung der Grundbedürfnisse der Menschen in der Dritten Welt vgl. die Ausführungen von Samir Amin in der Einleitung zu Samir Amin (Hrsg.), *Modern Migrations in Western Africa*, London 1974, S. 84-110, insbesondere S. 87 ff.

64 Siehe weiter unten S. 206 ff. sowie die beiden vorzüglichen interpretativen Studien von Rainer Tetzlaff, *Die Forderungen der Entwicklungsländer nach einer neuen Weltwirtschaftsordnung, die Internationalisierung der Produktion und das AKP-Abkommen von Lomé*, in: *Verfassung und Recht in Übersee*, Band 9, 1976, S. 33-56; Karl Wohlmuth, *Neue internationale Wirtschaftsordnung. Die Entwicklungspotentialität der Neuen Weltwirtschaftsordnung*, in: *Internationale Entwicklung. Zeitschrift der österreichischen Forschungsstiftung für Entwicklungshilfe*, Nr. 1, 1976, S. 17-30.

65 Dies gilt insbesondere hinsichtlich der Forderungen nach einer Durchliberalisierung der internationalen Ökonomie, einschließlich eines Abbaus von protektionistischen Maßnahmen gegen die Exportgüter der Dritten Welt. Vgl. neuerdings hierzu Jürgen Gerhard Todenhöfer, *Wachstum für Alle. Plädoyer für eine Internationale Soziale Marktwirtschaft*, Stuttgart 1976. Zur Kritik einer derartigen entwicklungspolitischen Perspektive siehe weiter unten S. 206 ff.

66 Die diesbezüglichen Vorschläge entstammen den 20er und 30er Jahren und wurden damals von interessierten Fraktionen des metropolitanen Kapitals vorgebracht. Vgl. Eva Senghaas-Knobloch, *Neue Formen der Rohstoffvermarktung – Neue internationale Arbeitsteilung?*, in: Dieter Senghaas und Ulrich Menzel (Hrsg.), *Multinationale Konzerne und Dritte Welt*, Wiesbaden 1976, S. 232-258.

67 Auf diesen Sachverhalt hat mehrfach Hartmut Elsenhans aufmerksam gemacht. Vgl. u. a. seinen Beitrag *Neun Thesen zum Verhältnis von Staatsapparat und multinationalen Konzernen in der Dritten Welt*, in: Dieter Senghaas und Ulrich Menzel (Hrsg.), *Multinationale Konzerne und Dritte Welt*, Wiesbaden 1976, S. 170-180.

68 Vgl. weiter unten S. 249 ff. Man vergleiche in diesem Zusammenhang die enorme Diskrepanz zwischen der faktischen Militarisierung der Dritten Welt und der Forderung nach Abrüstung im Absatz Nr. 5 in der Präambel des UNO-Dokumentes für die Zweite Entwicklungsdekade.

69 Vgl. hierzu die Beiträge in: Guy Erb und Valeriana Kallab (Hrsg.), *Beyond Dependency. The Developing World Speaks Out*, Washington 1975. Meine diesbezügliche tentative Einschätzung (siehe weiter unten S. 216 ff.) stimmt mit der von Samir Amin überein, die er auf dem ersten Dritten Welt-Forum vorgetragen hat. Vgl. Samir Amin, *Une remise en cause de l'ordre international*, in: *Le Monde Diplomatique*, Juni 1975, S. 8.

70 Dieter Senghaas, *Aufrüstung durch Rüstungskontrolle. Über den symbolischen Gebrauch von Politik*, Stuttgart 1972, sowie Dieter Senghaas, *Gewalt – Konflikt – Frieden. Essays zur Friedensforschung*, Hamburg 1974, S. 55 ff. Mit der wachsenden Zahl von im Grunde genommen folgenlosen Konferenzen (trotz der vielen

Aktionsprogramme, die dort verabschiedet werden), ist auch abzusehen, daß die Kritik an derartigen Konferenzen wächst. Vgl. diverse Beiträge im *Forum Vereinte Nationen,* Juli/August 1976, die sich auf die UNCTAD-IV-Konferenz und die HABITAT-Konferenz von 1976 kritisch beziehen.

71 Amoa schreibt in diesem Zusammenhang: »Es existieren heute in Afrika soziale Klassen, welche ihr Interesse in der Aufrechterhaltung der gegenwärtigen Strukturen finden und welche in diesem Sinne arbeiten; und wie in den anderen Entwicklungsländern, sind dies Klassen, welche die Entscheidungsmacht in der Mehrzahl inne haben. Wir leugnen gewiß nicht die Möglichkeit eines Nationalismus seitens dieser Klasse hinsichtlich der Außenwelt, aber es ist gewissermaßen wahr, daß für das Bürgertum dieser Nationalismus sich wesentlich in den Versuch übersetzt, eher einen größeren Anteil des innerhalb der gegenwärtigen Strukturen erzeugten Surplus anzueignen, als das Risiko einzugehen, mit dem Status quo zu brechen, was zu einer Verringerung dieses Anteils führen könnte.« Zitiert nach Amoa und Braun, a.a.O. (Anm. 46), S. 123.

72 Ungeachtet dieser Tatsache ist die Interpretation der Entwicklungs*potentialität* der verschiedenen Vorschläge von seiten der Dritten Welt in Wohlmuths Artikel, der in Anmerkung 64 zitiert wurde, insgesamt optimistischer als meine eigene Einschätzung. Erst die kommenden Jahre werden eine endgültige Bewertung erlauben.

73 Gamani Corea in einem Interview mit David Spanier, abgedruckt in *Le Monde* und *Die Welt* vom 6. 4. 1976 (*BMZ-Spiegel der Presse,* Nr. 13, 1976, S. 401).

Vgl. hierzu auch Carl Friedrich von Weizsäcker, *Wege in der Gefahr,* München 1976, S. 76.

74 Mahbub ul Haq, *Traurige Bilanz. Mehr Hilfe ohne Hilfe. Schmerzhafte Absage an den Liberalismus,* in: *epd – Entwicklungspolitik,* Nr. 7, 1975, S. 11. In diesem Zusammenhang sind auf einige Beiträge in Paul Streeten (Hrsg.), *Trade Strategies for Development,* London 1973, hinzuweisen. Mahbub ul Haq fordert in einem entwicklungspolitischen Plädoyer einen größeren Nachdruck auf essentielle Maßnahmen zur Befriedigung von Grundbedürfnissen, die Substitution von Lebensstilen (Grundbedürfnisse versus Konsumgesellschaft) und die Konzentration auf öffentliche Einrichtungen zum Nutzen der Massen. In diesem Beitrag kommt der Autor konsequent auch zu der Forderung nach einer Umkehr bisheriger Prioritäten zwischen Handel und Entwicklung; weiterhin zur Beobachtung einer Möglichkeit von Importkürzungen sowie zur Forderung nach der Herausbildung von dichten Handelsbeziehungen zwischen den Entwicklungsländern auf einem Niveau, das ihrer eigenen Entwicklung angemessen ist (a.a.O., S. 93-102). Im selben Band trägt O. Aboyade Überlegungen hinsichtlich von Maßnahmen vor, die zu einem strukturellen Bruch mit dem Kolonialvermächtnis und der Handelsabhängigkeit führen. An zentraler Stelle steht dabei die Notwendigkeit einer nationalen Mobilisierung aller Ressourcen für die Befriedigung der sozialen Bedürfnisse, wobei der Außenhandel nicht mehr als zentraler Hebel zur Erreichung dieses Ziels angesehen wird. Im Gegenteil vertritt dieser Autor die These, daß Peripherie-Ökonomien »overinvolved« im Weltmarkt seien (a.a.O., S. 69). Nurul Islam (seinerzeitiger Direktor des Bangla Desh-Instituts für Entwicklung) vertritt ähnliche Thesen, insbesondere wenn er auf die notwendige Koordination zwischen Agrikultur und Manufaktur zur Herstellung eines breiten Massenkonsumgütermarktes hinweist (a.a.O., S. 76-92). Dies sind nur drei Beispiele für eine wachsende Zahl von dokumentierten sozial- und wirtschaftswissenschaftlichen Expertenmeinungen aus der Dritten Welt selbst, wo man offensichtlich allmählich beginnt, über den heutigen

weltwirtschaftlichen Status quo hinauszudenken, eingeschlossen jene programmatischen Vorschläge, die die offiziellen Vertreter der Dritten Welt in die bekannten UN-Resolutionen der jüngsten Zeit eingebracht haben.

75 Vgl. hierzu insbesondere Samir Amin, *L'accumulation à l'èchelle mondiale,* Paris 1971[2].

76 Obgleich sie mit anderen Methoden arbeiten, nämlich der Ökonometrie, kommen Thomas Birnberg und Stephen Resnick in ihrem Buch *Colonial Development,* New Haven 1974, zu dem Ergebnis, daß in einer komparativen Analyse die Kolonialgeschichte der zehn Länder Ceylon, Chile, Kuba, Ägypten, Indien, Jamaica, Nigeria, Philippinen, Taiwan und Thailand für die Erklärung der Unterschiedlichkeit der Entwicklung dieser Länder bedeutender gewesen sei als die jeweilige regionale Geschichte. Dieses auf andere Weise gewonnene Ergebnis ist unsere Annahme von der Existenz einer Tiefenstruktur qua spezifischer Akkumulationsstruktur von Peripherie-Ökonomien, die von außen jeweils induziert wurde, subsumierbar.

77 Zur Verwendung beider Kategorien vgl. Johan Galtung, *Eine strukturelle Theorie des Imperialismus,* in: Dieter Senghaas (Hrsg.), *Imperialismus und strukturelle Gewalt,* Frankfurt 1972, S. 29-104, S. 82 ff.

78 Vgl. hierzu die Überlegungen in Anmerkung 23.

79 Der Bedeutungsschwund eines Indikators muß deshalb immer im Kontext des Bedeutungszuwachses anderer potentiell neuer Indikatoren gesehen werden. Abhängigkeit vermittelt über militärische Besetzung, Übertragung von Rechts- und Bildungssystemen, Konsummuster, Enklavenbildung, spezifische Investitions- und Technologietransferstrukturen usf. stellen derartige Indikatoren mit variablem Bedeutungszuwachs und -schwund dar, die immer als Ensemble zu begreifen sind. Diese Problematik bleibt unberücksichtigt bei James Caporaso, *Methodological Issues in the Measurement of Inequality, Dependence and Exploitation,* in: Steven Rosen und James Kurth (Hrsg.), *Testing Theories of Economic Imperialism,* Lexington 1974, S. 87-115.

80 Vgl. u. a. Klaus Eßer, *Entwicklungsperspektiven eines Erdöllandes: Venezuela,* Deutsches Institut für Entwicklungspolitik, Berlin 1976 (unv. Ms.).

81 Hierzu auch Gunnar Myrdal, *Asian Drama,* New York 1968, Bd. 3, S. 1896 ff. Ist Unterentwicklung kumulativ und zirkulär verursacht, wie Myrdal schon in seinem frühen Buch *Ökonomische Theorie und unterentwickelte Regionen,* Frankfurt 1974[2], betont hat, dann ist ein Bruch mit Strukturen der Unterentwicklung in der Tat gradualistisch nur schwer vorstellbar.

82 Dies genau geschieht in den meisten Beiträgen in: Hans-Jürgen Puhle (Hrsg.), *Lateinamerika. Historische Realität und Dependencia-Theorien,* Hamburg 1976 (besonders im Beitrag von H. Sautter).

*Anmerkungen zu: Friedrich List und die Neue internationale Wirtschaftsordnung*

1 Carlos F. Diaz-Alejandro, *Trade Policies and Economic Development,* in: Peter Kenen (Hrsg.), *International Trade and Finance. Frontiers for Research,* Cambridge 1975, S. 93-150, Zitat S. 96.

2 So z. B. Alfons Lemper, *Handel in einer dynamischen Weltwirtschaft,* München 1974; sowie Reinhold Sohns, *Theorie der internationalen Arbeitsteilung,* Stuttgart 1976.

3 Siehe hierzu die Kapitel »Der Weltmarkt als Sackgasse für Entwicklungslän-

der«, S. 155 ff. und »Anlagerungsindustrialisierung und ungleiche Entwicklung«, S. 173 ff. und die dort angegebene Literatur, insbesondere den bemerkenswerten, unter einer solchen Perspektive stehenden Band *Probleme der weltwirtschaftlichen Arbeitsteilung*, hrsg. v. Herbert Giersch und Heinz-Dieter Haas, Berlin 1974 (siehe meine Besprechung in *epd – Entwicklungspolitik*, Nr. 7, 1975, S. 42/43).

4 Vgl. hierzu das Kapitel »Der Weltwirtschaftsordnung neue Kleider«, S. 205 ff.

5 Vgl. hierzu ausführlicher das einleitende Kapitel oben S. 27 ff.

6 Vgl. Michael Barratt Brown, *The Economics of Imperialism*, London 1974, S. 98 ff.

7 Auf diesen allgemeinen Sachverhalt haben einige Autoren seit langem aufmerksam gemacht, ohne daß ihre Position allerdings zur tonangebenden geworden wäre. Vgl. u. a. Gunnar Myrdal, *Ökonomische Theorie und unterentwickelte Regionen*, Frankfurt 1974 (1. Aufl. 1956); sowie die Studien von Raúl Prebisch; vgl. hierzu die interpretierenden Analysen in der Festschrift für Prebisch *International Economics and Development*, hrsg. v. Luis Eugenio Di Marco, London 1972, besonders Teil I und VIII.

8 Die Mehrzahl der wenigen Beiträge, die die Beziehungen zwischen Metropolen und Peripherien als kritikwürdig ansehen, begründen diese Kritik auf *Realeinkommenstransfers* aus den Peripherien in die Metropolen. Dies gilt insbesondere im Hinblick auf die seit Prebisch intensiv verfolgte *terms of trade*-Debatte. Außerhalb der erst in jüngster Zeit entwickelten Theorie des peripheren Kapitalismus ist die Untersuchung der Folgewirkungen der Handelsstruktur zwischen Metropolen und Peripherien auf die je spezifischen Produktionsstrukturen der beteiligten Gesellschaften (metropolitane Ökonomien im Unterschied zu Peripherie-Ökonomien) höchst selten. Als derartige Ausnahme kann hier insbesondere der Beitrag von François Perroux genannt werden, dessen Theorie der dominanten und dominierten Ökonomien ansatzweise in eine richtige Richtung weist, wobei die Teiltheoreme über Wachstumspole und die Entwicklung struktureller Ungleichheiten allerdings noch ohne akkumulationstheoretische Begründung bleiben. Der immer noch wertvolle Beitrag von Perroux wird zusammenfassend dargestellt in L. Bouckaert, *La pensée économique de François Perroux*, in: *Mondes en développement*, 1973, Nr. 4, S. 163-194. Siehe auch S. Sideri, *International Trade and Economic Power*, in: *Towards a New World Economy*, Rotterdam 1972, S. 347-394.

Von besonderem Interesse sind in diesem Zusammenhang auch neuere Studien eines Projektes an der University of New Hamshire, in denen von einer systemtheoretischen Perspektive aus die Struktur internationaler ökonomischer Beziehungen und der in ihnen enthaltenen Prozesse ungleichen Tausches thematisiert worden sind. Vgl. T. Baumgartner und T. R. Burns, *The Structuring of International Economic Relations*, in: *International Studies Quarterly*, Bd. 19, 1975, S. 126-159; T. Baumgartner, W. Buckley und T. Burns, *Unequal Exchange and Uneven Development. The Structuring of Exchange and Development Patterns*, in: *Studies in Comparative International Development*, 1976 (i. E.), sowie zusammenfassend T. Baumgartner, *The Structuring of International Economic Relations. Implications for a Theory of Development*, University of New Hamshire (unv. Ms.) 1975 sowie T. Baumgartner, W. Buckley und T. Burns, *Towards a Systems Theory of Unequal Exchange, Uneven Development and Dependency Relationships*, in: *Kybernetes*, Bd. 5, 1976, S. 15-23.

Es ist interessant zu beobachten, daß die frühen, im folgenden zitierten Überlegungen von Hans Singer, die in einem der am häufigsten zitierten entwicklungstheoretischen Artikel *(The Distribution of Gains Between Investing and Borrowing*

*Countries)* publiziert worden sind, in den Jahren nach dem Erscheinen (1949) mit Ausnahme der Theorie des peripheren Kapitalismus kaum systematisch aufgegriffen worden sind. Singer schrieb 1949: »Selbst wenn wir die Theorie der bewußt böswilligen Machinationen beiseite lassen, so kann man legitimerweise behaupten, daß der Nutzen des Außenhandels und der Außeninvestitionen von den zwei Gruppen von Ländern nicht gleichermaßen geteilt worden ist. Die kapitalexportierenden Länder haben eine vielfältige Rückerstattung auf folgende fünffache Weise erhalten: 1. durch die Möglichkeit des Aufbaus von Fertigwarenexporten und demzufolge des Transfers ihrer Bevölkerung von Beschäftigungen niedriger Produktivität in Beschäftigungen höherer Produktivität; 2. dadurch, daß sie in den Genuß ausgeweiteter Fertigwarenindustrien gelangten; 3. dadurch, daß sie an dem generellen dynamischen Impuls teilhatten, der von Industrien in einer sich weiterentwikkelnden Gesellschaft ausstrahlt; 4. dadurch, daß sie in den Genuß der Früchte des technischen Fortschritts in der Primärgüterproduktion als die hauptsächlichen Konsumenten von Primärgütern gelangten; 5. dadurch, daß sie sich des Konsums ihrer Fertigwaren durch ausländische Konsumenten erfreuen konnten, was sozusagen deren Beitrag zu den wachsenden Einkommen der Produzenten von Fertigwaren war. Demgegenüber läßt sich das, was die unterentwickelten Gesellschaften aufzuweisen haben, nicht mit dieser eindrucksvollen Liste von Vorteilen vergleichen, die die industrialisierten Länder von dem traditionellen Handels- und Investitionssystem ableiteten. Vielleicht ist das weitverbreitete, doch wenig artikulierte Gefühl in unterentwickelten Ländern, daß die Würfel gegen sie gefallen sind, nicht so ohne Begründung, wie es gemäß der reinen Theorie des Austausches den Anschein hat.« Zitiert aus dem Artikel von 1949 nach der Aufsatzsammlung von Hans Singer, *The Strategy of International Development. Essays in the Economics of Backwardness*, London 1975, S. 51.

9 Selbst wenn sich Realeinkommenstransfers aus den Peripherien in die Metropolen nicht nachweisen ließen, Verelendungswachstum aufgrund des Handels also nicht beobachtbar wäre, so würde die überkommene ungleiche internationale Arbeitsteilung nichts an ihrer Katastrophenträchtigkeit verlieren, weil die Grundlage für die heute verstärkt beobachtbaren Sozialkatastrophen in der Dritten Welt die Herausbildung von *Peripherie-Ökonomien* als Folge der Eingliederung dieser Gesellschaften in den kapitalistischen Weltmarkt ist. Da nun empirisch beides zusammentrifft, Realeinkommenstransfers und die Herausbildung defekter Gesellschafts- und Wirtschaftsstrukturen, ist die Katastrophenanfälligkeit um so größer.

10 Ich beziehe mich im folgenden, wenn nicht anders angegeben, auf Friedrich List, *Das nationale System der politischen Ökonomie*, Tübingen 1959 (Erstausgabe 1841).

11 Eine der ganz wenigen Ausnahmen ist ein kurzer Beitrag von K. Wilhelm Kapp, *Friedrich List's Contribution to the Theory of Economic Development*, in: *The Political Science Review* (Indien), Band 1, Nr. 1, 1962, S. 17-22. Ich verdanke Prof. Kapp diesen Hinweis auf seine Publikation. Es ist erstaunlich, daß in einschlägigen Handwörterbuch-Artikeln über Friedrich List der im folgenden herausgearbeitete Beitrag Lists zur *entwicklungstheoretischen Diskussion* kaum eine nennenswerte Berücksichtigung findet. Eine allgemeine, die Spezifika der Listschen Theorie nur berührende und im einzelnen nicht aufgreifende Diskussion findet sich bei Detlef Lorenz, *Dynamische Theorie der internationalen Arbeitsteilung*, Berlin 1967, bes. S. 35 ff.

12 Über die Herausbildung ungleicher internationaler Arbeitsteilung, beginnend am Ende des Mittelalters und sich in asymmetrische Strukturen während des 15. und

16. Jahrhunderts anfänglich verdichtend, unterrichtet das monumentale Werk von Immanuel Wallerstein, *The Modern World System*, New York 1974, Band 1 (drei weitere Bände, die den Prozeß internationaler Arbeitsteilung seit dem 17. Jahrhundert bis zur Gegenwart behandeln werden, sind in Vorbereitung).

13 Zur tabellarischen Aufrechnung des allseitigen Nutzens einer Handelsstruktur auf der Basis komparativen Vorteils vgl. Wolfgang Bärtschi und Hanns-Dieter Jacobsen, *Kritische Einführung in die Außenhandelstheorie*, Reinbek 1976, S. 20 ff.

14 In diesem Sinne hat auch das Galtungsche Theorem der aus asymmetrischen Handelsstrukturen resultierenden ungleichen spin-off-Effekte seinen Vorläufer in Lists zentralem Werk. Vgl. Johan Galtung, *Eine strukturelle Theorie des Imperialismus*, in: Dieter Senghaas (Hrsg.), *Imperialismus und strukturelle Gewalt. Analysen über abhängige Reproduktion*, Frankfurt 1972, S. 29-104.

15 Vgl. F. List, a.a.O., S. 151/152.

16 Kohärenz sah List vor allem in der Synchronisation landwirtschaftlicher und manufaktureller Tätigkeiten. »Bei normaler Entwicklung der Produktivkräfte sollte der größte Teil der Bevölkerungsvermehrung einer Agrikulturnation, sobald dieselbe einen gewissen Grad von Ausbildung erreicht hat, in die Fabriken übergehen, und der Überschuß der landwirtschaftlichen Produkte sollte einesteils dazu dienen, der Fabrikbevölkerung Subsistenzmittel und Rohstoffe zu liefern, anderenteils dazu, den Landwirten, die zu ihrer Konsumtion und zur Vermehrung ihrer Produktion erforderlichen Fabrikate, Maschinen und Gerätschaften zu verschaffen. Ist dieses Verhältnis zu gehöriger Zeit eingetreten, so werden sich landwirtschaftliche und gewerbliche Produktivkraft wechselseitig heben, und zwar in infinitum; die Nachfrage nach landwirtschaftlichen Produkten von Seite der Gewerbsbevölkerung wird so bedeutend sein, daß in der Landwirtschaft keine größere Zahl von Arbeitern aufkommen und keine größere Teilung des vorhandenen Grund und Bodens vor sich gehen kann, als eben nötig ist, um ein höchstmögliches Surplusprodukt zu erzielen. Nach Maßgabe dieses Surplusproduktes wird die in der Landwirtschaft beschäftigte Bevölkerung sich in den Stand gesetzt sehen, die Produkte der Fabrikarbeiter zu konsumieren. Eine fortwachsende Vermehrung des landwirtschaftlichen Surplusproduktes wird eine fortwachsende Vermehrung der Nachfrage nach Fabrikarbeitern zur Folge haben. Der Überschuß der landwirtschaftlichen Bevölkerung wird also fortwährend in den Fabriken Unterkunft finden, und die Fabrikbevölkerung wird am Ende die landwirtschaftliche Bevölkerung an Zahl nicht nur erreichen, sondern weit übersteigen« (List, a.a.O., S. 160/161).

In der seinem Hauptwerk vorangehenden Preisschrift für die französische Akademie, *Das natürliche System der politischen Ökonomie* (Neudruck Berlin 1961), hat List die allmähliche Erschließung des Binnenmarktes durch eine sukzessive Koordination von Landwirtschaft und Manufaktur noch eingehender beschrieben als in dem unserer Abhandlung hier zugrunde gelegten Hauptwerk von 1841. Siehe hierzu weiter unten S. 267 ff.

17 Es ist erstaunlich, daß diese Überlegung durch das Vorherrschen der Doktrin komparativer Vorteile jahrzehntelang ziemlich verdrängt worden ist, oder, wo als solche formuliert, durch neoklassische Argumente diskreditiert wurde. Demgegenüber hat Hollis Chenery jüngst darauf aufmerksam gemacht, daß eine Periode von offensichtlich ineffizienter Importsubstitution sehr wohl für einen Strukturwandel in Produktion und Exporten notwendig sein kann. Er leitete davon die Forderung nach einer langfristig orientierten Handelstheorie ab, die Friktionen, Skaleneffekte, Lernphänomene u. dgl. einschließt. Siehe seinen Diskussionsbeitrag in dem in Anm. 1 zitierten, von Kenen herausgegebenen Band (S. 505/506).

18 F. List, a.a.O., S. 153/154.

19 F. List, a.a.O., S. 277, sowie zur allgemeinen Interpretation André Gunder Frank, *Über die Begrenzung des Binnenmarktes durch die internationale Arbeitsteilung und die Produktionsverhältnisse,* in: Klaus Jürgen Gantzel (Hrsg.), *Herrschaft und Befreiung in der Weltgesellschaft,* Frankfurt 1975, S. 161-211.

20 In diesem Zusammenhang scheint mir für die aktuelle Analyse die frühe Studie von Karl W. Deutsch, *Nationalism and Social Communication,* Cambridge 1952 (2. Aufl. 1966), von Bedeutung zu sein, da diese Arbeit eines der wenigen neueren sozialwissenschaftlichen Werke ist, das in der Tradition der Listschen Argumentation steht, auch wenn dies dem Autor nicht bewußt gewesen sein mag.

21 Das Listsche entwicklungspolitische Szenario für weniger produktive Ökonomien war dreiphasig: In einer ersten Phase sollten durch den internationalen Konkurrenzdruck in diese Ökonomien Stimulanzen eingegeben werden; in einer zweiten, dissoziativen Phase sollte es zur Ausprägung der produktiven Kräfte kommen, und in einer dritten Phase wäre Freihandel durchaus wieder vertretbar.

22 Deshalb ist die Reduktion der Listschen Überlegungen auf das sogenannte *infant industry*-Argument eine unzulängliche Verkürzung seines theoretischen und praktisch-politischen Ansatzes. Wenn List überhaupt in der Diskussion entwicklungspolitischer Fragestellungen gelegentlich zitiert wird, dann nur unter dieser verkürzten Perspektive. Vgl. hierzu den gelegentlichen Rückgriff auf das genannte Argument in den Beiträgen des von Paul Streeten herausgegebenen Bandes *Trade Strategies for Development,* London 1973. Zur aktuellen Diskussion vgl. die Kontroverse zwischen Dietrich Kebschull (»Warum eigentlich überall Freihandel?«) und Detlef Lorenz sowie Juergen Donges in: *Wirtschaftsdienst,* Nr. 10, 1972, und *Wirtschaftsdienst,* Nr. 1, 1973. Kebschull schreibt dort: »Ist es in dieser Situation ein Wunder, daß wenig außenhandelsintensive Staaten wie die VR China und der gesamte Ostblock eine immer größere Faszination auf die Entwicklungsländer ausüben, die zunächst große Hoffnungen auf den Außenhandel und die verstärkte Integration in die Weltwirtschaft setzten? Insbesondere nach dem geringen Erfolg der UNCTAD III in Santiago scheinen immer weniger Länder große oder gar euphorische Hoffnungen in die Außenhandelsentwicklung zu setzen. Daher ist es notwendiger denn je, wirkungsvolle Konzepte zu entwickeln. Dafür aber fehlen bisher die Initiativen. Deutschland hat mit Friedrich List einen der bedeutendsten Außenhandelstheoretiker und Politiker aufzuweisen. Warum eigentlich finden seine Schutzzollvorstellungen bei uns heute so wenig Widerhall? Warum werden sie nicht mit den modernen Integrationsansätzen kombiniert? Muß es denn immer Freihandel sein?« (*Wirtschaftsdienst,* Nr. 10, 1972, S. 505)

23 F. List, a.a.O., S. 156.

24 Vgl. zur Diskussion dieses Ansatzes die Beiträge in *Konflikte zwischen westeuropäischen Industriestaaten und Entwicklungsländern und deren friedliche Überwindung,* Deutsche Gesellschaft für Friedens- und Konfliktforschung, *Informationen* (Sonderheft), Schwerpunkt II, Bonn-Bad Godesberg 1974; sowie weiter unten S. 265 ff.

25 F. List, a.a.O., S. 146 und 191 ff.

26 Wiederum ist interessant zu sehen, wie Jahre später diese elementare Einsicht allmählich zurückgewonnen wird, so z. B. in einer Kritik am überkommenen Kapitalbegriff durch Hans Singer, in: *The Strategy of International Development,* London 1975, S. 22-42.

27 F. List, a.a.O., S. 164 und 179.

28 F. List, a.a.O., S. 159.

29 F. List, a.a.O., S. 144.

30 F. List, a.a.O., S. 46. Diese Beobachtung trifft sich mit der These von Corden, der schreibt: »Es ist durchaus möglich, daß die Protektion von echten *infant industries* die Wachstumsrate reduziert, obgleich der gesamte Lernprozeß oder die unsichtbare Kapitalschaffung deutlich zugenommen hat.« Wie Chenery betont hat (s. Anm. 17), wäre es leichtfertig, einen solchen Vorgang als unökonomisch oder ineffizient zu bezeichnen; es bedarf zu seiner Bewertung vielmehr einer langfristig angelegten dynamischen Entwicklungstheorie. Vgl. W. M. Corden, *Protection and Growth,* in: Luis Eugenio di Marco (Hrsg.): *International Economics and Development,* London 1972, S. 206.

31 F. List, a.a.O., S. 183.

32 Dieser Tatbestand wurde sehr deutlich von H. Kitamura, *Zur Theorie des internationalen Handels,* Weinfelden 1941, herausgearbeitet. Dort heißt es u. a.: »Wohl niemals in der Geschichte des modernen Kapitalismus sind die ökonomischen Beziehungen zwischen den Völkern auf dem Boden der Gleichheit geregelt worden; denn auch die allgemeine Geltung der Handelsfreiheit gewährleistet noch nicht einen äquivalenten Austausch. Wenn nämlich die Produktivkräfte in den verschiedenen Ländern nicht gleich weit entwickelt sind, so bedeutet formale Gleichheit und Freiheit im Gegenteil materielle Ungleichheit. Auch die liberalen Wirtschaftspolitiker haben durch ihr historisches Verhalten diesen Tatbestand der materiellen Ungleichheit bewußt oder unbewußt anerkannt. Der politische Ausgangspunkt der klassischen Theorie des Außenhandels war, trotz aller kosmopolitischen Einkleidungen, im Grunde genommen die nationale Einheit, auf deren Basis allein die Idee der englischen Kosmopolitik entstehen konnte. [. . .] Das Prinzip der Handelsfreiheit wurde nun tatsächlich von dem Lande mit überlegener Produktionstechnik proklamiert, um seinen Vorsprung beibehalten bzw. verstärken zu können. Der tiefste Grund hierfür lag darin, daß der freie Außenhandel keine Nivellierungstendenz in sich birgt und die Reichtumsdifferenz dadurch sogar vergrößert. Die als politische Forderung verstandene Freihandelstheorie suchte also gerade die bestehende Ungleichheit durchzusetzen und auszubauen. Ihr Ziel war die englische Suprematie, und wenn List an der Schule kritisierte, daß die letztere den nationalen Unterschied der Entwicklungsgrade nicht kenne, so war es weniger ein theoretischer Einwand als ein politisch bedingtes Argument im Kampf gegen diese Vormachtstellung. [. . .] Der Freihandel liegt in dieser Hinsicht auf der gleichen Ebene wie der Schutzzoll; die beiden sind nur verschiedene Waffen zur Erreichung eines und desselben Ziels: Stärkung der eigenen Kampfposition in der Konkurrenz« (ebenda, S. 250 ff.; diesen Hinweis verdanke ich W. Bärtschi, Berlin).

33 Zur Herausarbeitung dieser unterschiedlichen Interessenpositionen vgl. die historische Darstellung in der Einleitung zu Friedrich List, *Das natürliche System der politischen Ökonomie,* Berlin 1961, die von Günter Fabiunke aus nicht weniger interessenbezogener Sicht formuliert worden ist.

34 F. List, a.a.O. (Anm. 10), S. 42, 159/160, 164-166, 177, 179, 184-187, 216, 218, 239, 240 ff., 258.

35 Vgl. jüngst Celso Furtado, *El mito del desarrollo y el futuro del Tercer Mondo,* in: *El Trimestre Económico,* Bd. 41, 1974, Nr. 162, April/Juni, S. 407-416.

36 Man vergleiche in diesem Zusammenhang mit Lists Entwicklungs- und Außenwirtschaftstheorie die nicht unrepräsentative Aussage eines Wirtschaftspolitikers aus der DrittenWelt, des kolumbianischen Finanzministers Florentino González, in dessen Jahresbericht 1947 stand: »In einem an Naturschätzen und landwirtschaftlichen Erzeugnissen reichen Land [. . .] darf die Industrie nicht durch Gesetze

gefördert werden, welche die Bürger von den ergiebigeren Tätigkeiten in Land- und Viehwirtschaft ablenken. Europa erfüllt mit seiner intelligenten und in Manufakturen erfahrenen Bevölkerung seine Sendung, indem es Rohstoffe verarbeitet. Wenn wir bedenken, wie überreichlich wir von der Vorsehung mit natürlichen Reichtümern ausgestattet wurden, kann kein Zweifel über unsere Sendung bestehen: Wir müssen Europa Rohstoffe anbieten und unsere Länder seinen Manufakturwaren öffnen. So erleichtern wir den Austausch und verschaffen den Konsumenten preiswerte Industriewaren.« (Zitiert nach Hermann Josef Mohr, *Entwicklungsstrategien in Lateinamerika*, Bensheim 1975, S. 226.)

Dies heißt nicht, daß eine totale Interessenharmonie zwischen den herrschenden Eliten in den Metropolen und denjenigen der Peripherien zu unterstellen wäre; natürlich gibt es entsprechende Kollisionen und eine Auseinandersetzung um den relativen Anteil am erwirtschafteten Surplusprodukt, doch ist die Situation keine antagonistische. Vgl. zu dieser Problematik neuerdings Lothar Brock, *Entwicklungsnationalismus und Kompradorenpolitik*, Meisenheim 1975.

37 Hierzu weiter unten S. 283 ff.

38 Hierzu weiter unten S. 206 ff.

*Anmerkungen zu: Japans dissoziativ-kapitalistische Entwicklung*

1 Zur ideologischen Rolle der Modernisierungschule, insoweit sie sich mit Japan beschäftigte, vgl. den ausführlichen Essay von John W. Dower, *E. H. Norman, Japan and the Uses of History*, in: *Origins of the Modern Japanese State. Selected Writings of E. H. Norman*, hrsg. von John W. Dower, New York 1975, S. 3-102. In vorzüglicher Weise hat Dower den Stellenwert der modernisierungstheoretisch orientierten Japanologie der USA innerhalb des Aufbaus einer Kalten Kriegs-Ideologie aufgezeigt. Trotz dieser Funktionalisierung und, davon ableitbar, ideologischen Einengung vieler Modernisierungsstudien, hat auch diese wissenschaftliche Produktion eine Reihe von eindrucksvollen Monographien hervorgebracht, deren Datenreichtum erheblich ist, selbst wenn man der Gesamtinterpretation gegenüber skeptisch zu sein hat. Dies gilt insbesondere hinsichtlich der später mehrfach zitierten Studien von William Lockwood. Zur Auseinandersetzung damit siehe Wolfgang Seifert, *Die Ideologie des völkischen Nationalismus im Nachkriegs-Japan*, Dissertation im Fachbereich Gesellschaftswissenschaften der Universität Frankfurt, Frankfurt 1974, Kapitel I.

2 Vgl. u. a. Johannes Hirschmeier, *Shibusawa Eiichi. Industrial Pioneer*, in: William Lockwood (Hrsg.), *The State and Economic Enterprise in Japan. Essays in the Political Economy of Growth*, Princeton 1965, S. 209-248. Vgl. auch Johannes Hirschmeier und Tsunehiko Yui, *The Development of Japanese Business 1600-1973*, Cambridge 1975.

3 Zum gegenwärtigen Stand dieser Diskussion siehe Johan Galtung u. a., *Measuring World Development*, in: *Alternatives. A Journal of World Policy*, Teil I in Bd. 1, Heft 1, März 1975, S. 131-158; Teil II in Heft 4, Dezember 1975, S. 523-555.

4 Vgl. hierzu Dieter Senghaas (Hrsg.), *Peripherer Kapitalismus. Analysen über Abhängigkeit und Unterentwicklung*, Frankfurt 1974, sowie Dieter Senghaas und Ulrich Menzel (Hrsg.), *Multinationale Firmen und Dritte Welt*, Wiesbaden 1976, sowie oben S. 33 ff.

5 Siehe ebenda.

6 Zur Entwicklung Japans insgesamt vgl. die beiden vorzüglich edierten Readers, *The Japan Reader*, Band 1 und Band 2, hrsg. v. Jon Livingston, Joe Moore und Felicia Oldfather, New York 1973, im folgenden zitiert als *Reader I* und *Reader II*, sowie im allgemeinen John Hall, *Das japanische Kaiserreich*, Frankfurt 1968, und vom selben Autor *Aspects of Japanese Economic Development*, in: John Hall und Richard Beardsley (Hrsg.), *Twelve Doors to Japan*, New York 1965, S. 538-588.

7 Zur Soziologie der japanischen Gesellschaft siehe u. a. die Studie von E. H. Norman, *Japan's Emergence as a Modern State*. Dieses bedeutende frühe Werk über Japan wurde 1940 zum erstenmal publiziert und findet sich nunmehr wiederabgedruckt in dem Band mit ausgewählten Werken von E. H. Norman, der in Anm. 1 zitiert wurde.

8 Noch heute kennt die japanische Gesellschaft eine im Ausland wenig wahrgenommene Sozialschicht von »Unberührbaren«, die Burakumins. Vgl. hierzu den *Pogrom-Report*, Nr. 12, hrsg. von der Gesellschaft für bedrohte Völker, Hamburg 1974.

9 Vgl. hierzu die Studie von E. Sydney Crawcour, *The Tokugawa Heritage*, in: Lockwood (Hrsg.), a.a.O. (Anm. 2), S. 17-44.

10 Vgl. zusammenfassend die Studie von Hall, a.a.O. (Anm. 6).

11 Vgl. die zeitgenössischen Berichte in *Reader I*, a.a.O. (Anm. 6), S. 83 ff. Sowie Everett Hagan, *On the Theory of Social Change*, Homewood 1962, S. 343 ff.

12 Karl Marx, *Über China und Indien*, in: *Politische Schriften*, Stuttgart 1960, Band 1, S. 539.

13 Vgl. T. C. Smith, *Japan's Aristocratic Revolution*, in: *Yale Review*, Bd. 50, Nr. 3, 1961; wiederabgedruckt in: *Reader I*, a.a.O. (Anm. 6), S. 91-101.

14 Auf diesen Tatbestand verweist Masao Maruyama, *Kaikoku – Öffnung des Landes. Japans Modernisierung*, in: *Saeculum*, Bd. 18, Heft 1-2, 1967, S. 116-145.

15 Hier ist insbesondere das Werk von E. H. Norman (Anm. 1) zu nennen.

16 Vgl. zur Interpretation der Restaurations-Bewegung den brillanten Essay über Japan von Barrington Moore, *Soziale Ursprünge von Diktatur und Demokratie*, Frankfurt 1974, Kapitel V (»Asiatischer Faschismus: Japan«), sowie Helmut Bley, *Zusammenhänge zwischen Industrialisierung und Revolution, erläutert am Beispiel der Entwicklung in Japan und China*, in: *Ansichten einer künftigen Geschichtswissenschaft* (Nr. 2 Revolution), München 1974, S. 150-175.

17 Ebenda; sowie die Studie von Norman.

18 Vgl. hierzu die Studien in *Reader I*, a.a.O. (Anm. 6), Teil II (»Meiji-Japan – Foundations for Empire: 1868-1890«).

19 Vgl. hierzu Norman, a.a.O. (Anm. 1), passim.

20 Vgl. unter den Studien, die nach 1945 erschienen sind, insbesondere die vorzügliche Arbeit von William Lockwood, *The Economic Development of Japan. Growth und Structural Change*, Princeton 1968 (2. Aufl.), hier besonders Kapitel X.

21 Vgl. Chitoshi Yanaga, *Big Business in Japanese Politics*, New Haven und London 1968.

22 Vgl. Moore, a.a.O. (Anm. 16) sowie Paul Baran, *Politische Ökonomie des wirtschaftlichen Wachstums*, Neuwied 1966, S. 249-266.

23 Zum Begriff der Lumpenbourgeoisie vgl. André Gunder Frank, *Lumpenbourgeoisie – Lumpendevelopment*, New York 1972.

24 Vgl. u. a. die Studien, die in dem in Anm. 4 zitierten Band enthalten sind, sowie Samir Amin, *Die ungleiche Entwicklung. Essay über periphere Gesellschaftsformationen*, Hamburg 1975.

25 Um nur ein Beispiel zu zitieren: am Falle Brasiliens hat diese Verschuldung

sehr deutlich herausgearbeitet Miguel Arraes, *Brazil. The People and the Power*, Harmondsworth 1972, Kapitel I. Vgl. auch im vorliegenden Band. S. 123 ff.

26 Norman, a.a.O. (Anm. 1), S. 232/233. Zur allgemeinen These vgl. auch die frühe Studie von Walther Hoffmann, *Stadien und Typen der Industrialisierung. Ein Beitrag zur quantitativen Analyse historischer Wirtschaftsprozesse*, Jena 1931.

27 Norman, a.a.O. (Anm. 1), S. 234.

28 Ebenda.

29 Jon Halliday, *A Political History of Japanese Capitalism*, New York 1975.

30 Vgl. T. C. Smith, *Political Change and Industrial Development in Japan*, Stanford 1955, S. 25-35, wiederabgedruckt in *Reader I*, a.a.O. (Anm. 6), S. 108 ff.

31 Ebenda, S. 111.

32 Lockwood, a.a.O. (Anm. 20), S. 111; sowie Sung-Jo Park, *Die Wirtschaft [Japans] seit 1868*, in: Horst Hammitzsch (Hrsg.), *Japan*, Nürnberg 1975, S. 123-144, passim.

33 Ebenda, S. 198/199.

In einer neuen Studie wird die Rolle der herkömmlichen Kleingewerbezweige folgendermaßen beschrieben: »In Japan konnten sich die typischen kleinen Gewerbebetriebe eines Agrarstaates auch in der Epoche der Industrialisierung halten. Sie trugen sogar wesentlich zum Aufbau bei. Ohne ihre kleinbetriebliche Produktionsform aufzugeben und ohne nennenswerte Kapitalinvestitionen setzten sie auch während der Meiji-Zeit ihre Produktion fort. Sie brachten den dynamischen Prozeß der Kapitalbildung innerhalb des traditionellen Gewerbes in Gang und trugen dazu bei, Japans Ressourcen intensiver zu nutzen und die als latenter Bevölkerungsüberschuß vorhandenen Arbeitskräfte produktiv am Aufbau zu beteiligen. Der Beitrag, den Kleinbetriebe für die Entwicklung leisteten, läßt sich nach folgenden Gesichtspunkten gliedern:

a) Dank der Einnahmen aus dörflichen Nebengewerben vermochte die Landbevölkerung die hohen Grundsteuern aufzubringen.
b) Die versteckten Arbeitslosen oder die unterbeschäftigten Familienmitglieder auf dem Lande fanden Tätigkeit und Verdienst im herkömmlichen Kleinbetriebssektor.
c) Die von den traditionellen Kleinbetrieben hergestellten Konsumwaren deckten den Inlandsbedarf und wehrten den Strom der Importwaren ab.
d) Durch Export trugen Kleinbetriebe wesentlich zur Beschaffung von Devisen bei.
e) Dank ihrer billigen Produktionsweise begünstigten sie als Zuliefererbetriebe den Aufbau der modernen Großindustrie.«

Aus: Annelotte Piper, *Japans Weg von der Feudalgesellschaft zum Industriestaat. Wandlungsimpulse und wirtschaftliche Entwicklungsprozesse in ihrer politischen, geistigen und gesellschaftlichen Verankerung*, Köln 1976, S. 135.

34 Ebenda, S. 213.

35 Ebenda, S. 247.

36 Ebenda, S. 213/214.

37 David Landes, *Japan and Europe. Contrasts in Industrialization*, in: Lockwood (Hrsg.), a.a.O. (Anm. 2), S. 93-182, Zitat S. 114.

38 Kazushi Ohkawa und Henry Rosovsky, *A Century of Japanese Economic Growth*, in: Lockwood (Hrsg.), a.a.O. (Anm. 2), S. 47-92, Zitat S. 71.

39 Ebenda, S. 74. Vgl. auch Kazushi Ohkawa und Henry Rosovsky, *Japanese Economic Growth*, Stanford 1974; sowie Gustav Ranis, *Die Finanzierung der wirtschaftlichen Entwicklung Japans*, in: Rudolf Braun u. a. (Hrsg.), *Industrielle Revolution*, Köln und Berlin 1972, S. 237-252.

40 Alan Gleason, *Economic Growth and Consumption in Japan,* in: Lockwood (Hrsg.), a.a.O. (Anm. 2), S. 391-444.

41 Vgl. auch die Studie von Shujiro Sawada, *Innovation in Japanese Agriculture, 1880-1935,* in: Lockwood (Hrsg.), a.a.O. (Anm. 2), S. 325-352; sowie Ranis, a.a.O. (Anm. 39).

42 Vgl. insbesondere die in Anm. 29 zitierte Studie von Halliday, jedoch auch die Studie von Norman (Anm. 1), und Lockwood (Anm. 20).

43 Lockwood, a.a.O. (Anm. 20), S. 282.

44 Zur Theorie von Marginalität und Marginalisierung vgl. Aníbal Quijano, *Marginaler Pol der Wirtschaft und marginalisierte Arbeitskraft,* in: Senghaas (Hrsg.), a.a.O. (Anm. 4), S. 298-341.

45 Obwohl das folgende Zitat sich auf eine spätere Phase der japanischen Entwicklung, in etwa seit der Mitte der zwanziger Jahre dieses Jahrhunderts bezieht, ist Lockwoods Beobachtung um so bemerkenswerter, als er gerade auch für diese Phase die Rückkoppelung der weltmarktorientierten Aktivitäten auf eine binnenmarktorientierte Entwicklungsdynamik für essentiell hält. In früheren Jahrzehnten war der Anteil des Exports gesamtwirtschaftlich und auch in einzelnen Branchen, mit wenigen zitierten Ausnahmen, weit geringer. Um so mehr muß Lockwoods Beobachtung auch auf diese Jahrzehnte zutreffen.

46 Lockwood, a.a.O. (Anm. 20), S. 104/105.

47 Vgl. hierzu Lockwood, a.a.O. (Anm. 20), Kapitel 6 und 7.

48 Ebenda, S. 188. Zum Technologie-Anpassungsprozeß siehe Gustav Ranis, *Industrial Sector Labor Absorption,* in: *Economic Development and Cultural Change,* Bd. 21, 1972/73, S. 387-408, insbesondere S. 397 ff.

49 Ebenda, S. 352.

50 Als aufschlußreiche Fallstudie vgl. in diesem Zusammenhang Clifford Geertz, *Java and Japan Compared,* in: Henry Bernstein (Hrsg.), *Underdevelopment and Development,* Harmondsworth 1973, S. 44-56. »Wo die japanische Agrikultur komplementär auf eine expandierende Manufaktur in eigenen Händen bezogen war, wurde die Agrikultur Javas komplementär auf eine expandierende Agro-Industrie-Struktur unter ausländischem Management bezogen. In dem Maße, in dem die Arbeitsproduktivität in dem kapitalintensiven Sektor Japans zunahm, nahm sie auch im arbeitsintensiven Sektor zu. In dem Maße, in dem sie im kapitalintensiven Sektor Javas zunahm, blieb sie ungefähr konstant im arbeitsintensiven Sektor dieses Landes. In Japan unterstützte der ländliche Sektor den industriellen während dreier Dekaden der Entwicklung des industriellen Sektors vermittels einer extremen Landbesteuerung. In Java unterstützte der ländliche Sektor den industriellen durch unterbewertete Arbeitskraft und Landnutzung. In Japan unterstützte der industrielle Sektor, nachdem er einmal in Bewegung geriet, den ländlichen durch billige kommerzielle Dünger, effektivere landwirtschaftliche Geräte, durch die Unterstützung technischer Erziehung und von Rodungsarbeiten, und schließlich nach dem Ersten Weltkrieg durch eine einfache Mechanisierung, aber auch durch die Expansion des Marktes für landwirtschaftliche Produkte aller Arten. In Java wurde ein Großteil der kraftvollen Effekte eines florierenden agro-industriellen Sektors auf Holland übertragen, und die Folgen für den Bauernsektor waren auslaugend. Die dynamische Interaktion zwischen den beiden Sektoren, welche Japan in Bewegung hielten und es letztlich in eine Phase eines sich selbst tragenden Wachstums hineinmanövrierten, waren im Falle Javas abwesend. Japan hatte eine integrierte Ökonomie und es erhielt diese aufrecht; Java hatte ebenfalls eine integrierte Ökonomie und verlor diese« (ebd., S. 47/48).

Vgl. auch André Gunder Frank, *On Capitalist Underdevelopment*, Bombay 1975, S. 5 ff.

51 Ebenda, S. 369.

52 Ebenda, S. 377.

53 Vgl. die Studie von T. A. Bisson, *Japan as a Political Organism*, in: *Pacific Affairs*, Dezember 1944, wiederabgedruckt in *Reader I*, a.a.O. (Anm. 6), S. 342 ff.; sowie Peter Weber-Schäfer, *Demokratie in Japan. Historische Belastungen des Parlamentarismus in einer asiatischen Gesellschaft*, in: *Aus Politik und Zeitgeschehen.* Beilage zu DAS PARLAMENT, B 14/72, 1. April 1972.

54 Norman, a.a.O. (Anm. 1).

55 Halliday, a.a.O. (Anm. 29).

56 Masao Maruyama, *Thought and Behavior in Modern Japanese Politics*, London 1969, bes. Kapitel 2 und 5.

57 Engpässe, in die sich die Modernisierungsforschung über Japan hineinmanövriert hat, weil sie bar jeder Klassenanalyse ist, sollen offensichtlich neuerdings unter dem Etikett »Pathologie des Wachstums« behoben werden. Siehe hierzu den in Anm. 1 zitierten Essay von Dower, a.a.O., S. 80 ff.

58 Zur Gegenwartsproblematik vgl. Heide und Udo Simonis (Hrsg.), *Japan. Wirtschaftswachstum und soziale Wohlfahrt. Studien zur sozialökonomischen Entwicklung*, Frankfurt 1974; sowie Ikutaro Shimizu und Yoshiro Tamanoi (Hrsg.), *Gesellschaft Japans*, Opladen 1976.

59 Vgl. hierzu die Studien in *Reader II*, a.a.O. (Anm. 6), Teil I.

60 Die Herausbildung dieses Binnenmarktes wurde wesentlich durch das *geringe Ausmaß an Analphabetismus* beschleunigt, ebenfalls durch die relativ *hohe Klassenmobilität*, die in der Umgestaltungsphase nach 1868 zu beobachten war, wobei die damals aufgebauten Staatsuniversitäten die Funktion hatten, die verfügbaren Intelligenzressourcen der japanischen Gesellschaft, ungeachtet des sozialen Status, zu selektieren. Diesen Hinweis verdanke ich Professor Ouchi von der ökonomischen Fakultät der Universität Tokio (Tokio, September 1975).

61 Ich sage »leidlich« und »letztes Beispiel«, da eine genauere diesbezügliche Untersuchung des Entwicklungsweges Australiens und Neuseelands noch aussteht. Vgl. zum ersteren jetzt E. L. Wheelwright und Ken Buckley (Hrsg.), *Essays in the Political Economy of Australian Capitalism*, Brookvale 1975.

62 Leo Goodstadt, *Chinese Economic Growth – The Japanese Model*, in: *Pacific Community. An Asian Quarterly Review*, Januar 1975, S. 234-258.

63 Ebenda, S. 242.

64 Vgl. im vorliegenden Band den Essay über »Friedrich List und die Neue internationale Wirtschaftsordnung«, S. 75 ff.; sowie allgemein jetzt André Gunder Frank, *Über die Begrenzung des Binnenmarktes durch die internationale Arbeitsteilung und die Produktionsverhältnisse*, in: Klaus Jürgen Gantzel (Hrsg.), *Herrschaft und Befreiung in der Weltgesellschaft*, Frankfurt 1975, S. 161-211, eine grundlegende Studie zur prinzipiellen Problematik einer binnenmarktorientierten Entwicklungsdynamik oder einer in erster Linie weltmarkt-integrativen/exportorientierten.

65 In der in Anm. 33 zitierten, nach Drucklegung des vorliegenden Buches erschienenen Studie von Annelotte Piper über den japanischen Entwicklungsprozeß seit der Mitte des vergangenen Jahrhunderts bis ungefähr 1910 nennt die Autorin einige zentrale Faktoren des frühen japanischen Entwicklungsweges, die hier zitiert werden sollen: »1. Man versuchte, aus eigener Kraft und mit eigenen Mitteln aufzubauen. 2. Man nahm ausländische Hilfe nur dort in Anspruch, wo es unumgänglich war. 3. Die aus dem Ausland gekauften technischen Anlagen und Erzeug-

nisse benutzte man nicht zum Produzieren, sondern als Lehrobjekte. 4. Man berief zwar zahlreiche ausländische Fachleute als Berater, aber das Bakufu bzw. die Daimyo und ihre leitenden Samurai behielten Initiative und Leitung in ihrer Hand. 5. Man konzentrierte die eigenen Kräfte auf einige Schlüsselindustrien, die als Brückenköpfe für die weitere Entwicklung dienten.« Aus: Annelotte Piper, a.a.O. (Anm. 33), S. 66.

Die Autorin hält die anfänglich von ihr vertretene Hypothese, Japan könne als Modellfall für andere Entwicklungsländer dienen, für hinfällig. »Ein Wandel, der von den spezifischen Bedingungen einer bestimmten Gesellschaft in einer bestimmten Epoche abhängt, ist singulär und unübertragbar.« (S. 9) Wie ich in dem Kapitel über Friedrich List, in der vorliegenden Studie über Japan und in der nachfolgenden über Brasilien darzustellen versuche, lassen sich sehr wohl über singuläre Aspekte hinausgehend allgemeinere Aussagen formulieren. Dabei ist weniger die modernisierungstheoretische Akkulturationstheorie hilfreich als die Theorie des metropolitanen und des peripheren Kapitalismus, die die unterschiedliche Akkumulationsdynamik von metropolitanen und Peripherie-Ökonomien aufzuzeigen vermag. Sicherlich hat es nicht überall in der heutigen Dritten Welt eine Japan vergleichbare »solide handwerkliche Tradition«, eine »patriotisch eingestellte Elite«, ein sozial durchlässiges Erziehungssystem, ein progressiv eingestelltes ländliches Unternehmertum und eine Entwicklung von unten gegeben – Merkmale, die die Autorin als besonders akkulturationsförderlich bezeichnet; dennoch kann kein Zweifel daran bestehen, daß ähnliche Faktoren in anderen Gesellschaften der Dritten Welt vorhanden waren, die aufgrund der Herausbildung struktureller Abhängigkeit untergraben und ausgelöscht wurden. Japans relativ erfolgreiche Binnenmarktentwicklung und die verkrüppelte Entwicklung in den Peripherie-Ökonomien der Dritten Welt sind nicht ohne eine Reflexion auf diese unterschiedlichen Rahmenparameter zu begreifen. Vgl. hierzu nochmals den in Anm. 50 zitierten Vergleich zwischen Japan und Java von C. Geertz.

*Anmerkungen zu: Brasiliens assoziativ-kapitalistische Entwicklung*

1 Hinsichtlich der Variabilität von peripheren Gesellschaftsformationen allein in Lateinamerika siehe die Studie von Klaus Eßer, *Industrialisierungsstufen und Ländergruppen in Lateinamerika. Ein Aspekt des Differenzierungsprozesses zwischen den Entwicklungsländern*, Berlin 1975. Trotz derartig vorliegender Differenzierungen im einzelnen haben periphere Gesellschaftsformationen gemeinsame Merkmale, was eine Theorie des peripheren Kapitalismus und peripherer Gesellschaftsformationen überhaupt erst ermöglicht. Vgl. u. a. hierzu Samir Amin, *Die ungleiche Entwicklung*, Hamburg 1975.

2 Hinsichtlich dieses Eingliederungsprozesses im Falle Lateinamerikas und seiner Auswirkungen auf die lokalen Gesellschaften vgl. die klassische Studie von Celso Furtado, *Economic Development of Latin America. A Survey from Colonial Times to the Cuban Revolution*, Cambridge 1970. Siehe auch Stanley Stein und Barbara Stein, *The Colonial Heritage of Latin America. Essays on Economic Dependence in Perspective*, New York 1970. Hinsichtlich der Resultate dieser Eingliederung vgl. Ignacio Sotelo, *Soziologie Lateinamerikas*, Stuttgart 1973.

3 Die Brasilien-Literatur ist kaum noch überschaubar; doch seien folgende Längsschnittanalysen hervorgehoben: Celso Furtado, *The Economic Growth of Brazil. A Survey from Colonial to Modern Times*, Berkeley und Los Angeles 1968;

André Gunder Frank, *Kapitalismus und Unterentwicklung in Lateinamerika*, Frankfurt 1968, hier insbesondere Kapitel III; Vamireh Chacon, *Kultur und Entwicklung in Brasilien. Von der Monokultur zur Industrialisierung*, Dortmund 1970; Miguel Arraes, *Brazil. The People and the Power*, Harmondsworth 1972. Vgl. auch die einschlägigen Beiträge in Band 7 der *Fischer-Länderkunde über Lateinamerika*, herausgegeben und verfaßt von Gerhard Sandner und Hanns-Albert Steger, Frankfurt 1973, insbesondere Kapitel XI. Jetzt auch Manfred Wöhlcke und Franz Nuscheler, *Brasilien*, in: Dieter Nohlen und Franz Nuscheler (Hrsg.), *Handbuch der Dritten Welt*, Bd. 3, Hamburg 1976, S. 76-103, Literaturangaben dort S. 574-576.

4 Zur Literatur über diese Etappe vgl. die in Anmerkung 3 zitierten Monographien sowie die klassische Studie von Gilberto Freyre, *Herrenhaus und Sklavenhütte*, Köln und Berlin 1965.

5 Eine vorzügliche sozial- und wirtschaftsgeschichtliche Studie über die in diesem Abschnitt angesprochenen Probleme ist Richard Graham, *Britain and the Onset of Modernization in Brazil 1850-1914*, Cambridge 1972. Hinsichtlich der kulturellen Integration der lateinamerikanischen Komprador-Eliten in die Kultur der Metropolen (Brückenkopf-Theorem) siehe jetzt auch Thomas Hurtienne, *Zur Ideologiekritik der lateinamerikanischen Theorien der Unterentwicklung und Abhängigkeit*, in: *Probleme des Klassenkampfes*, Heft 14/15, 1974, S. 213-282, insbes. S. 225 ff. und 230 ff.

6 Vgl. hierzu Arraes, a.a.O. (Anm. 3), S. 31 ff.

7 Ebenda, S. 42 ff.

8 Zu dieser Phase siehe insbesondere Celso Furtado, *Diagnosis of the Brazilian Crisis*, Berkeley und Los Angeles 1965, besonders Teil II; Celso Furtado, *Obstacles to Development in Latin America*, New York 1970, hier insbesondere Teil II und Teil III; sowie C. M. Tavares, *The Growth and Decline of Import-Substitution in Brazil*, in: *Economic Bulletin for Latin America*, Bd. 9, Nr. 1, 1964. Über die Stufen der Importsubstitutions-Industrialisierung siehe Albert Fishlow, *Origins and Consequences of Import Substitution in Brazil*, in: Luis Eugenio di Marco (Hrsg.), *International Economics and Development*, London 1972, S. 311-365. Studien, die insbesondere auch die Entwicklung politischer Systemprozesse während der ersten Importsubstitutions-Phase nach 1930 untersuchen, sind Thomas Skidmore, *Politics in Brazil 1930-1964. An Experiment in Democracy*, London 1967; Philippe Schmitter, *Interest Conflict and Political Change in Brazil*, Stanford 1971; Hans Füchtner, *Die brasilianischen Arbeitergewerkschaften, ihre Organisation und ihre politische Funktion*, Frankfurt 1972; Celso Furtado (Hrsg.), *Brasilien heute*, Frankfurt 1971; sowie die Beiträge in John Saunders (Hrsg.), *Modern Brazil. New Patterns and Development*, Gainesville 1971. Vgl. Gerhard Brunn, *Die Revolution von 1930 als Ausgangspunkt konservativer Modernisierung in Brasilien*, in: *Geschichte und Gesellschaft*, Jg. 2, Nr. 2, S. 217-233.

9 Vgl. zu den folgenden Daten Celso Furtado, *Obstacles to Development in Latin America*, a.a.O., (Anm. 8), S. 144 ff.

10 Zum Agrarsektor und seiner Entwicklung vgl. Ernest Feder, *Agrarstruktur und Unterentwicklung in Lateinamerika*, Frankfurt 1973, sowie Ernest Feder (Hrsg.), *Gewalt und Ausbeutung. Lateinamerikas Landwirtschaft*, Hamburg 1973. In beiden Bänden finden sich detaillierte Angaben über Brasilien.

11 Vgl. hierzu Fernando Henrique Cardoso, *Ideologías de la burguesía industrial en sociedades dependientes*, Mexiko 1971.

12 Vgl. hierzu die in Anm. 8 zitierten Studien von Celso Furtado.

13 Dabei ist interessant zu beobachten, daß im Falle Brasiliens schon relativ früh begonnen wird, eine Kapitalgüterindustrie aufzubauen. Trotz dieser Bemühungen hat sich die technologische Abhängigkeit von den Metropolen nicht gelockert, sondern vertieft. Vgl. Nathaniel Leff, *The Brazilian Capital Goods Industry 1929-1964*, Cambridge 1968.

14 Vgl. zur Problematik Frank Ackerman, *Industry and Imperialism in Brazil*, in: *Review of Radical Political Economics*, Bd. 3, Nr. 1, 1973, S. 1-39. Zur theoretischen Problematik siehe oben S. 37 ff.

15 Daß es sich hierbei nicht nur um eine brasilianische Erscheinung handelt, versteht sich von selbst. Vgl. hinsichtlich diverser Erfahrungen in Lateinamerika José Serra (Hrsg.), *Desarrollo latinoaméricano. Ensayos críticos*, Mexiko 1974.

16 Vgl. hierzu die in Anm. 8 zitierten Studien von Celso Furtado.

17 Arraes, a.a.O. (Anm. 8), S. 66/67.

18 Vgl. hierzu André Fernandes, *Le passage d'un nouveau mode d'accumulation au Brésil: les racines de la crise de 1964*, in: *Critiques de l'économie politique*, Nr. 16-17, 1974, S. 141-172.

19 Zum brasilianischen Entwicklungsmodell vgl. Manfred Wöhlcke, *Das brasilianische Modell. Ein Diskussionsbeitrag zur wirtschaftlichen, politischen und sozialen Entwicklung Brasiliens seit 1964*, München 1975; Manfred Wöhlcke, *Das brasilianische Modell unter dem Aspekt struktureller Abhängigkeit*, in: *Dritte Welt*, Band 3, Nr. 3/4, 1974, S. 287-309; Manfred Nitsch, *Brasilien. Sozioökonomische und innenpolitische Aspekte des brasilianischen Entwicklungsmodelles*, Ebenhausen bei München 1975 (Publikation der Stiftung Wissenschaft und Politik); Alfred Stepan (Hrsg.), *Authoritarian Brazil. Origins, Policies, and Future*, New York und London 1973; sowie Jon Rosenbaum und William Tyler (Hrsg.), *Contemporary Brazil. Issues in Economic and Political Development*, New York 1972. Von grundlegender Bedeutung für eine Gesamtinterpretation sind die Studien von Fernando Henrique Cardoso: *Associated-Dependent Development. Theoretical and Practical Implications*, in: Alfred Stepan (Hrsg.), a.a.O., S. 142-176, sowie *Las contradicciones del desarrollo associado*, in: *Desarrollo Económico*, Bd. 14, 1974 (Nr. 53), S. 3-32 (jetzt deutsch unter dem Titel *Brasilien: Die Widersprüche der assoziierten Entwicklung*, in: *Lateinamerika. Faschismus oder Revolution*, hrsg. v. Heinz Rudolf Sonntag, Berlin 1974, S. 32-62).

20 Zur Strukturanalyse der brasilianischen Ökonomie vgl. insbesondere die Studien von M. C. Tavares und J. Serra, *Mas alla del estancamiento. Una discusión sobre el estilo de desarrollo reciente en Brasil*, in: *Revista Latinoaméricana de Ciencias Sociales*, Nr. 3, 1971, S. 2-38; José Serra, *El milagro económico brasileño, realidad o mito?*, in: *Revista Latinoaméricana de Ciencias Sociales*, Nr. 3, 1972, S. 171-215; Francisco Oliveira, *La economía brasileña: Critica a la razon dualista*, in: *El Trimestre Económico*, Bd. 40, Heft 2, 1973, Nr. 158, S. 411-484; Luiz Carlos Bresser Pereira, *El nuevo modelo brasileño de desarrollo*, in: *Desarrollo Económico*, Bd. 14, Nr. 55, 1974, S. 569-588. Vgl. dazu auch den Bericht von Romeo Rey, *Eingeklemmt zwischen dem Staat und den Multis*, in: *Frankfurter Rundschau* vom 21. 11. 1974. Siehe auch Ferdinand Sandaglia und Hubertus Rescher, *Aspekte der brasilianischen Entwicklung seit 1964*, in: *Blätter für deutsche und internationale Politik*, Bd. 21, 1976, S. 438-451. Neuere Angaben finden sich jetzt in William Tyler, *Manufactured Export Expansion and Industrialization in Brazil*, Tübingen 1976, S. 47 ff., und Manfred Nitsch, *Das brasilianische Modell: Ende eines Wirtschaftswunders?*, in: *Aus Politik und Zeitgeschichte. Beilage zur Wochenzeitung* DAS PARLAMENT, Nr. 35/36, 1976, (28. 8. 1976), S. 14-26.

21 Vgl. hierzu Fernando Henrique Cardoso, *El régimen politico brasileño*, in: *Aportes*, Nr. 25, Juli 1972, S. 7-30, sowie José Meireles, *Notes sur le rôle de l'état dans le développement du capitalisme industriel au Brésil*, in: *Critiques de l'économie politique*, Nr. 16/17, 1974, S. 91-123.

22 Siehe hierzu Celso Furtado, *The Brazilian Model*, in: *Social and Economic Studies*, Bd. 22, Nr. 1, 1973, S. 122-131; sowie jetzt vom selben Autor *Analyse du ›modèle‹ brésilien*, Paris 1974.

23 Vgl. hierzu die Beiträge in der Sondernummer von *Critiques de l'économie politique*, Nr. 16/17, Paris 1974.

24 Vgl. hierzu Paul Israel Singer, *El milagro brasileño: Causas y consecuencias*, in: *El Trimestre Económico*, Bd. 40, Heft 4, 1973, Nr. 160, S. 753-819; sowie Ruy Mauro Marini, *Subdesarrollo y revolución*, Mexiko 1975[4].

25 Vgl. André Fernandes, *Dictature militaire et nouvelles formes d'accumulation/distribution*, in: *Critiques de l'économie politique*, Nr. 16/17, 1974, S. 260-278; Peter Evans, *The Military, the Multinationals and the Miracle. The Political Economy of the Brazilian Model of Development*, in: *Studies in Comparative International Development*, Bd. 9, 1974, Nr. 3, S. 26-45, sowie die Beiträge in Alfred Stepan, a.a.O. (Anm. 19). Vgl. auch Bernhard Moltmann, *Militär in Brasilien: Von Interventionen zum technokratischen Militarismus*, in: I. Sotelo, K. Eßer und B. Moltmann, *Die bewaffneten Technokraten. Militär und Politik in Lateinamerika*, Hannover 1975. Tyler (vgl. Anmerkung 20) nennt die brasilianische Regierung »konterrevolutionär« und trifft damit ihre wirkliche Funktion (S. 64/65).

26 Vgl. Marcio Alves, *Brasilien. Rechtsdiktator zwischen Armut und Revolution*, Hamburg 1972, sowie *La violence militaire au Brésil*, Paris 1971.

27 Vgl. hierzu den Artikel von Fernando Pedreira, *Decompression in Brazil?*, in: *Foreign Affairs*, April 1975, S. 498-512; *Le Monde* vom 4./5. April 1976.

28 Vgl. hierzu u. a. *Freiheit via Einbahnstraße*, in: *Süddeutsche Zeitung* vom 11. 8. 1975 (abgedruckt in BMZ-*Spiegel der Presse*, Bd. 1975, S. 718 ff.); sowie allgemein jetzt Helio Jaguaribe, *Algunos comentarios sobre la situación política brasileña*, in: *Nueva Sociedad*, Nr. 23, März-April, 1976, S. 18-24.

29 Vgl. zu den deutschen Auslandsinvestitionen und die Bedeutung Brasiliens für einzelne Branchen M. Holthus (Hrsg.), *Die deutschen multinationalen Unternehmen*, Frankfurt 1974.

30 Dem kommt insbesondere die sogenannte kosmopolitische Orientierung der brasilianischen Führungsschicht zugute, die zum Teil der ideologische Reflex der Internationalisierung der brasilianischen Ökonomie darstellt. Vgl. hierzu Manfred Nitsch, a.a.O. (Anm. 19), sowie Wolf Grabendorff, *Zur Außenpolitik Brasiliens. Regionale Bestimmungsfaktoren und globale Zielvorstellungen*, Ebenhausen bei München 1975 (Publikation der Stiftung Wissenschaft und Politik).

31 Dies ist ein gewisser Grundton in dem *Brasilien-Länderbericht 1975* der *FAZ* vom 15. April 1975, in dem allerdings ansonsten die wachsenden Disparitäten in der brasilianischen Ökonomie und Gesellschaft nicht geleugnet werden. Vgl. die Berichte in der 32-seitigen Beilage.

32 *Gazeta Mercantil, Brazil – Business Outlook 1976*, vom Dezember 1975.

33 Aloysio Biondi, *The Need to Review the Model*, in: ebd. S. 1 ff.

34 Da die *Gazeta Mercantil* nur schwer zugänglich ist, zitiere ich im folgenden den Autor ausführlich, um eine in jüngster Zeit öfter artikulierte Meinung in Unternehmerkeisen Brasiliens zu dokumentieren.

35 Vgl. die in Anmerkung 20 zitierte Literatur; sowie allgemein José Serra (Hrsg.), *Desarrollo latinoaméricana*, Mexiko 1974 und Max Nolff (Hrsg.), *Desarrol-*

*lo industrial latinoamericano*, Mexiko 1974.

36 Ebd. Siehe oben Abschnitt 5.

37 Ein solches, an langfristigen Rentabilitätskriterien und nicht an kurzfristiger Profitabilität orientiertes Wirtschaften liegt allen erfolgreichen Entwicklungsprozessen zugrunde, und es setzt die Existenz weniger einer nur privatwirtschaftlich kalkulierenden nationalen Bourgeoisie voraus als vielmehr die Existenz einer über den engen Horizont einer solchen Bourgeoisie hinaus agierenden *Staatsklasse*. Vgl. hierzu das Kapitel über Japans Entwicklung im vorliegenden Band, in dem der historische Stellenwert einer solchen Staatsklasse aufgezeigt wird; siehe S. 97 ff.

38 Das Schaubild ist der *Gazeta Mercantil* (siehe Anmerkung 32) entnommen. Es entstammt einem Aufsatz von Prof. Raimar Richers, *Social Transformation for the Opening-Up of New Markets*, der in einem Artikel zitiert wird. Von Richers wird folgender Kommentar zitiert: »[. . .] unter Entwicklungspolitik sollten die wesentlichen Anstrengungen von Planung und ökonomischen Aktivitäten darauf gerichtet sein, die Grundlage des Dreiecks zusammenzupressen. Zur selben Zeit sollte die Spitze des Dreiecks ›abgeschnitten‹ werden und das Zentrum bis zu dem Punkt ausgeweitet werden, an dem die sozio-ökonomische Struktur eine hexagonale Form annimmt.«

39 Vgl. Helio Jaguaribe, a.a.O. (Anm. 28).

40 Unwahrscheinlich, weil mit dem überkommenen Entwicklungsmodell eine ausgeprägte Privilegierung eines umfangmäßig relativ großen Binnenmarktes verbunden ist, die bei einer Revision des Modells in Frage gestellt würde. Auf die politische Problematik der Revision des Entwicklungsmodells in Brasilien hat jüngst Wolf Grabendorff aufmerksam gemacht: »Auch hier läßt sich bereits erkennen, warum ein Teil der Militärs unter Führung des jetzigen Präsidenten nach Möglichkeiten sucht, das Wirtschaftsmodell zu modifizieren. Andernfalls setzen sie sich der Gefahr aus, aufgrund wirtschaftlicher Mißerfolge ihr gesamtes Herrschaftssystem revidieren zu müssen. Einerseits die Einsicht in die Notwendigkeit zur Veränderung des ›Modells‹, also zu einem gewissen Wandel, und andererseits die Zwangsvorstellung von Sicherheit als Garantie des Status quo kennzeichnen die Widersprüchlichkeit, mit der das politische System der brasilianischen Militärs leben muß. Denn gerade weil das Herrschaftssystem gewahrt werden soll, müssen gewisse wirtschaftspolitische und sozialpolitische Änderungen durchgeführt werden. Diese bringen in einem Land so extremer sozialer Gegensätze wie Brasilien leicht politisch explosive Verteilungskämpfe mit sich, die dann die Stabilität bedrohen, die von den Militärs als höchstes Gut gepriesen und von der Wirtschaft hoch geschätzt wird.« *Das brasilianische Militär: Garant politischer Stabilität?*, in: *Aus Politik und Zeitgeschichte. Beilage zur Wochenzeitung DAS PARLAMENT*, Nr. 35/36, 1976 (28. 8. 1976), S. 9.

41 Zum folgenden vgl. auch André Fernandes, *Internationalisation et crise du capitalisme brésilien*, in: *Critiques de l'économie politique*, Nr. 22, 1975, S. 109-138.

42 Einer solchen Fehleinschätzung unterliegt in der Tendenz auch Wolfgang Schoeller, *Weltmarkt und Reproduktion des Kapitals*, Köln 1976, S. 263 ff. Schoeller scheint die beobachtbare Kohärenz des Wachstumspols mit derjenigen der gesamten Ökonomie Brasiliens zu verwechseln. Auch eine verstärkte Akkumulation (mit Massenverelendung als Begleiterscheinung) vermag nicht jene Binnenmarkt-Erschließung zu bewirken, die – völlig zu Recht – im Falle einer selbständigen kapitalistischen Entwicklung (wie z. B. in Japan, siehe hierzu S. 104 ff.) zu beobachten ist. Zu diesem Problembereich vgl. Arno Tausch, *Die Grenzen der Wachstumstheorie*, Salzburg-Wien 1976, 2 Bde.

1 Der Studie von Klaus Dorner, *Probleme einer weltwirtschaftlichen Integration der Entwicklungsländer*, Tübingen und Basel 1974, kommt in der folgenden Diskussion eine besondere Bedeutung zu; die Publikation bezeichnet in der engeren wirtschaftswissenschaftlich-entwicklungspolitischen Debatte einen erheblichen Fortschritt. Die Daten des folgenden Abschnittes beruhen auf Kapitel 1 von Dorners Studie. Die darin zitierten Tatbestände finden sich in allen entwicklungstheoretischen Publikationen, die sich auf den Zusammenhang von Entwicklung und Außenhandel beziehen. Eingeleitet wurde diese Art von Analyse nach 1945 innerhalb der UN-Wirtschaftskommission für Lateinamerika (ECLA) unter Leitung von Raúl Prebisch. Prebisch hat auch wesentlich zur Publizität der Desintegrations-These durch die UNCTAD (insbesondere nach 1964) beigetragen. Siehe u. a. Aníbal Pinto und Jan Kñakal, *América Latina y el cambio en la economía mundial*, Lima 1973; Pierre Jalée, *Le tiers monde en chiffres*, Paris 1974 (erweiterte Ausgabe). Zum gesamten Tatbestand vergleiche auch die vorzügliche Monographie von Axel Borrmann u. a., *Zum Verhältnis von Außenwirtschafts- und Entwicklungspolitik*, Hamburg 1975.

2 Daß sich diese Entwicklung trotz scheinbar eingetretener Veränderungen in den Nord-Süd-Beziehungen fortsetzt, zeigt Edmond de Clairmont, *Accentuation des disparités sous une illusion de changement*, in: *Le Monde Diplomatique*, Dezember 1975, S. 4.

3 Zur Begründung siehe im vorliegenden Buch S. 54 ff. Hinsichtlich der Penetration von Peripherien durch Metropolen und ihrer Folgewirkung in den Peripherien vgl. Dieter Senghaas und Ulrich Menzel (Hrsg.), *Multinationale Konzerne und Dritte Welt*, Wiesbaden 1976.

4 Allgemein zeichnet sich eine Peripherie-Ökonomie durch ihre historisch gewachsene Unfähigkeit aus, autonom (nicht autark) lebensfähig zu sein. Der Verlust an autonomer Lebensfähigkeit ist eine Folge kolonialer, imperialistischer und neokolonialer Integration der Ökonomien der südlichen Kontinente in den von den kapitalistischen Metropolen beherrschten Weltmarkt (ungleiche Arbeitsteilung). Siehe hierzu im vorliegenden Band S. 33 ff.

5 In einer vorzüglichen Miniaturanalyse hat Ernest Feder am Beispiel der exportorientierten Erdbeerproduktion Mexikos diesen Tatbestand im einzelnen belegt, der in allen anderen Produktionszweigen und hinsichtlich aller anderen Güterklassen gleichermaßen belegbar wäre. Feder kann nachweisen, daß die Quantität, Qualität und die Typen von Inputs in den Erdbeeranbau Mexikos, weiterhin die Preise dieser Inputs, der eigentliche Produktionsprozeß, die Vermarktungsvorgänge usf. *in jeder Beziehung* von den dominanten amerikanischen Agrobusiness-Konzernen penetriert sind. Wie alle übrigen exportorientierten Aktivitäten der Dritten Welt hängt auch der Erdbeeranbau amerikanischer Firmen in Mexiko konjunkturmäßig von den entsprechenden Nachfrageschwankungen auf dem metropolitanen Markt, in diesem Fall dem amerikanischen, ab. Vgl. Ernest Feder, *Der Erdbeerimperialismus. Aufsätze zur Agrarstruktur Lateinamerikas*, Frankfurt 1977.

6 In der Nichtexistenz oder nur embryonalen Entwicklung eines Kapitalgütersektors und eigener Technologie besteht einer der grundlegendsten Strukturmängel in der Reproduktionsstruktur von sogenannten Peripherie-Ökonomien. Vgl. hierzu auch den in Anmerkung 3 zitierten, von Senghaas und Menzel herausgegebenen Band und die dort angegebene Literatur.

7 Vgl. hierzu Frederic F. Clairmonte, *Déterioration des termes de l'échange et*

*désaccumulation du capital*, in: *Le Monde Diplomatique*, September 1975, S. 6. Die nach der Ölpreiserhöhung erhoffte tendenzielle Verbesserung der Einnahmen aus Primärgüter-Exporten der Dritten Welt ist im erwartetem Maße bei weitem nicht eingetroffen. Nach zeitweiligen Preishaussen ist vielfach wieder ein rapider Verfall der Erlöse eingetreten.

8 Karl Wohlmuth, *Multinationale Konzerne, nationaler Markt und Unterentwicklung*, in: Dieter Senghaas und Ulrich Menzel (Hrsg.), *Multinationale Konzerne und Dritte Welt*, a.a.O. (Anm. 3), S. 67-102.

9 Zur strategischen Rolle des Kapitalgütersektors vgl. Meir Merhav, *Technological Dependence, Monopoly and Growth*, London 1969; Parviz Khalatbari, *Ökonomische Unterentwicklung*, Frankfurt 1972; Samir Amin, *Die ungleiche Entwicklung*, Hamburg 1975; Carlo Benetti, *L'accumulation dans les pays capitalistes sous-développés*, Paris 1974; sowie allgemein Oscar Braun, *Comerci internacional e imperialismo*, Buenos Aires 1973.

10 Vgl. Günter Heiduk, *Die weltwirtschaftlichen Ordnungsprinzipien von GATT und UNCTAD*, Baden-Baden 1973.

11 Zur Dokumentation vgl. Bundesministerium für Wirtschaftliche Zusammenarbeit (BMZ), *Die entwicklungspolitische Konzeption der Bundesrepublik Deutschland und die internationale Strategie für die zweite Entwicklungsdekade*, Bonn 1973; *Erklärung über die Errichtung einer neuen internationalen Wirtschaftsordnung*, abgedruckt in: *Entwicklungspolitik. Materialien*, Nr. 45, hrsg. vom BMZ, Bonn, Mai 1974; die »Charta der wirtschaftlichen Rechte und Pflichten der Staaten« findet sich mit weiteren Dokumenten über die neue Weltwirtschaftsordnung in *Entwicklungspolitik. Materialien*, Nr. 49, Bonn, Juni 1975. Die Siebte Sondergeneralversammlung der UNO wird dokumentiert in *Entwicklungspolitik. Materialien*, Nr. 51, Bonn, November 1975.

12 Zur Problematik insgesamt vgl. auch Dietrich Kebschull u. a., *Vermarktung und Verteilung von Rohstoffen*, Hamburg 1973, S. 9. Sowie jetzt Hans Glismann, Paulgeorg Juhl und Bernd Stecher, *Ökonomische Implikationen der Neuen Weltwirtschaftsordnung*, in: *Kieler Diskussionsbeiträge* Nr. 46, Kiel 1976; und B. Engels, K. M. Khan und Volker Matthies, *Weltwirtschaftsordnung am Wendepunkt: Konflikt oder Kooperation?*, München 1976.

13 Vgl. hierzu den Beitrag des UNCTAD-Generalsekretärs Gamani Corea, *Pour une révision radicale de l'économie des produits de base*, in: *Le Monde Diplomatique*, Juni 1975, S. 8/9.

14 Zum Lomé-Abkommen vgl. die Dokumentation des BMZ in *Entwicklungspolitik. Materialien*, Nr. 48, Bonn, April 1975, sowie zur allgemeinen Problematik Karl Fassbender, *EWG, Zollpräferenzen und Welthandelsstruktur*, Hamburg 1973; Theo Loch und Hajo Hasenpflug, *Die Assoziierungs- und Präferenzpolitik der EG. Ein Beitrag zur Entwicklungshilfe?*, Bonn 1974; Hajo Hasenpflug (Hrsg.), *Europäische Gemeinschaft und Dritte Welt*, Hamburg 1975; Manfred Feldsieper, *Zollpräferenzen für Entwicklungsländer*, Tübingen 1976.

15 Unter gewissen Bedingungen könnten die Exporterlöse mancher Grundstoffe erhöht werden. Wenigstens ließen sich einige Erlös-Schwankungen auffangen. Eine derartige Stabilisierung der Exporterlöse ließe sich möglicherweise in denjenigen Fällen in eine verläßlichere Investitionsplanung übersetzen, in denen die Entwicklungspolitik innerhalb einzelner Entwicklungsländer einer innenpolitisch abgesicherten mittelfristigen Entwicklungsplanung folgt, wie z. B. in Algerien.

16 In diesem Punkt ist der gleichen Bewertung durch den Deutschen Industrie- und Handelstag in seiner Stellungnahme zur Reform der Weltwirtschaftsordnung

*Kooperation statt Konfrontation*, Bonn, Februar 1975, zuzustimmen, wenngleich das Dokument ansonsten, wie nicht anders zu erwarten, konventionellen metropolitanen Argumentationsmustern folgt.

17 Dorner, a.a.O. (Anm. 1), S. 81.

18 In der Diskussion über allgemeine, nichtreziproke Präferenzen der Metropolen zugunsten von Entwicklungsländern haben sie ihren konkreten Niederschlag gefunden. Vgl. die in Anm. 10 zitierte Studie von Heiduk, die diese Diskussion vorzüglich aufarbeitet.

19 Dorner, a.a.O. (Anm. 1), S. 85.

20 Ebd., S. 86. Vgl. hierzu auch den folgenden Bericht in der Zeitschrift *Economia* vom Mai 1976: »Innerhalb von zehn Jahren haben die Entwicklungsländer einen dominanten Platz innerhalb des Austausches von Bekleidungsprodukten erobert. Aber diese Exportexplosion der Dritten Welt muß durch andere Gegebenheiten aufgehellt werden. Während der gleichen Zeit von 1963-74 haben die industrialisierten Länder den absoluten Wert ihrer Produktion keineswegs verringert. Der relative Wert ist von 62,2 auf 49,5% der Weltproduktion zurückgefallen, während der Anteil der Entwicklungsländer sich nur leicht erhöhte von 10 auf 13,1%. Das, was am meisten die westlichen Produzenten beunruhigt, ist vor allem die Tatsache, daß sich die Bekleidungsindustrie der Dritten Welt immer mehr auf den Export hin orientiert. In der Tat tendiert der relative Anteil des Konsums der Dritten Welt an diesen Gütern zurückzugehen (von 21,6 auf 20,6% zwischen 1963 und 1974). Daraus zieht Comitextil (Comitée de liaison des industries textiles de la Communauté Economique Européenne) folgende Schlußfolgerung: Die Stagnation des Konsums in den Ländern der Dritten Welt schafft Risiken der Überproduktion und der Desorganisation der internationalen Märkte. Anders ausgedrückt, die Industriellen Europas formulieren ein Werturteil über die Industrialisierung der Dritten Welt. Sofern diese den wachsenden Bedürfnissen der nationalen Märkte dort entspricht, gibt es kein Problem. Aber wenn diese sich am Export für ohnehin schon gut versorgte Märkte orientiert, provoziert dies ein für die Industrieländer besonders schädliches Ungleichgewicht. Im Falle der Bekleidung kompliziert sich das Problem noch durch die Tatsache, daß 65% des Exports der Dritten Welt von drei asiatischen Ländern stammen: Hongkong, Südkorea und Taiwan, drei Länder, die von den europäischen Ländern schlecht kontrollierbar sind« (zitiert nach BMZ-*Spiegel der Presse*, Nr. 17, vom 11. 5. 1976, S. 528).

21 Zur Analyse der Rolle des Protektionismus und der Schwierigkeiten bei Strukturanpassungen vgl. Herbert Giersch und Heinz-Dieter Haas (Hrsg.), *Probleme der weltwirtschaftlichen Arbeitsteilung*, Berlin 1974, darin insbesondere Teil 3: »Die Exportnotwendigkeiten der Entwicklungsländer und der Anpassungsbedarf in den Industrieländern«, mit Beiträgen von Scaperlanda, Scheid und Fels. Eine auf die Lage der BRD konkret bezogene Studie ist H. Dicke, H. H. Glismann, E.-J. Horn und A. D. Neu, *Beschäftigungswirkungen einer verstärkten Arbeitsteilung zwischen der Bundesrepublik und den Entwicklungsländern*, Tübingen 1976 (Kieler Studien 137).

22 Diese sogenannte Transformationselastizität metropolitaner Ökonomien ist eine der wesentlichen Konstitutionsbedingungen von Metropolen, im Unterschied zu der sehr geringen Transformationselastizität strukturell deformierter Peripherie-Ökonomien.

23 Die Verlagerung strukturschwacher Branchen aus den Metropolen in die Länder der Dritten Welt geht mit entsprechenden Strukturwandlungen in den Metropolen einher. Vgl. hierzu die Studien aus dem Kieler Institut für Weltwirt-

schaft, die eine derartige modifizierte internationale Arbeitsteilung als eine marktkonforme Reaktion auf Krisenerscheinungen in der gegenwärtigen internationalen Ökonomie interpretieren, so z. B. Herbert Giersch: »Langfristig besteht die Aufgabe des Marktes darin, Ressourcen aus Bereichen mit niedriger Produktivität in Bereiche mit hoher Produktivität umzulenken, damit das Wachstum in die Breite [...] in ein qualitatives Wachstum, und das ist ein Wachstum mit verstärktem Strukturwandel, übergeht«, in: *Bergedorfer Gesprächskreis*, Protokoll Nr. 50, 1975, S. 29. Eine kompakte Zusammenfassung dieser Position findet sich in Gerhard Fels, *Internationale Umverteilung der Einkommen. Ansätze zu einer neuen weltwirtschaftlichen Arbeitsteilung*, in: *Europa-Archiv*, Bd. 30, Nr. 2, 1975, S. 31-38. Sowie Jürgen Donges, *Die künftigen industriepolitischen Beziehungen zwischen Entwicklungs- und Industrieländern*, in: *Entwicklungspolitik. Materialien*, Nr. 52, hrsg. vom BMZ, Bonn 1976, S. 73-81.

24 Dorner, a.a.O. (Anm. 3), S. 118.

25 Ebd., S. 119/120. Die Kritik an der statischen Theorie komparativer Vorteile ist längst überfällig gewesen. Wie Alfons Lemper in der wohl augenblicklich fortgeschrittensten umfassenden Kritik an Grundtheoremen der überkommenen Außenhandelstheorie nachgewiesen hat, handelt es sich bei dieser Annahme jedoch nur um eine von mehreren höchst fragwürdigen theoretischen und empirischen Prämissen der Doktrin komparativer Vorteile. Vgl. Alfons Lemper, *Handel in einer dynamischen Weltwirtschaft*, München 1974; sowie vom selben Autor: *Handelstheorie als Erfahrungswissenschaft. Zur Kritik der orthodoxen Handelstheorie*, München 1975; ferner Wolfgang Bärtschi und Hanns-Dieter Jacobsen, *Kritische Einführung in die Außenhandelstheorie*, Reinbek 1976.

26 Dasselbe gilt für Rüstungsgüter, die ungeachtet dieser Problematik in manchen Peripherien, die sich zu Subzentren entwickeln, hergestellt werden (Brasilien, Indien, Südafrika u. a.). Vgl. Ulrich Albrecht u. a., *Rüstung und Unterentwicklung*, Reinbek 1976.

27 Dorner, a.a.O. (Anm. 1), S. 163.

28 Ebd.

29 Ebd., S. 176.

30 Ebd., S. 175.

31 Ebd., S. 178.

32 Ebd., S. 178. Solche Integrationsversuche sind ansatzweise im Anden-Pakt programmiert worden. Siehe hierzu Constantino Vaitsos, *Comercialización de tecnología en el pacto andino*, Lima 1973.

33 Vgl. hierzu die detaillierte Darstellung der problematischen Folgewirkungen von multinationalen Konzernen in Entwicklungsländern in dem in Anm. 3 zitierten Band. Siehe auch Volker Bethke und Georg Koopmann, *Multinationale Unternehmen und Entwicklungsländer*, Hamburg 1975 und im vorliegenden Buch S. 42 ff.

34 Vgl. Dieter Senghaas, *Das kapitalistische Entwicklungsdogma ist widerlegt*, in: BMZ-*Spiegel der Presse*, 14. 1. 1975, S. 42-45 (übernommen aus der *Frankfurter Rundschau* vom 31. 12. 1974).

35 In dieser Hinsicht ist Lemper (vgl. Anm. 24) einen Schritt weitergegangen als Dorner, da er als Alternative zur überkommenen These »Entwicklung durch Handel« auf theoretische Ansätze zurückgreift, die insbesondere in der räumlichen Strukturdynamik von Landwirtschafts-Industriekomplexen eine realistischere Perspektive auch für die Entwicklung der Peripherien erkennt, d. h. einen Ansatzpunkt zur »Entperipherisierung« von Peripherien. Damit kommt Lemper der im folgenden umrißhaft skizzierten entwicklungspolitischen Programmatik (»autozentrierte Ent-

wicklung«) weit näher als die gängigen Entwicklungs- und Außenhandelstheorien.

36 Die Realisierbarkeit einer solchen Perspektive zeigt sich exemplarisch in Fällen mit einer so unterschiedlichen Ausgangslage wie Nordkorea, Albanien, Kuba und China, in denen die Grundleistungen solcher Entwicklungspolitik (die Befriedigung von elementaren Massenbedürfnissen) *empirisch* belegbar sind.

37 Diese vorsichtige Praxis ist nötig, wenn Kooperation mit den Metropolen dem Ziel der autozentrierten Entwicklung untergeordnet wird. Siehe hierzu im vorliegenden Buch vor allem S. 278 ff.

38 Siehe hierzu im vorliegenden Buch S. 265 ff.

39 »Die Tatsache, daß diese Protektionskosten im Falle einer Subventionierung einfacher Konsumgüter-Industrien weit geringer sind, hilft den Entwicklungsländern wenig, wenn diese Branchen nicht in die Märkte der Industrieländer einzudrängen vermögen, bzw. dort auf eine relativ stagnierende Nachfrage stoßen« (Dorner, a.a.O., Anm. 1, S. 162 f.).

Warum eigentlich sollen diese Branchen in die Märkte der Industrieländer eindringen? Warum nicht in die eigenen Märkte? Hier zeigt sich, wie ein Stück unausgesprochener Orthodoxie auch in Dorners Argumentation fortbesteht: die Enge des Binnenmarktes. Vergessen wird dabei, daß mehr als zwei Drittel der Entwicklungsländer einen *potentiell* größeren Binnenmarkt besitzen als höchst lebensfähige Industriestaaten mit kleinem Binnenmarkt wie Finnland, Österreich, Dänemark u. a. *Die Erschließung der Binnenmärkte tangiert die überkommene Sozial- und Wirtschaftsstruktur*; auch Dorner läßt sie aus der Betrachtung aus, sonst müßte als Konsequenz aus seinen Überlegungen der von mir umrißhaft vorgeschlagene Entwicklungsweg der eigentlich naheliegende sein.

40 Sie werden auch von Alfons Lemper gefordert (siehe die in Anm. 24 zitierte Studie).

41 Siehe in diesem Zusammenhang die sehr bemerkenswerte Stellungnahme des Präsidenten des Bundesverbandes Bekleidungsindustrie Gerd Somberg in der *Frankfurter Allgemeinen Zeitung* vom 2. 6. 1976, die auf die in Anmerkung 21 zitierte Kieler Studie über die erforderliche Strukturanpassung der bundesrepublikanischen Industrie im Falle der Beseitigung von Protektionismus reagiert. Nach einer pragmatischen und methodologischen Kritik an der Studie heißt es bei Somberg wie folgt: »Man könnte über diese Berechnungen hinweggehen, stünden dahinter nicht grundsätzliche Vorstellungen und Formeln für eine neue internationale Arbeitsteilung: Rohstoffe und arbeitsintensive Erzeugnisse mit einfacher Technologie fallen in das Aufgabengebiet der Entwicklungsländer, sach- und geistkapitalintensive Erzeugnisse mit fortgeschrittener Technologie bleiben den Industrieländern überlassen. Auf diesem Wege gelangen alle Länder aufgrund der unterstellten komparativen Kostenvorteile zu Reichtum und Wohlstand. So faszinierend das Ergebnis dieser hypothetischen Arbeitsteilung auf den ersten Blick auch wirken mag: den wirklichen Gegebenheiten und den Interessen sowohl der Industrie- als auch der Entwicklungsländer wird es kaum gerecht. Schon die Annahmen des Modelles stimmen nicht. Die Industrieländer leiden angesichts der hohen Dauerarbeitslosigkeit keineswegs mehr an einer Knappheit des Produktionsfaktors Arbeit. Die überaus günstige Arbeitsmarktlage der Bundesrepublik vor der Rezession war auch für viele Industrieländer ein atypisches Phänomen. Doch auch bei hohem Beschäftigungsstand und erst bei Unterbeschäftigung sind zahlreiche Arbeitnehmergruppen aufgrund ihrer Ausbildung, ihrer Qualifikation, ihres Familienstandes und ihrer Gebundenheit in strukturschwachen Wirtschaftsräumen in ihrer fachlichen und örtlichen Mobilität erheblich eingeschränkt. Der Wegfall der Arbeitsplätze in der Beklei-

dungsindustrie mit einem Beschäftigungsanteil von 86% Frauen würde gerade diese Gruppen besonders hart treffen. Alternative Beschäftigungsmöglichkeiten ließen sich für die Betroffenen meist überhaupt nicht oder nur mit immensen staatlichen Subventionen schaffen, die mit Sicherheit die vermeintlichen Kostenvorteile der verstärkten Importe aus Entwicklungsländern weit übersteigen würden, ganz abgesehen von den sozialen Problemen der Betroffenen. Auch die Kieler Untersuchung weiß nicht anzugeben, wo, wie und wann unsere neuen Fortschrittsindustrien entstehen werden. So ist es offen, ob dem Verzicht auf wichtige Konsumgüterindustrien überhaupt ein Mehr an fortgeschrittener Industrie und damit auch ein Ausgleich für die entstehenden Einkommensverluste oder vermehrten Soziallasten in den angegebenen Industriezweigen gegenüberstehen würde. Auch die Entwicklungsländer selbst dürften wenig Interesse daran haben, sich in das Prokustesbett einer so einseitig organisierten internationalen Arbeitsteilung einspannen zu lassen. Die Gefahr von Überproduktion, Preis- und Erlösverfall, zunehmender Abhängigkeit von den labilen und schwankenden Konsumgüterkonjunkturen der westlichen Industrieländer ist für sie zu groß, die Erfahrung monostrukturierter Entwicklungsländer auf dem Agrar- und Rohstoffgebiet zu negativ. Ein hoher Beschäftigungsstand in den Industrieländern ist nicht im Wege einer übersteigerten Umstrukturierung auf Branchen mit hochentwickelter Technologie möglich, sondern nur auf der Erhaltung einer breiten industriellen Basis. Der Verzicht auf einen großen Teil unserer Konsumgüterindustrie müßte mit einem hohen Grad an struktureller Dauerarbeitslosigkeit erkauft werden. Dies jedoch wäre ein zu hoher Preis für eine exportorientierte Industrialisierungspolitik, die der großen Masse der Entwicklungsländer nicht einmal zur Lösung ihrer Probleme verhilft« (zitiert nach BMZ-*Spiegel der Presse*, Nr. 21, 10. 6. 1976, S. 644/645).

*Anmerkungen zu: Anlagerungsindustrialisierung und ungleiche Entwicklung*

1 Vgl. hierzu im vorliegenden Buch S. 33 ff.

2 Während der sich andeutenden Aufschwungsphase der metropolitanen Ökonomie aus der wirtschaftlichen Rezession der vergangenen Jahre wurde diese strukturpolitische Forderung deutlicher als früher artikuliert. Auf seiten jener, die einer Strukturbereinigung der metropolitanen Wirtschaft das Wort reden, geht es dabei vor allem um ein Plädoyer für strukturelle Anpassungen angesichts einer relativ großen Arbeitslosigkeit. Die Krise wird hier als ein Mittel begriffen, strukturschwache Industriezweige aus den metropolitanen Ökonomien hinauszukatapultieren. Man erhofft sich dabei langfristige kompensierende Wachstumseffekte in anderen neu zu erschließenden industriellen Produktionsbereichen und im Dienstleistungssektor und damit auch eine Verringerung struktureller Arbeitslosigkeit.

3 Juergen Donges, *Weltwirtschaftlich bedingter Strukturwandel in der westdeutschen Industrie und Chancen zum Transfer bestimmter Produktionsaktivitäten in Entwicklungsländern*, in: *Entwicklungspolitik. Materialien*, Nr. 52, Bonn, Dezember 1975 (hrsg. vom Bundesministerium für Wirtschaftliche Zusammenarbeit). Die hier ausführlich zitierte Stellungnahme ist exemplarisch für viele vergleichbare Äußerungen, die von Wirtschaftswissenschaftlern, Entwicklungstheoretikern und Journalisten in den vergangenen Jahren gemacht wurden. Zur Dokumentation vgl. die laufende Presseberichterstattung des BMZ-*Entwicklungspolitik. Spiegel der Presse* (laufend 14-tägig).

Die prinzipielle Übereinstimmung, die eine unterschiedliche Bewertung im einzelnen durchaus erlaubt, zwischen dieser wissenschaftlichen Äußerung und der eines verantwortlichen Regierungspolitikers zeigt das folgende Zitat von Bundeswirtschaftsminister Hans Friderichs in einer Rede an der Universität Mainz, in der es heißt: »Ein Abbau des Nord-Süd-Wohlstandsgefälles wird nach unserer Auffassung nur möglich sein, wenn eine stärkere Integration der Entwicklungsländer in die Weltwirtschaft gelingt. Eine Stabilisierung der Rohstoffexporterlöse durch ein System der kompensatorischen Finanzierung kann dabei nur Anpassungs- und Starthilfe sein. Entscheidend ist die Unterstützung einer ›exportorientierten‹ Entwicklungsstrategie der weniger entwickelten Länder. Daraus ergibt sich eine klare Priorität für marktöffnende handelspolitische Lösungen, um den Zugang der Entwicklungsländer zu den gewerblichen und landwirtschaftlichen Märkten der Industrieländer zu erleichtern. Die stärkere Einbeziehung dieser Länder in den internationalen Güteraustausch hat zwangsläufig Konsequenzen für das Strukturgefüge unserer westlichen Volkswirtschaften. Die gerade jetzt im Konjunkturtief mehr denn je deutlich gewordene Notwendigkeit struktureller Umschichtungen in westlichen Industrieländern begegnet sich hier mit dem Wunsch der Entwicklungsländer nach größeren Marktanteilen. Wir sind uns im klaren, daß – etwas längerfristig gesehen – nur die technologische Flucht nach vorn den Strukturbereinigungsprozeß fördert. Damit werden zugleich den Entwicklungsländern neue Absatzmärkte eröffnet«, abgedruckt in: BMZ-*Spiegel der Presse*, Nr. 3, 1976, S. 67. Über die weitgehende Übereinstimmung der gängigen Entwicklungstheorie und der Entwicklungspolitik der Bundesregierung vgl. die wichtige Studie des HWWA von Axel Borrmann u. a.: *Zum Verhältnis von Außenwirtschafts- und Entwicklungspolitik*, Hamburg 1975.

4 Sehr rigoros wird diese Position in vielfältigen Publikationen des Kieler Instituts für Weltwirtschaft vertreten. Vgl. zusammenfassend Gerhard Fels, *Internationale Umverteilung der Einkommen. Ansätze zu einer neuen weltwirtschaftlichen Arbeitsteilung*, in: *Europa-Archiv*, Bd. 30, Nr. 2, 1975, S. 31-38; sowie die in Anmerkung 3 zitierte gutachterliche Äußerung von Juergen Donges, ebenfalls ein Mitarbeiter des Kieler Instituts für Weltwirtschaft. Donges' Stellungnahme ist ein locus classicus, da sie in kompaktester Form die wesentlichen diesbezüglichen Argumente enthält. Vgl. auch A. Borrmann u. a., a.a.O. (Anm. 3), passim.

5 Aus der zahlreichen diesbezüglichen Literatur der vergangenen Jahre vgl. hierzu insbesondere Herbert Giersch und Heinz-Dieter Haas (Hrsg.), *Probleme der weltwirtschaftlichen Arbeitsteilung*, Berlin 1974. Weiterhin z. B. *Entwicklungsländer. Beschäftigungsorientierte Wachstums- und Außenhandelspolitik erforderlich*, in: *DIW-Wochenbericht* 20/1976, S. 197-200.

6 Donges schreibt in der in Anmerkung 3 zitierten gutachterlichen Stellungnahme: »In dem Maße, wie es zu einer verstärkten Arbeitsteilung zwischen der BRD und den Entwicklungsländern im industriellen Bereich kommt, verbessern sich auch die Wachstumsaussichten der westdeutschen Wirtschaft. Dadurch, daß die unter zunehmender Importkonkurrenz aus Entwicklungsländern stehenden Branchen schrumpfen und (knappe) Arbeitskräfte freisetzen, erhalten unsere Wachstumsindustrien (also Industrien, die sich einer einkommenselastischen Nachfrage nach ihren Erzeugnissen gegenübersehen und zudem auch eine überdurchschnittlich hohe Wertschöpfung aufweisen) einen größeren Expansionsspielraum. Hinzu kommt ein positiver Struktureffekt, der aus der Umlenkung von Arbeitskräften aus Branchen mit niedriger in Branchen mit höherer Arbeitsproduktivität resultiert, und der den gesamtwirtschaftlichen Produktivitätsfortschritt beschleunigt. All dies impliziert, daß die Branchenstruktur der westdeutschen Industrie mehr und mehr von Aktivitä-

ten beherrscht sein wird, die intensive Forschungs- und Entwicklungsarbeit und sehr viel Ausbildungskapital beanspruchen« (S. 75-76).

7 Vgl. zu dieser Problematik Klaus Dorner, *Probleme einer weltwirtschaftlichen Integration der Entwicklungsländer,* Tübingen und Basel 1974; sowie das Kapitel »Der Weltmarkt als Sackgasse für Entwicklungsländer«, S. 155 ff.

8 Vgl. hierzu das in Anmerkung 7 zitierte Kapitel sowie Karl Wohlmuth, *Ungleiche Arbeitsteilung und abhängige Reproduktion,* in: Alfred Schmidt (Hrsg.), *Strategien gegen Unterentwicklung,* Frankfurt 1976, S. 101-131.

9 Siehe u. a. Jan Annerstedt und Rolf Gustavsson, *Towards a New International Economic Division of Labour?,* Roskilde 1975.

10 Vgl. hierzu Karl Wohlmuth (Hrsg.), *Employment Creation in Emerging Societies. The Situation of Labour in Dependent Economies,* New York 1973; Edgar Edwards (Hrsg.), *Employment in Developing Nations,* New York 1974, sowie Udo Ernst Simonis, *Armut, Unterbeschäftigung und soziale Ungleichheit in Asien und Afrika,* in: *Vorgänge. Zeitschrift für Gesellschaftspolitik,* Nr. 17, 1975, S. 28-41; Ulrich Hiemenz, *Industrialisierung und Unterbeschäftigung in den Entwicklungsländern,* in: *Die Weltwirtschaft,* 1974, Heft 1, S. 144-166.

11 Hierzu grundlegend Aníbal Quijano, *Marginaler Pol der Wirtschaft und marginalisierte Arbeitskraft,* in: Dieter Senghaas (Hrsg.): *Peripherer Kapitalismus. Analysen über Abhängigkeit und Unterentwicklung,* Frankfurt 1974, S. 298-341; sowie Herbert Nickel, *Unterentwicklung als Marginalität in Lateinamerika,* München 1973.

12 Da diese Strukturdefekte herrschaftssoziologisch bedingt sind, kann man im Hinblick auf die Importsubstitutions-Industrialisierung nicht einfach von »falschen Spezialisierungsschwerpunkten« sprechen, wie dies Donges in seiner gutachterlichen Äußerung tut (a.a.O., Anmerkung 3, S. 76).

13 Ich beziehe mich auf theoretische und empirische Studien, die im Rahmen struktureller und akkumulationstheoretischer Beiträge zur Analyse des peripheren Kapitalismus erstellt wurden. Vgl. insbesondere Samir Amin: *Die ungleiche Entwicklung,* Hamburg 1975.

14 Zur empirischen Analyse von Freien Produktionszonen und Industriezonen in der Dritten Welt, innerhalb derer vornehmlich die Anlagerungs-Industrialisierung erfolgt, siehe Folker Fröbel, Jürgen Heinrichs und Otto Kreye, *Die neue internationale Arbeitsteilung,* Reinbek 1977. Weiterhin Henrik Plaschke, *International Subcontracting. On the Migration of Labour-Intensive Processing from the Center to the Periphery of Capitalism,* in: *Instant Research on Peace and Violence,* Nr. 2, 1975, S. 88-97; sowie Constantine Vaitsos, *Employment Effects of Foreign Direct Investment in Developing Countries,* in: Edgar Edwards (Hrsg.), *Employment in Developing Nations,* London 1974, S. 331-349; darin bezeichnet der Autor eine solche Entwicklung als »shallow« (oberflächlich-trivial) (S. 339-341).

15 Vgl. G. K. Helleiner, *Manufactured Exports from Less-Developed Countries and Multinational Firms,* in: *Economic Journal,* Bd. 83, 1974, S. 21-47, insbesondere S. 28 ff.

16 Neben den genannten Vergünstigungen wird in wissenschaftlichen Bestandsaufnahmen von Freien Produktionszonen und in der einschlägigen lobbyistischen Literatur die Existenz eines günstigen Investitionsklimas als Grundbedingung für den Aufbau solcher Anlagerungsindustrien genannt. Die positive Korrelation von Militärdiktaturen und autoritären Regimen einerseits und einer erfolgreichen Exportdiversifizierungs-Industrialisierung andererseits ist notorisch. Vgl. hierzu u. a. Thomas K. Morrison, *Case Study of a ›Least Developed Country‹ Successfully*

*Exporting Manufactures: Haiti*, in: *Inter-American Economic Affairs*, Bd. 29, 1975, Nr. 1, S. 21-31. Dieser Aufsatz enthält auch die im Anhang reproduzierte Liste der diesbezüglich »erfolgreichsten« Länder (S. 23).

»Wenn beachtliche Exporte von arbeitsintensiven Gütern zustandekommen, wird die Notwendigkeit einer Lohn- und Arbeits-›Disziplin‹ wachsen – eine Disziplin, die wahrscheinlich entweder von der Reservearmee der Arbeitslosen oder – falls die überschüssige Arbeitskraft austrocknet – von der *anderen* Armee ausgeübt wird«, zitiert aus Carlos Diaz-Alejandro, *Trade Policies and Economic Development*, in: Peter Kenen (Hrsg.), *International Trade and Finance*, London 1975, S. 138/139. Über den minimalen Nutzen von Anlagerungsindustrien vgl. jetzt Benjamin Cohen, *Multinational Firms and Asian Exports*, New Haven 1974.

17 Dies ist ein Reflex der globalen Investitions-Prospektierung, die für multinationale Konzerne kennzeichnend ist. Vgl. Dieter Senghaas und Ulrich Menzel (Hrsg.), *Multinationale Konzerne und Dritte Welt*, Wiesbaden 1976.

18 Vgl. Michael Barratt Brown, *The Economics of Imperialism*, London 1974, S. 120 ff.

19 Vgl. u. a. Samir Amin, *L'impérialisme et le développement inégal*, Paris 1976, S. 115 ff.

20 Dies steht, wie vielfältige Analysen in den vergangenen Jahren gezeigt haben, in einem ursächlichen Zusammenhang mit der Struktur der internationalen Ökonomie und der spezifischen Rolle, die Peripherien in ihr zu erfüllen haben. Obgleich die Produktivkraftentfaltung in den metropolitanen Ökonomien im wesentlichen autonom bestimmt war, wäre das Wachstumspotential dieser Ökonomien dennoch seit den Tagen des Raubkolonialismus ohne die Plünderung der Dritten Welt erheblich geringer gewesen, als sie es in Wirklichkeit war. Diese Aussage gilt gerade auch für die vergangenen Jahrzehnte, wie die Ölpreiserhöhung durch das OPEC-Kartell drastisch gezeigt hat. Über den Zusammenhang von Metropolen- und Peripherienentwicklung siehe die Einführung von Samir Amin in das Buch von Michel Beaud, Bertrand Bellon und Patrick François: *Lire le capitalisme. Sur le capitalisme mondial et sa crise*, Paris 1976, S. 7-33.

21 Auch die bestbezahlten Arbeitskräfte sind in Entwicklungsländern im Durchschnitt noch wesentlich billiger als Arbeitskräfte mit vergleichbarer Tätigkeit in metropolitanen Ökonomien. Dies und die Existenz von Mindestlöhnen sowie betrieblichen Sozialleistungen hat zu der These geführt, daß die Löhne in sehr vielen Ländern nicht so niedrig sind, wie es in Anbetracht der anhaltenden Arbeitslosigkeit gesamtwirtschaftlich angemessen wäre (so Donges in dem in Anmerkung 3 zitierten Gutachten, S. 78). Die Reallöhne müßten vielmehr den Alternativkosten des Faktors Arbeit entsprechen; ferner müßten die verantwortlichen Instanzen auf zu ehrgeizige und, was oft übersehen wird, nur den tatsächlich Beschäftigten zugute kommende sozialpolitische Programme verzichten; und schließlich müßten die nämlichen Instanzen den Anstieg der Reallöhne an der Zunahme der Totalproduktivität orientieren und nicht an der der Arbeitsproduktivität. Wie in einer Gesellschaft, die sich durch krasse strukturelle Heterogenität auszeichnet (wie z. B. Brasilien), eine Orientierung der Reallöhne an der Zunahme der Totalproduktivität erfolgen soll, läßt der Autor geflissentlich im dunkeln, sowie er die Ungleichheit der Entlohnung (gerade auch innerhalb insgesamt niedriger Lohnniveaus) nicht als ein Reflex einer spezifischen Gesellschafts- und Herrschaftsstruktur auf dem jeweils erreichten Entwicklungsniveau begreift, sondern als das Ergebnis der wirtschaftspolitischen Fehlentscheidungen der dafür verantwortlichen Instanzen! Vergleichbare problematische Einschätzungen finden sich in diversen Berichten von ILO-Missionen, die im

Rahmen des Weltbeschäftigungsprogrammes in verschiedenen Ländern durchgeführt wurden (vgl. hierzu die Berichte in der *International Labour Review*). Vgl. dagegen die Beobachtung von Hans Singer, der darauf hinweist, daß der Mindestlohn und der dazu relativ höhere Lohn in Peripherien die Existenzgrundlage mehrerer Arbeitskräfte zu sichern hat: »Der hohe Mindestlohn kann als ein wesentlicher Teil des Sozialversicherungssystems verteidigt werden« (Hans Singer, *The Strategy of International Development*, London 1975, S. 86-88; Zitat S. 88).

22 Vgl. hierzu den grundlegenden Beitrag von Samir Amin, *L'échange inégal et la loi de la valeur*, Paris 1973.

23 Diese Folgewirkungen bestehen insbesondere in einer wachsenden Überbeanspruchung der Subsistenzwirtschaft und der *économie domestique* sowie jenes in den kapitalistischen Weltmarkt integrierten Produktionsbereichs, der nur formell und nicht real der kapitalistischen Produktionsweise subsumiert ist. In all diesen Bereichen zeigen sich heute dramatische ökologische und ökonomische Verfallserscheinungen, die die lange Jahre beobachtbare Regenerationsfähigkeit und damit die leidliche Stabilisierung der Subsistenzgrundlage der Masse der Menschen unterminiert. Vgl. über den Sachverhalt nunmehr Claude Meillassoux, *Femmes, greniers et capitaux*, Paris 1976; sowie Samir Amin und Kostas Vergopoulos, *La question paysanne et le capitalisme*, Paris 1974; und Samir Amin (Hrsg.), *L'agriculture africaine et le capitalisme*, Paris 1975. Siehe neuerdings auch Jean-Pierre Olivier, *Afrique. Qui exploite qui?*, in: *Les Temps Modernes*, Heft 346, 1975, S. 1506-1551, bes. S. 1538 ff. und 1549 ff. Vgl. auch weiter unten S. 193 ff.

24 Daß der Mythos von der verschiedenartigen Arbeitsproduktivität in ein und demselben Tätigkeitsbereich in den Metropolen und den Peripherien (z. B. VW in Wolfsburg und VW do Brazil etc.) aus einem statistischen Trugschluß resultiert, hat jüngst Wolfgang Schoeller aufgewiesen. Vgl. Wolfgang Schoeller, *Weltmarkt und Reproduktion des Kapitals*, Köln 1976, S. 190 ff. Untersuchungen amerikanischer Außenhandels- und Zollbehörden haben ebenso wie Hearings im amerikanischen Kongreß aufgewiesen, daß die Arbeitsproduktivität in vergleichbaren Industriezweigen bei Einsatz vergleichbarer Technologie in etwa identisch ist. Fallstudien belegen diesen Sachverhalt überdies im einzelnen. Warum sollte auch die Arbeitsproduktivität von Haitianern bei der Produktion von Baseballs geringer sein als diejenige amerikanischer Arbeitskraft, um nur ein Beispiel herauszugreifen? Die einschlägige Untersuchung hat gezeigt, daß sie vergleichbar ist. Vgl. den früher in Anmerkung 16 zitierten Artikel von Thomas K. Morrison über die Export-Industrialisierung Haitis (S. 28). Vgl. auch Aldo Ferrer, *La economía argentina*, Mexiko 1963.

25 Samir Amin schreibt hierzu: »Die Ausbeutungsrate der Arbeitskraft ist gewiß zwischen Branchen und Unternehmen in der Peripherie sehr ungleich, und diese Ungleichheit ist in der Peripherie viel markanter als im Zentrum, weil die zentralen Gesellschaftsformationen sich der reinen kapitalistischen Produktionsweise annähern, während die periphere Gesellschaftsformation einen akzentuierten heterogenen Charakter bewahrt. [...] Trotz dieser Unterschiedlichkeit kommt die Einheit des Systems im wachsenden Primat von Weltwerten und der zunehmenden Unterwerfung von Arbeitskraft unter das Kapital im Weltmaßstab zum Ausdruck, was sich durch eine Ausdehnung des Bereichs der formellen Subsumtion in die Peripherie hinein übersetzt. Wenn im Durchschnitt die Ausbeutungsrate in der Peripherie vielleicht derjenigen des Zentrums unterlegen ist, so kann doch kein Zweifel sein, daß diejenige Fraktion des Kapitals, welche das Gesamtsystem beherrscht, bei jenen Aktivitäten, welche in der Peripherie des Systems lokalisiert sind, höhere Ausbeu-

tungsraten erwirtschaftet; es handelt sich um das Kapital der Monopole, welches direkt oder indirekt die dynamischen Aktivitäten in der Peripherie beherrscht (die Erzeugung der wesentlichen Exportgüter, die modernen Industrien, einschließlich derer, die auf den lokalen Markt orientiert sind). Die zentrale Tendenz des Weltsystems besteht also in der wachsenden Ungleichheit der Ausbeutung von Arbeitskraft«, aus: *L'impérialisme et le développement inégal,* Paris 1976, S. 142.

26 Vgl. die in Anmerkung 23 zitierte einschlägige neuere Literatur.

27 Vgl. Otto Kreye (Hrsg.), *Multinationale Konzerne. Entwicklungstendenzen im kapitalistischen System,* München 1974; und Hugo Radice (Hrsg.), *International Firms and Modern Imperialism,* London 1975.

28 Unter der Voraussetzung gleicher Mehrwertrate, aber ungleicher organischer Zusammensetzung bzw. Produktivität würde es sich um einen *ungleichen Tausch im weiteren Sinne des Begriffes* handeln. Bei diesem handelt es sich gewissermaßen um den regulären Fall, der insbesondere auch innerhalb des metropolitanen Kapitalismus, wenigstens in seiner Konkurrenzphase, dem nie enden wollenden Prozeß der Herausbildung einer Durchschnittsprofitrate und eines Produktionspreises zugrunde liegt.

29 Vgl. Samir Amin u. a., *La crise de l'impérialisme,* Paris 1975; sowie die Einleitung von Samir Amin in Ga-Kwame Amoa und Oscar Braun, *Echanges internationaux et sous-développement,* Paris 1974, insbesondere S. 12 ff.

30 Diese Forderung stellt eine der vielen Schizophrenien in den Postulaten nach einer »Neuen internationalen Wirtschaftsordnung« dar. Vgl. zu anderen diesbezüglichen Ungereimtheiten die Studie von Rainer Tetzlaff, *Die Forderung der Entwicklungsländer nach einer ›neuen‹ Weltwirtschaftsordnung, die Internationalisierung der Produktion und das AKP-Abkommen von Lomé,* in: *Verfassung und Recht in Übersee,* Bd. 9, 1976, S. 33-56.

Wenn der Wettlauf um die Verfügbarmachung von billigen Löhnen für internationale Investitionen in Peripherie-Ökonomien einsetzt (eine Voraussetzung für die Konkurrenzfähigkeit im Exportbereich von Peripherie-Ökonomien), dann kommt in dieser Form des systembedingten Lohn-Dumping die ganze Absurdität solcher Vorgänge unter entwicklungspolitischen Gesichtspunkten zum Ausdruck. Der Hinweis auf die Einhaltung von Übereinkommen der IAO, wie er sich im folgenden Zitat von Oskar Vetter, dem Vorsitzenden des Deutschen Gewerkschaftsbundes, findet, wird jedoch zur Behebung dieser Problematik kaum ausreichen: »Sowohl die Gewerkschaften der AKP-Länder [Mitglieder des Lomé-Abkommens; D.S.] als auch Europas wenden sich entschieden gegen internationales Lohn-Dumping, das auf Ausbeutung der Arbeitnehmer und antigewerkschaftlichen Maßnahmen vieler Regierungen in Entwicklungsländern beruht. Sie verlangen die Einhaltung der Übereinkommen der Internationalen Arbeitsorganisation (IAO), damit auch für die Arbeitnehmer in Entwicklungsländern humane Arbeitsbedingungen, angemessene Löhne und ein Mindeststandard sozialer Sicherheit geschaffen werden. Beide Gewerkschaftsgruppen weisen mit Besorgnis auf die Auswirkungen der Tätigkeit der multinationalen Konzerne hin. Sie fordern eine verstärkte Kontrolle dieser Unternehmen auf nationaler und internationaler Ebene. Zusammenfassend kann festgestellt werden, daß sich die Gewerkschaften der Industrie- und der Entwicklungsländer darum bemühen, ihren Beitrag für die Bewältigung des Problems der Unterentwicklung zu leisten. Dabei ist es von größtem Nutzen, daß die gemeinsamen Diskussionen des Problems nicht in einem Klima der Konfrontation geführt werden. Die Gewerkschaften haben erkannt, daß es sich um gemeinsame Probleme handelt, die auch nur gemeinsam gelöst werden können. Spektakuläre Lösungen wird es nicht geben. Auch die Entwicklungsländer müssen erkennen, daß unser relativ hoher Lebensstandard nicht über Nacht gekommen ist und auch nicht ausschließlich auf kolonialistische Ausbeutung zurückzuführen ist. Dieser Lebensstandard ist auch das Produkt eines gewerkschaftlichen Verteilungskampfes, der mehr als ein Jahrhundert gedauert hat und noch weitergeht.« Heinz Oskar Vetter, *Die Verlagerung von Industrien ist kein Allheilmittel*, in: BMZ-*Spiegel der Presse*, Nr. 38, 19. 10. 1976, S. 1171/1172 (entnommen aus: *Forum*, September 1976).

31 Vgl. Folker Fröbel, Jürgen Heinrichs und Otto Kreye, *Tendency towards a New International Division of Labour*, in: *Economic and Political Weekly*, Februar 1976, S. 159-170; sowie das in Anm. 14 zitierte Buch der Autoren. Siehe auch Arno Tausch, *Die Grenzen der Wachstumstheorie*, Wien 1976 (Wiener Institut für Entwicklungsfragen).

32 Dies kann geschehen, weil den entsprechenden programmatischen Plädoyers keine gesamtwirtschaftliche, geschweige denn gesamtgesellschaftliche Analyse zugrunde gelegt wird. Geschähe dies, wäre die Interpretation der absehbaren Folgen von Anlagerungs-Industrialisierung unter den Theoremen des Verelendungswachstums wohl naheliegender als optimistische Aussagen wie die, daß die transferierten Produktionsaktivitäten auf andere, heimische Sektoren ausstrahlen müßten und möglichst nicht sogenannte *»foot-loose-industries«* sein dürften (so Donges in dem in Anmerkung 3 zitierten Gutachten, S. 77).

33 Deshalb ist es gleichermaßen abwegig, die Lösung akuter sozialer Probleme in der Dritten Welt von einer Reduktion der Lohnniveaus zu erwarten (s. oben Anmerkung 21), so wie es abwegig ist, von der Erhöhung der Lohnniveaus an und für sich, d. h. ohne sozialstrukturelle Veränderungen, einen positiven Effekt zu erwarten, wie dies z. B. Arghiri Emmanuel in seinem berühmten Buch *Unequal Exchange: A Study of the Imperialism of Trade*, London 1972, tut. Vgl. hierzu auch Eugenio Somaini: »Es scheint vielmehr, daß die eigentliche Problematik in anderen Richtungen gesucht werden muß, nämlich hinsichtlich einer direkten und gleichzeitigen Aktion gegen alle Formen der Rückständigkeit und Abhängigkeit, einer Aktion, welche auf die radikale Transformation der Produktionsverhältnisse gerichtet ist und auf die direkte und systematische Förderung der Produktivkräfte in einem integrierten Ganzen von entscheidenden Sektoren«, in: A. Emmanuel, E. Somaini, L. Boggio und M. Salvati, *Un débat sur l'échange inégal: salaires, sous-développement, impérialisme*, Paris 1975, S. 51.

34 Vgl. hierzu, relativ beliebig aus einer Vielzahl von Äußerungen herausgegriffen, die Ausführungen von Bundeswirtschaftsminister Hans Friderichs auf der Jahreshauptversammlung von Gesamt-Textil am 10. Dezember 1974 in Bonn, wo er sagte: »Ich stimme völlig mit Ihnen darin überein [...], daß es primär eine unternehmerische Entscheidung ist, ob ein Betrieb einen Teil seiner Produktion ins kostengünstigere Ausland verlagern soll. Dabei wird es in der Regel darum gehen, diejenigen Teilproduktionen oder Produktionsvorgänge ins Ausland zu verlagern, die weniger hochwertige Arbeit verlangen, während sich die Inlandsproduktion verstärkt auf technologisch oder modisch anspruchsvollere Produkte konzentriert«, abgedruckt in: Gesamtverband der Textilindustrie in der BRD, *Im Schnittpunkt von Konjunktur und strukturellem Wandel*, Frankfurt 1975, S. 27.

35 Gerhard Breidenstein, *International Division of Labour and Structural Unemployment*, in: *Intereconomics*, April 1976, S. 115-119.

36 Vgl. auch Celso Furtado, *El capitalismo posnacional: Interpretación estructuralista de la crisis actual del capitalismo*, in: *El Trimestre Económico*, Nr. 168, 1975, S. 857-902.

*Ammerkungen zu: Deformierte Agrarstrukturen als Produktionsstätte von Sozialkatastrophen*

1 UN, *Die Ernährungslage der Welt in Gegenwart und Zukunft. Eine vorläufige Bestandsaufnahme* (Marei-Bericht), Rom 1974; Bundesministerium für wirtschaftliche Zusammenarbeit, *Entwicklungspolitik. Materialien,* Nr. 47, Dezember 1974 (Dokumente über die Welternährungskonferenz); eine Evaluation der Welternährungskonferenz findet sich in B. Engels, K. M. Khan und V. Matthies, *Weltwirtschaftsordnung am Wendepunkt. Konflikt oder Kooperation?,* München 1976, Kapitel 4; weiterhin als allgemeine Darstellungen: Transnational Institute, *Bericht über den Hunger in der Welt,* in: *Technologie und Politik,* Nr. 3, 1975, S. 71-144; Anne-Marie Holenstein und Jonathan Power, *Hunger – Welternährung zwischen Hoffnung und Skandal,* Frankfurt 1976; Josué de Castro, *Geopolitik des Hungers,* Frankfurt 1973; Lester Brown, *By Bread Alone,* New York 1974; Otto Matzke, *Der Hunger wartet nicht,* Bonn 1974; *Grundfragen der Weltagrarentwicklung. Teil einer internationalen Entwicklungsstrategie,* Sondernummer der Zeitschrift *Offene Welt,* Nr. 102, Opladen 1972; René Dumont, *La croissance de la famine,* Paris 1975. Eine Aufarbeitung der entwicklungstheoretischen Fragestellungen hinsichtlich der Rolle von Landwirtschaft findet sich in Lloyd Reynolds (Hrsg.), *Agriculture in Development Theory,* New Haven 1974; vgl. auch H. E. Buchholz und W. v. Urff (Hrsg.), *Agrarpolitik im Spannungsfeld der internationalen Entwicklungspolitik,* München 1974; sowie *Nutrition humaine et développement économique et social,* Sondernummer von *Tiers Monde,* Nr. 63, 1975, und Susan Goerge, *How the Other Half Dies. The Real Reasons for World Hunger,* Harmondsworth 1976; vgl. auch jetzt *Food and Agriculture,* Sondernummer des *Scientific American,* September 1976.

2 Eine Ausnahme stellen die Studien von Ernest Feder dar; siehe u. a. seine Aufsätze *Six Plausible Theses about the Peasant's Perspectives in the Developing World,* in: *Development and Change,* Bd. 5, 1973/74, Nr. 2, S. 1-24; sowie *Warum gibt es eine Ernährungskrise?,* in: *Technologie und Politik,* Nr. 3, 1975, S. 59-69.

Auf ein vorzügliches, wenn auch schwer greifbares Dokument von Francis Moore Lappé und Joseph Collins sei hier aufmerksam gemacht: *Food First!,* hrsg. vom Institute for Food and Development Policy, Hastings-on-Hudson, in dem einige zentrale Mythen der gegenwärtigen Ernährungs-Diskussion kritisch beleuchtet werden, so z. B. der Mythos, Knappheit an Nahrungsmitteln und Land sei die Ursache von Hunger; der Mythos, Kleinbauern seien relativ unproduktiv, der Hunger sei ein Kampf zwischen der reichen Welt und der armen Welt, der Export von Nahrungsmitteln aus der Dritten Welt in die Metropolen auf der Grundlage von komparativen Vorteilen sei entwicklungsfördernd, Nahrungsmittel-Hilfe stelle einen Ansatz zur Entwicklungsförderung dar usf. Vgl. in diesem Zusammenhang jetzt auch den Artikel von Anton Andreas Guha, *Verschwendung und Hungertod – Kehrseiten einer Medaille. Nur tiefgreifende politische und strukturelle Reformen in den armen Ländern können Hilfe bringen,* in: BMZ-*Spiegel der Presse,* Nr. 38, 19. 10. 1976, S. 1170 (übernommen aus der *Frankfurter Rundschau* vom 12. 10. 1976).

3 Die FAO schätzt, daß die Importanforderungen der Entwicklungsländer von durchschnittlich 16 Mio. Tonnen Getreide 1969-1971 auf 85 Mio. Tonnen 1985 ansteigen werden. Zitiert in *Umschau in Wissenschaft und Technik,* Bd. 76, Nr. 2, 1976, S. 39 (Sonderheft zur Ernährungsfrage).

4 Michael F. Lofchie, *Political and Economic Origins of African Hunger,* in: *Journal of Modern African Studies,* Bd. 13, Nr. 4, 1975, S. 551-567, Zitat S. 554/555.

5 Ebd., S. 555; ferner Comité d'information Sahel, *Qui se nourrit de la famine en*

*Afrique?*, Paris 1975².

6 Ebd., S. 556 sowie im allgemeinen Samir Amin, Mark Franco und Samba Sow, *La planification du sous-développement*, Paris 1975, S. 383 ff.

7 Vgl. hierzu Rodolfo Stavenhagen, *Agrarische Strukturen und Unterentwicklung in Afrika und Lateinamerika*, in: Dieter Senghaas (Hrsg.), *Peripherer Kapitalismus*, Frankfurt 1974, S. 276-297. Auf die Unzulänglichkeit der Dualismus-Konzeption verweist inzwischen allein schon die Tatsache, daß Modernisierungstheoretiker vom *»double dualism«* sprechen müssen: dem Dualismus zwischen Industrie und Landwirtschaft und dem Dualismus innerhalb dieser Sektoren! Siehe Gerald Meier in einer Rezension in *Economic Development and Cultural Change*, Bd. 24, 1975, S. 222.

8 Vgl. Rodolfo Stavenhagen, *Las clases sociales en las sociedades agrarias*, Mexiko 1969.

9 Man bedenke in diesem Zusammenhang die wachsende Diskrepanz in der Produktivität einzelner Subsektoren der Landwirtschaft von Peripherie-Ökonomien. Zur allgemeinen Problematik vgl. oben S. 41 ff.

10 Auf diesen Tatbestand baut die neue Analyse des Agrarsektors durch die Weltbank auf. Vgl. in diesem Zusammenhang die später noch eingehender diskutierte Studie von Hollis Chenery u. a., *Redistribution with Growth*, London 1974.

11 Vgl. u. a. Weltbank, *Rural Development*, Sector Policy Paper, Washington 1975.

12 Der Zwang bestand und besteht oft im Landraub, in niedrigen Erzeugerpreisen, exzessiver Besteuerung, Wucherzinsen, Pacht und vielen Übervorteilungen im kleinen. Baumgärtner und Poppinga sprechen in diesem Zusammenhang zu Recht vom »magischen Vieleck der Ausbeutung«. Vgl. Ulf Baumgärtner und Onno-Hans Poppinga, *Grundzüge der Agrarstruktur im peripheren Kapitalismus*, in: *Unterentwicklung*, Handbuch 2, hrsg. von Bassam Tibi und Volkhard Brandes, Köln 1975, S. 207-240, Zitat S. 230.

13 Vgl. hierzu grundlegend Samir Amin und Kostas Vergopoulos, *La question paysanne et le capitalisme*, Paris 1974; sowie Claude Meillassoux, *Femmes, greniers et capitaux*, Paris 1976; Pierre-Philippe Rey (Hrsg.), *Capitalisme négrier. La marche des paysans vers le prolétariat*, Paris 1976. Vgl. auch hierzu den in Anm. 16 zitierten Artikel von Olivier, bes. S. 1538-1551.

14 Die diesbezügliche Funktion der *économie domestique* wurde vorzüglich in der in Anmerkung 13 zitierten Studie von Meillassoux herausgearbeitet.

15 So wie dies gewöhnlich in globalen Investitions-Prospektierungsanalysen in den kapitalistischen Metropolen geschieht. Vgl. hierzu S. 29 ff.

16 Die hohe Profitabilität derartiger Agrarstrukturen ist auch der Grund dafür, daß es keine Anreize für eine *allgemeine* Beschleunigung des technischen Fortschritts in solchen Landwirtschaften gibt.

Die hier geschilderten Zustände in der nicht voll durchkapitalisierten Landwirtschaft, die eine der wesentlichen Produktionsstätten von billiger Arbeitskraft in Peripherie-Ökonomien insgesamt sind, liegen letztlich auch dem ungleichen Tausch zwischen Metropolen und Peripherien zugrunde. Dabei macht gerade eine solche Beobachtung deutlich, daß ungleicher Tausch ein Reflex von spezifischen Produktionsverhältnissen ist, weshalb *terms of trade*-Analysen höchst unzulänglich mit dieser Erscheinung zu Rande kommen. Was unter kapitalistischen Gesichtspunkten rentabel und profitabel erscheint und unter Gesichtspunkten nationaler Entwicklungsplanung als ein Beitrag der Landwirtschaft zur Industrialisierung, nämlich die Produktion und Existenz *billigster* Arbeitskraft, dient der Aufrechterhaltung all der

Symptome, die als Unterentwicklung diskutiert werden. Siehe hierzu auch Jean-Pierre Olivier, *Afrique. Qui exploite qui?*, in: *Les Temps Modernes*, Heft 346, 1975, S. 1506-1551, bes. S. 1548 ff.

17 Vgl. hierzu die in Anmerkung 10 zitierte Weltbankstudie.

18 In der in Anmerkung 13 zitierten Studie von Meillassoux hat dieser Autor vor allem darauf hingewiesen, daß das Ausmaß kollektiver Investitionen in die *économie domestique* sukzessive zurückgeht – einer von vielen Faktoren, die die Zerrüttung der Hauswirtschaft beschleunigt.

19 Vgl. hierzu Ernest Feder, *Die neue Penetration der Landwirtschaften der unterentwickelten Länder durch die Industrienationen und ihre multinationalen Konzerne*, in: Dieter Senghaas und Ulrich Menzel (Hrsg.), *Multinationale Konzerne und Dritte Welt*, Wiesbaden 1976, S. 103-127; als vorzügliche Fallstudie siehe Ernest Feder, *Der Erdbeer-Imperialismus. Aufsätze zur Agrarstruktur Lateinamerikas*, Frankfurt 1977. Einige Grundfragen dieses Prozesses werden diskutiert in Rolf Hanisch, *Growth or Equity? Reflections on some Recent Tendencies in the Agricultural Policy of LDCs*, in: *Inter-Economics*, Nr. 5/1976, S. 146-149. Siehe auch Erich Jacoby, *Structural Changes in Third World Agriculture as a Result of Neo-Capitalist Developments*, in: *The Developing Economies*, Bd. 12, Nr. 3, 1974, S. 201-213.

20 Vgl. Samir Amin (Hrsg.), *L'agriculture africaine et le capitalisme*, Paris 1975.

21 Vgl. hierzu die zusammenfassende Studie von Keith Griffin, *The Political Economy of Agrarian Change. An Essay on the Green Revolution*, London 1974.

22 Eine interessante neuere Fallstudie in diesem Zusammenhang ist Kurt Egger und Bernhard Glaeser, *Politische Ökologie der Usambara-Berge in Tanzania*, Bensheim 1975.

23 Hinsichtlich der Erfahrung in Lateinamerika siehe Ernest Feder, *Agrarstruktur und Unterentwicklung in Lateinamerika*, Frankfurt 1973, sowie Ernest Feder (Hrsg.), *Gewalt und Ausbeutung. Lateinamerikas Landwirtschaft*, Hamburg 1973.

24 Vgl. über die sozialen Bewegungen der Bauern in den vergangenen Jahrzehnten u. a. Hamza Alavi, *Theorie der Bauernrevolution*, Stuttgart 1972; Eric Wolf, *Peasant Wars of the 20th Century*, London 1969; Gerrit Huizer, *El potencial revolucionario del campesino*, Mexiko 1973.

25 Vgl. die in Anmerkung 10 zitierte Weltbank-Studie sowie allgemein: Weltbank, *The Assault on World Poverty*, Baltimore 1975.

26 Vgl. hierzu insbesondere das Kapitel 2 der in Anmerkung 10 zitierten Weltbankstudie.

27 Vgl. hierzu das Kapitel 3 der in Anmerkung 10 zitierten Weltbankstudie.

28 Vgl. hierzu die in Anmerkung 24 zitierten Untersuchungen.

29 Ernest Feder, *McNamara's Little Green Revolution*, Institute of Social Studies, Den Haag 1975 (unv. Ms.). Zur Problematik siehe jetzt auch Erich Jacoby, *Les sociétés multinationales et le développement du Tiers Monde. Une influence croissante dans le système des Nations unies*, in: *Le Monde Diplomatique*, Juli 1976, S. 4/5.

30 Vgl. Ernest Feder, *Counter-Reform*, in: Rodolfo Stavenhagen (Hrsg.), *Agrarian Problems and Peasant Movements in Latin America*, New York 1970, S. 173.

31 Im Augenblick ist zu beobachten, wie die neue Weltbankphilosophie über die Rolle der Kleinbauern nationale Entwicklungsplanungen durchdringt. Vgl. hierzu den interessanten Bericht über den neuen Entwicklungsplan Kolumbiens, der am 11. 2. 1976 in *Blick durch die Wirtschaft* (»Die kolumbianische Regierung verzichtet auf Bodenumverteilung«) besprochen wurde. Dort heißt es, ganz im Sinne der Weltbankphilosophie: »Der neue Plan ist mit seinen Zielen des wirtschaftlichen Wachstums, der Umverteilung von Einkommen und der Schaffung von Arbeitsplät-

zen nicht grundsätzlich neu. Diese Zielproklamationen galten auch in früheren Plänen. Neu ist allerdings, daß die jetzige Regierung die Prioritäten anders setzt. Angestrebt wird nicht, wie früher in der Regel vorrangig, bloßes Wirtschaftswachstum über die Förderung von wachstumsorientierten Wirtschaftszweigen in den Ballungsgebieten des Landes, sondern dafür die Schaffung von Arbeitsplätzen in Stadt und Land und die Umverteilung des Einkommens. Es wird versucht, die Kluft zwischen Arm und Reich sowie zwischen Stadt und Land einzuebnen. Diese Ziele will die Regierung über eine Wirtschafts-, Finanz- und Regionalpolitik erreichen, die bislang vernachlässigte (aber arbeitsintensive) Wirtschaftszweige wie die traditionelle Landwirtschaft, das Handwerk und die Kleinindustrie begünstigen, und ferner über eine Neuorientierung der öffentlichen Ausgaben, die künftig verstärkt in Programme zur ländlichen Entwicklung, zur Verbesserung der Lebensverhältnisse in städtischen Slums sowie in Gesundheits- und Ernährungsprogramme für die Ärmsten der Armen fließen sollen. [. . .] Der Agrarbereich wird deshalb in Kolumbien in den kommenden Jahren weiterhin vom Grundsatz der Unantastbarkeit des Privateigentums und der privaten unternehmerischen Initiative bestimmt werden. Um diese private unternehmerische Initiative im traditionellen Agrarsektor (der sogenannten Minifundistas) zu fördern, versucht der Plan DRI ein in der internationalen Entwicklungsdiskussion en vogue befindliches Entwicklungskonzept in Kolumbien zu realisieren. Dieses Konzept besteht darin, all den Kleinbauern, die bislang keinen Zugang zum Kredit, zur Technik, zum Markt und zur Betriebsberatung haben, die genannten Verbindungen zu schaffen, um auf diese Weise die Produktion von Grundnahrungsmitteln für den landeseigenen Bedarf zu steigern, Arbeitsplätze zu schaffen und darüber das Einkommen der Landbevölkerung zu erhöhen. Angesichts der kolumbianischen Agrarstruktur, in der rund 65% der Betriebe aus Kleinbetrieben bestehen (bis 5 ha Größe), die über eine reine Subsistenzwirtschaft nicht hinausgekommen sind, bleiben erhebliche Zweifel, ob der vom Plan vorgezeichnete Weg der effizienteste ist, um die landwirtschaftliche Produktion zu steigern und ob mit seiner Hilfe neue Arbeitsplätze geschaffen werden.« Der Bericht endet mit folgender bemerkenswerter Beobachtung: »Im übrigen fällt auf, daß in den Haushaltsansätzen für die nächsten Jahre für den Agrarentwicklungsplan und für den Ernährungsplan jeweils nicht mehr als 1,6 und 1,5% des nationalen Haushalts vorgesehen sind. Ansätze, die beispielsweise nicht über den Ansatz für den öffentlichen Straßenbau hinausgehen und die der Bedeutung dieser Einzelpläne, die die Regierung ihnen geben möchte, nicht gerecht werden« (zitiert nach BMZ-*Spiegel der Presse,* Nr. 10, 1976, S. 317/18).

32 Siehe im vorliegenden Band S. 265 ff.

33 Vgl. z. B. den Aufsatz von Otto Matzke, *Internationale Agraranpassung. Instrument eines weltweiten Interessenausgleichs,* in: *Europa-Archiv,* Nr. 8, 1975, S. 251-260.

34 Ebd., S. 258.

35 Warum eigentlich sollen afrikanische Länder zu den Obst- und Gemüsegärten Europas werden? – um nur ein Beispiel herauszugreifen (vgl. den diesbezüglichen Bericht in BMZ – *Spiegel der Presse,* Nr. 9, 1975, S. 251, in dem über die diversen Anstrengungen, die Exporte von Obst und Gemüse zu steigern, berichtet wird). Welche konventionelle Logik liegt dem folgenden Satz zugrunde, der aus einer FAO-Broschüre zur Welternährungskonferenz zitiert wird: »Damit jedoch die Entwicklungsländer in die Lage kommen, ihren Unterhalt selbst zu bestreiten, werden die entwickelten Länder ihre Zollschranken senken und andere Formen der Einfuhrdiskriminierung abbauen müssen«, zitiert aus *Konturen der Zukunft – die*

*Nahrungskrise und ihre Lösung*, Rom 1974 (FAO-Publikation)!

36 Otto Matzke und Hermann Priebe, *Entwicklungspolitik ohne Illusion*, Stuttgart 1973, S. 54. Dabei geht es nicht nur um eine ländliche Umstrukturierung, sondern um eine grundsätzliche Veränderung der Beziehungen zwischen allen Teilen von Peripherie-Ökonomien, wie Herbert Kötter aus einer systemanalytischen Perspektive zu Recht postulierte. Vgl. Herbert Kötter, *Gegen die Armut auf dem Lande*, in: *Materialien zur Welternährungslage der Deutschen Welthungerhilfe*, Bonn 1975, S. 26.

37 Vgl. u. a. René Dumont, *Chine. La révolution culturale*, Paris 1976.

38 Amoa, in: Ga-Kwame und Oscar Braun, *Echanges internationaux et sous-développment*, Paris 1974, S. 113. Eine Miniatur-Analyse hinsichtlich der Sahel-Zone findet sich in Claude Reboul, *La crise de l'agriculture sénégalaise*, in: *Le Monde Diplomatique*, August 1973, S. 18/19; siehe weiterhin Comité d'information Sahel, *Qui se nourrit de la famine en Afrique?*, Paris 1975².

*Anmerkungen zu: Der Weltwirtschaftsordnung neue Kleider*

1 Zur Dokumentation siehe Bundesministerium für Wirtschaftliche Zusammenarbeit, *Materialien zur Entwicklungspolitik*, Nr. 45, Bonn 1974 und Nr. 49, Bonn 1975; weiterhin *Europa Archiv*, Nr. 13, 1974; *epd – Entwicklungspolitik*, Nr. 2, 1975. Die wichtigsten Dokumente der vergangenen UN-Konferenzen finden sich in B. Engels, K. M. Khan und V. Matthies, *Weltwirtschaftsordnung am Wendepunkt. Konflikt oder Kooperation?*, München 1976.

2 Eine repräsentative liberale Kritik an einzelnen Forderungen findet sich in der Rede von Hans-Dietrich Genscher, *Das Nein eines Liberalen zum Rohstoffkartell*, Vortrag vor dem Ostasiatischen Verein in Hamburg, abgedruckt in *Frankfurter Rundschau*, 20. 3. 1975. Zur wissenschaftlichen Kritik siehe u. a. die inzwischen veröffentlichten Publikationen von Hans H. Glismann, Paulgeorg Juhl und Bernd Stecher, *Ökonomische Implikationen der Neuen Weltwirtschaftsordnung*, in: *Kieler Diskussionsbeiträge*, Nr. 46, Kiel 1976; Hans Besters (Hrsg.), *Eine neue Ordnung der Weltwirtschaft? Die zukünftige Zusammenarbeit zwischen Rohstoff- und Industrieländern*, Baden-Baden 1975; Erwin Schuhmacher, *Neue internationale Ordnung. Krise oder Chance?*, Düsseldorf 1976; Rainer Jonas und Manfred Tietzel (Hrsg.), *Die Neuordnung der Weltwirtschaft*, Bonn 1976. In diesem Zusammenhang ist auch das für die UNCTAD-IV-Konferenz in Nairobi 1976 erarbeitete entwicklungspolitische Dokument der Gemeinsamen Konferenz der Kirchen für Entwicklungsfragen (GKKE), das nunmehr mit einigen wissenschaftlichen Expertisen in Buchform vorliegt, zu erwähnen: *Soziale Gerechtigkeit und internationale Wirtschaftsordnung*, hrsg. von Hermann Kunst und Heinrich Tenhumberg, Mainz und München 1976.

3 Dieser Eindruck ließ sich bei der Erstabfassung des vorliegenden Kapitels durch eine systematische Durchsicht des BMZ-*Spiegel der Presse* bestätigen. In der journalistischen Publizistik nach dem Mai 1975, der Erstveröffentlichung dieses Kapitels, hat sich an dem hier beobachteten Sachverhalt nichts verändert. Weiterhin werden die Forderungen der Dritten Welt in der Tendenz als dirigistische und planwirtschaftliche Angriffe auf die freie Weltmarktwirtschaft eingestuft.

4 Hinsichtlich dieses Punktes besteht eine große Übereinstimmung mit maßgeblichen Dokumenten aus den Metropolen, ohne daß einer solchen kongruenten Bewertung eine entsprechende, protektionismusabbauende Außenwirtschafts- und

Binnenmarktpolitik gefolgt wäre. Siehe jetzt u. a. *Der Welthandel in den 70er Jahren* sowie *Ein Wendepunkt in den Nord-Süd-Beziehungen*, Bericht zweier Arbeitsgruppen der Trilateralen Kommission von Experten aus der EG, Japan und Nordamerika, in: *Arbeitspapiere zur internationalen Politik*, Nr. 4, hrsg. von der Deutschen Gesellschaft für auswärtige Politik, Bonn 1974.

Vgl. als repräsentative Stellungnahme eines verantwortlichen Politikers in der BRD die Ausführung von Egon Bahr: »Die Entwicklungsländer fordern die Öffnung unserer Märkte für ihre Produkte. Wir sind bereit, uns für den Abbau von Handelshemmnissen in der Europäischen Gemeinschaft einzusetzen. Wir können nicht Liberalisierung der dortigen Märkte verlangen, ohne sie bei uns einzuräumen. Die Entwicklungsländer wollen Industrien, um vor Ort zu produzieren, anstatt billig zu verkaufen und teuer einzukaufen. Wir sind bereit und haben auf der UNIDO-Konferenz in Lima im letzten Jahr zugestimmt, sie bei der Industrialisierung und beim Technologietransfer zu unterstützen. Auch wenn ein Teil der Produktionssteigerung dem Inlandkonsum dort und dem Handel untereinander zugute kommen wird, so wird damit auch der Handelsaustausch zwischen Industrieländern und Entwicklungsländern zusätzlichen Auftrieb erhalten. Wie das Beispiel der EG beweist, wird der Austausch substitutiver Güter weit mehr zum Wohlstand aller Beteiligten beitragen als der gegenwärtige zwischen Entwicklungs- und Industrieländern praktizierte komplementäre Warenaustausch«, abgedruckt in: BMZ-*Spiegel der Presse*, Nr. 16, 1976, S. 484.

5 Zur Problematik siehe zusammenfassend Gerhard Fels, *Internationale Umverteilung der Einkommen. Ansätze zu einer neuen weltwirtschaftlichen Arbeitsteilung*, in: *Europa Archiv*, Nr. 2, 1975, S. 31-38.

In dem in Anmerkung 4 zitierten Artikel von Egon Bahr wird zu diesem Sachverhalt folgendes ausgeführt: »Ohne Zweifel haben heute bestimmte Teilfertigungen und Produktionsarbeiten in Entwicklungsländern Standortvorteile, und es gibt Beispiele von Unternehmen, die ihre Marktposition nur deswegen halten konnten, weil sie einfachere Teilfertigungen in Entwicklungsländer auslagerten. Auch der Verbraucher hat seinen Vorteil davon: er kann preisgünstiger kaufen. Es ist natürlich, daß eine stärkere Weltarbeitsteilung strukturverändernd auf unsere eigene Volkswirtschaft wirkt. Dieser Strukturwandel wird sich langfristig vollziehen, und wir wollen uns ihm nicht entgegenstellen. Sicher ist, daß er erhöhte Anforderungen an alle Beteiligte stellen wird, an Unternehmer, Staat, Arbeitnehmer, an Forschung, Technologieentwicklung, an unser Bildungswesen. Denn die Industrialisierung der Entwicklungsländer wird uns abverlangen, daß wir unsere Volkswirtschaft – mit möglichst geringen Reibungsverlusten – so gestalten, daß wir solche Bereiche ausbauen, in denen wir bereits eine starke Weltmarktposition haben und die uns gute Chancen in der technologischen Weiterentwicklung gestatten werden, auch in Zukunft an der Spitze des Fortschritts zu stehen. Eine Gesellschaft, die technologisch an der Spitze steht wie die unsere, hat außer Kapital auch Know-how, d. h. technische und organisatorische Fähigkeiten, anzubieten. Wir sind also nicht nur auf Direktinvestitionen im Ausland angewiesen. Hier bietet sich ein ganzes Feld technologischer Dienstleistungen vom Lizenzvertrag bis zur Managementberatung an. Die Chance, international wettbewerbsfähig zu bleiben, hängt für uns eng mit der Fähigkeit zusammen, Industrien auszubauen, die in hohem Maße auf Wissen, Qualifikation und fortgeschrittenen Technologien beruhen. Denn dies ist der ›Rohstoff‹, den wir am sinnvollsten und am leichtesten vermehren können« (ebd., S. 484).

6 Vgl. den in Anmerkung 5 zitierten Artikel von Fels. In einem Bericht über die Position des Instituts für Weltwirtschaft in Kiel, an dem Fels arbeitet, schreibt Gerd

Kübler in der *Frankfurter Rundschau* vom 19. 6. 1976 über die von Fels und seinen Mitarbeitern vertretene Position: »Sinnvolle Industrialisierung müßte freilich zunächst einmal ›outward-looking‹ geschehen, also weniger im Hinblick auf die Bedürfnisse des noch nicht sehr kaufkräftigen Binnenmarktes, sondern gezielt auf die Absatzmöglichkeiten in den reichen Industrieländern, verlängerte Werkbank sozusagen für diese. Soll dieser Weg erfolgreich sein, dürfen sich auch die Industrieländer einem Strukturwandel nicht entgegenstemmen.« Vgl. zur Begründung auch die Studien in Herbert Giersch und Heinz-Dieter Haas (Hrsg.), *Probleme der weltwirtschaftlichen Arbeitsteilung*, Berlin 1974.

7 An dem ständig wiederholten Hinweis auf die Fortschrittlichkeit eines Übergangs von einer komplementären zu einer substitutiven Arbeitsteilung zwischen Industrieländern und den Ökonomien der Dritten Welt zeigt sich exemplarisch die Begrenztheit der überkommenen ökonomischen Diskussion des Verhältnisses von Metropolen zu Peripherien. Weder gibt es in dieser Diskussion einen qualifizierten Begriff von ungleicher Arbeitsteilung, noch ein mehr als nur oberflächliches Verständnis der Gesamtkonstitution einer Ökonomie in der Dritten Welt. Darin zeigt sich die besondere Problematik einer entwicklungspolitischen und außenwirtschaftlichen Diskussion, die einen Rückbezug zu Fragestellungen der politischen Ökonomie längst verloren hat. Deshalb scheinen Einwände wie die hier und in diesem Buch formulierten solchen Ökonomen unverständlich zu bleiben, ansonsten könnten sie den Übergang von komplementärer zu substitutiver Arbeitsteilung nicht als *den* Durchbruch schlechthin für die Länder der Dritten Welt propagieren. Vgl. in diesem Zusammenhang die obige Diskussion über »Anlagerungsindustrialisierung und ungleiche Entwicklung«, S. 173 ff.

8 Vgl. hierzu Dieter Senghaas (Hrsg.), *Peripherer Kapitalismus. Analysen über Abhängigkeit und Unterentwicklung*, Frankfurt 1974; sowie in diesem Buch S. 33 ff.

9 Vgl. hierzu das Kapitel »Anlagerungsindustrialisierung und ungleiche Entwicklung«.

10 Vgl. hierzu das Kapitel »Friedrich List und die Neue internationale Wirtschaftsordnung«, in diesem Buch S. 177 ff.

11 Auch hinsichtlich dieses Punktes gibt es Übereinstimmung mit relevanten politischen Meinungen in den Metropolen. Vgl. hierzu z. B. die Stellungnahme des OECD-Ministerrates vom 21. Juni 1976 über einen Wohlverhaltenskodex für multinationale Konzerne in der Dritten Welt (und den Kommentar hierzu in *Wirtschaftsdienst*, Nr. 7, 1976, S. 324/25).

12 Vgl. Konrad Seitz, *Die Dritte Welt als neuer Machtfaktor der Weltpolitik*, in: *Europa Archiv*, Nr. 7, 1975, S. 213-226.

13 Vgl. hierzu die Beiträge in Dieter Senghaas und Ulrich Menzel (Hrsg.), *Multinationale Konzerne und Dritte Welt*, Wiesbaden 1976. Siehe auch Roger Hansen, *The Political Economy of North-South Relations: How Much Change?*, in: *International Organization*, Bd. 29, 1975, S. 921-947.

14 Zur Dokumentation vgl. BMZ-*Materialien*, Nr. 49, Bonn 1975, S. 31 ff. sowie die gutachterlichen Stellungnahmen zur UNIDO-Konferenz, die vom Wissenschaftlichen Beirat des BMZ erarbeitet worden sind und die in BMZ-*Materialien* Nr. 52, Bonn 1975, veröffentlicht worden sind.

15 Die Betonung liegt auf *Entwicklung*, im Unterschied zu den Wachstumsschüben innerhalb von alten und neuen Wachstumspolen.

16 Odette Jankowitsch und Karl P. Sauvant, *The Evolution of the Non-Aligned Movement Into a Pressure Group for the Establishment of the New International*

*Economic Order*, Papier für die International Studies Association, 17. Jahreskonferenz in Toronto, 25.-29. 2. 1976, S. 60-62.

Wichtige ausgewählte Dokumente der UNCTAD IV-Konferenz finden sich im *Bulletin of Peace Proposals*, Nr. 3, 1976. Über die Diskussion der wesentlichen Verhandlungsgegenstände siehe Otto Matzke, *UNCTAD IV und danach. Gefahr der Konfrontation nicht gebannt*, in: *Aus Politik und Zeitgeschichte. Beilage zur Wochenzeitung DAS PARLAMENT*, Nr. 37, 1976 (11. 9. 1976), S. 3-37.

17 Bundesverband der Deutschen Industrie, *Zur Gestaltung der wirtschaftlichen Beziehungen zwischen Industrie- und Entwicklungsländern. Memorandum zu aktuellen Fragen der internationalen Rohstoffpolitik, Handelspolitik und zwischenstaatlichen industriellen Kooperation*, Köln, April 1976.

18 Weitsichtigere Wirtschafts- und Entwicklungstheoretiker beginnen nunmehr, nachdem es zu irgendeiner Form des kooperativen Arrangements zwischen Industrieländern und Dritter Welt kommen muß, in einzelnen Bereichen konstruktive Alternativen zu entwickeln, die Elemente der metropolitanen Kritik an den Vorstellungen über eine »Neue Weltwirtschaftsordnung« in sich enthalten, ohne die bisher nur ablehnend-negative und damit auch für den gegebenen Nord-Süd-Status quo gefährliche Neinsager-Haltung zu reproduzieren. Vgl. als ein Beispiel unter mehreren den Vorschlag von Dietrich Kebschull über Rohstoffabkommen mit sogenannter Stufenflexibilität, die er in dem Artikel *Stufenflexible Abkommen als gangbarer Weg*, in: *Wirtschaftsdienst*, Mai 1976, S. 229-232, entwickelt hat. Darin heißt es:»Aus diesem Grunde ist es falsch, Rohstoffabkommen generell mit einer Ausschaltung des Marktmechanismus gleichzusetzen. Sie sollten vielmehr als Mittel zur Verhinderung extremer Preisausschläge – etwa infolge von Spekulationsbewegungen oder großer Ernteschwankungen – gesehen werden. Dabei wird der Markt nicht ausgeschaltet, sondern zugunsten der Erzeuger und Verbraucher vor extremen Verzerrungen bewahrt. Das Spiel von Angebot und Nachfrage kann weiterhin innerhalb eines breiten interventionsfreien Bandes stattfinden. Grundlegende Marktveränderungen werden durch Preiskorrekturen und damit verbundenen Verschiebungen des Bandes Rechnung getragen. Statt eines starren Preiskorridors für die Laufzeit des Abkommens entstünde damit ein stufenflexibles Band. Je größer dabei die interventionsfreie Bandbreite ist, um so geringer ist die Gefahr der Instabilität durch Spekulationen« (S. 230/231).

19 *Der Katzenjammer nach Nairobi*, in: *Frankfurter Rundschau*, 3. Juni 1976, S. 3. Eine vorzügliche Analyse, die den von Grobe hier diagnostizierten Sachverhalt klassenanalytisch aufschlüsselt, gibt Jean-Pierre Olivier, *Afrique. Qui exploite qui?*, in: *Les Temps Modernes*, Bd. 347, 1975, S. 1744-1775, bes. S. 1758 ff., wo der Autor den Zusammenhang von neuer Staatsbourgeoisie, ökonomischer Ausbeutung und den partiellen Reorientierungen der herrschenden Klassen in Peripherien auf den kapitalistischen Weltmarkt *insgesamt* (im Unterschied zur früheren kolonialen und zum Teil auch noch neokolonialen Metropole-Peripherie-Beziehung) herausarbeitet. Olivier sieht zwei wesentliche gesellschaftliche Widersprüche: denjenigen zwischen den Volksmassen und der nationalen Staatsbourgeoisie und denjenigen zwischen dieser Staatsbourgeoisie und dem internationalen Kapital. Den ersten hält er für fundamental-antagonistisch, den zweiten für prinzipieller Natur. »Die Beherrschung der Beziehungen zwischen diesen beiden Widersprüchen ist eine der entscheidendsten politischen Fragen heute. Wie ist es möglich, gegen die Staatsbourgeoisie im Innern zu kämpfen und manchmal deren Handlungen im Äußeren zu billigen?« (ebd. S. 1771). Die Frage, so gestellt, bezeichnet auch ein Grunddilemma der Diskussion über eine »Neue internationale Wirtschaftsordnung«.

Vgl. dagegen aus konventioneller wirtschaftswissenschaftlicher Sicht Helmut Hesse, *Die Diskussion über die Neuordnung der Weltwirtschaft*, in: *Wirtschaftsdienst*, Nr. 10, Oktober 1976, S. 501-507.

*Anmerkungen zu: Die neue internationale Militärordnung*

1 World Council of Churches. Fifth Assembly, Nairobi, *Plenary Document*, Doc. No. PD 55 (»The World Armaments Situation«).

2 Genaugenommen hat auch die Friedensforschung nur wenige Ansätze zur *Militarismus-Analyse* aufzuweisen; ihre bisherigen Arbeiten konzentrierten sich auf eine Analyse von *Rüstungsdynamik.* Siehe zur gegenwärtigen Einschätzung von Rüstungsdynamik die einigermaßen repräsentative Stellungnahme einer Abrüstungs-Arbeitsgruppe der International Peace Research Association mit dem Titel *Zwischen Krieg und Frieden: Die Forderung nach Abrüstung*, in: *Friedensanalysen*, Nr. 2, Frankfurt 1976 (der englische Originaltext erschien im *Bulletin of Peace Proposals,* Nr. 3, 1975). Der Text wurde verfaßt von Ulrich Albrecht, BRD; Asbjörn Eide, Norwegen; Sverre Lodgaard, Norwegen; Dieter Senghaas, BRD; Marek Thee, Norwegen; Sergiu Verona, Rumänien; Raimo Väyrynen, Finnland. Erst neuerdings ist eine Reorientierung der Rüstungs-/Abrüstungsanalyse auf eine Militarismus-Analyse zu beobachten.

3 Die Kenntnis dieser Diskussion wird im folgenden vorausgesetzt. Vgl. die Literaturzusammenstellung in *Entwicklungspolitik. Materialien*, Nr. 51, hrsg. v. Bundesministerium für Wirtschaftliche Zusammenarbeit, Bonn, November 1975, und S. 206 ff. im vorliegenden Buch.

4 Dimensionen und Ausmaße von gegenwärtiger Rüstungsdynamik werden laufend dokumentiert in den Veröffentlichungen des Stockholm International Peace Research Institute; eine laufende ausschnitthafte Dokumentation repräsentativer Meinungen und Untersuchungen zu diesem Thema findet sich im *Bulletin of Peace Proposals,* das vom International Peace Research Institute in Oslo veröffentlicht wird. Die Hessische Stiftung Friedens- und Konfliktforschung, Frankfurt, hat ein Schwerpunktprogramm zu dieser Thematik, das weniger der laufenden Dokumentation als explikativer Analyse dient.

5 Zur Analyse von internationalen Konfliktformationen siehe Dieter Senghaas, *Konfliktformationen in der gegenwärtigen internationalen Gesellschaft,* in: Christoph Wulf (Hrsg.), *Kritische Friedenserziehung*, Frankfurt 1973, S. 155-195. Eine Systematisierung der aktuell beobachtbaren Rüstungs- und damit auch Militarismus-Konstellationen findet sich in dem Aufsatz von Johan Galtung, *Das Kriegssystem,* in: Klaus Jürgen Gantzel (Hrsg.), *Herrschaft und Befreiung in der Weltgesellschaft,* Frankfurt 1975, S. 68-114. Weiterhin Dieter Senghaas, *Gewalt – Konflikt – Frieden*, Hamburg 1974, S. 58 ff. Die hier angesprochene Problematik fällt natürlich in den weiteren Rahmen der Gewalt-Diskussion; vgl. hierzu meinen Aufsatz *Friedensforschung und die Analyse von Gewalt heute,* in: *Universitas,* November 1975, S. 1121-1130. Zur allgemeinen Problematik siehe auch Egbert Jahn, *Kommunismus und was dann? Zur Bürokratisierung und Militarisierung des Systems der Nationalstaaten,* Reinbek 1974.

6 Zur theoretischen und methodischen Diskussion der Militarismus-Problematik vgl. Volker Berghahn (Hrsg.), *Militarismus,* Köln 1975. Vgl. darin insbesondere den unter theoretischen Gesichtspunkten wichtigen Beitrag von Alf Lüdtke, *Militärstaat und Festungspraxis* (S. 164-185).

7 Vgl. zur Dokumentation die Publikation der in Anm. 4 zitierten Forschungsorganisationen.

8 Zum folgenden u. a. Dieter Senghaas, *Abschreckung und Frieden. Studien zur Kritik organisierter Friedlosigkeit,* Frankfurt 1969. Zehn Jahre, nachdem ich die ersten Interpretationen hinsichtlich der metropolitanen Rüstungsdynamik formuliert habe, die in das zitierte Buch eingegangen sind, glaube ich, daß die seinerzeitigen zentralen Aussagen durch den faktischen Verlauf der Rüstungsentwicklung eher bestätigt als widerlegt worden sind.

9 Vgl. Dieter Senghaas, *Rüstung und Militarismus,* Frankfurt 1972.

10 Vgl. Dieter Senghaas, *Gewalt – Konflikt – Frieden,* Hamburg 1974, S. 40 ff.

11 Vgl. hierzu den Bericht im *Defense Monitor,* Washington, August 1974, wo ein weit höherer *turnover* für die USA nachgewiesen wird als für die Sowjetunion, was ein Ausdruck der höheren Modernisierungs- und Innovationsfähigkeit der US-Militärtechnologie ist.

12 Genau diesen Trend habe ich in dem in Anm. 8 zitierten Buch aufgrund einer Analyse der Entwicklung von Sicherheitspolitik bis in die Mitte der sechziger Jahre prognostiziert.

13 Vgl. zu dieser Diskussion Gert Krell, *Counter Force: Auf dem Wege zum ›humanen‹ Nuklearkrieg?,* in: *Sicherheitspolitik heute,* Nr. 2, 1975, S. 277-294; sowie Desmond Ball: *Déjà vu: The Return to Counterforce in the Nixon Administration,* California Seminar on Arms Control and Foreign Policy, Dezember 1974.

14 Vgl. hierzu Kosta Tsipis, *The Long-Range Cruise Missile,* in: *Bulletin of the Atomic Scientists,* April 1975, S. 14-26.

15 Ebenda.

16 Vgl. hierzu Jorma Miettinen, *Recent Developments in Tactical Nuclear Weapons and their Bearing on Nuclear Non-Proliferation,* in: *Instant Research on Peace and Violence,* Nr. 4, 1973, S. 225-230.

17 Vgl. hierzu den aufschlußreichen Artikel aus militärischer Perspektive von Dennis Gormley, *NATO's Tactical Nuclear Option. Past, Present, and Future,* in: *Military Review,* September 1973, S. 3-18.

18 Ein Plädoyer hierfür befindet sich in Stewart Menaul, *The Use of Nuclear Weapons in the European Theatre,* in: *NATO's Fifteen Nations,* April/Mai 1975, S. 31-38.

19 Zur gesamten Problematik vgl. SIPRI, *The Nuclear Age,* Stockholm 1975.

20 Vgl. William Epstein, *Retrospective on the NPT Review Conference. Proposals for the Future,* Muscatine 1975 (Publikation der Stanley Foundation).

21 Richard Burt, *New Conventional Weapon Technologies,* in: *Arms Control Today,* Januar 1975. Vgl. G. Kemp u. a., *The Other Arms Race,* Lexington 1975.

22 SIPRI, *World Armaments and Disarmament Yearbook 1974,* Stockholm 1974, S. 237. Die in diesem Bereich beobachteten Entwicklungen gelten praktisch für jeden Teilbereich von Rüstungsaktivitäten. Vgl. z. B. die Darstellung über neuere Entwicklungen im Bereich chemischer Waffensysteme in: SIPRI, *Chemical Disarmament. New Weapons for Old,* Stockholm 1975, sowie die laufende Berichterstattung über derartige Prozesse in den SIPRI-Jahrbüchern.

23 Vgl. hierzu den in Anm. 18 zitierten Artikel, der für das heute gängige militärstrategische Denken repräsentativ steht. Darin heißt es z. B.: »The quest for smaller, cleaner, more efficient nuclear war heads is entirely logical militarily as well as being highly desirable for humanitarian reasons. They should be introduced into the nuclear stockpile in Europe at the earliest date. A more efficient command and control system is highly desirable and NATO planners are well aware of current

deficiencies. Indoctrination of politicians would appear to be necessary to educate those who, in the ultimate analysis, must make political decisions probably affecting the future of mankind« (S. 38).

24 Die Angaben finden sich in *The Defense Monitor*, August 1974.

25 SIPRI, *Incendiary Weapons*, Stockholm 1975. Siehe auch Pertti Joenniemi, *Conventional Weapons. A New Issue*, in: *Instant Research on Peace and Violence*, Nr. 1-2, 1976.

26 Vgl. hierzu die in Anm. 19 zitierte Monographie.

27 Siehe hierzu insbesondere die Publikation der sogenannten Revisionismus-Historiographie in den USA; vgl. Dieter Senghaas, *Rüstung und Militarismus*, Frankfurt 1972, S. 140.

28 Die folgenden Ausführungen treffen insbesondere auf die westeuropäischen Rüstungskapitale zu, möglicherweise weniger auf die amerikanischen, da dort der nationale und potentiell internationale Markt für große Serien von vornherein lebensfähiger ist, als dies für die westeuropäischen Rüstungskapitale der Fall ist. Zur amerikanischen Rüstungs- und Rüstungsexportpolitik vgl. Monika Medick, *Die Rüstungsexportpolitik der USA*, Frankfurt 1975 (HSFK-Publikation).

29 Vgl. Mary Kaldor, *European Defence Industries. National and International Implications*, Brighton: University of Sussex, ISIO Monograph, Nr. 8, 1972; Ulrich Albrecht, *Rüstungskapitalismus in Westeuropa*, Berlin 1974 (unv. Ms.); Peter Schlotter, *Rüstungspolitik in der Bundesrepublik Deutschland*, Frankfurt 1975, sowie zusammenfassend Peter Schlotter, *Die Rüstungsexportpolitik der BRD. Staatliche und rüstungswirtschaftliche Interessen*, in: *HSFK-Papers*, 1/1976.

30 Vgl. Ulrich Albrecht, *Transnationale Rüstungskonzerne in Westeuropa*, in: *Leviathan*, Heft 1, 1974, S. 81-108.

31 Zum französischen Fall vgl. Françoise Sirjacques, *Determinanten der französischen Rüstungspolitik. Ein Beitrag zur Analyse von Rüstungsdynamik*, Frankfurt 1976.

32 Vgl. hierzu die Berichte über das französische und britische Engagement in: *Le Monde Diplomatique*, Dezember 1975, S. 9-11.

33 Vgl. hierzu Michael Klare, *Les alliances américaines en Asie*, in: *Le Monde Diplomatique*, September 1975, S. 2. Zur generellen Problematik vgl. Luis Herrera, *The Military as a Link in the Domination Chain of Latin America*, in: *Instant Research on Peace and Violence*, 4/1975, S. 197-221.

34 Als Gesamtdarstellung vgl. SIPRI, *The Arms Trade with the Third World*, Stockholm 1971; sowie Ulrich Albrecht, *Der Handel mit Waffen*, München 1971. Ferner: SIPRI, *Arms Trade Register*, Stockholm 1975.

35 Jan Øberg, *Arms Trade with the Third World as an Aspect of Imperialism*, in: *Journal of Peace Research*, Bd. 12, Nr. 3, 1975, S. 213-234.

36 SIPRI, *Arms Uncontrolled*, Stockholm 1975, S. 42 und 46.

37 Vgl. SIPRI, *The Arms Trade with the Third World*, Stockholm 1971, Kap. 22; SIPRI, *World Armaments and Disarmament Yearbook 1973*, Stockholm 1973, Kap. 10; SIPRI, *World Armaments and Disarmament Yearbook 1975*, Stockholm 1975, Kap. 8; sowie jetzt Jan Øberg, *Third World Armament: Domestic Arms Production in Israel, South Africa, Brazil, Argentina and India 1950-75*, in: *Instant Research on Peace and Violence*, 4/1975, S. 222-239.

38 Vgl. Ulrich Albrecht, Dieter Ernst, Peter Lock und Herbert Wulf, *Rüstung und Unterentwicklung*, Reinbek 1976.

39 SIPRI, *World Armaments and Disarmament Yearbook 1973*, Stockholm 1973, S. 343. Es sei nur am Rande darauf hingewiesen, daß von einer ähnlichen Stufenfolge

auch der Aufbau ziviler Produktionskapazitäten gekennzeichnet ist. Vgl. hierzu M. Holthus (Hrsg.), *Die deutschen multinationalen Unternehmen. Der Internationalisierungsprozeß der deutschen Industrie*, Frankfurt 1974, passim.

40 SIPRI, *World Armaments and Disarmament Yearbook 1975*, Stockholm 1975, S. 195.

41 Ebenda, S. 197.

42 Ebenda, S. 197.

43 Vgl. Eckehart Ehrenberg, *Die indische Aufrüstung 1947-1974*, Saarbrücken 1976.

44 Vgl. Ulrich Albrecht, Dieter Ernst, Peter Lock und Herbert Wulf, *Rüstung und militarisierter Entwicklungsprozeß in peripheren Ländern*, in: *Leviathan*, Heft 4, 1975, S. 550-576.

45 Ebenda, sowie zur allgemeinen Problematik Henrik Plaschke, *International Sub-Contracting. On the Migration of Labour-Intensive Processing from the Center to the Periphery of Capitalism*, in: *Instant Research on Peace and Violence*, Nr. 2, 1975, S. 88-96.

46 Vgl. zur allgemeinen und besonderen Problematik Dieter Senghaas und Ulrich Menzel (Hrsg.), *Multinationale Konzerne und Dritte Welt*, Wiesbaden 1976, S. 43-70.

47 Vgl. Dieter Senghaas, *Entwicklungspolitik am Scheideweg*, in: Alfred Schmidt (Hrsg.), *Überwindung von Unterentwicklung*, Frankfurt 1976, S. 43 ff.

48 Vgl. Mary Kaldor, *L'essor spectaculaire du commerce des armes*, in: *Le Monde Diplomatique*, Januar 1976, S. 17; Eckehart Ehrenberg und Wolfgang Mallmann, *Die Aufrüstung am Persischen Golf 1965-1975*, Bonn 1976 (unv. Ms.); Wolfgang Mallmann, *Die israelisch-arabische Aufrüstung seit dem Juni-Krieg 1967*, Köln 1976; Dieter Ernst, *Aufrüstung und Unterentwicklung der europäischen Peripherie. Das Beispiel Griechenland/Türkei*, Hamburg 1976 (in Vorbereitung). Aus politischer Sicht vgl. den Artikel von Edward Kennedy, *The Persian Gulf. Arms Race or Arms Control?*, in: *Foreign Affairs*, Oktober 1975, S. 14 ff.

49 Diese zu untersuchen, gehört zu den Aufgabenstellungen einer Theorie der Subzentren bzw. des Subimperialismus. Vgl. hierzu Raimo Väyrynen und Luis Herrera, *Subimperialism: From Dependence to Subordination*, in: *Instant Research on Peace and Violence*, 3/1975, S. 165-177. Die diesbezügliche Rolle von Südafrika hat deutlich herausgearbeitet Abdul Minty, *La puissance militaire de l'Afrique du Sud*, in: *Le Monde Diplomatique*, Januar 1976, S. 16/17.

Ein in dieser Hinsicht erhellender politischer Artikel der einflußreichen amerikanischen Zeitschrift *Foreign Affairs* hat deutlich gemacht, daß es nur einer Kooptation solcher Subzentren in die überkommene Struktur des internationalen Wirtschaftssystems bedürfe, um die politische Situation zwischen Metropolen und Peripherien erneut zu stabilisieren. Siehe Tom Farer, *The United States and the Third World. A Basis for Accommodation*, in: *Foreign Affairs*, Oktober 1975, S. 79-97.

50 Vgl. Dieter Senghaas (Hrsg.), *Peripherer Kapitalismus. Studien über Abhängigkeit und Unterentwicklung*, Frankfurt 1974.

51 Vgl. Alain Joxe, *Evolution des états et des coups d'état*, in: *Le Monde Diplomatique*, Juli 1975, S. 9-11.

52 Zur allgemeinen Problematik vgl. Bassam Tibi, *Militär und Sozialismus in der Dritten Welt*, Frankfurt 1973, Kap. 1; ebenfalls die vorzüglichen Berichte in der Monatszeitschrift *Le Monde Diplomatique* im Februar 1975 über das Militär in Asien, im Juli 1975 über das Militär in Lateinamerika, im Dezember 1975 und

Januar 1976 über das Militär in Afrika. Zur allgemeinen Problematik siehe auch Katharine Chorley, *Armies and the Art of Revolution*, Boston 1973.

53 Elena de la Souchère, *Les trois âges du militarisme*, in: *Le Monde Diplomatique*, Juli 1975, S. 7 ff., sowie I. Sotelo, K. Eßer und B. Moltmann, *Die bewaffneten Technokraten. Militär und Politik in Lateinamerika*, Hannover 1975.

54 Ebenda.

55 Peru dürfte evtl. diesem Typ zuzuordnen sein.

56 Der Fall Somalia deutet darauf hin. Vgl. hierzu den Bericht von Basil Davidson in *Le Monde Diplomatique*, August 1975, S. 18-20.

57 Zur kritischen Auseinandersetzung mit den modernisierungstheoretischen Ansätzen vgl. Bassam Tibi a.a.O. (Anm. 52); Volker Matthies, *Militärische Staatsstreiche und Militärregimes südlich der Sahara*, in: *Afrika Sepctrum*, Nr. 1, 1971, S. 5-33; Ulrich Albrecht, Dieter Ernst, Peter Lock und Herbert Wulf, *Armaments and Underdevelopment*, in: *Bulletin of Peace Proposals*, Bd. 5, 1974, S. 173-185; Eric Nordlinger, *Soldiers in Mufti: The Impact of Military Rule upon Economic and Social Change in the Non-Western States*, in: *The American Political Science Review*, Dezember 1970, S. 1131-1148; Uma Eleazu, *The Role of the Army in African Politics. A Reconsideration of Existing Theories and Practices*, in: *The Journal of Developing Areas*, Bd. 7, Januar 1973, S. 265-286; Richard Rankin, *The Expanding Institutional Concerns of the Latin American Military Establishments. A Review Article*, in: *Latin American Research Review*, Bd. 9, Nr. 1, Frühjahr 1974, S. 81-108; Reinhard Körner, *Unterentwicklung, Abhängigkeit und Militärherrschaft*, in: *Neue Politische Literatur*, Bd. 21, 1976, S. 217-225.

58 Vgl. als Fallstudie Robert Stauffer, *The Political Economy of a Coup. Transnational Linkages and Philippine Political Response*, in: *Journal of Peace Research*, Bd. 11, 1974, Nr. 3, S. 161-178.

Von Weizsäcker hat in diesem Zusammenhang geschrieben: »Militärdiktaturen entsprechen dem objektiven wirtschaftlichen Interesse des internationalen Kapitalismus, und darum entspricht die Verflechtung in den Kapitalismus dem objektiven politischen Interesse von Militärdiktaturen.« Carl Friedrich von Weizsäcker, *Wege in der Gefahr*, München 1976, S. 76.

59 Vgl. die Beiträge im Sonderheft *Accumulation et surexploitation*, in: *Critique de l'économie politique*, Nr. 16/17, Paris 1974. Zur Problematik siehe jetzt Marcos Kaplan, *Der Faschismus in Lateinamerika*, in: *Berichte zur Entwicklung in Spanien, Portugal und Lateinamerika*, Teil I: Juli/August 1976, S. 23-32; Teil II: September/Oktober 1976, S. 3-22.

60 Vgl. hierzu insbesondere die Beiträge in *Le Monde Diplomatique*, Februar 1975, die sich mit mehreren asiatischen Fällen beschäftigen (S. 9-16).

61 Vgl. das Brasilien-Kapitel im vorliegenden Buch S. 129 ff.

62 Zum chilenischen Fall vgl. James Petras, *Economie et répression au Chili*, in: *Le Monde Diplomatique*, Januar 1976, S. 13; sowie André Gunder Frank, *Economic Genocide in Chile. Economic Theory and Political Reality*, Frankfurt 1976 (unv. Ms.). Über einen strukturell ähnlich gelagerten Fall in einem allerdings weniger entwickelten Zusammenhang siehe Miles Wolpin, *Dependency and Conservative Militarism in Mali*, in: *Journal of Modern African Studies*, Bd. 13, Nr. 4, 1975, S. 585-620.

63 Vgl. hierzu vor allem Ruth First, *Les nouveaux masques*, in: *Le Monde Diplomatique*, Dezember 1975, S. 7 ff.; Cathérine Coquery-Vidrovitch, *Les limites de l'indépendence économique*, in: *Le Monde Diplomatique*, Januar 1976, S. 19/20. Zur Klassenanalyse des Staatsapparates besonders in Schwarzafrika siehe Jean-Pierre

Olivier, *Afrique. Qui exploite qui?*, in: *Les Temps Modernes*, Heft 347, 1975, S. 1744-1775, bes. S. 1753 ff.

64 Vgl. den Bericht über den Kongo in *Le Monde Diplomatique*, Dezember 1975, S. 12.

65 Hierzu Nordlinger, a.a.O. (Anm. 57), sowie Esko Antola, *The Roots of Domestic Military Interventions in Black Africa*, in: *Instant Research on Peace and Violence*, 4/1975, S. 207-221.

66 Vgl. Ali Mazrui, *The Resurrection of the Warrior Tradition in African Political Culture*, in: *Journal of Modern African Studies*, Bd. 13, Nr. 1, 1975, S. 67-84 und Ali Mazrui, *Soldiers as Traditionalizers*, in: *World Politics*, Bd. 28, Januar 1976, S. 246-272.

67 Vgl. Miles Wolpin, *Military Aid and Counter-Revolution in the Third World*, Lexington 1972; sowie vom selben Autor in Vorbereitung *Social Revolution and Military Subordination in the Third World.*

68 Dasselbe traf auch auf Argentinien vor dem Putsch (1976) zu, das – nach der Analyse von Horacio Godoy – ein »strukturiertes Chaos« widerspiegelte. Über die Rolle der »industriellen Guerilla-Bewegung« und die diesbezügliche neue Rolle des argentinischen Militärs im sozialen Krieg vgl. Alain Labrousse, *Les militaires devant les désordres et la crise économique*, in: *Le Monde Diplomatique*, Januar 1976, S. 12.

69 Vgl. Dieter Senghaas, *Aufrüstung durch Rüstungskontrolle. Über den symbolischen Gebrauch von Politik*, Stuttgart 1972. In einem jüngsten Bericht wurde über die anstehenden MBFR-Verhandlungen in Wien geschrieben: »The probable outcome is a small, symbolic reduction in order to prevent larger reductions enforced by Congress or carried out independently by European governments. A danger is that the levels frozen by an MBFR treaty will then be immune to further re-examination, and very large military establishments in Europe will be legitimized for decades more« (zitiert nach *The Defense Monitor*, Dezember 1975, S. 7).

70 Vgl. Dieter Senghaas, *Gewalt – Konflikt – Frieden*, Hamburg 1974, S. 74 ff. und 79 ff. Auch die Vorstellung einer Kontrolle der Exzesse von Militärapparaten, Geheimdiensten u. dgl. ist problematisch, da diese Exzesse meist das Ergebnis einer bewußt verfolgten politischen Zielsetzung sind. Vgl. hinsichtlich der CIA-Problematik den Bericht von Gary Wills, *The CIA from Beginning to End*, in: *New York Review of Books*, 22. Januar 1976, S. 23 ff., wo der Autor schreibt: »The problem is not one of control. The agency has been most dangerous when it *was* controlled. It is the President's secret militia [. . .] What we are talking about is the action arm of the Imperial President [. . .] It is silly to talk about making the President control the CIA. It is his own means of escaping control [. . .] The CIA was formed expressedly to escape accountability [. . .]« (S. 32).

71 Der *Defense Monitor* (Februar 1975, S. 3) berichtet, daß ein NATO-Kriegsspiel mit dem Namen *Carte Blanche* in 48 Stunden zum Einsatz von 335 taktischen Nuklearwaffen geführt hat, davon 268 auf deutschem Territorium. »Eine sehr konservative Schätzung kam auf 1,5 bis 1,7 Millionen getötete Deutsche, zusätzlich weiterer 3,5 Millionen Verwundeter. In den sechs Jahren des Zweiten Weltkrieges wurden 305 000 Deutsche getötet und 780 000 verwundet, d. h., daß ein kleiner begrenzter taktischer Nuklearkrieg über fünfmal so viel deutsche Todesopfer in zwei Tagen verursachen würde, als im gesamten Zweiten Weltkrieg zu verzeichnen waren.«

72 Guglielmo Ferrero, *Militarism*, London und New York 1902 (Neuauflage New York 1965), ist eines dieser berühmten Werke.

1 Als ein neueres Beispiel der Kritik an der überkommenen Entwicklungstheorie siehe die Ausführungen des Generalsekretärs der UN-Konferenz über Siedlungsfragen (Habitat), Enrique Penalosa: *Die Notwendigkeit eines neuen Entwicklungsmodells,* in: *Finanzierung und Entwicklung,* März 1976, S. 6-7. Penalosa schreibt: »In den gegenwärtigen Entwicklungsplanungen ist nämlich eine gefährliche Lücke zwischen Theorie und Praxis festzustellen. Regierungen und Öffentlichkeit müssen zu der Erkenntnis gebracht werden, daß die gegenwärtig angewandten Systeme und Methoden – das Entwicklungsmodell der letzten Jahrzehnte – unwirksam sind. Lange Zeit wurde gelehrt, daß dieser Fehlschlag auf einem Mangel an finanziellen Mitteln, politischem Engagement oder Fähigkeiten beruht. Heute wird zunehmend eingestanden, daß keine dieser Erklärungen den Kern des Problems berührt. Das eigentliche Problem ist konzeptioneller und struktureller Natur. Das Entwicklungsmodell, das heute in den meisten Entwicklungsländern zugrundegelegt wird, basiert großenteils auf zwei Ausgangspunkten, von denen der eine mit großer Sicherheit falsch und der andere illusorisch ist. Der erste ist die Vorstellung, daß der Weg zur Entwicklung durch eine Reihe von wohldefinierten Wachstums-Stufen gekennzeichnet ist – in Analogie zu den Erfahrungen der älteren industrialisierten Staaten. Obwohl nahezu weltweit von den Entwicklungstheoretikern abgelehnt, bestimmt diese Vorstellung die Planungs- und Investitionsprioritäten nicht nur der Mehrheit unter den Entwicklungsländern, sondern auch internationaler Institutionen. Die zweite Vorstellung – abgeleitet von der ersten – sagt, daß Entwicklung anhand des Bruttosozialprodukts gemessen werden kann und darüber hinaus das relative Wohlergehen der Völker in Form des Pro-Kopf-Einkommens quantifizierbar ist. In der Realität aber partizipiert die große Mehrheit der Weltbevölkerung nicht an dem ihnen zugeschriebenen statistischen Einkommen; die Lebensqualität der Massen kann sich auch dann verschlechtern, wenn das Bruttosozialprodukt steigt.«

Eine kurze Zusammenfassung der Problematik findet sich in Dieter Senghaas, *Zur Diskussion von Entwicklungsbegriffen,* in: *Entwicklung und Zusammenarbeit,* Nr. 1, 1975, S. 12-13; sowie auf Afrika bezogen Basil Davidson, *Can Africa Survive? Arguments against Growth without Development,* Boston 1974.

2 Die *Erklärung von Cocoyoc* ist das Ergebnis einer Beratung einer internationalen Gruppe von Sozialwissenschaftlern, die im Oktober 1974 in Cocoyoc, Mexico, stattfand. Den Vorsitz führte Barbara Ward, und die Konferenz wurde von UNCTAD und dem UN-Umweltprogramm (UNEP) unterstützt. Die englische Version der Erklärung ist abgedruckt im *Bulletin of Atomic Scientists,* März 1975, S. 6-10; eine deutsche Version findet sich in *Entwicklungspolitik. Materialien,* Nr. 49, hrsg. vom Bundesministerium für wirtschaftliche Zusammenarbeit, Bonn, Juni 1975, S. 1-10.

Vgl. in diesem Zusammenhang die Diskussion über alternative Entwicklungsstrategien auf der XXV. Pugwash-Konferenz in Madras, Indien (Januar 1976), die jetzt publiziert ist in: *Development, Resources and World Security,* in: *Proceedings of the Twenty Fifth's Pugwash Conference on Science and World Affairs,* London 1976, S. 93–183.

Ausgehend von der Befriedigung der Grundbedürfnisse als politischer Zielsetzung wurde in Lateinamerika in der Bariloche-Stiftung ein Weltmodell entwickelt, das die Erfüllung der genannten Zielsetzung sich analytisch zur Aufgabe gestellt hat. Vgl. jetzt die Publikation von Amilcar Herrera u. a., *Catastrophy or New Society? The Latin American World Model,* Ottawa 1976. Ein kurzer, von Lisandro Bril verfaßter Bericht hierüber findet sich in: *Entwicklung und Zusammenarbeit*, 10, 1976, S. 14–15.

3 Ebd., S. 4. Die fortgeschrittenste Operationalisierung dieser entwicklungspolitischen Konzeption erfolgte in dem sogenannten *World Indicators Program*. Siehe hierzu Johan Galtung, *World Indicators Program*, in: *Bulletin of Peace Proposals*, Nr. 4, 1973, S. 354-358. Über die Ausführung des Programms siehe Johan Galtung u. a., *Measuring World Development*, in: *Alternatives*, Teil I in Bd. 1, 1975, Nr. 1, S. 131-158 sowie Teil II in Bd. 1, 1975, Nr. 4, S. 523-555.

4 Vgl. paradigmatisch die Ausführungen des gegenwärtigen Direktors des Policy Planning and Program Review Department der Weltbank, Mahbub ul Haq: *Traurige Bilanz. Mehr Hilfe ohne Hilfe. Schmerzhafte Absage an den Liberalismus*, in *epd – Entwicklungspolitik*, Nr. 7, 1975, S. 10–15; dort heißt es: »Die alte Entwicklungsstrategie beruht auf der stillschweigenden Annahme, daß Armut durch hohe Wachstumsraten beseitigt werden könnte; mit einiger Verzögerung würde eine solche Einkommenssteigerung dann auch zu den Massen durchsickern. Dieser Strategie zufolge sind hohe Wachstumsraten allemal besser als niedrige, und ihre Aufteilung läßt sich vornehmen, nachdem das Wachstum eingetreten ist. Beide Voraussetzungen sind inzwischen widerlegt: es ist sicher wahr, daß hohe Wachstumsraten niedrigen möglichst vorzuziehen sind, denn sie steigern die Ansprüche der Gesellschaft mit. Alles hängt von der Struktur, der Zusammensetzung des Zuwachses ab. Wenn er z. B. durch steigende Produktion von Luxusgütern für die Reichen und Bevorrechtigten gekennzeichnet ist, dann ist ein hoher keineswegs besser als ein geringerer Zuwachs, der gleichmäßiger verteilt ist. Daraus folgt, Werturteile über verschiedene Wachstumsraten lassen sich nicht unabhängig von der in ihnen eingeschlossenen Einkommensverteilung treffen. Entwicklung ist schließlich weniger eine Folge davon, wieviel produziert wird, als vielmehr was und wie es sich aufteilt. Die Messung mittels BSP-Größen sagt nämlich nicht das geringste über den Grad an gesellschaftlicher Zufriedenheit aus. Das führt uns auf die zweite Setzung der alten Entwicklungsstrategie, daß nämlich Einkommensverteilungen einem zweiten Schritt vorbehalten bleiben können: wo mehr materielle Güter und Dienstleistungen im gesellschaftlichen System vorhanden wären, ließen sie sich jeweils so aufteilen, daß mehr soziale Befriedigung entstünde. Dies trifft einfach nicht zu, und es ist wichtig, diesen Gedankengang zu überwinden, denn er hat beträchtliche Schäden angerichtet und tut es weiterhin.«

Vgl. allgemein Iram Adelman und Cynthia Taft Morris, *Economic Growth and Social Equity in Developing Countries*, Stanford 1973, und Maria Huber, *Strategien der Entwicklungspolitik*, Frankfurt 1975.

5 Vgl. u. a. Hollis Chenery u. a., *Redistribution with Growth*, London 1974.

6 Internationales Arbeitsamt Genf, *Beschäftigung, Wachstum und Grundbedürfnisse. Ein weltweites Problem*, Genf 1976. Diese Beobachtung gilt auch für den jüngst vorgelegten dritten Bericht an den Club of Rome: *Reshaping the International Order* (Rio-Report), New York 1976 (deutsch: Wiesbaden 1977). Vgl. hierzu meine Besprechung in: *epd-Entwicklungspolitik*, Nr. 29, 1976, S. 7-9.

7 Vgl. hierzu auch im vorliegenden Buch S. 169 ff.

8 Siehe Dieter Senghaas (Hrsg.), *Peripherer Kapitalismus. Analysen über Abhängigkeit und Unterentwicklung*, Frankfurt 1974.

9 Zur Analyse der Strukturdefekte siehe im vorliegenden Buch S. 33 ff.

10 Der Begriff autozentrierte Entwicklung geht auf eine von Samir Amin im afrikanischen Kontext forcierte entwicklungspolitische Diskussion zurück. Vgl. u. a. seinen Aufsatz: *Zur Theorie von Akkumulation und Entwicklung in der*

*gegenwärtigen Weltgesellschaft,* in: Dieter Senghaas (Hrsg.), *Peripherer Kapitalismus,* Frankfurt 1974, S. 71-98. Vgl. hierzu auch das Grunddokument der Internationale africaine des forces pour le développement, die sich am 13. April 1975 konstituiert hat und die sich die Verwirklichung von autozentrierter Entwicklung zum Ziel gesetzt hat.

In diesem Zusammenhang soll auf eine Stellungnahme sowjetischer Afrikanisten aufmerksam gemacht werden, in der sie die Aminsche Konzeption autozentrierter Entwicklung aus theoretischen, ökonomischen und politischen Gründen kritisieren. Vgl. G. Rubinstein, G. Smirnov und V. Solodovnikov, *On Some Statements by Samir Amin,* in: *Review of African Political Economy,* Nr. 5, 1976, S. 103–109.

11 Die Konzeption Selbstbestimmtheit oder Autonomie benutzen wir hier im sozial-wissenschaftlichen Sinne, analog ihrer Verwendung in Karl Deutsch, *Politische Kybernetik,* Freiburg 1969, Teil III. Die Konzeption bezieht sich auf das Ausmaß an Fähigkeit zur Selbstkontrolle und Selbststeuerung im Unterschied zu diversen Formen der Fremdbestimmung.

12 Vgl. hierzu Osvaldo Sunkel, *Transnationale kapitalistische Integration und nationale Desintegration;* sowie Celso Furtado, *Externe Abhängigkeit und ökonomische Theorie;* beide Texte in Dieter Senghaas (Hrsg.), *Peripherer Kapitalismus,* Frankfurt 1974, S. 258 ff. und 316 ff.; sowie die in Anmerkung 71 zitierte Ausführung von Raúl Prebisch.

13 Die Befriedigung solcher Konsumerwartungen durch Importe oder lokale Produktion hängt natürlich vom relativen Entwicklungsniveau einer Peripherie-Ökonomie ab (z. B. Mauretanien im Unterschied zu Mexico).

14 Siehe im vorliegenden Buch S. 56 ff.

15 In diesem Zusammenhang könnte eine exemplarische Monographie erhebliche wissenschaftspolitische Bedeutung haben, die an einem Beispiel die Diskrepanz einer Ressourcenprospektierung unter alten entwicklungspolitischen Prämissen und einer Ressourcenprospektierung im Hinblick auf eine Entwicklungspolitik der individuellen und kollektiven *self-reliance* aufweisen würde. Mit einer solchen Studie könnte einer der intellektuellen Engpässe in der Diskussion über individuelle *self-reliance* begründet überwunden werden: nämlich die These einer nicht ausreichenden Ressourcen- und Faktorenausstattung für eine solche alternative Entwicklungspolitik. An der Ergiebigkeit solcher Studien, in die insbesondere auch eine wirtschaftsgeographische und sozialgeographische Expertise einzubringen wäre, kann kein Zweifel bestehen, denn die Befriedigung fundamentaler Bedürfnisse für die Masse der Bevölkerung setzt eine viel einfachere Faktorenausstattung voraus als die Befriedigung einer relativ komplexen Konsumnachfrage einkommensstarker Sozialschichten.

16 Einem solchen Aufbau kann nicht genug Aufmerksamkeit geschenkt werden, da die Abwesenheit eines Sektors für die Produktion von Produktionsgütern zu den chronischen Defekten von Peripherie-Ökonomien gehören. Joyce und Jean-Pierre Durand ist zuzustimmen, wenn sie in ihrem Buch über die Insel Mauritius *L'Ile Maurice, quelle indépendance?,* Paris 1975, fordern: »Die Produktion von Zwischengütern und Produktionsgütern muß entwickelt werden, um die aktuelle Struktur derartiger Ökonomien zu modifizieren, damit ein wirkliches ökonomisches Wachstum entfaltet wird. Allein die Industrie von Zwischengütern und von Produktionsgütern ist eine industrialisierende Industrie, welche Folgeeffekte in anderen Sektoren der Produktion hat« (S. 97).

17 Daß eine derartige Produktivitätssteigerung weder mit der kleinen noch der großen Grünen Revolution identisch sein darf, wurde im vorliegenden Buch an

anderer Stelle begründet (S. 199 ff.). Siehe hierzu auch Rudolf Buntzel, *Umriß einer landwirtschaftlichen Entwicklungsstrategie für Afrika*, in: Alfred Schmidt (Hrsg.), *Strategien zur Überwindung von Unterentwicklung*, Frankfurt 1976, S. 199-214.

18 Vgl. hierzu die grundlegende Studie von Clive Thomas, *Dependence and Transformation. The Economics of the Transition to Socialism*, London 1974, bes. Kapitel IV.

19 Friedrich List, *Das natürliche System der politischen Ökonomie*, Berlin 1961. Diese Schrift wurde der französischen Akademie der moralischen und politischen Wissenschaften von Friedrich List 1838 vorgelegt; das Manuskript war verschollen und wurde erst 1927 von Edgar Salin und Artur Sommer als Band 4 der Schriften von List herausgegeben. Wesentliche Argumentationen sind in das 1841 erschienene Hauptwerk von Friedrich List, *Das nationale System der politischen Ökonomie*, eingegangen. Die Darstellung der Bedeutung von systematischen Wechselbeziehungen zwischen Landwirtschaft und Manufaktur ist jedoch in der hier zitierten Preisschrift von List eindrucksvoller entfaltet als in dem späteren Hauptwerk.

20 Ebenda, S. 58.

21 Ebenda, S. 69.

22 Diese Einsicht ist vor allem im maoistischen Entwicklungsmodell zum Tragen gekommen. Vgl. Jack Gray, *The Chinese Model: Some Characteristics of Maoist Policies for Social Change and Economic Growth*, in: Alec Nove und D. M. Nuti (Hrsg.), *Socialist Economics*, Harmondsworth 1972, S. 491-510; sowie den Aufsatz des FAO-Beamten Sartaj Aziz, *The Chinese Approach to Rural Development*, in: *International Development Review*, No. 4, 1973, S. 2-7.

23 List, a.a.O. (Anm. 19), S. 75/76.

24 Vgl. im vorliegenden Buch S. 191 ff.

25 Vgl. im vorliegenden Buch S. 41 ff. Insbesondere auch die Theorie der Teilmarktstrukturen, wie sie von Karl Wohlmuth vorgelegt wurde: *Multinationale Konzerne, nationaler Markt und Unterentwicklung*, in: Dieter Senghaas und Ulrich Menzel (Hrsg.), *Multinationale Konzerne und Dritte Welt*, Wiesbaden 1976, S. 67-102.

26 Zur dynamischen Rolle der Binnenmarkterschließung siehe jetzt André Gunder Frank, *Über die Begrenzung des Binnenmarktes durch die internationale Arbeitsteilung und die Produktionsverhältnisse*, in: Klaus-Jürgen Gantzel (Hrsg.), *Herrschaft und Befreiung in der Weltgesellschaft*, Frankfurt 1975, S. 161-211.

27 Das Beispiel der chinesischen Entwicklung zeigt, daß eine gewisse Einkommensungleichheit (innerhalb von Sektoren und vor allem zwischen Stadt und Land) durchaus vereinbar ist mit einem autozentrierten Entwicklungsprozeß. Was in China nicht möglich ist und was einem autozentrierten Entwicklungsprozeß total zuwiderläuft, ist die periphere Gesellschaften auszeichnende *conspicuous consumption* einer gesellschaftlichen Minorität. Vgl. Martin King Whyte, *Inequality and Stratification in China*, in: *China Quarterly*, No. 64, 1975, S. 684-711, insbesondere Seite 695 ff.

28 Vgl. im vorliegenden Buch S. 54 ff.

29 Gaston Destanne de Bernis, *Industrializing Industries and the Economic Integration of Less-Developed Countries*, in: Luis Eugenio di Marco (Hrsg.), *International Economics and Development* (Festschrift für R. Prebisch), London 1972, S. 267-300; sowie vom selben Autor *Industries industrialisantes et contenu d'une politique d'intégration régionale*, in: *Economie appliquée*, Band 19, Nr. 3/4, 1966, S. 415-473. Letzterer Beitrag muß zu den grundlegenden ökonomischen Beiträgen zu einer Theorie autozentrierter Entwicklung gerechnet werden.

30 Clive Thomas, a.a.O. (Anm. 18), S. 195 ff.

31 Gray zitiert in dem in Anmerkung 22 erwähnten Artikel Mao Tse-tung, der die fortgeschrittenere Industrie in der Küstenregion Chinas hinsichtlich ihrer Funktion fürs Hinterland derart einschätzte: »Die Küstenindustrien haben einen hohen technischen Standard [. . .] Ihre Entwicklung kann zu einem höheren Standard und zu besseren Qualitätsgütern in allen Industrien quer durch das Land führen« (S. 500).

Vgl. auch Tamás Szentes, *Politische Ökonomie der Entwicklungsländer*, Frankfurt 1974, S. 274 ff.

32 Wie dies im Falle Brasiliens zu beobachten ist. Vgl. im vorliegenden Buch S. 129 ff.

33 Vgl. Rolf Steppacher, *Investitionsstruktur und wirtschaftliche Entwicklung der unterentwickelten Länder*, in: Alfred Schmidt (Hrsg.), *Strategien zur Überwindung von Unterentwicklung*, Frankfurt 1976, S. 178-198.

34 Ann Seidman, *Planning for Development in Sub-Saharan Africa*, New York 1975, S. 114-118.

35 Zur gesamten Problematik siehe den vorzüglichen Aufsatz von Frances Stewart, *Technology and Employment in LDCs*, in: Edgar Edwards (Hrsg.), *Employment in Developing Nations*, New York 1974, S. 84-132.

36 Jon Sigurdson, *Rural Industry and the Internal Transfer of Technology*, in: Stuart Schram (Hrsg.), *Authority, Participation and Cultural Change in China*, Cambridge 1973, S. 199-232. Siehe hierzu auch zusammenfassend Donald Keesing, *Economic Lessons from China*, in: *Journal of Development Economics*, Bd. 2, 1975, S. 1-32. Eine vorzügliche Darstellung des von Sigurdson analysierten Aufbau- und Verkettungsprozesses zwischen Landwirtschaft, einer landwirtschaftsnahen Industrie und der modernen Industrie auf der Grundlage chinesischer Quellen findet sich in der akkumulationstheoretischen und sozialgeographisch wichtigen Studie von Patrick Tissier, *La Chine. Transformations rurales et développement socialiste*, Paris 1976.

37 Ebenda, S. 205. (Herv. von mir, D. S.).

38 Ebenda, S. 207.

39 Vgl. hierzu den interessanten Diskussionsbeitrag von William Snead, *Self-Reliance, Internal Trade and China's Economic Structure*, in: *China Quarterly*, No. 62, 1975, S. 302-308. Snead setzt sich dabei mit einer Studie von Donnithorne über Chinas angebliche Zellen-Ökonomie auseinander. Donnithorne behauptete in einem Artikel in *China Quarterly* (Nr. 52, 1972, S. 605-619), daß die Herausbildung einer zellenförmig strukturierten Ökonomie in China eine wechselseitige Abschottung der Zellen mit sich bringt, was langfristig erhebliche gesamtwirtschaftliche Kosten (Mangel an Skalenerträge, an Spezialisierung und Arbeitsteilung) verursachen würde. Snead kann demgegenüber die Vermittlung von dezentralisierter Struktur und übergeordneter Planung belegen.

40 Vgl. das in Anmerkung 5 zitierte Buch. John Gurley betont deshalb zu Recht den *holistischen* Charakter des chinesischen oder maoistischen Entwicklungsprogramms in seinem Aufsatz *Rural Development in China, 1949 bis 1972, and the Lessons to be Learnt from it*, in Edgar Edwards (Hrsg.), a.a.O. (Anm. 35), S. 383-403, bes. S. 400 ff. Einer solchen holistisch konzipierten Strategie widerspricht im Ansatz die *eklektische* Konzentration auf Teilfelder selbst dann, wenn solche partiellen Programme auf den ersten Blick sinnvoll erscheinen. Vgl. in diesem Zusammenhang z. B. die landwirtschaftliche Entwicklungsprogrammatik von Otto Matzke und Hermann Priebe, *Entwicklungspolitik ohne Illusionen*, Stuttgart 1973,

wo viel Interessantes über die überfällige Mobilisierung der landwirtschaftlichen Produktivkraft geschrieben steht, jedoch ohne Rückbezug zu jenen Aktivitäten in der übrigen Ökonomie, die erforderlich sind, um die Landwirtschaft langfristig produktiver zu gestalten. Ähnlich wie Matzke und Priebe vgl. James Grant, *Development: The End of Trickle Down?*, in: *Foreign Policy*, Nr. 12, 1973, S. 43-65.

41 Sigurdson, a.a.O. (Anm. 36), S. 212 ff.

42 Ebenda, S. 226/227.

43 Vgl. Manfred Nitsch, *Technologie für Entwicklungsländer*, in: *Angepaßte Technologie. Ein Diskussionsbeitrag*, Bensheim 1974, S. 7-26.

44 Vgl. im vorliegenden Buch S. 100 ff.

45 Vgl. hierzu Horst Fabian, Ulrich Menzel, Wolfgang Ruß, Gerd Wontrobe in Zusammenarbeit mit Dieter Senghaas: *Strategien zur Überwindung von Unterentwicklung peripherer Gesellschaftsformationen*, laufendes Forschungsprojekt, Frankfurt 1975-1977.

46 In einem noch unveröffentlichten Papier hat Ulrich Menzel die Vorzüge des chinesischen Entwicklungsmodells (»Die Landwirtschaft ist die Grundlage und die Industrie der führende Faktor«) in folgenden Punkten zusammengefaßt: »1. Die ländliche Industrialisierung liefert, wenn auch anfangs in bescheidenem Rahmen, die notwendigen Agrar-Inputs, ohne die weitere Ertragssteigerungen nicht mehr möglich sind und die von der modernen Industrie kaum geliefert werden könnten. 2. Die so freigesetzten Arbeitskräfte werden aber innerhalb ihres Lebensbereiches zur Herstellung dieser Inputs wieder beschäftigt. Es ist sogar möglich, überschüssige Stadtbevölkerung, die durch die Weiterentwicklung der modernen Industrie nicht absorbiert werden kann, wieder aufs Land zu schicken, ohne daß sie bloß dem traditionellen Sektor zur Last fällt. 3. Kurzfristige landwirtschaftliche Einsätze der so Beschäftigten, etwa zur Ernte, sind möglich, ohne daß eine Unterbrechung der industriellen Tätigkeit besondere Konsequenzen nach sich zieht. 4. Die negativen sozialen Begleiterscheinungen der Binnenwanderung und Verslumung der Städte können vermieden werden. 5. Die moderne Industrie erfährt eine echte Ergänzung, ohne durch die Bereitstellung von Inputs besonders belastet zu werden. 6. Die Belastung des für andere Aufgaben benötigten Transportraumes entfällt. Es werden lokal vorfindbare Rohstoffe, soweit möglich, und lokal angebaute Agrargüter verarbeitet und die Endprodukte lokal verteilt. 7. Die Finanzierung der Kleinindustrie erfolgt mit den Mitteln der Volkskommunen. Der Staatshaushalt wird nicht belastet. 8. Die mit den zunächst einfachen Maßnahmen einhergehenden Produktivitätssteigerungen verbessern die ländlichen Einkommen, die wiederum den Ausbau der weiteren ländlichen Industrialisierung vorantreiben. 9. So entsteht kaufkräftige Nachfrage nach den Produkten der Konsumgüterindustrie. Umgekehrt liefert die Kleinindustrie Vorprodukte für die Leichtindustrie. Beides fördert die Einbettung der Kommunen in den nationalen Wirtschaftskreislauf. 10. Auf dem Dorf vollzieht sich ein sozialer und technischer Wandel, der einen wesentlichen Beitrag zur Schließung des Stadt-Land-Gefälles leistet. Die gesellschaftliche Arbeitsteilung wird zumindest tendenziell aufgehoben. 11. Die überschaubaren Produktionseinheiten und die dezentrale Planung bilden eine wesentliche Voraussetzung zur mitbestimmenden Partizipation der unmittelbaren Produzenten am Produktionsprozeß. Die gesamte Strategie des ›auf zwei Beinen gehen‹ läuft somit letztlich darauf hinaus, daß mittelfristig unterhalb des modernen Sektors viele in sich weitgehend geschlossene, autozentrierte Kreisläufe aufgebaut werden, die allerdings langfristig von unten herauf durch ihre Entwicklung und ihren sozialen und technologischen Wandel die Kluft zum modernen Sektor überwinden helfen, indem sie in fortschreitendem

Maße durch Liefer- und Bezugsverbindungen bei steigendem Einkommen in den nationalen Kreislauf eingebunden werden. Die ländliche Kleinindustrie wird somit zum Mechanismus, über den Technologietransfer, sozialer Wandel und kohärente Input-Output-Beziehungen zwischen Landwirtschaft und moderner Industrie vermittelt werden« (aus: Ulrich Menzel, *Die Rückbesinnung auf den Wert der menschlichen Arbeitskraft im Prozeß der chinesischen Entwicklung*, Frankfurt 1976, unv. Ms.). Vgl. jetzt auch Patrick Tissier, *La Chine. Transformations rurales et développement socialiste*, Paris 1976.

47 Hartmut Elsenhans, *Der algerische Weg der Überwindung von Unterentwicklung*, in: Claus Leggewie und Marios Nikolinakos (Hrsg.), *Europäische Peripherie. Zur Frage der Abhängigkeit des Mittelmeerraums von Westeuropa. Tendenzen und Entwicklungsperspektiven*, Meisenheim am Glan 1975, S. 196-232, insbes. S. 210 ff. In diesem Zusammenhang siehe auch vom selben Autor *Die Überwindung von Unterentwicklung*, in: Dieter Nohlen und Franz Nuscheler (Hrsg.), *Handbuch der Dritten Welt*, Bd. 1, Hamburg 1974, S. 162-189.

48 Auf diesen Sachverhalt ist der Begriff der Dissoziation gemünzt. Selektivität in den Außenbeziehungen betont auch der sogenannte Dag-Hammarskjöld-Bericht: *What now? Another Development*, Stockholm 1975, S. 67 ff. (Auszüge finden sich in der Zeitschrift *Friedensanalysen*, Nr. 3 und Nr. 4, Frankfurt 1976).

Johan Galtung und Fumiko Nishimura haben am Beispiel der chinesischen Entwicklung das Grundprinzip selektiver Austauschprozesse und Kooperation folgendermaßen beschrieben: »Selbstvertrauen schließt Austauschprozesse nicht aus, aber das Vertrauen auf die eigenen Kräfte bedeutet, daß man, ehe man in Austauschprozesse eintritt, untersucht, ob man nicht möglicherweise das gewünschte Produkt selbst produzieren kann. Es ist eine Haltung von Vertrauen in die eigenen Kräfte. Die grundlegende Norm ist immer diese: Man versuche zuerst, ob man ein Produkt selbst mit dem eigenen Team, der eigenen Brigade oder der eigenen Kommune produzieren kann. Wenn dies nicht klappt, sollte man (z. B. einen Traktor) das Produkt im Bezirk, wo man lebt, produzieren. Wenn das auch nicht klappt, dann in der Provinz; wenn dies nicht klappt, dann gibt es ja immer noch das ganze China – und letztlich, falls auch dies nicht möglich ist, gibt es immer noch den Zugang zum Außenhandel. Der Produktionszyklus wird also benutzt, um Menschen nicht nur administrativ, sondern auch ökonomisch in sinnvollen Kollektiven zusammenzubringen – groß genug, um lebensfähig zu sein, klein genug, um eine sinnvolle Interaktion mit anderen zu ermöglichen.« Johan Galtung und Fumiko Nishimura, *Freiheit selbst- und neubestimmt*, in: *epd – Entwicklungspolitik*, Nr. 15, 1976, S. 13-15.

49 Siehe im vorliegenden Buch S. 54 ff.

50 Kim il Sung, *Reden und Aufsätze*, Frankfurt 1971, Band 1, S. 289. Zum nordkoreanischen Entwicklungsweg siehe demnächst die Studie von Gerd Wontroba (Frankfurt, im Entstehen).

51 Hierzu auch C. Thomas, a.a.O. (Anmerkung 18), S. 133 ff.; sowie Rudolf Strahm, *Entwicklungsorientierte Handelsförderung im Dilemma*, Bern und Lausanne 1975 (Studien und Berichte aus dem Institut für Sozialethik 15/16, Bern–Lausanne), Teil 2.

In diesem Zusammenhang ist interessant zu beobachten, daß der Wille zu einer umfassenden Produktivkraftentfaltung auch in den weniger entwickelten ost- und südosteuropäischen Ländern neben anderen Faktoren zu einer erheblichen Verlangsamung des Integrationsprozesses im RGW-Bereich geführt hat. Trotz allen Anspruches auf sozialistische Arbeitsteilung hat gerade angesichts ungleicher Entwicklungsniveaus zwischen den RGW-Staaten die nationale Produktivkraftentfaltung das Primat. Gerade die Einschränkung multilateraler Beziehungen im RGW hat die Grundlage für eine breite Industrialisierung und die Entwicklung kohärenter ökonomischer Strukturen in den einzelnen beteiligten Ökonomien, insbesondere in den weniger entwickelten, geschaffen. Dadurch entstand eine nationale Basis für die erweiterte Reproduktion. Vgl. zu diesem Zusammenhang Uwe Stehr, *Sozio-ökonomische Bedingungen des Außenverhaltens der RGW-Staaten*, Frankfurt: HSFK-Studie 1976.

52 Vgl. Karl W. Deutsch, a.a.O. (Anm. 11). Hinsichtlich der faktischen Rolle des Staatsapparates in Peripherien vgl. Tilman Evers, *Unterentwicklung und Staat*, Berlin 1975 (unv. Ms.) sowie die Diskussion in Nr. 5 der *Review of African Political Economy*, 1976.

53 Dabei ist zu beachten, daß die Konzeption der *self-reliance* nicht zu einem Mittel der dominanten Klassen wird, weite Bereiche der eigenen Gesellschaft einfach hinsichtlich entwicklungspolitischer Förderungsmaßnahmen abzuschreiben und sie unter dem Vorzeichen von *self-reliance* sich selbst zu überlassen. Ob z. B. die vom gegenwärtigen Präsidenten Kameruns Ahidjo vertretene Theorie der »cercles concentriques de solidarité« eine wirklich operative Bedeutung hinsichtlich von wachsender Eigenständigkeit und einer stufenweisen Integration des Landes ist oder nur eine von vielen politischen Ideologien des Kontinents kann nur eine Analyse zeigen, die die Folgewirkungen einer derartigen Konzeption der *self-reliance* an Ort und Stelle zeitigen würden. Zur diesbezüglichen Ideologieanfälligkeit siehe Babakar Sine, *Impérialisme et théories sociologiques du développement*, Paris 1975, insbesondere S. 245 ff.

Sung-Jo Park fordert in einem Aufsatz (*Planung und politischer Prozeß in Entwicklungsländern*, in: *Zeitschrift für Politik*, Bd. 1976, Nr. 1, S. 16-29) eine »dynamische Durchlässigkeit zwischen gesamtnationaler Makroplanung und unzähligen Mikroplanungen«.

54 In diesem Zusammenhang muß betont werden, daß eine Theorie autozentrierter Entwicklung zwar die gegenwärtig existierenden Wachstumspole-Hinterland-Beziehungen nicht hintergehen kann, jedoch auf eine Überwindung dieser internen Gefälle angelegt ist. Vgl. zur theoretischen Aufarbeitung Ingrid Schillig-Kaletsch, *Wachstumspole und Wachstumszentren. Untersuchungen zu einer Theorie sektoral und regional polarisierter Entwicklung.* Arbeitsberichte und Ergebnisse zur wirtschafts- und sozialgeographischen Regionalforschung, Institut für Geographie und Wirtschaftsgeographie der Universität Hamburg, Hamburg 1976; sowie Johan Galtung, *Mehr Selbstvertrauen – Eine neue Entwicklungsstrategie*, in: BMZ-*Spiegel der Presse*, Bd. 1976, Nr. 21, S. 646-649.

55 Diesbezügliche Überlegungen zu einer reorganisierten Raumstruktur finden sich in Milton Santos, *Sousdéveloppement et pôles des croissances économiques et sociales*, in: *Tiers Monde*, Bd. 15, No. 58, 1974, S. 271-286, sowie vom selben Autor jetzt: *Science spatiale et planification du sous-développement*, in: *Hérodote*, Nr. 3, 1976; ebenfalls die Studien von David Slater, z. B. zusammenfassend: *Capitalisme sous-développé et aménagement de l'espace*, in: *Revue Tiers Monde*, Nr. 64, 1975, bes. S. 707-709, sowie Klaus Hembach und Hans-W. Hentze, *Planungsprobleme an der Peripherie von Entwicklungsländern*, in: *Entwicklung und Zusammenarbeit*, Nr. 5, 1976, S. 17-19.

56 Vgl. hierzu Alfons Lemper, *Handel in einer dynamischen Weltwirtschaft*, München 1974, Kapitel IV.

Eine solche Enthierarchisierung würde nicht nur die internationale Ökonomie, sondern auch relevante Dimensionen der internationalen Gesellschaft berühren, so z. B. eine verstärkte Dezentralisierung und echte Regionalisierung der bisher von den Metropolen beherrschten internationalen Nachrichten- und Informationssysteme. Vgl. hierzu u. a. German C. Roque, *L'information dans le tiers monde. Moyen d'asservissement ou instrument de libération*, in: *Le Monde Diplomatique*, August 1976, S. 1 und 5.

57 Vgl. hierzu den in Anmerkung 48 zitierten Dag Hammarskjöld-Report sowie den diesbezüglichen Vorschlag des ägyptischen Planungsministers Meguid in *Frankfurter Rundschau* vom 6. 8. 1976, S. 2: »Mit der Einrichtung [einer Zahlungs-Union, D. S.] soll nach den Worten Meguids der fast völligen Handelsabhängigkeit der Entwicklungsländer von den Industriestaaten entgegengewirkt werden. Sie soll aus vier Elementen bestehen: es ist ein Informationsbüro vorgesehen, das mögliche gewinnträchtige Transaktionen unter den Entwicklungsstaaten herausfindet. Eine Verrechnungsstelle soll den Handel der Entwicklungsstaaten untereinander durch kurzfristige Kredite finanzieren. Dazu soll die eigentliche Zahlungsunion kommen, die mittelfristige Kredite zur Verfügung stellt. Dabei soll vermieden werden, daß auf die Mittel der traditionellen Finanzpläne in den Industriestaaten zurückgegriffen wird. Schließlich ist an ein Reservezentrum gedacht, das die geringen Devisenreserven der Entwicklungsstaaten zusammenfaßt und außerdem als Empfangszentrale für multilaterale und bilaterale Finanzhilfe sowie als international anerkannte Agentur für die Garantie von Exportkrediten dient.«

Zur allgemeinen Problematik siehe weiterhin Christian Uhlig, *Monetäre Integration bei wirtschaftlicher Abhängigkeit*, München 1976, bes. S. 77 ff.

58 *Cocoyoc-Erklärung*, a.a.O (Anm. 2), S. 5 sowie Surendra Patel, *Collective Self-Reliance of Developing Countries*, in: *The Journal of Modern African Studies*, Band 13, 1975, S. 569-583.

59 Vgl. Samuel Parmar, *Self-Reliant Development in an ›Interdependant World‹*, in: Guy Erb und Valeriana Kallab (Hrsg.), *Beyond Dependency. The Developing World Speaks Out*, Washington 1975, S. 3-27; sowie Geoffrey Barraclough, *The Haves and the Have-Nots*, in: *New York Review of Books*, Band 23, Nr. 8, 13. Mai 1976, S. 31-41. Barraclough hält die Interdependenz-Doktrin für eine funktional äquivalente Ideologie zur *take-off*-Doktrin der fünfziger und sechziger Jahre.

60 Dies ist auch nicht erforderlich, wie in einer der frühesten Untersuchungen zu den Konstitutionsbedingungen von autozentrierter Entwicklung aufgewiesen wurde. Vgl. Karl Deutsch, *Nationalism and Social Communication*, Cambridge 1966².

Hinsichtlich der heute beobachtbaren zögernden Entwicklung zu einer Form kollektiver *self-reliance* siehe den Bericht von Helga Boss-Stenner, *Programm kollektiver Eigenständigkeit*, in: *epd – Entwicklungspolitik*, Nr. 15, 1976, S. 9-12.

61 Vgl. Anmerkung 6.

62 Ebenda, S. 72-74.

63 Diese Machtverlagerung ist rückgekoppelt mit dem Übergang vorherrschender Akkumulationsprinzipien in neue Formen der Akkumulation. Vgl. zu dieser Problematik die immer noch einmalige Studie von E. Preobrazenskij, *Die neue Ökonomik*, Berlin 1971 (Erstauflage 1926), insbesondere Kapitel II, das einen Vergleich über die ursprüngliche kapitalistische und die ursprüngliche sozialistische Akkumulation enthält sowie Reflexionen über den Kampf zwischen diesen beiden Akkumulationsprinzipien während der Periode gesellschaftlicher Transformation. Eine vorzügliche Länderstudie für diesen Zusammenhang bietet Rolf Hanisch, *Der Handlungsspielraum eines Landes im internationalen System. Das Beispiel Ghanas*,

Saarbrücken 1975, bes. S. 22 ff. und passim; sowie hinsichtlich Schwarzafrikas Richard Sandbrook und Robin Cohen (Hrsg.), *The Development of an African Working Class. Studies in Class Formation and Action*, London 1975.

Über die Bedeutung von interner Machtverlagerung vgl. über die »versackten« Revolutionen in Lateinamerika die Beiträge von Puhle, Waldmann, Tobler und Brunn in *Revolution und Reformen in Lateinamerika*, in: *Geschichte und Gesellschaft*, Bd. 2, Heft 2, 1976.

64 Um eine konsequente Politik des Vertrauens auf die eigenen Kräfte zu ermöglichen, sind die Entwicklungsprozesse in einem überschaubaren Raum für die davon betroffenen Menschen zu inszenieren. Ohne eine solche Transparenz ist wohl kaum eine für autozentrierte Entwicklung unerläßliche und dauerhafte Motivation zu individuellen und kollektiven Anstrengungen erwartbar. Über die Bedeutung der Transparenz von Entwicklungsprozessen in China siehe Galtung und Nishimura, a.a.O. (Anm. 48) S. 13.

Über die entwicklungspolitische Bedeutung von Überschaubarkeit im Nahbereich siehe auch Theodor Leuenberger, *Autarkie – Regionalisierung oder Integration*, in: Hans-Balz Peter und Jürgen A. Hauser (Hrsg.), *Entwicklungsprobleme – interdisziplinär*, Bern und Stuttgart 1976, S. 67-89, besonders S. 86 ff.

65 Hier gilt es an Friedrich Lists Betonung der langfristigen gesamtgesellschaftlich wohltätigen Wirkungen einer Produktion von produktiven Kräften (im Unterschied zur kurzfristigen Produktion von unmittelbar konsumierbaren Werten) zu erinnern.

66 Vgl. Marianne Gronemeyer, *Motivation und politisches Handeln*, Hamburg 1976. Da die potentiellen Nutznießer einer alternativen Entwicklungspolitik die in der überkommenen Gesellschaft Getäuschten sind, kann eine sehr hohe Sensibilität dieser Menschen hinsichtlich der Rollen und Funktionen unterstellt werden, die sie in einem autozentrierten Entwicklungsweg einnehmen.

67 Auch das vielzitierte und gepriesene Ujamaa-Konzept in der tansanischen Entwicklungspolitik ist nicht frei von diesem Trend, wie neuere Analysen aufgewiesen haben. Vgl. u. a. die Beiträge von P. L. Raikes und A. C. Coulsen in *Review of African Political Economy*, Nr. 3, 1975, S. 33 ff.

68 Der in China stattfindende Linienkampf ist ein direkter Reflex dieser drohenden Tendenz zur Verbürokratisierung und zur Herausbildung neuer dominanter Klassen. Vgl. Jack Gray, *The Two Roads. Alternative Strategies of Social Change and Economic Growth in China*, in: Stuart Schram (Hrsg.), *Authority, Participation and Cultural Change in China*, Cambridge 1973, S. 109-158; sowie Lowell Dittmer, *Liu Shao-Ch'i and the Chinese Cultural Revolution. The Politics of Mass Criticism*, Berkeley 1974.

Eine autozentrierte Entwicklung verlangt die reale Teilnahme der Masse der Menschen am politischen, sozialen, ökonomischen und kulturellen Reproduktionsprozeß einer Gesellschaft, wie dies Samir Amin zu Recht betont hat: »Man benötigt das Vertrauen in die Massen, um gleichermaßen die drei notwendigen Revolutionen durchzuführen: diejenige der Produktionsverhältnisse, welche die übrigen bestimmt; diejenige der Techniken, welche die Entwicklung der ersten ermöglicht; und diejenige der Ideologie und der Kultur, welche es erlaubt, die Entwicklung in die richtige Richtung zu führen. Die politische, ökonomische und soziale Demokratie an der Basis, die reale Selbstbestimmung, sind die unerläßlichen Bedingungen dieser Wiederaneignung der Welt. Den produktiven Prozeß kontrollieren heißt auch, für die eigene Kollektivität die durch den technischen Fortschritt errungenen Leistungen sichern. [. . .] Die Wissenschaft muß hier den Produzenten zu Hilfe kommen. Die Wissenschaft in den Dienst der Produzenten stellen heißt, radikale Änderungen in der Erziehung bewirken, in Form wie in Inhalt, und auf allen Ebenen die Theorie mit der Praxis verbinden. Es heißt auch, den produktiven Apparat in eine Richtung bewegen, die es konkret erlaubt, auf Probleme zu antworten, welche durch die erforderliche Verbesserung der Produktivität und des Lebensstandards der großen Masse der Menschen sich stellen – beispielsweise indem die Industrie während einer langen ersten Phase des Übergangs in den Dienst der Landwirtschaft gestellt wird.« Aus: Samir Amin, *L'impérialisme et le développement inégal*, Paris 1976, S. 191/192.

Vgl. auch Tissier, a.a.O. (Anm. 36) passim.

69 Die Ausnahmen beziehen sich auf jene Entwicklungsländer, die heute einen alternativen Entwicklungsweg verfolgen, wie z. B. China, Nordkorea, Albanien, Kuba, etc.

70 Henrique Iglesias, Beitrag zum Forum Dritte Welt in Karachi, Januar 1975, abgedruckt in *Le Monde Diplomatique*, Juni 1975, S. 10-11.

71 Raúl Prebisch, *Statement to the 142nd Plenary Meeting, 4. UNCTAD-Konferenz in Nairobi 1976 (Dokument UNCTAD IV/CA-19. NBO. 76-589).*

# Inhaltsverzeichnis

426 Carlo Emilio Gadda, Die Erkenntnis des Schmerzes
427 Michel Leiris, Mannesalter
428 Hermann Lenz, Der Kutscher und der Wappenmaler
429 Mircea Eliade, Das Mädchen Maitreyi
430 Ramón del Valle-Inclán, Tyrann Banderas
431 Raymond Queneau, Zazie in der Metro
433 William Butler Yeats, Die geheime Rose
434 Juan Rulfo, Pedro Páramo
435 André Breton, L'Amour fou
436 Marie Luise Kaschnitz, Gedichte
437 Jerzy Szaniawski, Der weiße Rabe
438 Ludwig Hohl, Nuancen und Details
439 Mario Vargas Llosa, Die kleinen Hunde
440 Thomas Bernhard, Der Präsident
441 Hermann Hesse – Thomas Mann, Briefwechsel
442 Hugo Ball, Flametti
443 Adolfo Bioy-Casares, Morels Erfindung
444 Hermann Hesse, Wanderung
445 Ödön von Horváth, Don Juan kommt aus dem Krieg
446 Flann O'Brien, Der dritte Polizist
447 Giuseppe Tomasi di Lampedusa, Der Leopard
448 Robert Musil, Törleß
449 Elias Canetti, Der Überlebende
450 Robert Walser, Geschwister Tanner
451 Alfred Döblin, Berlin Alexanderplatz
452 Gertrude Stein, Paris Frankreich
453 Johannes R. Becher, Gedichte
454 Federico García Lorca, Bluthochzeit/Yerma
455 Ilja Ehrenburg, Julio Jurenito
456 Boris Pasternak, Kontra-Oktave
457 Juan Carlos Onetti, Die Werft
458 Anna Seghers, Die schönsten Sagen vom Räuber Woynok
464 Franz Kafka, Der Heizer
465 Wolfgang Hildesheimer, Masante
466 Evelyn Waugh, Wiedersehen mit Brideshead
467 Gershom Scholem, Walter Benjamin
468 Rainer Maria Rilke, Duineser Elegien
470 Alain, Die Pflicht glücklich zu sein
471 Wolfgang Schadewaldt, Der Gott von Delphi und die Humanitätsidee
472 Hermann Hesse, Legenden
473 H. C. Artmann, Liebesgedichte

474 Paul Valery, Zur Theorie der Dichtkunst
476 Erhart Kästner, Aufstand der Dinge
477 Stanisław Lem, Der futurologische Kongreß
478 Theodor Haecker, Tag- und Nachtbücher
479 Peter Szondi, Satz und Gegensatz
480 Tania Blixen, Babettes Gastmahl
481 Friedo Lampe, Septembergewitter
482 Heinrich Zimmer, Kunstform und Yoga
483 Hermann Hesse, Musik
486 Marie Luise Kaschnitz, Orte
487 Hans Georg Gadamer, Vernunft im Zeitalter der Wissenschaft
488 Yukio Mishima, Nach dem Bankett
489 Thomas Bernhard, Amras
490 Robert Walser, Der Gehülfe
491 Patricia Highsmith, Als die Flotte im Hafen lag
492 Julien Green, Der Geisterseher
493 Stefan Zweig, Die Monotonisierung der Welt
494 Samuel Beckett, That Time/Damals
495 Thomas Bernhard, Die Berühmten
496 Günter Eich, Marionettenspiele
497 August Strindberg, Am offenen Meer
498 Joseph Roth, Die Legende vom heiligen Trinker
499 Hermann Lenz, Dame und Scharfrichter
500 Wolfgang Koeppen, Jugend
501 Andrej Belyj, Petersburg
504 Juan Rulfo, Der Llano in Flammen
505 Carlos Fuentes, Zwei Novellen
506 Augusto Roa Bastos, Menschensohn
508 Alejo Carpentier, Barockkonzert
509 Elisabeth Borchers, Gedichte
510 Jurek Becker, Jakob der Lügner
512 James Joyce, Die Toten/The Dead
513 August Strindberg, Fräulein Julie
514 Sigmund Freud, Eine Kindheitserinnerung des Leonardo da Vinci
515 Robert Walser, Jakob von Gunten
517 Luigi Pirandello, Mattia Pascal
519 Rainer Maria Rilke, Gedichte an die Nacht
520 Else Lasker-Schüler, Mein Herz
521 Marcel Schwob, 22 Lebensläufe
522 Mircea Eliade, Die Pelerine
523 Hans Erich Nossack, Der Untergang
524 Jerzy Andrzejewski, Jetzt kommt über dich das Ende
525 Günter Eich, Aus dem Chinesischen
526 Gustaf Gründgens, Wirklichkeit des Theaters
528 René Schickele, Die Flaschenpost

671 Materialien zu Horváths ›Glaube Liebe Hoffnung‹. Herausgegeben von Traugott Krischke
672 Reform des Literaturunterrichts. Eine Zwischenbilanz. Herausgegeben von H. Brackert und W. Raitz
673 Boris A. Uspenskij, Poetik d. Komposition
674 Ebbighausen (Hrsg.), Monopol und Staat
675 Autorenkollektiv Textinterpretation und Unterrichtspraxis, Projektarbeit als Lernprozeß
677 Heinar Kipphardt, Stücke II
678 Erving Goffman, Asyle
679 Dieter Prokop, Massenkultur und Spontaneität
680 Die Kommune in der Staatsorganisation
681 M. Dubois-Reymond / B. Söll, Neuköllner Schulbuch, 2 Bände
682 Dieter Hoffmann-Axthelm, Theorie der künstlerischen Arbeit
683 Dieter Kühn, Unternehmen Rammbock
685 Frerichs/Kraiker, Konstitutionsbedingungen des bürgerlichen Staates und der sozialen Revolution bei Marx und Engels
687 Rossana Rossanda, Über die Dialektik von Kontinuität und Bruch
688 Evsej G. Liberman, Methoden der Wirtschaftslenkung im Sozialismus
689 Martin Walser, Die Gallistl'sche Krankheit
694 Schule und Staat im 18. u. 19. Jahrhundert. Herausgegeben von K. Hartmann, F. Nyssen, H. Waldeyer
695 Gesellschaft, Beiträge zur Marxschen Theorie 1
696 Hans Magnus Enzensberger, Palaver
697 Psychoanalyse der weiblichen Sexualität. Herausgegeben von Janine Chasseguet-Smirgel
698 R. Goldscheid/J. Schumpeter, Die Finanzkrise des Steuerstaates
699 Wolfgang Lempert, Berufliche Bildung als Beitrag zur gesellschaftlichen Demokratisierung
700 Peter Weiss, Gesang vom Lusitanischen Popanz
701 Sozialistische Realismuskonzeptionen.
702 Claudio Napoleoni. Ricardo und Marx. Herausgegeben von Cristina Pennavaja
703 Claus Rolshausen, Wissenschaft und gesellschaftliche Reproduktion
704 Joachim Hirsch, Staatsapparat und Reproduktion des Kapitels
705 Neues Hörspiel O-Ton. Der Konsument als Produzent. Herausgegeben von Klaus Schöning
707 Franz Xaver Kroetz, Oberösterreich, Dolomitenstadt Lienz, Maria Magdalena, Münchner Kindl
708 Was ist Psychiatrie? Herausgegeben von Franco Basaglia
709 Kirche und Klassenbindung. Herausgegeben von Yorick Spiegel
710 Rosa Luxemburg oder Die Bestimmung des Sozialismus. Herausgegeben von Claudio Pozzoli

711 Rudolf Rocker, Aus den Memoiren eines deutschen Anarchisten
712 Hartwig Berger, Untersuchungsmethode und soziale Wirklichkeit
713 Werkbuch über Tankred Dorst. Herausgegeben von Horst Laube
714 Wilhelm Alff, Materialien zum Kontinuitätsproblem der deutschen Geschichte
715 Karsten Prüß, Kernforschungspolitik in der Bundesrepublik Deutschland
718 Perspektiven der kommunalen Kulturpolitik. Herausgegeben von Hilmar Hoffmann
719 Peter M. Michels, Bericht über den polit. Widerstand in den USA
720 Lelio Basso, Gesellschaftsformation u. Staatsform
722 Jürgen Becker, Umgebungen
723 Paul Mattick/Alfred Sohn-Rethel/Helmuth G. Haasis, Beiträge zur Kritik des Geldes
724 Otwin Massing, Politische Soziologie
726 Ernst Bloch, Ästhetik des Vor-Scheins 1
727 Peter Bürger, Theorie der Avantgarde
728 Beulah Parker, Meine Sprache bin ich
729 Probleme der marxistischen Rechtstheorie. Herausgegeben von H. Rottleuthner
730 Jean-Luc Dallemagne, Die Grenzen der Wirtschaftspolitik
731 Gesellschaft, Beiträge zur Marxschen Theorie 2
732 Ernst Bloch, Ästhetik des Vor-Scheins 2
733 Alexander Kluge, Gelegenheitsarbeit einer Sklavin
734 Henri Lefebvre, Metaphilosophie. Prolegomena
735 Paul Mattick, Spontaneität und Organisation
736 Noam Chomsky, Aus Staatsraison
737 Louis Althusser, Für Marx
738 Spazier/Bopp, Grenzübergänge. Psychotherapie
739 Gesellschaft, Beiträge zur Marxschen Theorie 3
740 Bertolt Brecht, Das Verhör des Lukullus. Hörspiel
741 Klaus Busch, Die multinationalen Konzerne
742 Methodologische Probleme einer normativ-kritischen Gesellschaftstheorie. Herausgegeben von Jürgen Mittelstraß
744 Gero Lenhardt, Berufliche Weiterbildung und Arbeitsteilung in der Industrieproduktion
745 Brede/Kohaupt/Kujath, Ökonomische und politische Determinanten der Wohnungsversorgung
746 Der Arzt, sein Patient und die Gesellschaft. Herausgegeben von Dorothea Ritter-Röhr
747 Gunnar Heinsohn, Rolf Knieper, Theorie des Familienrechts
749 Rudolf zur Lippe, Bürgerliche Subjektivität
751 Brechts Modell der Lehrstücke. Herausgegeben von Rainer Steinweg
754 Zur Wissenschaftslogik einer kritischen Soziologie. Herausgegeben von Jürgen Ritsert
756 Hannelore/Heinz Schlaffer, Studien zum ästhetischen Historismus
758 Brecht-Jahrbuch 1974. Herausgegeben von J. Fuegi, R. Grimm,

J. Hermand
759 Der Weg ins Freie. Fünf Lebensläufe überliefert von H. M. Enzensberger
760 Lodewijk de Boer, The Family
761 Claus Offe, Berufsbildungsreform
762 Petr Kropotkin, Ideale und Wirklichkeit in der russischen Literatur
764 Gesellschaft, Beiträge zur Marxschen Theorie 4
766 Laermann/Piechotta/Japp/Wuthenow u.a., Reise und Utopie
767 Monique Piton, Anders Leben
768 Félix Guattari, Psychotherapie, Politik und die Aufgaben der institutionellen Analyse
769 Jahoda/Lazarsfeld/Zeisel, Die Arbeitslosen von Marienthal
770 Herbert Marcuse, Zeit-Messungen
771 Brecht im Gespräch. Herausgegeben von Werner Hecht
772 Th. W. Adorno, Gesellschaftstheorie u. Kulturkritik
773 Kurt Eisner, Sozialismus als Aktion
775 Horn, Luhmann, Narr, Rammstedt, Röttgers, Gewaltverhältnisse und die Ohnmacht der Kritik
776 Reichert/Senn, Materialien zu Joyce »Ein Porträt des Künstlers«
777 Caspar David Friedrich und die deutsche Nachwelt. Herausgegeben von Werner Hofman
778 Klaus Fritzsche, Politische Romantik und Gegenrevolution
779 Literatur und Literaturtheorie. Hrsg. von Peter U. Hohendahl und Patricia Herminghouse
780 Piero Sraffa, Warenproduktion mittels Waren
782 Helmut Brackert, Bauernkrieg und Literatur
784 Friedensanalysen 1
787 Gesellschaft, Beiträge zur Marxschen Theorie 5
790 Gustav W. Heinemann, Präsidiale Reden
791 Beate Klöckner, Anna oder leben heißt streben
792 Rainer Malkowski, Was für ein Morgen
793 Von deutscher Republik. Hrsg. von Jost Hermand
794 Döbert R./Nunner-Winkler, G., Adoleszenzkrise und Identitätsbildung
795 Dieter Kühn, Goldberg-Variationen
797 Brecht Jahrbuch 1975
798 Gespräche mit Ernst Bloch. Herausgegeben von Rainer Traub und Harald Wieser
799 Volker Braun, Es genügt nicht die einfache Wahrheit
800 Karl Marx, Die Ethnologischen Exzerpthefte
801 Wlodzimierz Brus, Sozialistisches Eigentum und politisches System
802 Johannes Gröll, Erziehung im gesellschaftlichen Reproduktionsprozeß
803 Rainer Werner Fassbinder, Stücke 3
804 James K. Lyon, Bertolt Brecht und Rudyard Kipling
806 Gesellschaft, Beiträge zur Marxschen Theorie 6
807 Gilles Deleuze/Félix Guattari, Kafka. Für eine kleine Literatur
808 Ulrike Prokop, Weiblicher Lebenszusammenhang

809 G. Heinsohn / B. M. C. Knieper, Spielpädagogik
811 Ror Wolf, Auf der Suche nach Doktor Q.
812 Oskar Negt, Keine Demokratie ohne Sozialismus
815 Giselher Rüpke, Schwangerschaftsabbruch und Grundgesetz
816 Rainer Zoll, Der Doppelcharakter der Gewerkschaften
817 Bertolt Brecht, Drei Lehrstücke: Badener Lehrstück, Rundköpfe, Ausnahme und Regel
818 Gustav Landauer, Erkenntnis und Befreiung
820 Wolfgang Abendroth, Ein Leben in der Arbeiterbewegung
821 Otto Kirchheimer, Von der Weimarer Demokratie zum Faschismus
822 Verfassung, Verfassungsgerichtsbarkeit, Politik. Herausgegeben von Mehdi Tohidipur
823 Rossana Rossanda / Lucio Magri u. a., Der lange Marsch durch die Krise
824 Altvater/Basso/Mattick/Offe u. a., Rahmenbedingungen und Schranken staatlichen Handelns
825 Diskussion der ›Theorie der Avantgarde‹. Herausgegeben von W. Martin Lüdke
827 Gesellschaft, Beiträge zur Marxschen Theorie 7
828 Rolf Knieper, Weltmarkt, Wirtschaftsrecht und Nationalstaat
830 Manuela du Bois-Reymond, Verkehrsformen zwischen Elternhaus und Schule
832 Herbert Claas, Die politische Ästhetik Bertolt Brechts vom Baal zum Caesar
833 Peter Weiss, Dramen I
834 Friedensanalysen 2
835-838 Bertolt Brecht, Gedichte in 4 Bänden
841 Fernando H. Cardoso/Enzo Faletto, Abhängigkeit und Entwicklung in Lateinamerika
845 Ror Wolf, Die Gefährlichkeit der großen Ebene
847 Friedensanalysen 3
848 Dieter Wellershoff, Die Auflösung des Kunstbegriffs
849 Samuel Beckett, Glückliche Tage
852 Über Max Frisch II
853 Brecht-Jahrbuch 1976
854 Julius Fučík, Reportage unter dem Strang geschrieben
856 Dieter Senghaas, Weltwirtschaftsordnung und Entwicklung
858 Silvio Blatter, Genormte Tage, verschüttete Zeit
861 Blanke/Offe/Ronge u.a., Bürgerlicher Staat und politische Legitimation. Herausgegeben von Rolf Ebbighausen
863 Gesellschaft, Beiträge zur Marxschen Theorie 8/9
864 Über Wolfgang Koeppen. Herausgegeben von Ulrich Greiner
868 Brede/Dietrich/Kohaupt, Politische Ökonomie des Bodens
871 Friedensanalysen 4
873 Produktion, Arbeit, Sozialisation. Herausgegeben von Th. Leithäuser und W. R. Heinz
874 Max Frisch/Hartmut von Hentig, Zwei Reden zum Friedenspreis des Deutschen Buchhandels 1976

Alphabetisches Verzeichnis der edition suhrkamp